D1201850

CATÁLOGO DE LAS LENGUAS
DE AMÉRICA DEL SUR

ANTONIO TOVAR

Doctor *honoris causa* por las Universidades de Munich y Buenos Aires, Catedrático de la Universidad de Salamanca, Profesor de la Universidad Nacional de Tucumán, miembro correspondiente de la Academia de la Lengua Vasca, de la Accademia delle Scienze de Bolonia, del Istituto di Studi Etruschi, del Deutsches Archäologisches Institut, del Vorstand der Indogermanischen Gesellschaft, del Comité International des Sciences Onomastiques, etc.

# CATÁLOGO DE LAS LENGUAS DE AMÉRICA DEL SUR

*Enumeración, con indicaciones tipológicas, bibliografía y mapas*

EDITORIAL SUDAMERICANA
BUENOS AIRES

IMPRESO EN LA ARGENTINA

# PREFACIO

*Constituye un hecho lamentable el abandono del estudio en el amplio campo de las lenguas sudamericanas. Como en otros tantos aspectos de la vida española e hispanoamericana, el adelanto con que se procedió en viejos siglos ha sido ampliamente compensado por la incuria y la pereza.*

*Entrar en tan dilatado tema con el afán de trazar un cuadro de conjunto obliga a pedir por adelantado indulgencia a los críticos. Más fácil es señalar faltas y errores que intentar la organización para ulteriores estudios de un material inmenso. No pretendo hacer pasar por definitivo este ensayo, pero prometo, si la vida y sus azares me lo consienten, mejorarlo y perfeccionarlo. Me ha parecido conveniente ofrecer desde ahora unas líneas generales que contribuyan al progreso de estos estudios, y ello me da derecho a disculparme de las inevitables imperfecciones que se me pueden achacar.*

*Mucho debo a algunos autores que me han precedido en la empresa: Hervás y Panduro, el conde de la Viñaza, Brinton, P. Rivet, W. Schmidt, J. Jijón y Caamaño, J. Alden Mason, Č. Loukotka. En su labor me baso y con la ventaja de venir detrás de ellos y aprovechar sus enseñanzas para corregir tal vez alguno de sus errores, ya que algo se va avanzando en estos estudios. Ya sé que aún quedarán defectos y errores en este libro, pero sé también que gracias a él mismo, si actúa de vivificador, como yo quisiera, podrán corregirse. Lo mismo me da que la corrección sea hecha luego por mí que por otros.*

*Basada en fuentes diversas y escritas en idiomas varios, evidentemente que mi compilación se resentirá de la falta de criterio unitario. En el delicado punto de la transcripción de nombres, acepto la ortografía más divulgada, y procuro seguir la tradición en nuestra lengua y la portuguesa, sobre todo cuando no hay lugar a dudas. Realmente grafías como Talamank o Kweva, representando formas como Talamanca o Cueva, no parecen sino debidas al afán de oscurecer y complicar la ortografía usual en los países nuestros, como también la propuesta, que se ha hecho, de utilizar en el quechua el signo ñ para indicar no la nasal palatal, sino la velar.*

*Los mapas que presentamos se basan en Mason y en Rivet & Loukotka. Quizá nuestra renuncia a trazar líneas fronterizas preste un mayor realismo a la representación cartográfica.*

*En la lingüística indígena sudamericana no se ha llegado todavía a crear ese frente coordinado y metódico que asegura el progreso en los estudios. Faltan centros de estudios, una revista especializada, una escuela de investigadores con orientaciones homogéneas. La etapa de acarreo de materiales antiguos ha sido en muchos territorios apenas superada. En el mejor de los casos tenemos listas de palabras reunidas por etnólogos. Las descripciones modernas lingüísticas faltan casi por completo.*

*Quisiéramos aportar una base para estos estudios, siquiera sea con conciencia de su provisionalidad. Hay que establecer un activo intercambio entre los cultivadores de las lenguas indígenas de América del Sur, y laborar por despertar en ellos un espíritu científico, en el que no pesen perniciosamente prejuicios raciales, políticos, históricos, o de otro orden. En un intercambio con discusión activa y serena podremos crear el plano de conocimiento objetivo que hoy falta. La etnología, la arqueología y prehistoria, la antropología, la historia misma, de nuestro continente, recibirán sin duda desde él nueva luz.*

*Llamamos América del Sur, como ya va siendo uso general, no sólo al Continente al Sur del Istmo de Panamá, sino también a la parte de América Central en que terminan, y no de modo tajante, las familias azteca y maya, y que puede delimitarse siguiendo la frontera entre las actuales repúblicas de Guatemala y El Salvador y Honduras. Todas las Antillas quedan también atribuidas a la América del Sur. Los etnólogos y lingüistas han considerado con razón que no se puede dejar sin incluir toda esa parte de Mesoamérica en la que ciertos grupos lingüísticos, ampliamente extendidos en América del Sur, son los más difundidos e importantes.*

*En el mundo de las lenguas americanas existen, como* entia multiplicata, *nombres de grupos y tribus, dialectos y variedades, que seguramente no han existido nunca. El problema de las sinonimias es también abrumador. Pero la vida precaria de muchos grupos indígenas, tanto ahora como en el pasado, y la escasa atención que se les ha concedido muchas veces, hace muy difícil la solución de estos problemas. Mientras se esclarecen en lo que aún sea posible, hemos acumulado informes, sumando nombres y nombres, referencias antiguas y modernas, que complican de modo insoluble la cuestión del número de las lenguas sudamericanas. En el índice he incluido, a trueque de pasar por minucioso en demasía, todas las formas que he hallado en las fuentes más seguras. Los nombres de tribus aparecen en el texto y en el índice revueltos con los de lenguas. Sólo cuando éstas tienen una denominación muy definida he prescindido de las denominaciones etnográficas, que en este caso tienen menos interés para el lingüista. En realidad la lingüística de esta parte del mundo no se ha desprendido de la etnología, y si bien no seremos nosotros quienes nos opongamos a que la relación entre ambas disciplinas se mantenga íntimamente, todavía en las extensas zonas en que la lingüística tiene aún poco que decir, repetimos insatisfechos los puros datos y enumeraciones de los etnólogos, mientras la lingüística alcance por sí misma resultados.*

*La clasificación de lenguas puede en muchos casos hacerse de modo genealógico, y así se extienden por inmensos territorios de nuestra parte del mundo las familias Caribe, Arawak o Tupí-Guaraní. En otros capítulos la clasificación ha de ser puramente geográfica. El criterio geográfico y el genealógico, en realidad, no son tan opuestos como a primera vista parece, ya que es bien sabido que un tipo de parentesco se establece a menudo entre lenguas vecinas. Repetiremos que parentesco es una metáfora cuando se aplica a las lenguas, y que entre éstas lo que existe son diferentes modos de relación histórica y cultural. El emparentamiento entre lenguas que tienen un origen común, en cuanto son variantes de una misma lengua primitiva, se diferencia sólo en el modo del emparentamiento entre lenguas de origen distinto, pero que han intercambiado elementos, tanto gramaticales como lexicales, en la convivencia.*

*Sobre el número de lenguas sudamericanas podemos remitirnos al autorizado cálculo de Rivet & Loukotka, que establecen 108 grupos (a los que podríamos sumar unos pocos en la zona mesoamericana que incluimos). Este es un número orientador, pero es claro que el establecimiento de grupos, dialectos y subdialectos es cosa problemática en un campo en el que el conocimiento es muchas veces poco apurado o muy fragmentario, y por otra parte el tema taxonómico de qué es grupo, tronco, familia, dialecto y subdialecto, está bastante oscuro cuando se considera, con deficiente información, el campo sudamericano.*

*Nuestra clasificación es mixta de geográfica y lingüística, y así de nuestros apartados son lingüísticos los 9 siguientes: Araucano, Aimara, Quechua, Pano, Tupí-Guaraní, Arawak, Caribe, Yunga-Puruhá, Chibcha, mientras que otros 14 se limitan a enumerar en orden regional o geográfico. Si dijéramos que los 23 apartados comprenden unas 170 agrupaciones de lenguas y dialectos, y el índice unos 2.000 nombres que consideramos como no sinónimos, tendríamos unos números para calcular lenguas y dialectos del continente de América al Sur de Florida y al Este de la línea entre Guatemala y El Salvador y Honduras.*

*Cuando ello ha sido posible he dado algunos datos sobre estadística de hablantes de lenguas indígenas. Muchas veces no podemos saber si un dialecto está extinto ya o pervive todavía; como es tarea urgente comprobarlo, he ofrecido al estudioso, en la medida de lo posible, indicaciones para que pueda acercarse directamente.*

*He intentado, aun exagerando a veces la prolijidad, y citando trabajos que están muy lejos de las mínimas exigencias científicas, hacer una bibliografía lo más completa posible. Supera a todas las hasta ahora reunidas, y aunque es susceptible de ampliación, me atrevo a decir que es la más completa. No hay que decir que la mención de trabajos no supone su estudio ni conocimiento por mí. Quien ha trabajado en estas materias sabe de la dispersión de las publicaciones y de la dificultad que hay para la investigación. He incorporado toda la bibliografía de Mason, la de Loukotka 1943, y la de Rivet & Loukotka. También he recogido entera la del conde de la Viñaza, sin más excepción que la de prescindir de problemas de paternidad de obras y de referencias demasiado vagas (como las de Pinelo, Nicolás Antonio o historiógrafos de órdenes religiosas). Naturalmente que para los misioneros el problema de quién es el autor de un vocabulario u otro elemento lingüístico para acercarse al indígena es distinto que para un científico que firma su descubrimiento: los manuscritos misionales se guardan como propiedad común, se van copiando y ampliando, y tal vez el que al fin los publica utiliza trabajo de anónimos operarios. En mis referencias a esta vieja tradición he oscilado entre la piedad por no silenciar los nombres de quienes se interesaron los primeros por el mundo indígena, y la crítica, para no recargar mi libro con recuerdos poco precisos.*

*Agradeceré explícitamente su apoyo a la Universidad Nacional de Tucumán, en cuyo Instituto de Antropología y Etnología he hallado magníficos materiales bibliográficos, a que generosamente me han dado acceso el Dr. Males y el Prof. Reyes Gajardo. Asimismo doy las gracias al Prof. E. Palavecino, que me inició en el contacto con los indígenas y en el trabajo de campo. Mis colaboradores en la Facultad de Filosofía y Letras, Profesoras T. Belfiore y K. Sterbik de López Arriazu y Sr. R. Binda merecen también mi gratitud por su ayuda en la redacción de este trabajo. Por sus informes y por el envío de valiosas publicaciones debo gratitud a varios eminentes americanistas, cuyos nombres es un honor para mí consignar aquí: Prof. P. Ayrosa (São Paulo), Sr. León Cadogan (Villarrica), Prof. J. M. B. Farfán (Lima), Prof. Dr. N. M. Holmer (Lund), Sr. Č. Loukotka (Praga), Prof. A. Métraux (París), Prof. Dr. T. Milewski (Cracovia), P. José de Moura, S. J. (São Leopoldo, Rio Grande do Sul), Dr. G. Reichel-Dolmatoff (Cartagena, Colombia), Prof. A. dall'Igna Rodrigues (Curitiba), Prof. M. Swadesh (México).*

*Públicamente me es grato expresar mi reconocimiento a la Editorial Sudamericana, que ha aceptado presentar al público este libro.*

Orcomolle (Tucumán), diciembre de 1959.

A. T.

La composición de esta obra, en la que se multiplican los signos diacríticos, supuso un serio problema. Hemos de excusarnos ante el lector, desde luego, de cualquier falla o defecto que en la reproducción advierta. Debemos consignar aquí nuestro vivo agradecimiento a la empresa IBM, gracias a cuya máquina de escribir eléctrica modelo Executive, que nos fue cedida amablemente, pudimos superar las muchas dificultades de la tarea. El señor Juan Carlos Rosli, con competencia y celo operó con dicha máquina y preparó el complicado texto para su impresión en offset. Los mapas fueron dibujados con paciencia y habilidad por la señorita Haydée Lagomarsino. Al unirse a nuestros muchos desvelos, estas eficientes colaboraciones permitieron realizar un difícil trabajo de un modo que juzgamos francamente satisfactorio. *(Nota del Editor.)*

# LENGUAS DE AMÉRICA DEL SUR

# LENGUAS DE TIERRA DEL FUEGO Y EL EXTREMO SUR DEL CONTINENTE

1.1. YÁMANA. El nombre de Yaghanes, con que también se conocen sus hablantes, les fue dado por Bridges. Es la lengua más meridional de América, y se hablaba en la costa sur de Tierra del Fuego y las islas fronteras de Hoste y Navarino, hasta el cabo de Hornos. Se citan varios dialectos, hasta cinco, poco diferenciados. La conocemos por varias descripciones, y existen algunas traducciones a ella, y un ensayo comparativo de amplias perspectivas por Holmer. Swadesh cree poder establecer relación, a base del método léxico-estadístico, con el Mosquito y el Ona, y más íntimamente con el Alacaluf. Puede darse por extinta: los últimos hablantes, según Mason (1950), eran probablemente 20.

Intentemos señalar algunos rasgos para describir esta lengua.

Parece que fonológicamente hay cinco vocales, o mejor dicho, seis, pues a las cinco nuestras hay que añadir una reducida o indistinta, que se suele anotar ö o ə. Es posible que e y o no existan sino secundariamente, como resultado de la monoptongación. En alguna descripción se señalan vocales largas, lo que tal vez no está justificado fonológicamente. Las consonantes parecen que se organizan en órdenes dobles de oclusivas (con la variante combinatoria de sus correspondientes espirantes en que se transforman en posición final). Por lo demás, no está clara la fijeza de la distinción del doble orden de sordas y sonoras en ciertas posiciones (Holmer). Son frecuentes las sílabas trabadas. La r parece que es fricativa, y así se explica su relación con t y š.

Las raíces suelen ser bisilábicas. Existen sufijos para indicar las relaciones gramaticales y locales, y también en el verbo se expresan con sufijos valores como transitivo, intransitivo, aspecto, modo, etc. Igualmente van con el verbo prefijos con esos valores. El pronombre sujeto se prefija. A este prefijo sujeto siguen, antes del tema verbal, otros enfijos que indican si el modo se refiere a la oración principal o a la subordinada, y también la voz.

Esta lengua tiene los números singular, dual y plural, y, en la flexión del verbo, también el trial. En cambio con los nombres de inanimados no se expresa el número.

Hay prefijos posesivos para ciertos nombres, como los de parentesco, así como para los que indican situación en el espacio.

El adjetivo precede al nombre cuando es atributivo, y lo sigue cuando es predicativo. Sin embargo el adjetivo hay veces que es incorporado al nombre como sufijo.

La numeración llega hasta tres solamente. Es posible que sean ciertos los informes según los cuales los yámana tenían hace menos de un siglo números hasta el diez.

Adam 1884/5[x]
Beauvoir 1915
Bove 1883, 1883
Brand 1941
Bridges 1881[T], 1883[T], 1933[x]
Brinton 1892
Canals Frau 1953
Cooper 1917, 1917
Chamberlain 1911
Darapsky 1889
Denuce 1910
Eizaguirre 1897
Ellis 1882/4[x]
Garbe 1883
Gusinde 1925, 1928, 1934, 1937[x]
Haberl 1928
Haudricourt 1952[x]
Hestermann 1913, 1917, 1929
Holmer 1953[x]
Hyades 1884
Hyades & Deniker 1891
Jenness 1953
Knudsen Larrain 1945[x]
Koppers 1926, 1927, 1928
Lacroix 1840
Lehmann-Nitsche 1913, 1921
Noguera 1884

Outes 1926/7, 1926/7
Platzmann 1882
Solari Yrigoyen 1956
Spegazzini mss. [x], 1882[x], 1923[x]
Swadesh 1956, 1958
Vignati 1941[x]
Wolfe 1924

1.2. ALACALUF. El nombre que los Alakaluf (Halakwalip) se dan a sí mismo es el de Heḳaine. Se hablaban estos diversos dialectos que forman el grupo Alakaluf en la vertiente occidental de los Andes del sur de Chile y en las islas fronteras. Las descripciones y colecciones de datos lingüísticos han sido siempre más confusas que las dadas para el grupo anterior, y lo más completo que tenemos sobre esta lengua es un vocabulario por R. Lehmann-Nitsche en que se refunden una serie de fuentes menores de muy distinto origen y época. Hacia 1940 subsistían 200 Alakaluf escasos. Las diferencias entre los numerosos dialectos (Kaukaue o Cacahue [que otros identifican con el Chono], Enoo o Pešerä, Lecheyel, Yekinahue, Adwipliin, Calen, Taijatof) son marcadas, y su unidad parece floja. Problemática es su relación con el Chono (1.5), que Rivet & Loukotka consideran un simple dialecto Alakaluf. Swadesh ha propuesto unir a esta lengua con el Yámana, Tehuelche, e incluso el Araucano y Guaikurú, en un "mesophylum", pero el escaso tanto por ciento de semejanzas (sólo de 1 a 4) puede explicarse no sólo por préstamos, sino por casualidad.

Beauvoir 1915
Borgatello 1924, 1928[x], 1928[x]
Brand 1941
Brinton 1892
Cojazzi 1911
Cooper 1917
Ferrario 1939
Fitz-Roy 1839[x]
Gusinde 1927
Hyades & Deniker 1891
Latorre 1880
Lehmann-Nitsche 1918[x], 1921[x]
Leitz 1883
Marcel 1890
Skottsberg 1913, 1915
Spegazzini ms. [x], 1888[x]
Swadesh 1954
Whiteside 1912

1.3. GRUPO TSÓNEKA-ŠELKNAM O, CON OTROS NOMBRES, TEHUELCHE-ONA. Este grupo tuvo una gran difusión en Patagonia y se extendió en el territorio al sur del Río Negro, y aun más al norte, bien que compitiendo en esta parte con las penetraciones de los Pampas Araucanos (2. 2). Rivet ha defendido su neto parentesco con el australiano, lo que carece aún de pruebas suficientes. En la diferenciación dialectal de los Tehuelches o Chon (Tson) y los Onas no cabe duda que influyeron largos tiempos de separación y, en el continente, influencias culturales andinas muy activas. Los Ona o Šelknam ocupaban la Tierra del Fuego y su lengua tiene dos dialectos, mutuamente poco inteligibles: el Hauš o Manekenk y el Šelknam propiamente dicho, con dos variedades, septentrional y meridional. Son los Tehuelches o Tsóneka, a veces llamados Hongote, los pueblos conocidos históricamente por los europeos como Patagones. Su grupo más meridional, primitivamente junto al Estrecho de Magallanes, se puede denominar Inaken, Aôni-kénk o Aôni-kĭnk. El grupo septentrional se llama según Escalada, Guénena-kéne (Gününa küne, Pä'änki-kĭnk, Payniken) y parece que primitivamente hablaba un dialecto diferenciado del mismo origen, hoy extinto.

De todas maneras, los materiales lingüísticos, recogidos principalmente en forma de reducidos vocabularios, permiten según parece (Ferrario 1952) separar terminantemente este grupo del siguiente. El nombre Chon (que es el apelativo Ona čon "hombre") tal vez autorizaría a acercar este grupo a los problemáticos Chonos (1. 5).

He aquí algunas notas para caracterizar al Tehuelche: palabras ricas en consonantes. Grupos interiores como lk, rk, nk, šk, šç ... y finales como tsr, ln, šk, nk, tr, çn, ykr, etc. Complejo vocalismo, con numerosos diptongos.

El acento tehuelche va en la sílaba inicial (en Ona en cambio hay palabras agudas).

En Tehuelche hay un número dual y plural en los

pronombres, pero los nombres carecen de número. El dual y plural en los pronombres se hace con una especie de reduplicación, p. ej., ma "tu", mekma "vosotros dos", mešma "vosotros".

Los pronombres prefijados posesivos son formas reducidas de los mismos pronombres, y estas mismas formas reducidas se anteponen como sujeto del verbo. La 3a. pers. lleva prefijo cero.

Ciertos casos gramaticales se indican mediante postposiciones. El gen. con la desinencia -ka (que sirve para formar adjetivos de materia, como yenoi-ka "de madera"), se antepone al nombre de que depende. Las transiciones del verbo y el pronombre reflexivo se enfijan entre el pron. sujeto y el tema verbal. En estas transiciones no hay distinción de dat. y acus.

El sujeto en Tehuelche cierra la frase (como en Araucano, del que puede ser ello influencia, pues no va el sujeto al fin en Ona). El complemento en Tehuelche va antepuesto al verbo.

El nombre lleva un sufijo nk o nik, que cae cuando aparece el sufijo šk que se traduce por "es", o el sufijo mo interrogativo.

La negación es gom, verbalizada en gomšken. Hay un prohibitivo heudo postpuesto al verbo.

En el verbo se indican con sufijos tanto el número plural como los modos (imperativo, subjuntivo).

El Tehuelche tiene enumeración decimal, cuyos números altos 100 y 1000 son tomados del Araucano. En cambio el Ona cuenta sólo hasta cinco y en él se perciben las huellas de un sistema binario.

Arctowski 1901
Ameghino 1913[x]
Anónimo 1789[x]
Beauvoir 1901[x], 1915[x]
Beauvoir & Zeballos 1915
Bridges, L. ms.[x]
Brinton 1882, 1892, 1892
Canals Frau 1953
Casamiquela 1958[T]
Cooper 1917
Chamberlain 1911, 1911
Escalada 1949[x]
Ferrario 1942[x], 1952[x], 1956[T]
Fitz-Roy[x]
Furlong, C. W. 1917
Gallardo 1910
Gusinde 1926, 1931[x], 1948[x]
Hale 1846
Harrington, T. 1946
Hestermann 1914
Hunziker 1910[x], 1928[T], 1928[x]
La Grasserie 1906
Lahille 1928, 1929, 1934
Lehmann-Nitsche 1912, 1912, 1913, 1923
Lista 1879, 1885[x], 1887, 1896
Lowie 1933
Marcel 1890, 1890[x]
Milanesio 1898, 1917
Moreno 1882[x]
Orbigny 1839
Outes 1913[x], 1926, 1928[x], 1928, 1928[x], 1928[x], 1935
Platzmann 1882
Rivet 1925, 1925
Roncagli 1884
Schmid 1860[x], 1912[x], 1912
Segers 1891
Spegazzini ms[x], 1888[x]
Swadesh 1958
Tavener 1955
Tonelli 1926[x]
Viedma 1781[x]
Vignati 1941
Zeballos 1915

1.4. TEUÉŠ. Los hablantes de este dialecto, llamados también Teušen, Täuüšn, Chewache, Chulilaiajič, o gente de Chulila (Inal-mauizache en Araucano), son, según la opinión más difundida, identificados como dialecto o variante del grupo anterior. Su ubicación, a comienzos del siglo XIX, era la precordillera de las actuales provincias de Río Negro y Chubut. Ferrario, al estudiar los vocabularios del grupo anterior, cree resueltamente que se han refundido indebidamente con el grupo anterior los datos lingüísticos de Viedma, Malaspina, Pineda, Fitz-Roy, Elizalde, Orbigny y Bauzá (*apud* Martius). Escalada ha recogido topónimos y datos que contribuyen a caracterizar separadamente esta lengua, cuyo parentesco genealógico con el grupo anterior parece, por lo demás, probable. Rivet & Loukotka identifican este grupo con los

LÁMINA I. — José de Anchieta, S. J.

Puelches, lo que es erróneo, y establecen un dialecto oriental hacia Carmen de Patagones, y otro occidental, en los Campos de Maquinchao, al sur del Río Limay.

| | |
|---|---|
| Ameghino 1913x | Ferrario 1952 |
| Bauzá *apud* Martius 1887 | Harrington, T. 1925 |
| Burmeister 1891 | Lista 1880 |
| Escalada 1949 | Rivet 1925 |

1. 5. CHONO. La lengua de los Chonos debía extenderse al norte del territorio de los Alakaluf y es conocida por unas pocas palabras. Se ha considerado un dialecto Chon o Tehuelche (1. 3), dada la semejanza de nombres (Lehmann-Nitsche), o bien sobre algunos topónimos del Tehuelche (Ferrario).

| | |
|---|---|
| Cooper 1917, 1917, en Steward 1946. 48-9. | Ferrario 1939, 1952 |
| Chamberlain 1911 | Lehmann-Nitsche 1912, 1923 |
| Escalada 1949 | Rivet 1925 |

1. 6. POYA. Como dialecto del Tehuelche septentrional o idéntico con él (1. 3) lo dan Mason y otros. Se hablaba en las orillas del lago Nahuel Huapí. Una docena de nombres que es todo lo que nos queda, no permite una solución terminante.

| | |
|---|---|
| Ferrario 1952 | Vignati 1939 |

1. 7. AKSANA O KAUESKAR. Según los autores que citamos, esta lengua quedaría aparte del Tehuelche-Ona.

| | |
|---|---|
| Ferrario 1952 | Hämmerly Dupuy 1947 |

## LENGUAS DEL CENTRO DE CHILE Y DE LA PAMPA

2. 1. ARAUCANO. Esta lengua ocupó un compacto territorio en todo Chile central, desde la isla de Chiloé y la costa frontera hasta Copiapó. Se difundió además al este de la Cordillera, dominando en los tiempos posteriores a 1700, desde la precordillera de San Juan a Neuquén, toda la Pampa, hasta casi Buenos Aires. Su influencia

cultural sobre los grupos meridionales hasta el Estrecho de Magallanes ha sido muy grande, y muchos Tehuelches y Tehueš han sido absorbidos por esta gran lengua. Cálculos recientes atribuyen al Araucano 200.000 hablantes en Chile y 8.000 en la Argentina.

Se establecen tres grupos geográficos de dialectos en Chile: al norte Picunche, al centro Mapuche, y en las mesetas andinas Pehuenche; al sur Huilliche (Veliche) o Kunko, con sus variedades Serrano y Pichi-Wiliche y el subdialecto Manzanero, y los dialectos Chilote, Chikiyami o Cuncho y Leuvuche. Los dialectos de la Argentina: Ranquel, Moluche, y los problemáticos Taluhet y Divihet están involucrados, en cuanto no son Araucano, con el problema que vamos a considerar en 2. 2. La situación geográfica de muchos de estos dialectos no es nada clara. La diferenciación entre los dialectos no es grande, y siempre son mutuamente inteligibles.

Muy característicos son los rasgos de esta lengua:

Las vocales son nuestras cinco, más la ɨ, (central alta) que en la ortografía de Lenz se nota ü, pero que está bien clara en la descripción de Febrés. Es posible que e/i, o/u representen variantes combinatorias de una vocal intermedia en su posición.

La serie de oclusivas es sólo de sordas (p t k). Hay una sola africada (č). Existe una t́ mojada o palatalizada. Las nasales son m n ñ y ŋ, esta última en cualquier posición.

Curiosa es la serie de fricativas araucanas: l ll v đ y r fricativa y ž. Lenz anota que a partir de los dialectos meridionales se ha desarrollado una tendencia al ensordecimiento de todas estas sonoras, incluso de l y ll. La serie correspondiente es por consiguiente ḷ ḷḷ f θ s̄ š.

Completan el cuadro las semivocales y y w, más

otra velar no labializada.

El acento es poco fijo, al menos comparado con el español.

Los sufijos pueden analizarse a menudo como pronombres o adverbios con existencia independiente. El número en el nombre no se indica.

El posesivo se antepone al nombre y, como hemos indicado hace un momento, actúa como sufijo para indicar el sujeto en el verbo. El verbo tiene dual para las tres personas, e igualmente el pronombre de 2a. persona.

En el verbo los sufijos se acumulan, incluso la misma negación se sufija y queda incorporada dentro de una forma.

El genitivo se antepone, pero también puede ir después. Un antiguo signo de genitivo, *ñi*, funciona a veces de modo semejante a nuestro artículo, al menos en textos modernos. El adjetivo se postpone.

El sujeto va al fin de la frase.

La numeración es decimal.

La influencia cultural del Quechua es considerable, así en la numeración alta: *waranka* "mil", *pataka* "cien" (Quech. *pachaj*).

Abregú Virreira 1942
Amberga 1914
Ameghino 1913
Anónimo ms. s. f. *Rezos en Chileno*[T], 1835[x]
Augusta 1903[x], 1910[T], 1911, 1916[x], 1922[T]
Brand 1941, 1941
Cañas Pinochet 1902, 1911
Cavada 1913, 1920, 1921
Cruz 1835
Charencey 1899
Chiappa 1901
Darapsky 1888
Domeyko 1845
Echeverría i Reyes 1899,1900

Englert 1934, 1936
Falkner 1835[x], 1889
Febrés 1765[x], 1846[x], 1882[x]
Figueroa 1903
Garrote[x]
Gatti 1925[x]
Guevara 1911[T], 1913[T]
Gutiérrez 1871
Havestadt 1883[x]
Huaiquillaf 1941[T]
La Grasserie 1898[x] (v. Lenz 1898)
Lársen 1883
Latcham 1927
Lenz 1895/7[T], 1896[T], 1898, 1899[T], 1904/5
Loukotka 1930[x]
Mitre 1895, 1909/10
Moesbach 1930[T]
Molina, J. I. 1782
Oliveira César 1893
Orbanel ms.
Outes 1914
Rodríguez, Z. 1875
Santa Cruz 1923
Schuller 1907[x], 1932
Sigifredo 1942/5
Speck 1924[T]
Suárez, J. A. 1959[x]
Valdivia 1606, 1621[T], 1897[T]
Vega ms. [x]
Viso 1933
Zeballos 1922

2. 2. PUELCHE. Se trata en realidad en este grupo lingüístico de Araucanos o, más precisamente, Pehuenches araucanizados establecidos del lado oriental de la Cordillera. Se citan desde Falkner los dialectos Taluhet al norte y Divihet al sur (2. 1); los Chechehet de que habla el mismo autor (cf. 2. 3), y sin duda que los Tehuelhet (llamados también Tehuelkünnü) habrán de ser atribuidos al complejo Tehuelche ya estudiado (1. 3), según indica Escalada. Los Moluches de Falkner, así como los indios Ranqueles, conocidos en la literatura argentina, son Araucanos (2. 1). Aunque el concepto de indios Pampa es geográfico, y abarca sin duda a grupos Tehuelche y acaso Teueš, la que se conoce con el nombre de lengua Pampa es un dialecto del Araucano. Sin embargo es posible que la influencia incaica hubiera trasculturado en mayor medida a ciertos grupos de la precordillera, pues en el siglo XVIII un testimonio (aducido por Failletey) opone la "lengua Puelche" a la "lengua de Chile", y en la primera señala el uso de la palabra *viracocha*. Dato que no se ha tenido en cuenta es la afirmación del P. Valdivia de que "poco o nada se diferencia la lengua Puelche" del Millcayac.

Ameghino 1913
Anónimo 1876[x]
Barbará 1856[T], 1879[x]
Bentivoglio 1879
Cabrera 1929
Canals Frau 1953
Casamiquela 1958[T]
Chamberlain 1911
Failletey 1957
Flury 1944
Harrington, T. 1925
Loukotka 1930
Mansilla 1879
Milanesio 1898
Outes 1914[x], 1928
Outes & Bruch 1910
Rosas, Juan Manuel de, 1947[x]
Saldías 1912
Sánchez Labrador 1936
Siemiradzki 1898

2. 3. EL GRUPO HET. Lehmann-Nitsche, basándose en algunos datos de misioneros antiguos, expuso la teoría de una familia de lenguas Het o Chechehet, que se extendió por la Pampa hasta casi Buenos Aires y se extinguió a fines del siglo XVIII. Aunque esta tesis ha sido aceptada por grandes especialistas, como Rivet & Loukotka (los cuales añaden al grupo los Tubichaminí, sobre el río de su nombre), Nimuendajú y Mason (este último transfiriendo el problema de la lingüística a la historia), nosotros creemos que la construcción del etnólogo germano-argentino carece de base suficiente. Es posible sin embargo que a pesar de todo haya en el espacio entre Tehuelches y antiguos pobladores de la región bonaerense, una gente pampeana distinta. En este sentido Canals Frau (1953) cree que algo puede subsistir de la construcción de Lehmann-Nitsche.

Escalada 1949
Failletey 1957
Lehmann-Nitsche 1918, 1922, 1925, 1930

## LENGUAS EXTINGUIDAS DE LA ARGENTINA CENTRAL

3. 1. ALLENTIAC Y MILLCAYAC O HUARPE. Sólo con estas lenguas pisamos terreno firme en todo el territorio argentino central, pues aunque extinguidas en el siglo XVIII, consérvanse gramáticas del P. Valdivia que permiten conocerlas. La relación entre el Allentiac o Huarpe de San Juan y el Millcayac de Mendoza no está aún

suficientemente precisada, pero el examen de los textos Millcayac descubiertos por Márquez Miranda permite confirmar las ideas que existían ya en favor del próximo parentesco de estas dos lenguas. Canals Frau hace un grupo con ambos idiomas, Allentiac y Millcayac, y además supone se relacionan con el antiguo Puelche, hablado antes de la araucanización del territorio, con dos dialectos del Comechingón (Camiares y Henia), y el Olongasta del sur de la Rioja. Rivet & Loukotka establecen un amplio grupo Huarpe, en el que incluyen junto al Allentiac y Millcayac, el Comechingón y Michilingue, y el Chiquiyana antaño hablado entre Mendoza y el Río Barrancas. Loukotka señala en el Allentiac semejanzas con el Zamuco (5. 8).

El tipo "andino" de estas lenguas está muy bien señalado por el P. Valdivia, que dice "hallarse ha muy fácil en aprender estas lenguas quien supiere la lengua de Chile o la del Cuzco, que confinan con ella".

Rico consonantismo, con numerosos grupos, como lk, lč, zh (africada aspirada) en inicial, interiores zk (la primera designa una africada), tk, zt, pč, kñ, llk, etc. Las vocales son nuestras cinco, con una sexta, que no se define fácilmente, en Allentiac. No hay oclusivas sonoras. En All. hay la ŋ como en Araucano, y no existe en Mill. También hay ? en All. a lo que parece, y no en Mill. Hay que notar en All. metátesis, como la equivalencia de špu/puš. El All. es oxítono, pero no en los verbos. El Mill. es barítono, como el Quechua. Los sufijos se vocalizan o no, según termine en consonante o en vocal la palabra a que se aplican (lo mismo que en Quech. y Aim.).

No hay dual. No hay género.

El genitivo se antepone, como también el adjetivo.

El signo de acus. objeto no se distingue del de dat.

Sufijos indican las referencias de caso y si es necesario de número.

En "nosotros" no hay diferencias de inclusivo y exclusivo. En All. "nosotros" es pl. de "yo".

El verbo se conjuga con sufijos que indican el sujeto (en Mill. p para la 3a. sg. remite al posesivo de Quechua y Aim.) y el número. Las transiciones se indican con prefijos. Los tiempos, la negación, los modos, se indican mediante enfijos en el verbo.

En Mill. hay ciertas formas verbales invariables (que Valdivia llama subjuntivo), a las que se antepone el pronombre sujeto.

Préstamos culturales quechuas en ambas lenguas.

Numeración quinaria-decimal ("10" en Mill. se dice "las manos").

Cabrera, P. 1928/9
Canals Frau 1940, 1941[x]
1942[x], 1944, 1946, 1953
Chamberlain 1912
La Grasserie 1900[x]
Márquez Miranda 1943, 1944[x]
Medina, J. T. 1918
Mitre 1895
Ramírez 1938
Schuller 1913, 1913
Schwab 1943
Valdivia 1607[x], 1607[x]

3. 2. SANAVIRÓN. Esta lengua, extinguida sin que tengamos muchos datos sobre ella, presenta problemas difíciles. Quizá era pariente de origen del Comechingón (3. 3.), quizá hay que relacionarla con el Diaguita (4. 1) o con el Vilela (4. 4). Se hablaba, según datos del P. Bárcena, en una parte de la región arqueológica chaco-santiagueña, hasta el río Salado, por los Sanavirones e Indama, que eran bilingües, pues hablaban en Quechua con los misioneros.

Cabrera 1929
Canals Frau 1953

Chamberlain 1910 Schmidt, W. 1926
Loukotka 1935 Serrano 1944

3. 3. COMECHINGÓN. Igualmente extinguido, este idioma no ha dejado restos que den esperanzas de una solución al problema de clasificarlo. Henia y Camiare se citan como sus dialectos del norte y del sur, respectivamente. Es posible se relacionara con el Sanavirón, o según otros ha de ser agrupado junto al Diaguita. Canals Frau lo relaciona con el Huarpe. Pueden haber sido dialectos afines el Michilingue (Valle de Conlara) e Indama o Indamu. Como variedades del Comechingón se citan Main, Tuya, Mundema, Cama, Umba.

Cafferata 1926 Serrano 1944
Canals Frau 1944, 1953

3. 4. CHARRÚA Y QUERANDÍ. Con estos nombres y algunos más, como Güenoa y Bohane (posiblemente dialectos Charrúas, según Hervás), Minuane, acaso Caracaná, Yaró, Colastiné, Corondá, Timbú, Mbeguá o Chanabeguá, Quilvazá (cf. 5. 4. 3), Cayastá (o Chayaguá) y Macurendá (Mocoretá), Mocolete, Guaiquiraró, Calchiné, Pairindí, se cubre la amplia zona que rodea al Río de la Plata (República del Uruguay y actuales provincias argentinas de Entre Ríos, sur de Santa Fe y norte de Buenos Aires). Un análisis del vocabulario charrúa publicado por Gómez Haedo no excluye la conexión, señalada de antiguo, entre estos indígenas y los Arawak, pero tampoco puede darse ello por probado.

Los nombres de todas estas lenguas o tribus citadas son en general guaraníes, pero su afiliación es naturalmente muy problemática, ya que no disponemos de materiales seguros. Hasta una decena de coincidencias lexicales entre el Charrúa y el Chaná (Arawak) parecen seguras, según Blixen. La posibilidad de que los Arawak se extendieran así hasta el mismo Río de la Plata, que ha sido defendida por algunos autores, sigue, pues, estando abierta. En cuanto al Querandí, que se habló en la región de la ciudad de La Plata, se ha supuesto fuera un dialecto Charrúa, o por otros (Rivet & Loukotka) que fuera una parcialidad de Guaicurúes, procedentes de la región de Santa Fe.

Blixen 1958
Brinton 1898
Canals Frau 1953
Chamberlain 1911
Hervás 1787
Gómez Haedo 1937[x]
Kersten 1905
Loukotka 1935
Martínez, B. T. 1897, 1919
Outes 1897, 1898, 1913
Perea y Alonso 1938, 1942
Rivet 1930
Schuller 1906, 1917
Serrano, A. 1936, 1936
Vignati 1940

3. 5. CHANÁ. En los mismos territorios atribuidos al Charrúa y al Querandí las fuentes históricas antiguas nos hablan del Chaná, que Nimuendajú acepta como un grupo lingüístico definido, mientras que deja sin clasificar las lenguas y tribus citadas en el apartado anterior. Perea y Alonso relaciona estos Chanás con los Chané (16.4), y los considera, como a los Charrúas y demás habitantes del actual territorio del Uruguay, hablantes de dialectos Arawak. Blixen critica el método seguido por este autor, y reduce al mínimo el número de semejanzas descubiertas, pero no excluye del todo la posibilidad de que el Arawak se extendiera hasta el Río de la Plata. Como dice Mason, Chaná es una expresión geográfica, posiblemente guaraní, que pudo aplicarse a gentes muy diversas. Algunos nombres tribales recogidos en el apartado anterior (Mbeguá, Timbú, Yaró) se citan como específicamente Chaná. Parece también que es sinónimo el término Layaná, de dudosa afiliación (cf. 5. 4. 4, 16. 3).

Acosta y Lara 1955
Blixen 1958
Brinton 1898
Canals Frau 1953
Kersten 1905
Lafone Quevedo 1897
Larrañaga 1924[x], 1944[x]
Martínez, B. T. 1901, 1902/3
Orbigny 1839
Outes 1913

Perea y Alonso 1937, 1942
Serrano 1936, 1936
Vignati 1940

## LENGUAS ANDINAS DEL NORTE ARGENTINO Y CHILENO

4.1. DIAGUITA O CALCHAQUÍ. El nombre de la lengua de la nación conocida con los del epígrafe era el de Cacán; los misioneros prefirieron para su conquista espiritual el uso de la lengua Quechua, ya introducido en estos territorios del noroeste de Argentina (Catamarca, Tucumán, Salta), y la extinción de la lengua Cacana debió ser completa a fines del siglo XVII.

Reducidos, como estamos, a los datos onomásticos, la discusión sobre los parentescos del Cacán, ha sido larga. Parece hay que preferir el emparentamiento de esta lengua con el Atacameño (4. 3), pues la toponimia presenta rasgos comunes, y no Quechuas, desde Tucumán hasta Atacama, a través de los Andes. Por lo demás es posible que el Atacameño sea de un pueblo resto, y que los Diaguitas de Chile fueran otros que los Atacameños.

Parece que el Catamarcano del que escribió una gramática, que no se imprimió y se ha perdido, el P. Alonso Bárcena, sea el Diaguita o Cacán; en todo caso el nombre de Lule que dio a la lengua por él estudiada el P. Machoni (4. 4) es de otra diferente del Diaguita.

Es posible que el Sanavirón y Comechingón (3. 2 y 3. 3.) estuvieran genealógicamente (o de otra manera) emparentados con el Cacán. Lo que cita Mason como subgrupos del Diaguita son nombres de lugar de la región de Tucumán y Catamarca. El Capayán o Cupayán acaso es nombre de un dialecto catamarqueño del Diaguita.

Bárcena ms perdido[x]
Boman 1908
Cabrera 1917, 1927, 1931
Canals Frau 1944, 1952, 1953
Chamberlain 1912, 1912
Durand 1931

Kersten 1905
Lafone Quevedo 1927
Lizondo Borda 1938
Loukotka 1935
Márquez Miranda 1946
Reyes Gajardo 1957
Schuller 1908[x], 1919/20
Serrano 1936

4. 2. HUMAHUACA. Tenemos referencias a una lengua hablada en Jujuy, extremo noroeste de la Argentina, junto a la frontera de Bolivia, en la región de la Quebrada de Humahuaca (escrita también Omaguaca). Se dice era una mezcla de Aimará y Diaguita. La tribu Humahuaca hablaba Quechua cuando se extinguió. Se citan como parientes suyos los Okloya(p), Osa y Paypaya. Al norte, en la puna, los Casavindo y Cochinoca.

Canals Frau 1953
Tommasini 1933

4. 3. ATACAMEÑO O KUNZA. El estudio de esta lengua, llamada también Likanantaí o (U)Lipe, que aún subsiste, según parece, es una de las tareas urgentes en la lingüística sudamericana. Su parentesco con el extinto Diaguita ha sido indicado. Se hablaba en el norte de Chile, desde el Pacífico hasta las vertientes orientales de los Andes, a través del salar de Atacama, y por razones arqueológicas Boman pensaba que se extendió también por la puna de Jujuy. La arqueología establece una clara separación de Atacameños y Diaguitas, lo que posiblemente tiene su correspondencia en la lingüística.

Boman 1908
Brand 1941
Buchwald 1922
Chamberlain 1911
Darapsky 1889
Echeverría i Reyes 1890, 1912
Maglio 1890
Moore 1878[x]
Philippi 1860
San Román 1890
Schuller 1908[x]
Tschudi 1866/9
Vaïsse, Hoyos & Echeverría i Reyes 1895[x]

4. 4. LULE-TONOCOTÉ. El nombre de Lule ha servido probablemente para designar a Diaguitas (4. 1). En

todo caso nos consta que los Lules cristianizados por el P. Machoni se encontraban en su hogar en la región de la desaparecida Esteco, sobre el río Salado, es decir en los límites occidentales del Chaco, donde fueron, una vez establecidos, duramente castigados por las algaradas de los Tobas. Parece un pueblo de transición entre los chaqueños y los andinos, resto de huárpidos, como dice Canals Frau. Elementos culturales andinos se muestran bien visibles en su lengua. La hablaban los Lules, Isistiné, Toquistiné, Oristiné y Tonocoté, lo que podría representar otras tantas vaviedades dialectales. Nada nos autoriza a situar esta lengua junto al Mataco. Los Matará se supone por algunos autores que hablaban Tonocoté, y en cuanto a los Guacará son citados por Mason junto a ellos. Los Tonocotés, de lengua extinta, también descrita por Bárcena en su obra perdida, serían brasílidos, posiblemente Arawak (Canals Frau).

Para una caracterización del Lule-Tonocoté podemos sacar de Machoni las siguientes sumarias notas:

Es muy corriente la forma CVCV, CVCVC, pero hay que señalar grupos finales complejos, como pst, sç, ksp. También tenemos grupos mediales como kl, nt, kš. Una mitad de palabras terminan en vocal y otra mitad en consonante: l, s, p, n, m, ç, y.

No hay, parece, más oclusivas que sordas. Hay l pero no r.

Es lengua de sufijos, pero comparte con las lenguas de tipo chaqueño primitivo la falta de ellos para indicar las relaciones gramaticales de caso: el orden de palabras es el que determina si se trata de acusativo, genitivo, dativo. Hay postposiciones para indicar relaciones de tipo adverbial ("con", "en", etc.). El genitivo va antepuesto, y también, aunque no siempre, el acusativo.

Los posesivos son sufijos. También las personas

del verbo se indican con sufijos, idénticos a los posesivos, lo que señala el carácter nominal del verbo. Las transiciones se indican con la anteposición del objeto (o del dat.). Sufijos indican asimismo los tiempos.

El plural no suele indicarse con el nombre cuando lo pone en claro el verbo.

El verbo va en general al fin. Hay una forma invariable del verbo junto a la conjugada.

El adj. se postpone.

No hay distinción de "nosotros" inclusivo y exclusivo.

La numeración está basada en el número 4. "9" se expresa locuep moitlé locuep alapeá "4 después de 4 (y) 1"... Sin embargo "10" se indica isyauomp "de la mano todos (los dedos)".

El posesivo de 3a. persona es -p, lo que coincide con el aimará y con el genitivo quechua.

Hay una única negación, que hace de prohibitivo también.

Abregú Virreira 1942
Angelis 1837
Bárcena, ms.
Calandrelli 1896
Canals Frau 1952, 1953
Huonder 1902
Kersten 1905
Lafone Quevedo 1894
Lizondo Borda 1938
Machoni de Cerdeña 1732[x]

4. 5. VILELA. Ha sido agrupado por muchos autores con el anterior Lule-Tonocoté, pero no parece ello justificado. Cabe suponer sea el Vilela o Uakambabelte una lengua de transición entre el tipo andino y el chaqueño.

Los Vilelas se conocen también con el nombre de Chunupí (Chulupí, Chunipí), y habitaban en la confluencia del San Francisco con el Bermejo, hacia Embarcación, habiendo sido instalados después en La Encrucijada, Valtolema, Ortega y Esquina Grande, según Rivet & Loukotka. Hay que advertir que el nombre de Chunupí se ha aplicado también a grupos Matacos del Pilcomayo, y el de Chulupí a los Ašuslay.

De esta lengua se cita por una parte el dialecto Atalalá, de otra el Sinipe o Sivinipe, que comprende como subdialectos el Yooc (Yoo, Huamalca), Ocole y Yecoanita de Laguna Colma y Lacangaye. Otros dialectos que se citan son: Pasain (Pazaine de Macapillo), Omoampa, Vacaa, Vilela propiamente dicho, Ipa, Taquete (o Teket?), Yeconoampa (Yecunampa) Guamalca, y como dudoso el Malbalá, que Rivet & Loukotka citan como enclave Mataco-Macá en territorio Vilela.

Urge aclarar las características y conexiones del Vilela, insuficientemente descrito. Problemáticas parecen las conexiones propuestas con el Lule-Tonocoté, el Diaguita, el Mataco, el Sanavirón.

Rivet & Loukotka dan a esta lengua por extinta; nuestras búsquedas en la región de Tartagal y Orán han sido hasta ahora infructuosas, pero el Prof. C. Hernando Balmori ha podido en los últimos años recoger algunos materiales.

Ambrosetti 1896[x]
Canals Frau 1953
Gilij 1780/4
Lafone Quevedo 1895[x]
Lizondo Borda 1938
Llamas 1910

## LENGUAS CHAQUEÑAS

5.1.1. MATACO-MATAGUAYO. Para muchos autores (Palavecino, con Brinton y Hunt), el Mataco, con los

Chorote y Chunupí, y más al norte la lengua Enimaga o Macá, representa la más primitiva población del Chaco, sobre la que se han estratificado los pobladores de lengua Guaicurú. Aún se habla mucho la lengua Mataco, de la que se citan diversos dialectos: Vejoz (que corresponde al antiguo Mataguayo) al oeste, en la región de Embarcación y Tartagal, Noctén más al norte (según fuentes del siglo XVIII), a la derecha del Pilcomayo; los Guisnay se ubican más abajo en la misma ribera.

Otros nombres tribales son Huexuo (es decir, Vejoz con otra ortografía), Pesatupe, Abucheta o Wichita, Agoyá, Tayni, Teuta, Ojota, Taño, Palomo, de identificación más o menos problemática. Algún autor coloca junto a los Matacos al extinto Guentuse, que otros atribuyen al Macá. También han sido adjudicados al grupo Mataco los Matará o Amulalá y el Malbalá (4. 5).

Las relaciones con el Chorote y el Ašuslay, así como con el Enimaga, son visibles, y las perciben los mismos indígenas, pero hace falta un estudio que precise su naturaleza. Se han señalado coincidencias con lenguas Arawak, que no pueden darse por probadas.

Para una tipología del Mataco podemos dar las siguientes notas:

Oclusivas (y africada *č*) en orden triple: sorda, aspirada y glotalizada. Palabras muy frecuentemente CVCV. Raros grupos internos (*mḷ*, *xt*, *mn*, *ḷt*, etc.). Muchas palabras terminan en vocal; en algunas se hallan como consonantes finales *ḷ*, *x*, *s*, *l*, *y*, *k*.

El plural de los nombres presenta diversos sufijos.

Faltan sufijos para indicar los casos, que se expresan por el orden de palabras y por el contexto (sin duda que mediante la entonación). Las palabras quedan aisladas, pero a veces una incorpora entre su primera y su segunda sílaba otra: así ocurre con la negación nax. . . a o con las variadas formas del verbo ihi "estar": $o^1i^2am^3$ $ej^4$ "$yo^1$ $habito^{2\ 4}$ $contigo^3$".

La conjugacion es con prefijos personales y con diferentes palabras que se añaden después para indicar tiempos o modificaciones del verbo para expresar movimiento, reciprocidad, dirección, acción continua, intensidad, causativo, etc.

Los prefijos personales de la conjugación se emplean también como posesivos delante de los nombres. Como en otras lenguas chaqueñas, en Mataco ciertos nombres han de ir siempre con prefijo posesivo. Parece que antes estos prefijos eran distintos en un habla masculina y otra femenina; hoy no parece subsista diferencia.

Los pronombres que indican transición (lo mismo acus. que dat. ) se ponen detrás del verbo.

Los adjetivos parecen unos verdaderos nombres, otros son verbos. Genitivo antepuesto.

No hay distinción de "nosotros" inclusivo y exclusivo; no hay distinción en los pronombres ni prefijos posesivos entre un solo poseedor y varios: el plural entonces se marca en el verbo con un elemento sufijal. Sin embargo sí hay distinción de singular y plural (mediante el sufijo el) en los pronombres usados enfáticamente. Entonces hay junto al "nosotros" normal un "nosotros" plural de "yo", referido a "nosotros, la familia".

Varias negaciones diferentes, algunas de ellas usadas como sufijos.

Amerlan 1882
Anónimo 1919[T], 1929[T], 1930[T], 1931[T], 1933[T] 1933[T]
Canals Frau 1953
Cardús 1886[x]
Fontana 1881

Harrington, J. P. 1948
Hunt 1913[x], 1913[x], 1937[x], 1940[x]
Lafone Quevedo 1895
Lehmann-Nitsche 1926[x]
Mayntzhusen 1911
Orbigny 1839[x], 1896[x]
Pelleschi 1896[x]
Remedi 1896, 1904[x]
Schmidt, M. 1937
Tovar 1951

5.1.2. CHOROTE. El hogar de estas tribus es la ribera izquierda del Pilcomayo, más bien en las regiones occidentales, hacia las fronteras argentino-paraguayo-bolivianas, si bien se han extendido hacia el sur, penetrando en Argentina, sobre todo a partir de la época de la guerra del Chaco. Aunque esta lengua tiene relación con el Mataco y con el Ašuslay, me consta la mutua ininteligibilidad. El nombre que los Chorotes se dan a sí mismos es el de Yofuaha o Moyanek.

He aquí algunas notas para una tipología del Chorote:

La palabra presenta muy frecuentemente la forma CVCVCV. Ordenes de oclusivas (y las continuas w y h) en que se opone la forma pura con la palatalizada (p/py, t/ty, etc). Raros grupos internos, pero muy variados: sp, mp, tn, nt, nk, mn, etc. Predominan en final vocales, pero se hallan como finales t, x, k, p, s.

No hay géneros. Existe plural, formado de varias maneras. Se señala un dual en el pronombre "nosotros".

Prefijos posesivos.

El acusativo, sin sufijo, va lo mismo ante que postpuesto. Conjugación con prefijos personales, con sufijos para indicar los tiempos. Prefijo ha para indicar la negación con el verbo.

El verbo parece que no es susceptible de muchas modificaciones modales ni en cuanto a las formaciones causativas, etc. El reflexivo y el recíproco se forman con prefijos y a veces sufijos. El adj. se conjuga como el verbo.

Numeración decimal basada en los cinco dedos de la mano.

Las raíces presentan ciertas modificaciones en el vocalismo como consecuencia de la palatalización: atate "yo tiro", atyete "tiras"; anaii "me baño" inii "se baña".

Canals Frau 1953
Hunt 1915[x]
Karsten 1932
Lehmann-Nitsche 1910/1[x], 1936
Nordenskiöld 1904
Rosen 1904

5. 1. 3. AŠUSLAY O CHULUPÍ. Estos indígenas pertenecen también, como los dos grupos anteriores, a las ramas primitivas del Chaco. Son conocidos también con el nombre de Suhin. Su zona de ubicación es la orilla izquierda del Pilcomayo, hacia su curso medio. Está por determinar todavía el grado de emparentamiento de este idioma con los dos anteriores. Junto al Pilcomayo y Río Cuevas se citan los Sotsiagay o Sotegraik o Sotirái, que provisionalmente situamos aquí.

Ambrosetti 1896[x]
Belaieff 1930
Fontana 1881
Henry 1936
Hunt 1915[x]
Karsten 1932
Lehmann-Nitsche 1936
Nordenskiöld 1910
Pape 1935
Schmidt, M. 1940[x]
Súsnik, Dra. 1954[x]
Verwoort 1932

5. 2. LENGUA ENIMAGA. Este idioma, deficientemente conocido, designado también con los nombres de Guaná, Ennimá, Cochaboth (nombre que parece que es el que se dan a sí mismos estos indígenas), Towothli, Macá. La identidad lingüística de los antiguos Enimaga y Guentuse con los modernos Towothli o Toósle en las fuentes del Montelindo y Macá de las fuentes de los ríos Verde, Con-

fuso y Montelindo parece defendida por las mayores autoridades (M. Schmidt, A. Métraux, Rivet & Loukotka, Hunt).

Aguirre, apud Peña 1899 y Hunt 1915
Belaieff 1931[x], 1934[x]
Boggiani 1896[x]
Demersay 1860
Grubb, apud Hunt 1915
Henriksen, ms. apud Loukotka 1952
Hunt 1915[x]
Huonder 1902
Kersten 1905
Koch-Grünberg 1900, 1902
Kysela 1931
Métraux 1942
Schmidt, M. 1936, 1937[x], 1940[x]

5. 3. LENGUA MASCOI. Este grupo étnico, situado en los bordes septentrionales del Chaco, y llamado también Machicui, Muscoi, Cabanatith y Tujetge, es poco conocido en el orden lingüístico, por lo que ha sido identificado bien con los Guaicurú, bien con la lengua Suhin o la Enimaga. Se citan en fuentes antiguas los dialectos Angaité (con la variedad Enenslet), Casquihá o Guaná (distintos de los Guaná Arawak), Lengua Gecoinhalaac o Enslet, que parecen ser los Macá, Mascoi (con la variedad o sinónimo Machicui), Sanapaná o Lanapsua, Sapukí o Conamesma y Cayotugui. Los nombres de algunos grupos como Guatata, Nohaguee, Empirú, Yaperú o Apirú, Naperú, no se sabe si hay que atribuirlos a esta lengua o a los Guaná Arawak (16. 3).

En los Mascoi o en los Enimaga perviven los restos de la antigua nación que se llamaron los "Lenguas", que fuentes del siglo XVIII nos cuentan fue antaño poderosa en la región.

Aguirre apud Peña 1899[x]
Baldus 1931[x]
Bassilan 1892
Boggiani 1900
Brinton 1898
Cardús 1886[x]
Cominges 1892[x]
Coryn 1922
Demersay 1860
Ehrenreich 1891
Ferrario 1942
Grubb, W. B. 1911
Hunt 1917
Kersten 1905

Lámina II. – P. Nicolás Armentia.

Koch-Grünberg 1900, 1902
Loukotka 1930x, 1952x
Lowes 1954x
Orbigny 1839
Pride ms.
Schuster 1929
Tolten 1942

5. 4. GUAICURÚ. Este grupo aparece en las fuentes históricas posteriores a la conquista como el más fuerte y belicoso de todo el Chaco. Sus lenguas se extienden todo a lo largo de los ríos Paraguay y Paraná, desde las regiones fronterizas del Brasil con el Paraguay hasta la ciudad argentina de Santa Fe. Las antiguas naciones de Mocovíes, Abipones, Mbayás y Tobas, que han inspirado algunas de las obras antiguas de misioneros del mayor interés etnológico, representan sus dialectos principales. Las relaciones que se observan con las otras lenguas chaqueñas, como el Mataco, parecen más bien resultado de un acercamiento por vecindad que diferenciación a partir de un común origen. Swadesh cree posible establecer una lejana relación del Guaicurú con varias lenguas: Mapuche, Tehuelche, Alacaluf, Yámana.

En todo caso el grupo Guaicurú muestra rasgos muy característicos, a través de dialectos poco diferenciados, lo que prueba una expansión bastante reciente, a lo largo del vasto territorio que ocupaban.

Adam 1899x
Aguirre apud Peña 1899x
Angelis 1937
Boggiani 1899
Brinton 1898
Hermann 1908
Huonder 1902
Imbelloni 1936
Koch-Grünberg 1903
Lafone Quevedo 1910, 1912
Martius 1867
Tovar 1951

5. 4. 1. La organización de los dialectos era, según fuentes antiguas, la siguiente: al norte el MBAYÁ o Eyiguayegui, con sus dialectos occidentales: Caduveo (o Cadiguegodí) y Guetiadegodí (Guetiadebo), y orientales: Apacachodegodeguí (Mbayá Mirim), Lichagotegodi (quizás Icachodeguo), Eyibogodeguí, Gotocodegodeguí (quizás sinónimo

con el Ocoteguebo); al centro el Payaguá o Lengua (con el Sarigué o Cadigué), que Loukotka considera mixto de Mataco, y el Magach (Agaces o también Siacuás o Tacunbú) al sur.

Aguirre apud Peña 1899^x
Boggiani 1895, 1897, 1900
Castelnau 1852
Cerviño ms.^x
Gilij 1780/4
Hanke 1942
Hervás 1784, 1786
Kersten 1905
Koch-Grünberg 1903
Lafone Quevedo 1896^x, 1897, 1910
Latham 1862
Loukotka 1930^x, 1933^x, 1949^x
Mansfield 1856
Moutinho 1869^x
Parodi 1894, ms.
Ribeiro 1950
Sánchez Labrador 1896, 1917^x
Schmidt, M. 1949^x

5. 4. 2. El dialecto central es el TOBA o Tocowit, con el dialecto Toba en sentido estricto (variedades Guazú, Comlék, Michi o Miri, Cocolot, Lanyagachek, Mogosma [Mogaznana o Natixana en el perdido ms. de Bárcena], Chiroquina, Natica), y los dialectos Pilagá, Yapitalagá o Aí, Karraim y Aguilot.

Por lo que hoy sabemos de la dialectología toba (Palavecino, apud Tebboth), se podría establecer un tipo de Toba occidental, en la región de Tartagal y Embarcación, en el que se han refundido tobas de origen boliviano con tobas de la región argentina del Chaco. Los pilagá, al este de Sombrero Negro, estaban en 1943 en proceso de desaparición. Más al este hay lo que Palavecino señala como compuestos de "grupos heterogéneos en los cuales eventualmente entran parcialidades de Mocobíes, Abipones y otras no bien determinadas aún". De oeste a este, con diferenciación dialectal creciente tenemos los Lañagašik, más al oriente los Šiulik en la región de Laguna Blanca, cerca de la desembocadura del Pilcomayo, y al sur de éstos los Takšik, al noreste de la provincia argentina del Chaco. Los Takšik hablan un dialecto muy diferente del de los Tobas occidentales, pero parece que sin embargo hay mutua inteligibilidad.

Para una caracterización del Toba podemos subrayar:

Seis vocales, que parece corresponden a las del Guaraní. No hay vocales nasales. A las consonantes oclusivas sordas corresponden, para formar los órdenes, sonoras y, según parece, recursivas. La presencia de sonoras diferencia este idioma de los demás del Chaco, así como de los andinos.

La estructura de la palabra es frecuentemente CVCV o CVCVCVCV, pero no son raras las consonantes finales, siempre sordas en esta posición, o bien nasales o l. Los dialectos Tobas occidentales han hecho de la s inicial h, rasgo que sabemos ocurre también en dialectos Guaraníes.

No hay sufijos casuales, en lo que el Toba se asemeja a los dialectos Mataco y Chorote. Lo que sería para nosotros preposiciones o adverbios unas veces precede y otras sigue a su régimen.

El complemento directo precede (aunque no siempre) al verbo. Lo mismo preceden al verbo los pronombres, sean objeto, sean dativo: damï[1] hauaná[2] am[3] haním[4] "lo que[1] tengo[2] te[3] doy[4]"; comí[1] catí'n[2] "mira[2]nos[1]".

Hay un complejo cuadro de prefijos posesivos, que llevan los nombres, como también las formas conjugadas del verbo, para indicar el sujeto. Pero junto a los prefijos tenemos también sufijos: unas veces en la 1a. sg. y-ate-aní "mi madre", otras veces en la 2a. pl. cad-ete-y "vuestra madre"; y-owá "mi mujer", ad-owá "tu mujer", cad-owá "nuestras mujeres", cad-owá-y "vuestras mujeres".

La conjugación es complicada. Los tiempos se indican mediante adverbios postpuestos.

No hay distinción de "nosotros" inclusivo y exclusivo.

Las raíces son a veces modificadas en su vocalismo, como puede verse antes en el ejemplo y-ate-aní/cad-ete-y.

Angelis 1835
Anónimo 1933[T], 1942[T]
Bárcena 1893[x], 1896[x], 1896[x] 1898[x]
Boggiani 1901
Carabaza 1910
Carranza 1899
Cardús 1896
Demersay 1860
Ducci 1904[x], 1905[x], 1911/12
Fontana 1881
Karsten 1923, 1932
Kersten 1905
Koch-Grünberg 1903
Lafone Quevedo 1899[x], 1908
Lehmann-Nitsche 1925[x]
Loukotka 1930[x]
Nusser-Aspert 1897
Palavecino 1931/33
Rocha, A. C. da, 1938[x]
Tebboth 1943[x]

5. 4. 3. ABIPÓN Y MOCOVÍ. Los dialectos meridionales son el extinto Abipón o Callaga, con los dialectos Mapenuss (Yaukanigá), Mepene y Gulgaissen (Quiloaza o Kilvasa), y el casi desaparecido Mocoví o Mbocobi o Mocowit, en la región de Santa Fe.

Beck-Bernard s/f.
Cerdá Castillo 1954
Dobrizhoffer
Ducci 1911/12
Hervás 1784
Kersten 1905
Lafone Quevedo 1892[x], 1892, 1893[x], 1893[x], 1896[x], 1896/97[x]
Larrañaga 1924[x]
Orbigny 1839
Tavolini 1856[x], 1893[x]
Termeyer ms. [x]
Tolten 1942
Zapata Gollán 1946, 1948

5. 4. 4. El prestigio guerrero de los Guaicurú, que resistieron hasta el final de la época colonial mantenien-

do su independencia, sin duda hizo que su lengua se extendiera y fuera impuesta a gentes de otras razas e idiomas: tal es el caso de los Tereno, al nordeste del Paraguay, los Quiniquinao en la frontera paraguayo-brasileña, los Layaná y algunos grupos Guaná, estos últimos de claro origen Arawak.

Miembros dudosos de la familia Guaicurú son los Guachi, que según Loukotka hablan una lengua mixta de Guaicurú y Chiquito, los Juri o Suri (que debían ser Tonocoté sedentarios) y los Mahoma o Hohoma citados por las fuentes históricas de los siglos XVI y XVII en el bajo Bermejo.

Bach 1916
Baldus 1937[T]
Canals Frau 1953
Castelnau 1852
Kersten 1905
Loukotka 1949[x]
Martius 1867

5. 5. ZAMUCO-CHAMACOCO. En los confines septentrionales del Chaco, territorio aún mal conocido, se hablan estas lenguas, a cuyo conocimiento podemos señalar contribuye una aportación reciente (Dr. Súsnik 1957). Nombres y clasificaciones carecen aún de base firme. Mason presenta el siguiente cuadro del Zamuco o Samukú: Zamuco propiamente dicho (con la subvariedad de Zatieno o Ibiraya), Morotoco o Takrat (con el Coroino, Cucurate o Kukutade, Orebate u Ororebate, Carera, Panono o Panana, Tomoeno o Tameono), Guarañoca (llamado también Guaramoca, Kuraso o Laant), los Tsiracua o Empelota, Ugareño o Ugaroño, Tapii o Tapio (incluido en el grupo Bororo por Rivet y Loukotka) y Poturero (llamado también Ninaguilá, Ninakigilá), Musuraki o Horiri, Çautarie (o Carelutaokie).

Como grupo meridional tenemos el Chamacoco, con las variedades Tumanahá (Timinihá o Tumaná, también llamados Chamacocos Bravos), Ebidoso (conocido igualmente como Hario o Iširá) y Tumerehã (que Rivet y Loukotka consideran sinónimo de Tumanahá); junto al Chamacoco propiamente tal tenemos los dialectos Imono, Tunache o Tunaca y Caipotorade o Caiporado.

Hemos transcrito estos nombres en nuestro afán de ser completos, pero seguramente que una exploración lingüística, en este punto, como en tantos otros de América del Sur, simplificaría el complicado cuadro.

Las afinidades propuestas son: con el Arawak, en cuanto al léxico, por Brinton (que no quiso por ello deducir conexión genética), con el Bororo, por Métraux.

Anónimo s. f. Vocabulaire
Baldus 1927[x], 1931, 1932
Belaieff 1937[x], 1940[x], ms.
Boggiani 1894, 1929[x]
Brinton 1898
Cardús 1886[x]
Chome ms.[T]
Huonder 1902
Kersten 1905
Loukotka 1930[x], 1931, 1941, 1949[x]
Nordenskiöld 1912
Oefner 1942
Orbigny 1839
Steinen 1895, 1912
Súsnik, Dr. 1957

5. 6. GUATÓ. Más al norte de los Mbayá, sobre el alto Paraguay, se cita el grupo lingüístico de los Guató, sobre cuyos parentescos no se puede decir nada. Los Guaxarapo o Guachi (5. 4. 4.) son considerados como asociados a ellos. Según Mason este grupo está amenazado de rápida extinción.

Cardús 1886
Castelnau 1852
Chamberlain 1913
Koslowsky 1895
Latham 1862
Martius 1867
Monoyer 1905
Moutinho 1869[x]
Schmidt, Max, 1902, 1905[x], 1912, 1914, 1929, 1942

## LENGUAS RESTO EN LOS ANDES CHILENO-BOLIVIANOS

6. 1. URU-PUKINA. En esta zona, fuertemente sometida a las influencias culturales del Quechua y del Ai-

mara, queda un resto sumamente interesante, que es la lengua Pukina, hablada por los indios Uru en alguna de las regiones más inhóspitas de América del Sur, alrededor de los lagos Titicaca y Poopo.

De la lengua Uru faltaba una descripción gramatical, y deducciones importantes se basaban sólo en material léxico; sin embargo, debemos a Vellard la publicación de buenas colecciones de textos. Desde Tello a Rivet se viene repitiendo que la lengua Pukina de los Uru es una rama del Arawak, y en tal caso serviría de prueba de que fue Arawak la primitiva población preaimara y preincaica del altiplano. Razones que podríamos decir son de índole ecológica parecen apoyar a Mason y a otros autores que se niegan a admitir el carácter Arawak del Pukina.

En cuanto a los Chipayas, habitantes de la aldea de Carangas, unos autores los incluyen dentro del Pukina como una variedad, otros les reconocen existencia separada, lo que el examen del vocabulario de Bacarreza parece confirmar.

Ochosuma o Uchuzuma se cita como dialecto del Pukina, pero nada seguro sabemos sobre él. La tribu Callahuaya, que habita la región de Larecaja, al norte de La Paz, habla Quechua y Aimara, y es famosa por sus conocimientos de hierbas medicinales y mágicas, se dice que tiene como lengua secreta el Pukina, mientras que otros creen que tal lengua secreta Callahuaya sería independiente.

Bacarreza 1910, 1957
Bárcena ms.
Brinton 1890
Camacho 1943
Chamberlain 1910, 1910
Créqui-Montfort & Rivet 1921[x], 1925/7[x]
Franco Inojosa 1937
La Grasserie 1894[T]
Métraux 1935, 1936[x]
Oblitas Poblete 1955
Oré 1607[T]
Otero 1951
Polo 1901
Posnansky 1915, 1918
Snethlage, E. 1910, 1913[x]

Snethlage, E. H. 1932
Soria Lens 1954
Toribio 1901
Uhle 1896
Vellard 1949/50[Tx]

6. 2. CHANGO Y URU COSTEÑO. No podemos clasificar la extinguida lengua de los Changos, pueblo de la costa de Chile septentrional. Han sido relacionados hipotéticamente con los Atacameños, Chonos y Alacaluf. En la toponimia tendríamos restos de su idioma. Algunos estudiosos se han inclinado a considerarlos una rama de los Uru, pues este nombre de Uru ha sido aplicado también a pueblos de esta zona, en especial a los Changos septentrionales. Parece, sin embargo, que los Changos eran distintos tanto de los Uru como de los Atacameños (4. 3).

Boman 1908
Brand 1941
Camacho 1943
Cúneo Vidal 1910
Chamberlain 1910
Knoche 1931
Latcham 1910
Santa Cruz 1913
Uhle 1919

## AIMARA

7. Aunque no puede compararse en prestigio con el Quechua, es ésta una de las grandes lenguas de América del Sur, con más de medio millón de hablantes repartidos en Bolivia (depart. de La Paz y una parte del de Oruro, entrando en la prov. de Chayanta y en la región del lago Poopo) y Perú (depart. de Puno, distr. Cercado de Puno y Chucuito). El Aimara, en los tiempos históricos, ha ido continuamente cediendo terreno al Quechua, pero -según Mason- no hay que creer que se haya extendido por el oeste hasta las orillas del Pacífico, como se ha pretendido, por la región de Tacna y Arica, ni tampoco en dirección norte hasta la región de Lima, donde se ha supuesto que el grupo Cauqui o Haqe-Aru habla un dialecto aimara ( v. 10. 7).

Colla y Lupaca son sus principales dialectos conser

vados, parece que poco diferenciados. Hablan aún aimara las tribus Colla, Cana, Canchi, Ubina y parte de los Charcas y Collaguas. Otras tribus que sabemos tenían por lengua el Aimara (Caranga, Quillagua o Quillaca, Omasuyo, Chumbivilca, Chanca) han adoptado el Quechua o el Español. Entre estos dialectos, el Lupaca es el que, por razones geográficas (vecindad con la misión de Iuli), ha sido preferido para el cultivo literario, si bien algunos conocedores de la lengua consideran que las síncopas frecuentes en este dialecto lo hacen inferior al Pacaji o Pacasa, menos usado como lengua escrita.

En muchos casos los hablantes del Aimara hablan también el Quechua. Los traslados de población, que formaban parte de la política incásica, han desplazado el Aimara lejos: hasta Arequipa, Ubina, Sora, Lipe, Chicha.

La relación entre Aimara y Quechua es un problema no fácil de resolver. La estructura gramatical parece distinta, pero los préstamos, no sólo léxicos sino morfológicos, y la adaptación a una fonética común ha acercado a ambas lenguas que, para muchos autores, forman un grupo. Como ejemplo de la aplicación de su método, Swadesh calcula que la separación de ambas lenguas se produjo hace 37 siglos a partir de un tronco común. Pero la vecindad íntima anula por completo tal cálculo, pues ¿cómo se va a calcular la fecha de separación sobre semejanzas que pueden provenir de la vecindad? Recientes trabajos del mismo autor acercan ambas lenguas al Tupí y al Tehuelche.

He aquí un ensayo de tipología del Aimara:

Triples órdenes, lo mismo que en el Quechua, de sorda, aspirada y recursiva. Sin embargo las aspiradas parecen raras y quizá sean debidas a préstamos Quechuas. Cinco vocales que más o menos corresponden a las del español. Estructura de las palabras CVCVCV, aunque no faltan en el interior de palabra grupos varios y complejos como nk, mp, nw, kp, ns, nt, st, sp, rkt, skt. Finales, junto a las cinco vocales, que predominan, la -jj, es decir una fricativa faringal sorda, y la -ñ.

Las formas son muy fijas, sin que se modifiquen por recibir sufijos acumulados, en los que esta lengua es muy rica. Los casos se forman mediante sufijos o postposiciones. El pl. se indica con el sufijo -naka, que se añade entre el tema y las desinencias de caso. El sufijo de posesión pa se indica en el poseído, no en el poseedor, a diferencia del Quechua, donde el mismo sufijo actúa como un sufijo de genitivo y se añade al poseedor. El poseedor en Aimara lleva otro sufijo n(a). Confusión de dat. y acus.

No hay más que plural sin que se señale dual. No hay géneros.

El acus. es con sufijo y la mayoría de las veces también el nominativo sujeto, inclusive con el verbo sustantivo. Genitivo antepuesto.

Las transiciones en los verbos se indican igualmente con sufijos.

El verbo suele ir al final de la frase. Cuando es sustantivo se halla muchas veces aglutinado.

El pronombre "nosotros" parece formado como un plural de "yo" (nanaka y naya respectivamente).

Rico desarrollo de formas verbales de causativo, yusivo, reflexivo, durativo, etc.

Artículo postpuesto.

Abregú Virreira 1942
Anónimo 1585[T], 1603[T], 1605[T], 1914[x], 1921[T], 1923, 1928[x], 1929[x], 1930[T], 1941[T], 1953, 1954, 1954[T]
Ayllón 1926
Bacarreza 1957
Barranca, J. S. 1922
Barrionuevo 1955/7
Bayer 1775/6

Beltrán 1872
Bertonio 1603$^{x}$, 1603$^{x}$, 1612$^{T}$, 1612$^{T}$
Camacho 1945
Charencey 1899
Decreto 1813
Díaz Romero 1918, 1955
Englert 1934
Escobari, I. 1931
Escobari, M. 1904
Eyzaguirre 1957
Farfán 1939, 1955$^{x}$
Feijoo Reyna 1924
Fernández Naranjo 1948, 1951, 1951
Franco Inojosa 1937
García, J. A. 1917
González Bravo 1952/3, 1953, 1956, 1956, 1956, 1957
Harrington J. P. 1945
Iturry Núñez 1939
Jurado 1860$^{T}$
La Barre 1950$^{T}$
Lafone Quevedo 1901
Markham 1871
MacKinney, Medina & Peñaranda 1930$^{T}$
Mammani 1956
Medina J. T. 1930
Mercier y Guzmán 1760$^{T}$, 1765$^{T}$
Mesian ms.
Middendorf 1819$^{x}$
Mitre 1909/10
Oré 1598$^{T}$, 1607$^{T}$
Otero 1951
Patrón 1900
Pazos Kanki 1826$^{T}$, 1829$^{T}$
Peñaranda Durán 1957
Peñaranda & Medina 1923$^{T}$
Posnansky 1945
Ripalda 1923
Saavedra 1931
Sardón 1836$^{T}$
Sebeok 1951$^{x}$
Solís 1923$^{T}$, 1928$^{T}$
Solís Rodríguez 1926$^{T}$
Soria Lenz 1951
Steinthal 1890
Swadesh 1930, 1954, 1956
Tello 1923$^{T}$
Torres Rubio 1603$^{x}$, 1616$^{x}$
Tschopik 1948
Tschudi 1891$^{x}$
Villamor 1940, 1940

## QUECHUA

8. Consideramos más acertado separar esta lengua de la anterior y dejar así sentado que, hasta ahora, no parece probado que el parentesco entre ambas sea otra cosa que una comunidad por vecindad que se extiende no sólo a muchos elementos de léxico sino también a estructuras morfológicas y a rasgos fonéticos. Pero ello no prueba, quizá, comunidad originaria.

La historia enseña que el Quechua ha reemplazado al Aimara en muchos territorios, pero no se ha podido establecer que el Aimara sea precisamente la lengua de alguna de las culturas preincaicas descubiertas por la arqueología.

Un problema de gran interés que ha sido planteado es el de la posible afiliación del Quechua (y acaso del Aimara) al grupo Hoca de América del Norte, que tiene representantes seguros hasta en Nicaragua (23. 1) e inclusive, según Rivet, en el Yurumangui de la costa de Colombia (22. 4).

El Quechua, cuyo foco originario está en la región del alto Apurimac y del Urubamba, se extendió con las nuevas conquistas de los emperadores Incas a lo largo de los Andes y la costa del Pacífico, hasta el río Angasmayo, en la actual frontera del Ecuador y Colombia, por el Norte y hasta las regiones de Tucumán en Argentina y casi el centro de Chile. Después de la conquista española, el uso del Quechua como lengua general y de prestigio entre los indígenas ocasionó que por la colonización y por obra de los misioneros llegara a regiones donde parece que no llegó la conquista Incaica, como la provincia de Santiago del Estero en la Argentina, el Alto Amazonas (dialecto Mayna), bajo Huallaga (dialecto Chasutino), alto Pastaza (dialecto Canelo), ciertas partes del norte de Ecuador (alto Napo: Quixo) y sur de Colombia (alto Caquetá y Putumayo: Ingano; Almagrao en Tolima). Asimismo durante la colonización hispánica se extinguieron en beneficio del Quechua muchas lenguas de pueblos sometidos por los Incas, pero que habían conservado su personalidad, y así se hizo más compacta la zona de lengua Quechua.

Hoy la lengua Quechua es aún hablada por cuatro millones de personas; muy principalmente en Perú y Bolivia, pero también en Ecuador y Colombia (en esta república 5.000 hablantes) y en la Argentina. Es una lengua que corresponde al punto más alto de la cultura indígena sudamericana. Un fonetismo claro y preciso contribuye a su estabilidad.

Los dialectos no son muy diferenciados, lo que, como dice J. A. Mason, es prueba de una expansión tardía. Parece que los más diferenciados son los de la región de Ayacucho. Se agrupan geográficamente en: Septentrionales o del Chinchaysuyo: Conchucu, Ayacucho, Junín, Huánuco, Ancash, Huamachuco, Cajamarca, Chachapoyas, Huacrachucru, Huancapampa, Ayahuaca. A ellos se suman los Lamaño o Lamista. Meridionales o del Tawantisuyo: Cana, Canchi, Inca, Chumbivilca, Aimara, Quichua en sentido estricto, Chanca, Huanca y Rucana. Más al norte de los primeros está el Quiteño, de los antiguos Cara. Dialectos de Bolivia: departamentos de Cochabamba, Chuquisaca y Potosí. Aquí los Chichas y Lipes, primitivamente aimaroparlantes, han adoptado el Quechua.

Loukotka (1951) prefiere una clasificación distinta de los dialectos Quechuas, señalando como precolombinos los siguientes: Qusqo, Čanka, Qollawa, Hirka, Wanuku, Wanka, Sansa, Tarmatampu, Panao, Pillku, Ankaš, Čokyan, Wari, Waylas.

Señalemos los siguientes rasgos del Quechua:

Órdenes triples: de sorda, aspirada y recursiva. Hay que apuntar la aparición de sonoras en dialectos (-bamba en topónimos en lugar de -pampa). Dos series de dorsales, una anterior y otra posterior, lo que hace, dado el triple orden, seis dorsales dinstintas.

Las vocales son tres: a i u, pero la e y la o muchas veces se escriben, aun no siendo más que variantes combinatorias.

El tipo de las palabras es muy frecuentemente VCCV o CVCCV. Son finales o las vocales o bien la y, q, s, r. Grupos frecuentes y muy varios: lt, lk, r con velar, nt, nkh, nč, st, sk, sq, etc.

La raíz es muy invariable y se añaden múltiples sufijos. No hay géneros.

El plural se hace con el sufijo -kuna que se suma a los sufijos casuales.

El genitivo se antepone. Los compuestos son frecuentes y llevan delante el elemento dependiente como en griego o germánico.

Distinción entre "nosotros" inclusivo y exclusivo.

Sufijos caracterizan al dat. y acus. sin distinción, así como al sujeto agente.

Verbo con ricas derivaciones sufijales para el causativo, reflexivo, recíproco, pasivo de estado, precativo, intensivo, frecuentativo, negativo (como en español con el prefijo des-), con idea de dirección o movimiento, desiderativo, etc. El verbo da una impresión muy nominal. Los pronombres sujetos se sufijan al verbo y se asemejan mucho a los sufijos posesivos.

El adjetivo se antepone inclusive como predicado.

La conjunción "y" es una enclítica en varias formas y de diversos orígenes.

La negación es mana y para el prohibitivo ama.

Abregú Virreira 1942
Adam 1878[x], 1879[x]
Agüero 1929
Aguilar, J. de, 1939
Aguilar, J. I. de, ms.
Albis 1855
Alencastre 1950, 1954, 1955, 1956
Allan & Barrón 1922
Anaya de Urquidi 1956
Anaya, U. 1942[T]
Anchorena 1873[T], 1874[T]
Angeles Caballero 1955
Anónimos 1584[T], 1585[T], 1586[T], med. s. XVIII[T], 1753, 1753[T], 1819, 1822

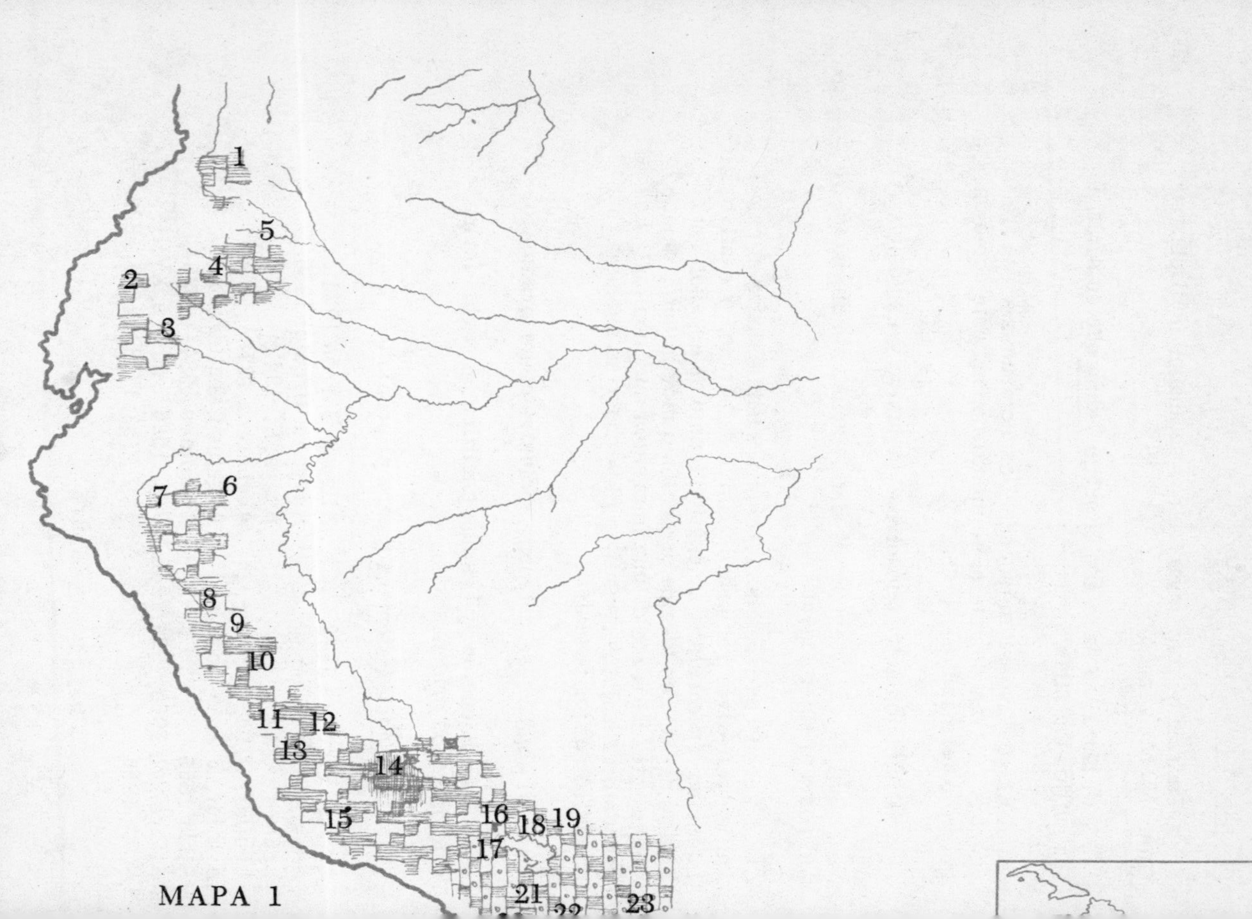

MAPA 1

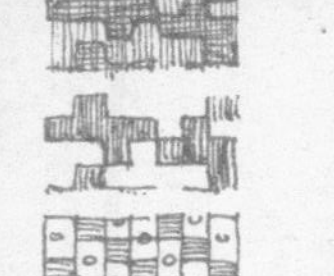

Territorio originario

Expansión incaica y colonial

Aimara

1. Almagrao 2. Quito 3. Canelo 4. Quijo 5. Ingano 6. Chasutino 7. Cajamarca 8. Ancaš 9. Huánuco 10. Junin 11. Huancavelica 12. Apurimac 13. Ayacucho 14. Cuzco 15. Arequipa 16. Puno 17. Lupaca 18. Omasuyu 19. Callahuaya 20. Tacna 21. AIMARA 22. Pacasa 23. Cochabamba 24. Caranga 25. Charca 26. Quillaca 27. Lipe 28. Chicha 29. Catamarca 30. Tucumán 31. Santiago del Estero.

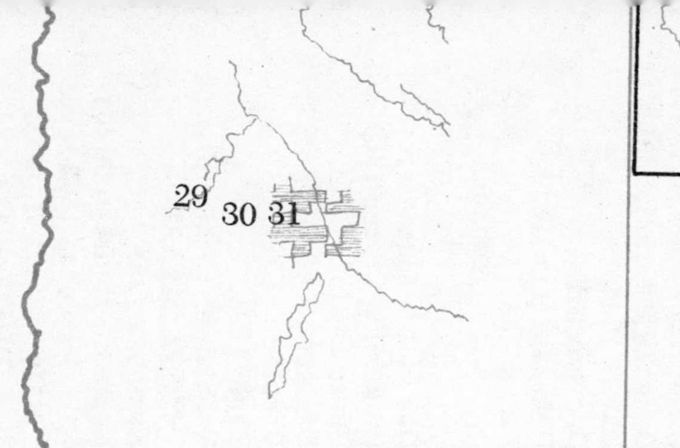


El caso del Quechua es único entre las lenguas sudamericanas. Es la lengua oficial de la única gran organización de tipo estatal que apareció en la América del Sur indígena. Los Incas y sus súbditos directos sabían que era esta la lengua de su imperio, y la extendieron a lo largo de todo él, desde el Pacífico hasta las cumbres de la Cordillera y desde el Ecuador hasta el corazón de Chile. Los hijos de los dirigentes indígenas eran educados en la lengua de los dominadores, y así se creó un bilingüismo que fue imitado por los conquistadores españoles. El prestigio de la lengua Quechua la convirtió en lengua general de gran parte de América del Sur. Si hoy se habla todavía en Santiago del Estero (Argentina) y en las regiones meridionales de la República de Colombia, ello se debe a esta expansión que los colonizadores españoles le prestaron al servirse de ella como de lengua común para la comunicación y la predicación del cristianismo.

Anónimos 1822, 1834[T], 1845[T], 1905[x], 1914[x], 1917[x], 1918/9, 1919, 1919[x], 1923, 1925[T], 1927[x], 1928[x], 1930[x], 1936[x], 1937[T], 1942/5[T], 1946 1948[T], 1948[T], 1951, 1952, 1954, 1954, ms. Breve instrucción
Aparicio ms.
Arguedas 1948, 1949, 1953[T], 1955
Arias ms.
Astete 1936/7[x], 1937[x]
Avendaño 1649[T]
Avila 1942[T]
Azpilcueta 1938
Baca Mendoza & otros 1954
Barranca, S. 1868[T], 1876[T]
Barranca & Urteaga 1936[T]
Barranca, J. S. 1915/20, 1919
Barrionuevo 1955/7
Basadre 1938[T], 1939[T]
Beltrán 1854[T]
Berríos 1919[x]
Bravo 1956[x], 1956[T]
Brinton 1892
Brüning 1913
Canto ms.
Casas Manrique ms.
Castro Loayza 1953
Caudmont 1953, 1954, 1954
Cavero 1942[T], 1943[T]
Centeno de Osma 1938[T]
Cisneros 1951/2, 1955
Coba Robalino 1950
Cohen 1952[x]
Cook, O. F. 1916
Cordero, L. 1895[x]
Cordero Palacios 1924
Coronado 1946[T]
Corts 1946[x]
Corvalán 1956
Cosio 1916, 1919, 1923, 1924
Charencey 1899
Christian 1932
Chuqiwanqa 1928
Dangel 1930, 1931, 1931
Dávila 1646/8[T]
Decreto 1813[T]
Deheza Arias 1937[T]
Dijour 1931/2[x]
Dumézil 1954[T], 1954, 1955, 1955, 1957[x], 1957
Dumézil & Alencastre 1953
Dumézil & Curien 1957
Durand 1915/8, 1921
Englert 1934
Entwistle 1957[x]
Ernst 1891
Escalante, Richie, Silva & Farfán 1939
Espinoza 1938
Espinoza Medrano de los Monteros 1892[T], ms.[T]
Farfán 1939, 1941, 1941, 1941/2, 1942[T], 1942[x], 1942, 1943, 1943, 1944[T], 1944, 1947/51[T], 1952[T], 1954, 1955[T], 1955[x], 1957
Feijoo Reyna 1924
Fernández Nodal 1873[x], 1873[T]
Ferrario 1933, 1934, 1956
Figueredo 1701[x]
Galante 1938[T]
Garro 1939, 1942, 1944

Guillin 1936
González, Padre, ms.
González Holguín 1607[x], 1608[x]
Grigorieff 1935[x]
Grimm 1896[x], 1897[x]
Guerra 1946
Guerrero y Sosa 1932[x]
Gumucio 1878
Guzmán 1920[x], 1920[x]
Harrington, J. P. 1943[x], 1947[x]
Harrington & Valcárcel 1941
Hawkes 1947
Hengvart 1907
Hernando Balmori 1955[T]
Herrera 1916, 1923, 1933, 1933/4, 1939, 1939, 1941, 1941, 1943
Hocquart 1916[T]
Huerta 1616[x]
Imbelloni 1926, 1928, 1936, 1942
Izaguirre 1927/9
Janota 1909
Jáuregui Rosquellas 1937 1946[T]
Jorge 1924[T]
Jurado 1860[T]
Jurado Palomino 1649[T]
Lafone Quevedo 1901
Lara 1955[T]
Lársen 1870
Lauriault 1957[T], 1958[T]
Lemos 1920
León, A. M. 1922[T], 1927[T], 1928/9[x], 1929[T], 1929/31[T], 1930, 1932/3[T] 1939[x], 1939/40[x], 1945[T], 1947[T], 1950/1[T]
Lira 1944[x], 1947/9[x], 1947/57[x], 1950/1[T], 1955[T]
Lizondo Borda 1927, 1928
Lobato 1905
López, V. F. 1865/6, 1867, 1868, 1869, 1871
Macedo y Pastor 1931/5, 1936[T], 1939
Manresa 1941
Markham 1864[x], 1871[T], 1883[T]
Martínez, J. 1604[x]
Maspéro 1870
Matienzo 1895
Matto de Turner 1901[T], 1926
Medina, J. T. 1930
Melgar 1691[x], ms.[T]
Meneses 1949/50[T], 1954[T], 1954[T], 1956[T], 1957[T]
Middendorf 1890[xT]
Millán de Palavecino 1950
Miranda 1953
Molina, Chr. de, 1913[T]
Molina, Fr. D. 1649[T]
Montaño 1854[T], 1864[x]
Morales 1929[T]
Moreno Mora 1955
Morínigo 1959
Morote Best & otros 1954
Mossi 1857[x], 1857[x], 1857, 1889[x], 1916[T]
Mostajo 1923
Navarro, M. 1903[x]
Navarro del Aguila 1942
Oblitas Poblete 1956
Ollantay 1878[T]
Oré 1598[T], 1607[T]
Ortiz, Fr. D. ms.[T]
Ortiz, S. E. 1940, 1953, 1954

Pacheco Zegarra 1875
Palavecino 1926, 1928, 1936
Pardo 1945[x]
Paris 1924[x]
Patrón 1900, 1918
Patrón & Romero 1923
Pérez Bocanegra 1631[T]
Pérez Guerrero 1934
Pinell 1929
Pondexter 1930
Poma de Ayala 1939
Porras Barrenechea 1950, 1953
Prado 1641[T]
Pulgar Vidal 1937
Pupiales 1953
Quesada 1863
R. 1927
Raez 1927
Reyburn 1954
Rivet 1912
Rivet & Créqui Montfort 1951/6
Rocha, J. 1905
Rodríguez, M. C. 1921[x]
Rojas, R. 1942
Romero, E. 1935
Rowe 1950
Rowe & Escobar 1943
Roxo Mexia 1648[x]
Sala, G. 1905/8[x]
Sancto Thomas 1560[x], 1560[x]
Schuller 1917/8
Shedd & Nida 1952[x]
Soliz Rodríguez 1926
Spilsbury 1880[T], 1897[xT]
Steinthal 1890
Stucken 1927
Suárez 1930
Swadesh 1930, 1954, 1956, 1959
Tascón 1934
Tello 1923[T], 1931
Tessmann 1930
Tola Mendoza 1939[x]
Torres, A. M. 1931
Torres Rubio 1603[x], 1619[x]
Torres Rubio & Figueredo 1754[x]
Touchaux 1910[x]
Trager 1945[x]
Trimborn 1939[T], 1953
Tulcán 1934, 1934
Tschudi 1853[xT], 1884[x]
Urioste & Herrero 1955[x]
Valcárcel 1933, 1942
Valera ms.[x]
Valverde 1936
Vara Cadillo 1931[x]
Vázquez 1921/4
Velasco 1787[x]
Velazco Aragón 1923[x]
Vidal Martínez 1947
Viescas s. a.
Vilches Burgos 1956[T]
Villamor 1942
Villar 1887[x], 1890
Wechsler 1917
Wilczynski 1887
Wonderly 1952
Woodward 1917[T]
Yokoyama 1951[x]
Young & Harrington 1944

## LA FAMILIA PANO

9. Se trata de una familia bien caracterizada y bastante extendida geográficamente. Mason da la cifra de unos 15000 hablantes en total para los distintos dialectos. Se extienden éstos por una zona que llega por el norte hasta cerca del Marañón, tiene su mayor densidad en la región del Juruá y del Purús, alcanza al río Ucayali (y aún más al oeste al principio, sobre el Huallaga) y presenta grupos aislados, al suroeste a la derecha del alto Madre de Dios, sobre el Inambari y sus afluentes, y al sureste en la región de los ríos Mamoré, Madre de Dios y Beni.

Etnológica y lingüísticamente los Pano forman un grupo conocido desde el siglo XVII por los misioneros españoles del Perú. Sin embargo no está hecha una clasificación lingüística de los dialectos y todavía la comparación de viejos vocabularios hecha por K. von den Steinen sigue siendo la más completa de que disponemos, lo que hoy dista de ser suficiente.

Las dos diferencias principales entre los Pano parece ser la que establecen las desinencias -be (signo del plural) para las tribus del río Ucayali y -nawa (que significa "extranjeros") aplicada a las tribus del Juruá y Purús. Seguimos provisionalmente en la agrupación a J. A. Mason.

9. 1. LAS LENGUAS CHAMA (ČAMA). Es el grupo del Ucayali, con las tribus Conibo (Cunibo), Setebo y Šipibo, cuyos dialectos son mutuamente inteligibles, a lo que parece por el testimonio de los misioneros editados por Von den Steinen. El Setebo o Šetibo tiene dos subgrupos: Sensi (Sensivo, Senci) y Pánobo. Pano, Pelado, Manoa, Cašiboyano, se consideran sinónimos de Sensi. En cuanto al Mananagua, Rivet (1910) y de nuevo en su tratado con Loukotka, lo considera rama del Šipibo, Tessmann (1930), del Cašibo. Grubb dice que es subtribu del Remo con las subdivisiones Marubo y Pisabo, lenguas que se suelen in-

cluir en el grupo este. Los datos lingüísticos son sólo los que da Tessmann brevemente, por lo que la conclusión es provisional.

Sipibo y Šetibo son identificados por algunos autores y también son considerados codialectos con el Caliseca, desaparecido desde el siglo XVII.

Algunos autores creen que hay que situar en este grupo Chama a los Rembo, junto a los que se citan los Sacuya, Nonpo y Cuyanawa.

Los Curina o Culino (Panos, distintos de sus homónimos Arawak) quedan aislados más al nordeste, cerca del Amazonas, entre el Itecahý y el Jutahý; su pertenencia dialectal se desconoce.

9. 2. CAŠIBO (Caxibo, Cachibo). Como variedades de esta rama se citan: Cacataibo, Cašiño, Ruño, Buninawa, Haqueti, Çarapacho (que Mason señala como dudoso), Puchunawa y Širinó. También se cita el Manamabobo. Su distinción frente al grupo anterior es disputada. Para unos autores habría mutua inteligibilidad entre Chama y Cašibo (así Mason, apoyado por Rankin); para otros no. Hay quien considera al grupo Cašibo muy próximo al Caxinauá.

9. 3. AMAHUACA O AMAGUACO Y CAXINAUÁ. Lingüísticamente este grupo es mejor conocido por la excelente colección de textos de Abreu. De todas maneras la nomenclatura tribal es muy complicada. No sabemos si los Maspo o Masco e Impenitari (Epetineri) pertenecen a este grupo o al Chama. Inuvakeu y Viwivakeu se incluyen también en este grupo.

Parecen dialectos Pano del mismo tipo, el Pichobo (Pitsubo, otros lo identifican o repiten el nombre del Pisabo de 9. 1) y Soboibo (Saboibo, Soboyo, Bolbo), Mochobo y Comobo (estos dos últimos también designados con el

Lámina III. – Samuel A. Lafone Quevedo.

nombre de Univitza).

Tomando como base los textos Caxinauás de Abreu, podemos señalar algunas características de las lenguas Pano:

Rico sistema vocálico: a i o ô u ö (e secundaria del frecuente diptongo ai) más otras tantas nasales. Nasales consonantes: m n. Oclusivas sordas p t k, pero sordas solo b d. Fricativas: w y (bastante inestables) š θ. Africadas tθ, č. Vibrante r (que en inicial se alterna con h v).

La estructura de la palabra es CVCV o CV.

Las Pano son lenguas de sufijos. El acusativo tiene sufijo y también muchas veces (y no raramente el mismo) el nominativo. Entre el nombre y los sufijos casuales se pone un sufijo de plural. Sin embargo el pronombre de 2a. persona antepuesto como posesivo, muchas veces no lleva distinción de singular y plural.

El verbo va al final de la frase. Dado que los sufijos de nom. y acus. a veces pueden notarse idénticos, podría señalarse un carácter pasivo en el verbo.

El genitivo se antepone.

El sujeto del verbo va marcado con una desinencia que viene a ser algo como concordancia. Compárense las frases: Irikĩ Makari iukakĩ "Iriki a Makari preguntó" y Makarĩ Iriki iôikĩ "Makari a Iriki dijo".

9.4. LENGUAS O DIALECTOS DE DUDOSA PERTENENCIA A ESTE GRUPO. El Nocomán o Nocamán parece que se ha extinguido; Loukotka y Jijón lo consideran Pano.

Otros nombres de dudosa afiliación son: Mainawa, Yawanawa y Yumbanawa (¿o Yumanawa?), Puyumanawa (o Puñamumanawa), Camarinagua (o Camarinigua), Ruanagua (o Rununawa), Puynawa (Puynagua, Poyanawa), Paranawa, Nišinawa, Nehanawa, Niaragua, Nastanawa.

Los Canamari o Canawari, que comparten éste nombre con otros Canamari Arawak (16. 3) y Canamari Catukina (15. 8) son incluidos entre los Pano. Nombres de tribu igualmente considerados dentro de esta familia lingüística son los Ararawa, Contanawa, Espinó, Marinawa (distintos de los Mainawa que acabamos de citar), Nawa, Pacanawa, Šaniadawa o Šaninawa (que Mason distingue de los Saninawa), Šipinawa, Tušinawa, Yaminawa, Yawabo (Jawabu), Yura.

En el grupo Catukina Pano (distinto de los Catukina propiamente dichos [15. 8] y de la tribu Arawak del mismo nombre [16. 3] ) se dan los nombres Arara, Ararapina, Ararawa (que según Rivet & Loukotka se refunden juntos bajo el nombre de Saninawa), así como el de los Šawanawa (mezcla según estos autores de Waninawa, Kamanawa, Nainawa y Yuwanawa).

En el alto Mõa tenemos los Nucuine, que Rivet & Loukotka distinguen de los Remo, con los que otros los confunden.

9. 5. En las ZONAS DEL SUDESTE, en la cuenca del Madeira, tenemos las tribus de Pacaguara, Chacobo o Caripuna (con los Yacariá o Yacaré-Tapuya y los Pamâ o Pamanâ), Capuibo, Sinabo (quizá idénticos a los Senabo) y Zurina (que Loukotka considera de dudosa clasificación, v. 12. 6).

Al suroeste hay documentación suficiente como para acreditar como Pano al grupo formado por las tribus Arasaire (o Arasa, que el P. Aza identifica con los Tuyuneri Arawak), Atsahuaca o Caspa (con el subgrupo de los Yamiacu o Haãuñeiri, junto al río Yaguarmayo) y los Arauâ.

La lengua Tacana se ha extendido también entre gentes de este grupo.

Abreu 1914[T]
Alemany, A. 1906[x]
Alviano 1957
Anónimo 1795[x], 1898
Armentia 1888[x], 1898[x]
Aza 1933, 1935[x], 1937[x]
Cardús 1886
Carrasco 1901[x]
Carvalho 1929
Castelnau 1852
Cipriani apud Vias del Pacífico 1903
Créqui-Montfort & Rivet 1913
Chandless 1869
Dávila, V. M. 1943
Durand 1921
Farabee 1922
Grubb 1927
Guillaume 1888
Hanke 1949
Heath E. 1883
Hestermann 1910, 1911, 1914
Izaguirre 1927
Keller 1874
La Grasserie 1890
Latham 1862
Lauriault 1948
Loukotka 1950
Llosa 1906
Marcoy 1875
Marqués 1903[x], 1931[x]
Martius 1867
Métraux 1942
Navarro 1903[x]
Nordenskiöld 1905
Orbigny 1839
Orton 1874
Osborn 1948
Pauly 1928
Reich 1903
Rivet 1910, 1920
Rivet & Tastevin 1927/9[x]
Russell 1958
Saint-Cricq 1835
Schuller 1911, 1912[x]
Shell 1950/7[x]
Stegelmann 1903
Steinen 1904[x]
Stiglich 1908
Tastevin ms.
Tessmann 1929[x], 1930

9.6. MAYORUNA. Esta lengua (llamada también Majuruna, Mašoruna, Pelado) se ubica al oeste de los Culino, entre el bajo Ucayali y el Jutahý, hasta lindar con la zona de las tribus Pano del río Itecahý. Era considerada como Pano por la generalidad de los autores. Rivet y Loukotka dicen que es una lengua Pano con influjo Arawak en su vocabulario. Los datos lingüísticos son en verdad escasos.

Maruba (o Marova) y Chirabo parece que son los dos grupos principales de los Mayoruna. El nombre de Chirabo ha sido dado por muchos como de un grupo Pano, y en cuanto al otro grupo, unos Marubo han sido más arriba citados como subdialecto de los Mananagua (9. 1).

Junto a los Mayuruna citan Rivet & Loukotka a los Capanahua (en los límites de Perú y Brasil, entre el Javary y el Blanco) que en algún sitio son llamados Buskipani.

Castelnau 1852 Spix *apud* Martius 1867

## LENGUAS DE DIFÍCIL CLASIFICACIÓN EN EL MARAÑÓN Y LA MONTAÑA

10. 1. ITUCALE, SIMACU, URARINA. Es posible que estas tres distintas lenguas (una sola designada con estos tres sinónimos, según Rivet & Loukotka) puedan formar un grupo común distinto del Pano. Junto a éstas se citan los nombres de Chambira, Singacuchusca y Arucuye (estas dos últimas identificadas por algunos con el Simacu o Čimaku). Acaso influencias Pano, como también Arawak y Tucano, enmascaren el fondo auténtico de estas lenguas. Itucale y Urarina (Oruariña) se citan por Mason como extintas; esta última ha sido considerada también como un pariente del Mayoruna (9. 6) y el otro, dialecto Tupí, sinónimo de Cocamilla (13. 2).

Tessmann reunió un breve vocabulario de Simacu que sirve para una orientación sobre esta lengua.

Jijón y Caamaño 1941/3 Tessmann 1930
Rivet 1912

10. 2. AGUANO Y CHAMICURO. También es difícil la clasificación de estas lenguas, pues las opiniones vacilan entre atribuirlas al Pano o considerarlas más o menos próximas al Arawak o al Tucano. Los Aguano (Santa

Crucino) aceptaron ya después de la Conquista el Quechua y se citan de ellos las tribus Chamicura y Maparina (estos últimos considerados Pano por Rivet & Loukotka), Cutinama (atribuidos por otros a la familia Cahuapana), todas muy difíciles de identificar. Los Chamicuro se han considerado Pano (si bien se señala influjo Arawak en un léxico recogido por Tessmann) y es posible que esta sea la clasificación que corresponde a todo el grupo Aguano.

Jijón y Caamaño 1941/3 Tessmann 1930

10. 3. Nombres de TRIBUS MENORES en las laderas orientales de los Andes. No hay datos lingüísticos de una serie de tribus que con Mason agrupamos aquí: Alon, Amasifuine, Carapacho (cf. 9. 2), Cascoasoa, Cognomona, Chedua, Cholto, Chunatawa, Chupacho, Chusco, Huayana, Moyo-Pampa, Nindaso, Nomona, Panatahua, Payanso, Quiquidcana, Tepqui, Tingano, Tulumayo, Zapazo. Muchos de ellos ya estaban quechuizados cuando se estableció contacto con ellos.

Beuchat & Rivet 1909 Rivet 1912
Chamberlain 1910 Tessmann 1930
Mason 1950

10. 4. AMUEŠA. Esta lengua, hablada por un millar de personas (Duff 1957) en el Perú, entre la ciudad de Oxapampa y el río Pachitea, y limítrofe con los dialectos Campa-Anti (16. 3), ha sido muchas veces considerado dialecto Arawak. Otros hasta encuentran en ella elementos Tupí-Guaraní. Lo mejor es considerarla lengua independiente. Lorenzo, Omaje y especialmente Panatahua pueden ser lenguas que estuvieran emparentadas con ella y sería la última superviviente del grupo. El nombre Amueša se encuentra escrito en muchas otras formas: Amoiše, Amagues, Amuese, Amueixa, etc.

Anónimo s. f. Confes. Duff 1957[T]
Chamberlain 1910 Farabee 1922

Fast 1953x, 1953T
Izaguirre 1927/9
Rey Riveros 1956
Sala, G. 1897, 1905/8xT
Schuller ms.
Taylor 1954
Tello 1913
Tessmann 1930
Wise 1958
Wise & Duff 1958x

10. 5. CHIRINO Y CANDOŠI (Murato y Šapra). Se trata de lenguas poco conocidas. Ocupaban los Chirino las riberas del río Chirinos, alfuente del Chinchipe, y la región entre este río, el Marañón y la cordillera del Cóndor. Los Candoši, divididos en Šapras y Muratos, viven entre los ríos Morona y Pastaza, y según una lingüista que los ha visitado, son actualmente unos dos mil hablantes (Cox 1957). Los dos dialectos Šapra y Murato son mutuamente inteligibles. Se cita también el dialecto Pinche con las variedades Učpa, Pava y Araza. Se citan también los nombres Sacata y Rabona en esta región, como de dialectos quizá emparentados con el Chirino; y también se habla de un dialecto Bagua. Jijón y Caamaño llama a todo el grupo lenguas Muratas y lo incluye en el Chibcha en sentido amplio, en lo que le sigue Loukotka. El Candoši es una lengua de sufijos.

Anónimo 1879x, 1897 (Relación)
Cox 1957x
Jijón y Caamaño 1927
León, A. M. 1928/9x
Rivet 1930x, 1939
Tessmann 1930

10. 6. SABELA. Este grupo, descubierto por Tessmann, es considerado por este autor una mezcla de Ge-Arawak-Pano. Se conocen treinta voces, que sin duda no permiten un estudio muy preciso. La lengua Sabela, que puede quedar como de clasificación incierta, fue recubierta por el Quechua. Sus dos grupos parece fueron Tihuacuna o Tiputini y Širipuno. Los blancos los designaron (con la palabra quechua auqa "enemigo") con el nombre de Aucas. Rivet ha señalado la identidad del Sabela de Tessmann con la lengua de dos indias Aucas que fueron llevadas a Quito, y con la lengua de los Tuei (Tiwituey), tribu descubierta por Wavrin entre el alto Curaray y el Napo.

Rivet 1930, 1947 | Tessmann 1930

10. 7. HAQE-ARU O CAUQUI. Esta lengua, llamada también Tupe o Acaro, documentada por Farfán en el presente decenio, se ha señalado con personalidad independiente. Aunque las relaciones con el Quechua son evidentes, y no han de sorprendernos, dada la situación geográfica, tiene también relación con el Aimara. Esta lengua es sin duda un elemento más que hay que tomar en cuenta en el complejo problema Quechua-Aimara. Farfán se inclina a considerar al Haqe-aru (nombre que es un calco del nombre indígena del Quechua, Runa simi "lengua humana") como idioma independiente, a reserva de estudios gramaticales no realizados aún. El vocabulario acusa en un léxico reducido un tercio de coincidencias con el Quechua y poco menos con el Aimara, si bien hay que tener en cuenta que un 20% de las coincidencias en estas tres lenguas se presentan en palabras típicamente culturales (por ejemplo numerales, nombres de color, etc).

Este idioma se habla en Tupe o Lérida y en Cachuy, prov. de Yauyos, al sureste del departamento de Lima.

Barranca, S. 1876
Espejo Núñez 1956[x]
Farfán 1952/4[T], 1955[x], 1956, 1957
Iturrizaga 1941[T]
Matos Mar 1951, 1956
Mejía Xesspe 1931
Tello ms.
Villar 1896

## LENGUAS AISLADAS DE BOLIVIA DEL NORTE Y CENTRAL

11. Agrupamos aquí, siguiendo principalmente a Mason, una serie de lenguas que hasta ahora permanecen aisladas y sin agrupar. Es posible que ulteriores estudios permitan alguna clasificación y reducción del número de grupos independientes. Parece que todas las que enumeramos en este apartado sobreviven, por lo que los problemas que plantean podrían ser estudiados sobre el terreno.

11. 1. TACANA-CAVINEÑA. Situadas las tribus que hablan estas lenguas entre los ríos Madre de Dios y Beni, su posición lingüística es muy discutida. Créqui-Montfort y Rivet las consideran Arawak, seguidos por Pericot y Loukotka; pero antes y después de estos autores el grupo es considerado independiente.

Estas lenguas parecen emparentadas con el Arawak, pero también con el Pano y especialmente con éste en la morfología. Con todo aún no es posible dar una solución en este problema comparativo, pues también se señalan semejanzas con el Quechua y especialmente con el Aimara.

Entre los grupos que hablan esta lengua citaremos los Araona (o Arahuna), los Caviña (que Rivet distingue de los Cavineños, que son los mismos pero cristianizados), los Toromona (que Rivet distingue de los Turamona), los Guacanahua o Čama, los Sapibocona o Maropa; a las penetraciones del Tacana entre los Arasa y Arasaire ya hemos aludido (9. 5).

Se citan además otros nombres, basados principalmente en los informes del P. Armentia, que añadiremos en gracia a la minuciosidad, pero cuya significación como dialectos no está en modo alguno acreditada: Capachene, Mabenaro, Machui, Chirigua o Chiriba (con los Chumana), Guarizo, Ayaychuna, Babayana, Chiliuvo, Chivamona, Idiama o Isiama, Pamaino, Pasaramona, Saparuna, Siliama, Tumupasa o Maracaui (que Loukotka considera un dialecto Arawak), Uchupiamona, Yabaypura, Yubamona; al oeste están los Tiatinagua (o Guarayo de Tambopata) con los Chama, agrupados con los Guacanahua o Guarayo (que no deben confundirse con los Guarayos Guaraníes, 13. 1), con su sección los Usama, Baguaja, Baguajairi, Chunchu, Echoja, Guanayo, Mohinos, Quinaqui, Yamaluba. Loukotka cita también el dialecto Kanakure.

Las siguientes serían algunas notas para caracterizar el Tacana:

Las palabras suelen terminar en vocal y las formas que adoptan son VCV, VCVCV, VCCV, CVCVCV, VVCV. A veces se da el grupo de muta cum liquida. Característi to que los numerales Quechuas kimsa "3" y pisqa "5", tomados en préstamo, en Tacana se convierten en kimiša, pišika. Tiene r y carece casi del todo de l, por lo que se piensa que las palabras con este fonema sean prés tamos extraños. Las mujeres Araonas usan f en vez de s a diferencia de los hombres.

No hay género ni ningún otro elemento clasificador.

El genitivo va antepuesto, como también el acusativo.

Los verbos se modifican con la acumulación de diversos sufijos que expresan tiempos o modos.

La flexión del nombre se hace con sufijos y los adjetivos y los nombres llevan un solo sufijo. No hay sufijos de nominativo ni de acusativo.

El plural se indica con una partícula pospuesta.

Los pronombres posesivos son iguales al genitivo de los personales.

Existe un dual en el pronombre "yo" y "tú".

Las formas son muy fijadas.

La negación prohibitiva es be y la general parece compuesta de la anterior: mave.

No hay conjunción "y".

La numeración procede del Quechua hasta el 6 y lue

go en Tacana sigue con formas del español y en Cavineño del Aimara. Sistema decimal.

Anónimo 1859[T]
Armentia 1888[x], 1902[x], 1903[x], 1904[x]
Aza 1928[x], 1930/2
Brinton 1892
Cardús 1886
Créqui-Montfort & Rivet 1921/3[x]
Farabee 1922
Firestone 1955[x]
Gili 1862[T], 1902[T]
Heath, E. R. 1883
Hervás 1785, 1786
Lafone Quevedo 1902[x]
Loukotka 1950
Métraux 1942
Nordenskiöld 1905, 1911
Pauly 1928
Sanjinés 1891
Schuller 1922, 1933[x]
Teza 1868
Weddell 1835

11. 2. LECO O LAPALAPA. Ya Lafone Quevedo señaló frente a D'Orbigny la independencia de esta lengua, hablada en la misión de Atén (de donde el nombre de Atenianos dado a sus hablantes) al nordeste del lago Titicaca. Es posible que aún no se haya extinguido este idioma.

He aquí algunas notas tipológicas:

Alternancia de d/r; grupos internos sk, pč, sm, gm, tn pero domina en las palabras el tipo CVCVCV.

Plural indicado con el sufijo -aya; no hay dual.

Postposiciones tanto para los casos como para indicar las personas de los verbos, así como los tiempos de éstos.

El adjetivo se antepone al nombre.

No hay "nosotros" inclusivo y exclusivo.

Acusativo generalmente sin sufijo (a veces -ki); sujeto sin sufijo.

Sistema numeral quinario.

Los sufijos pueden referirse a varios términos, como en una flexión de grupo, y los términos van en asíndeton: caut Santísimo Sacramentora quiere decir "en el cielo (y) en el S.S.".

La negación prohibitiva es se, mientras que la negación es el simple sufijo -e.

Elementos culturales Quechuas en el léxico.

| | |
|---|---|
| Brinton 1892 | Métraux 1942 |
| Cardús 1886 | Orbigny 1839 |
| Chamberlain 1910 | Weddell 1853 |
| Lafone Quevedo 1905[x] | |

11. 3. MOSETÉN. Según los estudios hasta ahora realizados, esta lengua queda también aislada, salvo relaciones que Swadesh recientemente cree posibles con el Mosquito y el Ona. Se habla en la margen derecha del río Beni, en las antiguas misiones de Covendo, Santa Ana y Muchanes, desde el río de la Reunión, al norte de Cochabamba, hasta las faldas orientales de los Andes. Al norte limita con los Apolistas, al este con Mojos y Yuracares, al oeste y sur con gentes Quichuas y Aimaras y con los Lecos.

Consta que la lengua tenía dialectos distintos cuya distribución se desconoce. Como nombres tribales se citan los Raches, Punacanas, Muchanes o Tucupi, Magdalenos, Maniqui, Amo, Aparono, Cunana y Chumpa entre los Mosetenes propiamente dichos, y entre sus hermanos los Chimanes, los Chimaniza, Chumano y Chomanes Nawasi-Montzi.

A principios del siglo XIX se calculaban como 700 las familias de Chimanes y Mosetenos, reducidas a 120 en 1889. Según cálculos recogidos por Mason, hoy quedan unos pocos Mosetenos y quizá unos millares de Chimanes.

Como notas de esta lengua podemos señalar:

Estructura de las palabras CVCVC, VCV, CVCCV. Las consonantes finales más frecuentes son -t, -s, -y.

Existe para palabras sexuadas algo semejante a la moción, terminando el masculino en -t y el femenino en -s.

El genitivo se antepone, como también el adjetivo.

Los casos se indican con sufijos. También son sufijos los que indican las personas y los tiempos verbales. Asimismo se pospone una especie de artículo -in.

El verbo parece tener un carácter muy nominal.

Las formas de la palabra son muy fijas.

Numeración decimal.

Negación am que actúa también como prohibitiva.

Elementos culturales Quechuas en el léxico.

Adam 1889
Armentia 1888[x], 1903
Bibolotti 1917[xT]
Cardús 1886
Chamberlain 1910
Heath, E. R. 1883
Herrero 1834[T]
Métraux 1942
Pauly 1928
Schuller 1916
Wegner ms., 1930

11. 4. YURUCAR O YURACAR. Al sudeste de los anteriores, precisamente al nordeste de Cochabamba, en las fuentes del Sécure, Chapáre y Simoré, se hallan los hablantes de esta lengua, menos conocida que las anterio-

res y quizá relacionable con el Moseteno, como sugirió Métraux a Mason. También se ha propuesto su posible comparación con el Chiquito o el Pano.

Se la ha supuesto dividida en un dialecto oriental (de los Soloto o Mage) y otro occidental (Mansiño y Oromo). Se citan asimismo otros nombres de dudoso significado en lingüística: Coni, Cuchi, Enete (estos dos últimos sinónimos de Yurucar, según Loukotka).

Bairon 1952
Cardús 1886
Castillo 1906
Cueva 1893[x]
Chamberlain 1910
Holten 1877[x]
Loukotka 1950
Métraux 1942
Nordenskiöld 1910, 1911
Orbigny 1839
Pauly 1928
Wegner 1934

11. 5. MÓVIMA. Esta lengua, considerada independiente (llamada también Movimi o Moyma), se sitúa geográficamente al nordeste de los Chimanes, en las llanuras del Oeste del Mamoré, sobre los ríos Yacuruá y Rapulo. Aún parece que quedan algunos hablantes de ella. Es posible que tenga relación con su vecina oriental, la lengua Canichana; importantes coincidencias observadas justificarían considerarla un miembro del phylum Chibcha.

Cardús 1886
Créqui-Montfort & Rivet 1914[x]
Chamberlain 1910
Heath, E. R. 1883
Loukotka 1950
Métraux 1942
Nordenskiöld 1922
Orbigny 1839
Pauly 1928
Rivet 1929[T]

11. 6. CAYUVAVA. Al norte del territorio atribuido a la lengua anterior, sobre el río Mamoré, antes de su confluencia con el Guaporé, se cita ésta, en la que Loukotka ve influencias Arawak, y Markham, una rama precisamente del Mojo (Arawak), mientras que Créqui-Mont-

fort & Rivet se inclinan a descubrir influjos Guaicurúes. Parece, según observación de Mason, que las coincidencias con el Móvima son bastante visibles.

Cardús 1886
Créqui-Montfort & Rivet
1914[x], 1917[x]
Chamberlain 1910
Fonseca 1880/81
Heath, E. R. 1883
Métraux 1942
Nordenskiöld 1911
Orbigny 1839
Orton 1874
Teza 1868

11. 7. CANICHANA O CANISIANA. Al este del territorio Móvima, del otro lado del Río Grande, sobre el Mamoré, cerca de las fuentes del Machupo, se cita esta lengua, que no sabemos si subsiste o no, y cuya difusión es problemática. Parece que no se asemeja a ninguna de las lenguas vecinas. Loukotka la considera emparentada con el Chibcha.

Cardús 1886[x]
Créqui-Montfort & Rivet
1913[x]
Chamberlain 1910
Gillin 1940
Heath, E. R. 1883
Loukotka 1950
Métraux 1942
Orbigny 1839
Pauly 1928
Teza 1868

11. 8. ITONAMA O MACHOTO. Al este del territorio de la anterior lengua, desde el lago Itonama hasta el río Machupo, se cita este idioma, en el que Markham veía una rama del Mojo, y Loukotka claras influencias Arawak. Se conocen palabras de vocabulario y algunas oraciones.

Adam 1897/98
Cardús 1886[x]
Créqui-Montfort & Rivet
1916/17[x]
Chamberlain 1910
Fonseca, J. S. da, 1880/81
Gillin 1940
Métraux 1942
Nordenskiöld 1915
Orbigny 1839
Pauly 1928
Rivet 1921

## LENGUAS DE BOLIVIA ORIENTAL Y FRONTERAS DEL BRASIL

12.1. LENGUAS DE LA REGION MERIDIONAL DEL GUAPORÉ. Se citaban en esta región brasileña diversas lenguas aisladas, sobre cuya clasificación se ha avanzado bastante en el último decenio. En primer lugar, el Huari o Masaca (llamado también Corumbiara, como el río a cuyas orillas viven sus hablantes), del cual Wanda Hanke ha señalado la posición aislada y ha dado más amplia información; también E. Becker-Donner ha suministrado vocabularios nuevos y ha señalado importante coincidencia con el Bororo y Otuké. Lévy-Strauss acercaba esta lengua a otra vecina, el Puruborá, pero seguimos a Rodrigues en considerar a esta última un dialecto Tupí-Guaraní (13. 8). Rivet anteriormente consideraba Arawak al Masaca; sus dialectos, según Rivet & Loukotka, son Guažežu, Aboba, Pušacase, Maba y Canoé.

El Capišana fue identificado por Nimuendajú, que recogió un pequeño vocabulario, y parece que coincide con este dialecto otro vocabulario que Lévy-Strauss recolectó entre los indígenas del Igarape São Pedro, afluente por la derecha del río Pimenta.

Otras lenguas se citaban en la región, pero la mayoría han sido incorporadas a la gran familia Tupí-Guaraní (Kepkiriwat, Sanamaicā, Tuparí, Canoa o Canoé). Quedan sin datos precisos el Guaycarú, el Aruaši.

Podemos situar aquí también a la familia Mašubi o Mequens que Rivet & Loukotka ubican al este del río Guaporé, y citan como conocida por un vocabulario inédito. Ultimamente Rivet ha señalado relaciones capitales del Mašubi con el Chibcha.

Becker-Donner 1955[x]
Fawcett ms.
Hanke 1956[x]
Lévy-Strauss ms.
Loukotka 1950
Mason 1950

Nimuendajú 1955x
Nordenskiöld 1915
Rivet 1953x
Snethlage, H. ms.

12. 2. CHAPACURA. Este grupo lingüístico queda en Bolivia oriental entre los Mojos y los Chiquitos, y también se extiende al norte de los Mojos-Baure, a los lados de la frontera boliviano-brasilera, a la derecha del Madeira. Chamberlain propuso para él el nombre de Pawumwa. Incluye el tronco Iteneo de Hervás y el Ocorono. Este último, hoy extinto, según Rivet estuvo influido por el Arawak y el Pukina. Algunas de las tribus Chapacura fueron consideradas antes Pano.

El nombre de Wanyam o Huañam ha dado lugar a problemas de identificación, pues según Rivet & Loukotka es una rama de esta familia e idéntico al Pawumwa, con las tribus Itoreauhip, Manasi, Abitana, Cumaná o Cautario, Cabiši, Mataua, Cujuna (Kužuna), Tapoaya, Urunamaca, Pacas Novas, Uomo o Miguelenho, Šai, Uairí, Uaia y Uatianze; según Lévy-Strauss forma por sí una familia con las tribus Mataua o Matama, Cujuna (o Cuijana), Urunamaca, Cabiši, Cumaná. El nombre Cabiši se localiza en varias familias (15. 3, 16. 4, 15. 2, 13. 4), por lo que es poco preciso.

Dialectos de todo este complejo grupo, del que sólo hay alguna información lingüística en cuanto al Cabiši, el Cumaná, el Abitana-Huañam de Snethlage y el Pawumwa de Haseman, son además: Chapacura propiamente dicho (con Huachi, Guarayo, etc.) sobre el río Blanco o Baures, Quitemoca o Quitema, con los Napeca, Maré (antiguo Iteneo) e Itoreauhip; en los ríos Marmellos y Paricá, Preto y Jamari tenemos Torá o Toraz (que Loukotka cree mezclado con Caribe), Yarú, Urupá, Urumí y Yamará; probablemente hay que añadir a esta familia el Ocorono: el propiamente dicho o Rocorono, con el San Simoniano (que siguiendo a Snethlage, Rivet & Loukotka atribuyen con razón al Chiquito), el de San Ignacio, con Borja; el Herisobocona, el dialecto de los Tapacuraca o Chapacuraca, en la antigua Misión de Concepción de Chiquitos. Otras variantes del nombre Ocorono son Rocotona, Orocotona, Retoróño. Con Loukotka añadimos el Maré.

Cardús 1886$^{x}$
Créqui-Montfort & Rivet 1913$^{x}$
Chamberlain 1912
Haseman 1912$^{x}$
Loukotka 1950
Métraux 1940, 1942
Nimuendajú 1925
Nimuendajú & Valle Bentes 1923
Nordenskiöld 1915
Orbigny 1839
Pauly 1928
Snethlage, E. H. 1931, 1936
Teza 1868

12. 3. CHIQUITOS O TARAPECOSI. Se trata de una lengua bien caracterizada, conocida por trabajos de los antiguos misioneros, y de la que Hervás cita 35 grupos divididos en cuatro dialectos. Mason cita hasta seis grupos septentrionales: Manasica, Penoquiquia, Piñoca y Cusiquia, Tao y Tabiica; y uno meridional, aislado al oeste de Santa Cruz de la Sierra: Churapa. Sobre la inclusión en esta lengua del San Simoniano, v. 12. 2.

Es bien sabido que en esta lengua hay formas diferentes en el habla varonil y femenil, y de ello es ejemplo por excelencia entre los lingüistas. Lafone Quevedo señaló coincidencias interesantes con las lenguas Guaicurú.

He aquí, basándonos en la anónima descripción de un misionero jesuita, publicada por Adam & Henry, algunos rasgos de esta curiosa lengua, que fue comentada por el P. Feijoo en su curiosa particularidad de habla varonil y mujeril.

Oclusivas p, k, t (esta última se palataliza a menudo). Como única sonora oclusiva tenemos la b, que está en una curiosa relación con la m (y se correlacionan igualmente la r con la n y la y con la ñ), pues en la vecindad de otra nasal, los tres fonemas b, r, y pasan a su nasal correspondiente. Este rasgo recuerda la extensión de la

Lámina IV. – Daniel G. Brinton.

nasalidad en Guaraní. Existen en Chiquito vocales nasales, pero parece que (al menos por lo que explica el antiguo misionero) menos marcadas.

Escasa autonomía de la palabra: las vocales finales pasan a palatales delante de inicial palatal en la palabra siguiente, y se eliden ante vocal.

Las palabras presentan casi uniformemente la sucesión CVCV, con algún diptongo o hiato, y en interior algún raro grupo como *sm*, *st*.

Genitivo antepuesto.

Acusativo postpuesto, incluso cuando se trata de los pronombres complemento.

Gran desarrollo del sistema de prefijos pronominales posesivos, idéntico también para la conjugación de los verbos. En la 3a. persona de singular y de plural aparecen junto a los prefijos también sufijos. Una forma absoluta, en los nombres que la tienen, va sin prefijo, pero con el sufijo de la 3a. persona.

Distinción de sexo en las 3as. personas del verbo (y posesivos del nombre). Es en la lengua varonil donde se aplican estas distinciones, pues las mujeres no pueden usar más que las formas femeninas, aun aplicadas a varones o animales machos. Por otra parte el hablar mujeril prescinde en ciertos nombres de consonantes iniciales. Hay que notar que junto al género de acuerdo con los sexos naturales, las cosas sin sexo son atribuidas al femenino, es decir, que la mujer y animales hembras son clasificadas en un género inferior, como ocurre en Arawak también.

Existe un artículo definido.

Multitud de enfijos precisan como modos y aspectos

la forma verbal.

El nombre y el verbo pueden ir juntos, incorporados en una misma flexión, es decir con los mismos prefijos y sufijos.

Hay para negar o bien co antepuesto, o bien la postposición -i. Prohibitivo es el prefijo tapí.

No hay declinación, sino que existen preposiciones, semejantes a las nuestras. Tampoco hay sufijo de plural.

Numeración muy pobre; no se distingue sino la unidad, algunos pocos y muchos.

Adam & Henry 1880[x]
Arce ms.
Caballero 1933
Camaño ms.
Cardús 1886
Chamberlain 1913
Charencey 1899
Chome ms. ?
Fonseca 1880
García ms. ?
Gilij 1780/84
Kriegk 1838
Lafone Quevedo 1910, 1912
Métraux 1942
Mitre 1909/10
Nordenskiöld 1911
Pauly 1928
Suárez ms.
Tagliavini 1928

12. 4. GORGOTOQUI. Los Gorgotoqui o Korokotoki vivían en la provincia boliviana de Santa Cruz de la Sierra, sobre el río Guapay o Grande. No tenemos de ellos noticias lingüísticas.

Loukotka 1950

12. 5. YABUTÍ-ARICAPÚ. Estas dos tribus, que constituyen una familia lingüística según Loukotka, viven en un pequeño territorio en las fuentes del Rio Branco, afluente por la derecha del Guaporé. Loukotka sostiene que en ellas hay influjo Chibcha.

Loukotka 1950
Snethlage, H. ms.

12. 6. LENGUAS DESCONOCIDAS DE LA CUENCA DEL MADEIRA. Citaremos aquí, tomándolos de Loukotka, varios nombres de lenguas de la cuenca del río Madeira: Čurima (extinta), Krutria (extinta), Lambi (extinta), Papauniän, Quaiá, Takunbiaku, Tamakosi, Yauci, Zurina (esta última otros la consideran Pano, v. 9. 5).

Loukotka 1950

## TUPÍ-GUARANÍ

13. Es esta una familia bien caracterizada, que, como el Arawak y el Caribe, se extiende por mucha parte de América del Sur. Sus dialectos llegan del Amazonas al Uruguay y desde el Atlántico hasta los Andes, naturalmente que sin formar áreas continuas más que en ciertos territorios. El Guaraní Paraguayo precisamente, con sus vecindades en Brasil y Argentina, y en parte como consecuencia de la política lingüística de las antiguas misiones jesuíticas, sí que ocupa un territorio unificado y es considerado como lengua popular y nacional.

La distribución de la lengua, cuyo centro Rivet sitúa en la zona entre el Paraná y el Paraguay, es, como puede verse en el mapa, en gran parte fluvial y costera. Después de alcanzar la costa atlántica, los hablantes de dialectos Tupí-Guaraní se dirigen a lo largo de ella hacia el norte, y más tarde ascienden por el Amazonas.

Los descubridores y misioneros, tanto españoles como portugueses, se dieron cuenta inmediatamente del carácter del Guaraní-Tupí y lo consideraron casi lengua general, aun cuando políticamente su papel no fuera en modo alguno comparable al de los Aztecas o los Incas. Evidentemente las tribus que hablaban esta lengua se encontraban en el siglo XVI en plena expansión, como portadoras, de modo semejante a los Arawak y Caribes, de una cultura agrícola superior a la de las poblaciones que someten y conquistan.

Seguimos en la clasificación dialectal a A. Dall'Igna Rodrigues, que ha criticado con mucho fundamento desde el punto de vista lingüístico, a sus predecesores, y es sin duda una de las mayores autoridades en la materia. Su clasificación es en las ocho familias que estudiamos en otros tantos apartados.

Adam 1896[x]
Bertoni, M. S. 1916, 1921, 1922
Brinton 1890
Goeje 1928
Loukotka 1935, 1939, 1942, 1948, 1950
Rodrigues, A. Dall'I. 1955, 1958
Saint Hilaire 1830/51
Schmidt, M. 1905
Swadesh 1958

13. 1. TUPÍ-GUARANÍ EN SENTIDO ESTRICTO. Dividido por particularidades dialectales en Tupí al este y Guaraní al sudoeste, el primero visiblemente caracterizado por conservaciones, como la s inicial y las consonantes oclusivas finales, que en el segundo han pasado respectivamente a h y a cero. El Tupí es conocido en textos antiguos o Tupinambá, o como Ñeengatú o lengua moderna, a su vez el Guaraní se presenta en textos antiguos del siglo XVI al XVIII, y como Avañeẽ o lengua moderna del Paraguay, Corrientes y zonas meridionales del Brasil.

Dialectos próximos al Tupí-Guaraní son el Cainguá (Kaiwá), con sus dos variedades Apapocuva y Mbɨa, en la región más oriental del Paraguay, a los cuales, como nombres tribales podemos añadir con Rivet y Loukotka los Apiteré o Apuitere, Xeguacá, Tenonde y Chiripá; a este grupo corresponde también una colonia indígena que se trasladó hace un siglo a la región del bajo Tibagý, afluente del Paranapanema, en los alrededores de São Pedro de Alcántara (Est. de Paraná); colonias de tipo semejante deben de ser los Cainguá Baticola o Baabera, de Catanduvas sobre el Iguasú, y los de Salto Grande del Paranapanema y de San Ignacio sobre el mismo río; Apapokuva, Tañiguá u Oguauíva hallamos también, por consecuencia de emigraciones, más al este, hasta la región de Santos, sobre el Atlántico.

Son dialectos afines, pero con rasgos especiales (así llama inmediatamente la atención el paso del acento agudo del Tupí-Guaraní a acento grave) el Chiriguano (Aba, Kamba, Tembeta) y el Tapieté (con una tribu en estado salvaje, los Yanaygua del Parapití) en las regiones del extremo sudoeste de la difusión de este grupo lingüístico, el Chané o Tapui del Izozo en Bolivia, y, más al norte, el Guarayo o Itatin, lindando con los Mojos.

Nombres tribales de gentes desaparecidas en la región de la costa atlántica (donde sólo pervive la lengua en algunos núcleos al sur, en los estados de São Paulo y Santa Catharina, y en restos en grupos aislados de Rio Grande do Sul, Espíritu Santo, Pernambuco, Bahía): Tape, en la actual República del Uruguay, Cariyó, frente a la isla de Santa Catalina, y siguiendo hacia el norte hallamos mención de los Tamoyó, Tupiniquin, Potiguára, Caite, Tarамembe, en la isla de Marajó los Ñengahiba, etc.

Rasgos generales del Guaraní paraguayo, que elegimos para caracterizar este grupo son los siguientes:

Sistema vocálico complejo, con seis vocales orales (a e i o u ɨ) y las mismas seis nasales. La nasalidad se extiende a toda la palabra, es decir, en primer lugar a todas las vocales de ella, y viene a ser un elemento suprasegmental que delimita la palabra.

Las oclusivas son las sordas p t k. La sonora g en realidad ha de ser considerada, por razones de simetría, como una fricativa, igualmente fricativa es la b, que otros escriben v. Las descripciones vacilan entre una bilabial y una labiodental. Como un solo fonema han de ser consideradas mb y nd, que en la vecindad de nasales pierden el elemento oclusivo y se reducen a puras nasales, m y n respectivamente. Lo mismo ocurre con la p, que se nasaliza en m.

El cuadro de las consonantes se completa con las semivocales y y w, la silbante sorda s, la vibrante simple r, las nasales m n ñ, y finalmente la glotal sorda ? y la h.

Sufijos de tipo no sólo adverbial, sino gramatical, indican los casos. Es notable que el complemento directo se marca por el mismo sufijo pe que indica el locativo.

Como ya he defendido en otro lugar, el verbo es marcadamente nominal. Los prefijos posesivos de los nombres indican el pronombre sujeto. "Yo (estoy) enfermo" es en Guaraní gramaticalmente idéntico a "mi enfermedad".

Sufijos indican también las características modales y temporales del verbo, y en cierta medida se aplican también a los nombres.

Podríamos establecer en este idioma tres partes de la oración: nombre-verbo, prefijos (pronombres) y sufijos.

La numeración en Guaraní no pasa de cuatro (en los dialectos del sudoeste como el Chiriguano, hay un sistema decimal bien formado).

Abregú Virreira 1942
Adam 1879[x]
Albuquerque 1929[x], 1929
Almeida Nogueira 1876[x], 1879[x], 1879[T], 1879[x] 1879/80, 1880
Alonso Ocón 1761
Amorim 1928[T]
Anchieta 1595[x], 1618[T], 1874[x]
Andrade 1939, 1941
Anónimo 1624, 1630[T], 1721[T], 1758/85[T], ms. de Humboldt, 1863[T], 1877, 1877/8, 1895, 1913[T], 1914[T], 1935[T], 1938[x], s. f. Salmocuera
Araujo 1618[T]
Ayala Aquino 1949[T]
Ayres de Cazal 1845
Ayrosa 1933, 1934[x], 1935[x]

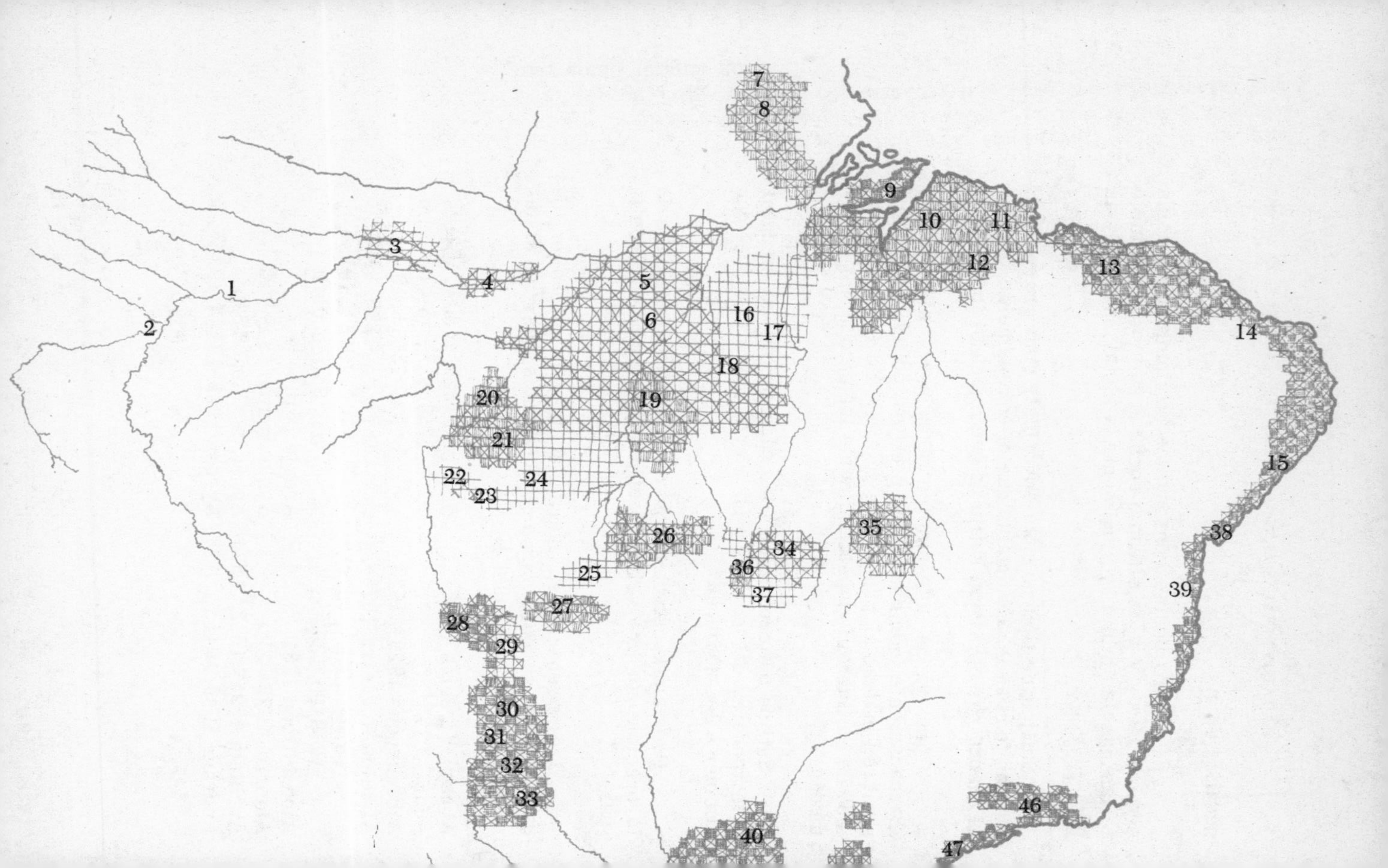

1
2
3
4
5
6
7
8
9
10
11
12
13
14
15
16
17
18
19
20
21
22
23
24
25
26
27
28
29
30
31
32
33
34
35
36
37
38
39
40
46
47

MAPA 2

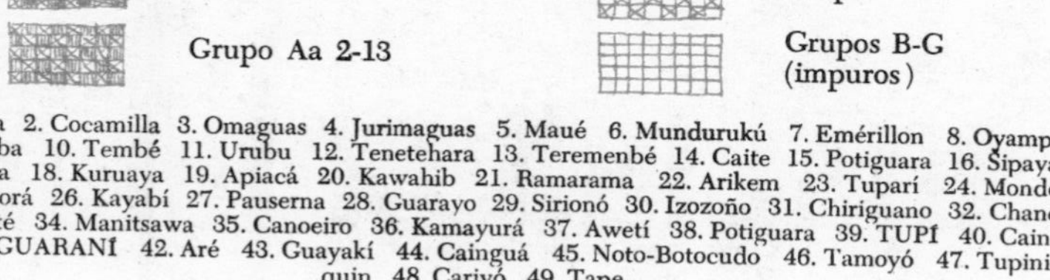


LENGUAS TUPÍ-GUARANÍ
según A. Dall'Igna Rodrigues

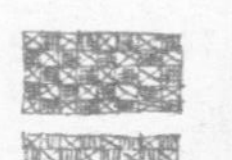

Grupo Aa 1 — Grupo Aa 2-13 — Grupo Ab-f — Grupos B-G (impuros)

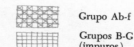

1. Cocama 2. Cocamilla 3. Omaguas 4. Jurimaguas 5. Maué 6. Mundurukú 7. Emérillon 8. Oyampi 9. Ñengaiba 10. Tembé 11. Urubu 12. Tenetehara 13. Teremenbé 14. Caite 15. Potiguara 16. Sipaya 17. Yuruna 18. Kuruaya 19. Apiacá 20. Kawahib 21. Ramarama 22. Arikem 23. Tuparí 24. Mondé 25. Puruborá 26. Kayabí 27. Pauserna 28. Guarayo 29. Sirionó 30. Izozoño 31. Chiriguano 32. Chané 33. Tapieté 34. Manitsawa 35. Canoeiro 36. Kamayurá 37. Awetí 38. Potiguara 39. TUPÍ 40. Cainguá 41. GUARANÍ 42. Aré 43. Guayakí 44. Cainguá 45. Noto-Botocudo 46. Tamoyó 47. Tupiniquin 48. Cariyó 49. Tape.

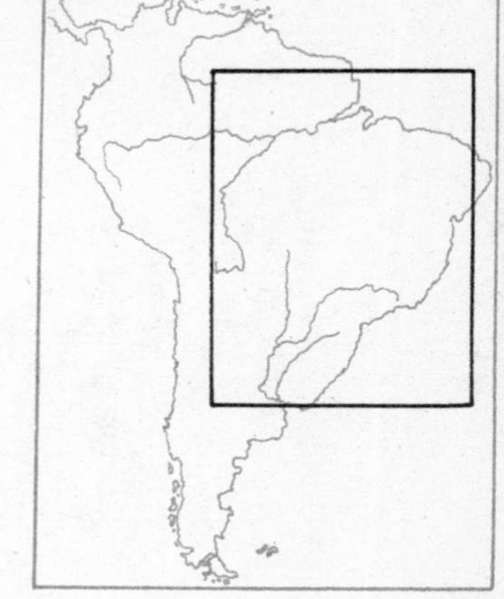

Las lenguas Tupí-Guaraní, portadas por agricultores guerreros que se extendieron por la inmensa red fluvial del interior de América del Sur, se hallaban en plena expansión cuando sobrevino el descubrimiento de América y la instalación en ella de españoles y portugueses. Toda la costa del Brasil puede decirse que estaba conquistada por los indígenas que hablaban estos dialectos y desde el último tercio del siglo XVI los misioneros, principalmente jesuitas, comenzaron a cultivarla. También su difusión en las regiones del Paraguay hizo pronto de esta lengua la lengua común del país. Convertida en lengua de las misiones jesuíticas el Guaraní conoció una extensión de tipo monolingüe comparable a la de una lengua europea (de ahí el arraigo que conserva, superior al de toda otra lengua indígena americana), y tuvo un gran cultivo literario. En la cuenca del Amazonas hubo hablantes antiguos del Guaraní-Tupí, pero la colonización del siglo XIX lo extendió aún más como "lingua geral".

1937, 1937[T], 1938, 1939, 1939, 1941[T], 1941[T], 1942, 1943, 1950[T], 1950[T], 1951[x]
Azpilcueta Navarro ?
Baldus 1952
Barbosa Rodrigues 1881, 1888, 1890, 1890, 1890, 1892, 1892/4[x], 1893 1905
Bassilan 1892
Beaurepaire-Rohan 1899
Benítez 1925
Bernal 1800
Bertoni, A. de W. 1909
Bertoni, G. T. 1926, 1936, 1941, 1952
Bertoni, M. S. 1914, 1920, 1926, 1932, 1940, 1940
Bettendorff 1687[T]
Bianchetti 1944
Bolaños 1655
Bonpland 1821
Bottignoli s. f. [x], 1927[x]
Branco 1935
Buzó Gómez 1943
Caballero, R. V. 1911[x]
Cabral 1901
Cadogan 1948, 1951[x], 1953[T]
Cámara Cascudo 1934
Carta 1768[T]
Castro 1936
Catecismos varios 1952/55[T]
Cavalcanti 1883
Colman 1917[T], 1921[T], 1929[T], 1929[T], 1936[T]
Coqueiro 1935
Cornelsen 1937
Costa 1909[T]
Costa Aguiar 1898[T]
Costa Rubim 1853, 1882
Couto de Magalhães 1876[x]
Cunha 1927
Charencey 1899
Chermont de Miranda 1944
Dahl 1953
Decreto 1813[T]
Dénis 1850[T]
Demersay 1859
Domínguez 1912
Drummond 1943, 1944, 1946, 1948, 1952[T], 1953[T]
Eckart 1890[T]
Edelweiss 1947
Eguía 1945
F. M. 1907
Faria 1858
Fernandes, A. de A. 1924[x]
Ferreira França 1859[T]
Fiebrig-Gertz 1927, 1932
Figueira 1621[x]
Freire Alemão 1882
Friederici 1930
Gaffarel 1877
García, R. 1920 y 1927[T], 1929
Gatti, C. 1945
Gez 1915
Gonçalves da Cruz 1897
Gonçalves Dias 1854[x], 1858
González, A. 1952
González, N. 1958
González Torres 1952
Guasch 1947[x], 1948[x], 1952 1952[T]
Handel 1892[x]
Hartt 1872, 1938[T], 1938[T]
Hervás ms.
Hestermann 1925

Hino 1839
Hoehne 1937
Houser 1954
Humboldt ms.
Insaurralde 1759/60$^{T}$
Jover-Peralta & Osuna 1950$^{x}$
Koch-Grünberg 1932
Kowyana 1951
Lafone Quevedo 1919
Latham 1862
Legal ms.
Leite, E. 1947
Leite, P. S. 1937, 1938
Lemos Barbosa 1944, 1948, 1949, 1950$^{T}$, 1951$^{x}$
Léry 1628
Macedo Soares 1879, 1880$^{T}$, 1880, 1881, 1881, 1890
Machado de Oliveira 1936
Magalhães 1951
Mansur Guérios 1935, 1950
Martínez, T. A. 1916
Martius 1858, 1863/7
Mauro 1950
Medina 1930
Melo e Silva 1939
Michaele 1951$^{x}$
Mitre 1896
Monreale 1925$^{x}$
Moraes 1648
Moreira 1862
Morínigo, H. 1941$^{T}$
Morínigo, M. A. 1931$^{x}$, 1935, 1936
Muniagurria 1947
Nimuendajú 1914
Nimuendajú & Valle Bentes 1923
Nogueira 1887
Núñez, P. L. 1574?
Núñez, S. 1955
Obelar 1910
Oré 1607
Ortiz Mayans 1949$^{x}$
Ortografía 1940
Osuna 1921, 1923, 1923, 1924, 1924, 1924, 1925, 1926 1926
Padres del Seminario 1891
Paula Martins 1940$^{T}$, 1941, 1941$^{T}$, 1945$^{T}$, 1945, 1946, 1947$^{T}$, 1948$^{T}$, 1949, 1949, 1954$^{T}$, 1955
Pereyra, M. 1951, 1952
Philipson 1946, 1946, 1948, 1953
Pinheiro Tupinambá ms.
Pío Correa 1931
Platzmann 1896$^{x}$, 1898$^{x}$, 1899$^{x}$
Porto Seguro 1876
Recalde 1924, 1937
Restivo 1718$^{x}$, 1722$^{x}$, 1724$^{x}$, 1890$^{x}$, 1892$^{x}$, 1893$^{x}$
Restivo & Ruiz de Montoya ms. $^{x}$
Riedel 1941
Rodrigues 1940, 1941, 1941, 1944, 1944/5, 1947, 1950, 1951, 1951, 1952, 1953
Ruiz de Montoya 1640$^{xT}$, 1733$^{T}$
Saguier 1946, 1948, 1951$^{T}$, 1952
Sampaio 1930
Sampaio, M. A. 1956
Sandoval de Estigarribia 1952$^{T}$

Schiaffino 1956
Schneider 1944[T]
Schomburgk 1849
Schuller 1913
Seixas 1853[x]
Serrano, P. J. 1705[T]
Silva Guimarães 1854[x]
Silveira, E. da, 1935
Solari 1928
Stein 1937
Storni 1939, 1939, 1940, 1944, 1948, 1952
Stradelli 1929[x]
Studart 1926
Susuarana 1923[T]
Sympson 1877[x], 1926[x]
Tastevin 1908, 1910[x], 1919, 1923[x], 1923[x], 1923, 1925[T], 1927[T]
Teschauer 1906, 1921, 1929
Tovar 1949, 1950[x]
Uldall 1949, 1954[x]
Vale Cabral 1880
Valente 1686[T]
Vera 1903
Verissimo 1878, 1881
Vidal 1944
Wagley & Galvão 1946
Yapuguay 1724[T], 1727[T], 1876[T], 1951
Zervino & Sotelo 1944
Zoni 1952

CAINGUÁ:
Ambrosetti 1895
Antonina 1856
Belaieff 1936
Borba 1908
Cadogan 1946, 1948
Castelnau 1852
Demersay 1854
Fernandes 1892
Loukotka 1949[x]
Martius 1867
Müller, Franz 1934/5
Nimuendajú 1914
Sampaio 1890
Vellard 1937[T]
Vellard & Osuna 1934
Vogt 1904

CHIRIGUANO:
Anónimo s. f. <u>Advertencia</u> ms.
Bertoni, M. S. 1920
Campana 1902
Cardús 1886
Corrado 1871[T]
Fontana 1881[x]
Giannechini 1896[x]
Kersten 1905
Nino 1917[T]
Romano & Kattunar 1916[x]
Samaniego ms. ?
Sanabria-Fernández 1951
Schmidt, M. 1938
Viudes ms.

TAPIETÉ:
Nordenskiöld 1910
Palavecino 1930
Schmidt, M. 1937

CHANÉ:

Sanabria-Fernández 1951
Schmidt, M. 1938

GUARAYO:

Anónimo 1889[x], 1916[T]
Cardús 1883[T], 1886[x], 1916[T]
Hoeller 1932[x] (la mejor gramática de cualquier dialecto Guaraní)
Métraux 1942
Pauly 1928
Pesciotti 1889[T]
Pierini 1908
Recalde 1940[x]
Sanabria-Fernández 1951
Schmidt, M. 1936
Snethlage, E. H. 1936

13. 2. Grupos distintos de los anteriores pero, según Rodrigues, aún muy estrechamente emparentados (con un 60 a 81% sobre las tablas de Swadesh) son los dialectos hablados al oriente de las bocas de Amazonas (TENETEHARA, con los dialectos Tembé, Guaxaxara o Gwažažara, Urubú o Gavinhos, Manažé, Turiwara y Anambé). A éstos podemos añadir como nombres tribales, de menos precisa significación lingüística, Miraño, Guažá, Tacumandicai o Caras Pretas, Ararandeuara, Amanaye o Amanažo, Pacaja o Pacaža, Jacunda (este último llamado también Amiranha o Anta).

Otro grupo tenemos en los límites del Brasil con Guayana Francesa: OYAMPÍ, con el Oyampí propiamente dicho (tribus Tamakom y Kussari) y el Emérillon (Emereñón o Teco).

Otro grupo en el ALTO MADEIRA: Kawaíb (con los subdialectos Wirafed, Pawaté y Parintintin), otro (Apiacá, con los que se considera estrechamente emparentados a los Tapañuma) al este del anterior, sobre los ríos Arinos y Juruena.

Más al este, en la cuenca del Xingú, está el dialecto KAMAYURÁ; al sur de éste el Awetɨ o Auetö. Más al este todavía tenemos, entre los ríos Tapirapé y Najá, el dialecto Tapirapé.

Sobre el Ivahý, aguas abajo de Vila Rica, el ŠETÁ O ARÉ (Botocudos Yvapamé).

El PAUSERNA o Moperekoa queda ubicado al norte de los Chiquitos, el Kayabí o Paruá al este del Apiacá sobre el Paranatinga y Rio Verde, el Canoeiro hacia el alto Tocantins y el Araguaya entre los 12 y los 14° 30' de lat. S. La clasificación de estos últimos (Kayabí y Canoeiro) no es del todo segura para Rodrigues. A los Canoeiros los considera Rivet emigrantes llegados desde el sur a comienzos del siglo XVIII.

Rivet sostenía (1924, con Loukotka 1952) que los Notobotocudo o Pîhtadyovái de las fuentes del Iguasú y del río Uruguay podrían pertenecer con los Aré y Šetá a la misma emigración de tribus paraguayas (Apapokuva) hacia el este, ocurrida en los comienzos del siglo XIX, si bien admite que pueden haber quedado allí a consecuencias de otras emigraciones anteriores.

Geográficamente, y tal vez también en el orden lingüístico, hay que situar cerca del Oyampí al Paikipiranga, en las fuentes del Maracá. Y del mismo modo hallamos citados junto a los Tapirapé, según Rivet & Loukotka, a los Kubeñépre, Arawine, Paracanã.

Se sitúan en la cuenca del Xingú, pero no hallamos en Rodrigues datos acerca de su clasificación lingüística los Tekunapéua (Takuñape, Peua), los Arupai o Urupayá.

A los grupos del Madeira podemos añadir otros nombres de pertenencia dialectal indeterminada: Ipoteuate, Tekuatepe, Paranawát.

Emparentado con el Tupí-Guaraní en sentido estricto, pero en un grado más lejano (con 36 a 60% de vocablos) está el grupo COCAMA-OMAGUA; el Cocama se subdivide en Cocama (o Ucayale) y Cocamilla (o Guallaga), que se hablaban en el alto Marañón donde inicia resueltamente su descenso hacia el este; los Omagua o Kampeva vienen inmediatamente aguas abajo, hasta más allá de los límites de Colombia y Perú con el Brasil. Estos Omaguas se hallaban antes más al este, como indicamos, en las grandes islas del Amazonas entre el Juruá y el Napo, pero se fueron retirando ante los colonizadores, y en el río Ucayali una aldea lleva su nombre.

Más al este de los Omaguas estaba el grupo de los Jurimaguas (Yurimaguas, Zurimaguas), que se retiraron igualmente ante el avance de los colonizadores portugueses, y sobre el Huallaga una aldea lleva su nombre.

Grupos emparentados de modo semejante entre sí y con el Tupí-Guaraní (de 36 a 60% de semejanzas en el léxico) son el GUAYAQUÍ, en el sur de Paraguay, Guaraníes que se han mantenido en su vida primitiva, fuera de la influencia de misiones y colonizadores; el MAUÉ a la derecha del Amazonas, con elementos Caribes y Arawak; el MUNDUCURÚ Y KURUAYA, al sur de aquél, sobre el Tapajoz, y finalmente el SIRIONÓ, de dudosa clasificación, al sur de Guarayos y Mojos. Para completar la lista de dialectos Guaraníes en la cuenca del Tapajoz, citaremos la tribu Makirí, sin pronunciarnos sobre su pertenencia dialectal.

TENETEHARA:

Baptista 1931/2[T]
Ehrenreich 1894/5[x]
Froes de Abreu 1931[x]
Hurley 1931[x], 1932
Joyce 1951[T]
Lange 1914
Lopes 1934
Nimuendajú 1914[x], ms.[x]
Rice 1928[T], 1930, 1934[x]
Roberts & Symes 1936[x]
Snethlage, E. H. 1931, 1932[xT]
Wagley & Galvão 1949
Walter 1937

OYAMPÍ:

Adam 1892
Anónimo s. f. Vocabulario
Bauve & Ferré 1833/4
Coudreau 1892[x]
Crévaux, Sagot & Adam 1882[x]

Fernandes ms.
Martius 1867
Moura 1932[x]
Perret 1933

KAWAÍB:
Barbosa de Faria 1948[x]
Cherubim 1921
Dengler 1927
Gondim 1938
Hanke 1953
Koch-Grünberg 1932[x]
Kruse 1931/37
Nimuendajú 1924[x], 1955[x]
Nimuendajú & Valle Bentes 1923

APIACÁ:
Castelnau 1852
Coudreau 1897, 1942[x]
Ehrenreich 1895[x]
Guimarães, C. J. da S. 1865[x]
Hoehne 1915
Katzer 1901
Koch-Grünberg 1902[x]
Latham 1862
Martius 1867
Moutinho 1869[x]
Rondón 1915

KAMAYURÁ:
Krause 1936
Schmidt, M. 1905
Steinen 1894[x]

AWETƗ:
Schmidt, M. 1905
Steinen 1894

TAPIRAPÉ:
Baldus 1944/49
Kissenberth 1922
Krause 1911

ŠETÁ o ARÉ:
Borba 1904
Loukotka 1929[x]

PAUSERNA:
Fonseca, J. S. da, 1880/1
Horn ms.[x]
Métraux 1942
Snethlage E. H. 1936

KAYABÍ:
Schmidt M. 1929, 1942

CANOEIRO:
Couto de Magalhães 1902
Rivet 1924[x]

TAKUÑAPÉ:
Nimuendajú 1932

COCAMA-OMAGUA:
Anónimo, fines s. XVIII
Castelnau 1852
Church 1898
Espinosa 1935[x]
Fritz 1687
Gilij 1780/4
González Suárez 1904
Grebinet 1710
Guillaume 1888
Latham 1862
Lucero ms.
Marcoy 1867
Martius 1867
Orton 1879
Rivet 1910
Tessmann 1930

GUAYAQUÍ:
Bertoni, G. T. 1924, 1927, 1939[x]
Ihering 1907
La Hitte & Ten Kate 1897
Mayntzhusen 1919/20[x]
Panconcelli-Calzia 1921
Vellard 1934/5
Vogt 1902/3

MAUÉ:
Coudreau 1897
Koch-Grünberg 1932[x]
Nimuendajú 1929[x]

MUNDURUKÚ-KURUAYA:
Anónimo 1882[x]
Costa Pinheiro 1915[x]
Coudreau 1897
Krause 1936
Kruse 1930[x]
Latham 1862
Martius 1867
Mense 1924[T], 1946/7[x]
Moutinho 1869[x]
Murphy 1954
Nimuendajú 1930[x], 1932[x], 1937
Rondón 1915
Snethlage, E. 1910
Snethlage, E. H. 1932[x]
Strömer 1932[x]
Tocantins 1877

SIRIONÓ:
Anónimo 1943[x]
Bairon 1952
Cardús 1886
Hanke 1954

Krause 1911
Lunardi 1938
Métraux 1942
Nordenskiöld 1911, 1911
Pauly 1928
Radwan 1929
Rydén 1941
Schermair 1934, 1957[x]
Snethlage, E. H. 1936
Wegner 1934, 1934, 1934, ms.

MAKIRÍ:

Kruse ms.
Lyra ms.

13. 3. YURUNA. En la cuenca del río Xingú tenemos el grupo formado por el Yuruna y el Šipaya, y más al sur, más independiente de estos dos, el Manitsawá. Son dialectos "impuros" del Tupí, con influencias Arawak y Caribe. Loukotka y Lévy-Strauss consideran al Manitsawá mezclado con Ge.

Coudreau, H. 1897
Krause 1936
Nimuendajú 1923/4[x], 1928/9[x]
Snethlage, E. 1910
Snethlage, E. H. 1932[x]
Steinen 1886

13. 4. ARIKEM. Este grupo (Arikem propiamente dicho, Karitiana y el todavía dudoso Kabišiana) ha sido situado por razones geográficas en la familia Chapakura (12. 2). Loukotka lo consideraba (1935, 1939, 1943, 1950, con Rivet 1952) como familia independiente, con intrusiones de Tupí y de Arawak. Los autores que han estudiado mejor el asunto (Nimuendajú, Métraux, Rodrigues) lo incluyen dentro de la familia Guaraní-Tupí. Estos dialectos se hallan al norte de la frontera brasilero-boliviana, sobre los ríos Jamary y Ariquemes, afluentes por la derecha del Madeira. Como sinónimos da Loukotka los nombres de Ahopovo y Uitáte.

Lopes 1925
Nimuendajú 1932[x]
Xerez 1946

13. 5. TUPARÍ. Rodrigues establece una gran familia con una serie de dialectos poco conocidos, situados en

la región entre Guaporé y Mato Grosso, al este de la frontera boliviana. Distingue cinco grupos: Tuparí propiamente dicho, Guaratégaya o Guaratégaža(f) (subdividido en Koaratira, Gaurutira, Amniapé, Mequéns y Canoé), Wayaró (también llamado Wayoró o Ayurú, con el subdialecto Apičum), Makurap (del que Rivet & Loukotka hacen una familia independiente) y Kepkiriwat. Aceptamos esta clasificación, en la que se incluyen elementos que Rivet & Loukotka agrupan en la familia Amniapé, junto con el Aruá (13. 7).

Barbosa de Faria 1948T
Becker Donner 1945x
Loukotka 1949x, 1950
Snethlage ms.
Xerez 1946

13. 6. RAMARAMA. Cuatro grupos se distinguen en este apartado, según Rodrigues: el Ramarama propiamente dicho (o Ytangá), con la variante Ntogapid o Itogapúk, el Urukú, el Urumí y el Arara (homónimo de un dialecto citado en 9. 4). Este último era antes considerado dialecto Caríbico, pero seguimos a Rodrigues. Geográficamente quedan estas lenguas ubicadas al norte y este del Arikem y al sur del Parintintin.

Horta Barbosa 1917
Koch-Grünberg 1932x
Lévy-Strauss 1948T
Nimuendajú 1924x, 1925x
1955x
Schultz 1955x

13. 7. MONDÉ. Este grupo esta constituido por tres ramas: Mondé propiamente tal, con el subdialecto Sanamaikã o Salamãi, sobre el río Apudia, Digüt y Aruá, con el subdialecto Anuší. Se ubican geográficamente cerca de los dialectos Tuparí (13. 5) y del Wirafed (13. 2).

Becker-Donner 1955
Hanke 1950
Loukotka 1949x, 1950
Schultz 1955x
Xerez 1946

13. 8. PURUBORÁ. Situada geográficamente en la

misma región, un poco al oeste del grupo anterior, muchos (así Rivet & Loukotka) han dejado inclasificada esta lengua (cf. 12. 1). Seguimos a Rodrigues, que la considera dialecto "impuro" del Guaraní.

Koch-Grünberg 1932[x]

13. 9. Como Tupí-Guaraní se citan en fuentes diversas los dialectos Tupina, Amoipia, Toboyára, Timileni y Asurini, y los Bocas Pretas, Tukumafed, Žabotifed, en la cuenca del Madeira, pero como sus particularidades son desconocidas, los dejamos, con Rivet & Loukotka, simplemente citados.

## LENGUAS DEL SUR, CENTRO Y ESTE DEL BRASIL

14. Incluimos en este capítulo un amplio y complejo grupo de lenguas, extendido en zonas de receso por todo el Brasil atlántico y las mesetas paralelas a la costa, que Mason se atreve a comprender, casi todas, bajo el rótulo de Macro-Ge, sinónimo casi de los antiguos nombres Tapuya o Ge-Tapuya. En realidad esta "familia" ha sido un verdadero cajón de sastre en que se han incluido lenguas de toda esta vastísima región, en general mal conocidas, y clasificadas muchas veces sobre la base de simples vocabularios. Las lenguas Ge, y en general todas las incluidas en este capítulo, pueden considerarse entre las de los antiguos aborígenes de este Continente. Sus hablantes son pueblos relegados a zonas retiradas, lejos de las corrientes de agua donde se han extendido los pueblos portadores de las grandes lenguas Tupí y Arawak.

Rivet dejó al Ge solo, separando de él a todas las demás lenguas. Loukotka estableció nueve familias, en lugar del Ge único que a todas las abarcaba. Más tarde, como una décima familia, declaró independiente al Caingang. Este último, sin embargo, es el que suele ser considerado más próximo al Ge.

14. 1. CAINGANG. Expresiones sinónimas son a veces Guayaná, Coroado (distinto de sus homónimos de 14. 5), Bugre, Šocleng, Botocudo (distinto de los homónimos de 14. 9 y 13. 2). Se ha considerado próximo al Ge, y hasta más estrechamente relacionado con éste que otras lenguas de este grupo geográfico, pero parece que las relaciones con el Ge en las lenguas de este grupo son por influencia de vecindad, y en las lenguas Caingang se acusa, según Loukotka, muchas veces influjo Arawak o Camacán. La mayoría de las lenguas Caingang parece que subsiste todavía, extendidas por los estados brasileños de Rio Grande do Sul, Santa Catarina, Paraná y São Paulo, con extensiones registradas en Misiones (Argentina) y oriente del Paraguay.

Loukotka distingue variedades de este grupo de lenguas: Caingang propiamente dicho, con los dialectos Taven, Ñakfáteitei o Guayaná de Paranapanema, Gualacha o Guañama, Cadyurucré, Came, Wayaná o Guayaná, Ivitorokai o Amho, Ingain o Tain, Aweicoma o Botocudo, Bugre y Šocren o Šocleng. Métraux, seguido por Mason, da una clasificación más complicada, pero más geográfica que lingüística. De sus nombres citaremos: Chiqui en la región de Curitiba, Canuba, Caahans, Caagua, Caaigua (hacia la costa de Santa Catalina), Patte o Basa, Chowa, Chowaca, Gualacho o Coronado, Cabelludo, Dorin, Votorõ.

Adam 1902[x]
Ambrosetti 1894, 1895, 1895
Anónimo 1852[x]
Baldus 1935[T], 1946/7, 1953
Barcatta de Valfloriana 1918[x], 1918, 1920[x]
Blumensohn 1936
Borba 1882, 1908
Cimitile ms.
Chagas-Lima 1842
Diaztaño ms.
Dulley 1902
Ewerton-Quadros 1893
Freitas 1911, 1911[x]
Frič ms.
Gensch 1908[x]
Hanke 1946/7, 1946/7[x], 1950[x]
Henry 1935[T], 1948[x], 1955[T]
Ihering 1904, 1907, 1912
Leão 1910
Lima 1842
Lista 1883[x]

Mansur Guérios 1942[x], 1942/5
Martínez, B. T. 1901, 1904
Martius 1867
Moreira Pinto 1894
Nimuendajú & Mansur Guérios 1948[x]
Ostlender ms.[x]
Paula Souza 1918
Saint-Hilaire 1830/51
Sampaio 1911
Schaden 1944, 1949
Serrano 1939
Silva 1930
Snethlage, E. H. 1931
Taunay 1888[x]
Teschauer 1914, 1927
Vogt 1904

14. 2. GE o ŽE. En las mesetas de Mato Grosso y Goyaz habitaban las tribus hablantes de las lenguas de esta extensa familia. Fueron llamados, como todas las tribus no Tupí del este y nordeste del Brasil, Tapuya, con la palabra Guar. tapiii "esclavo, nación". También, como indica Mason, se llaman Gran o Gueren, que significa "antiguos" o "indígenas", y el nombre que ellos mismos se dan es el de Nac-nanuc. La denominación de Ge o Že se debe a que es la desinencia de un buen número de nombres de dialectos de este grupo.

Damos primero la agrupación lingüística que intenta Mason, la cual no es coincidente con la etnológica y geográfica propuesta por Lowie y Métraux. Señala al norte: Apinayé-Carahó (región del Tocantins), con los Cayapó septentrionales (del Xingú medio) y meridionales (del Paranahyba y el Rio Grande y la Sierra Cayapó); junto a ellos podrían ir los Gradahó y Membengocré.

Un segundo grupo, algo diferenciado, formarían los Uohikring y los Suyá de la cuenca del Araguaya.

Mayores diferencias acusarían respecto de los anteriores los dialectos que forman el tercer grupo: los Ramcocamecran y Aponegicran, del interior del Estado de Maranhão.

Más alejados estima Mason los dialectos Šavante

Akwẽ y Šerente de la zona central, y Tažé y Crenyé en la región entre el Xingú y el Araguaya, el alto Paranahyba y el Tocantins. Los Chavantes de lengua Ge, del Rio dos Mortos, han de ser distinguidos de los Chavantes prenombrados Otí y Opayé (14. 10).

Posiblemente han de ser afiliados entre los Ge los Acroá, vecinos de los Šerente, y los Jeicó del Estado de Piauhy.

La clasificación de los Ge que dan Rivet & Loukotka es la siguiente:

Ge septentrionales, que comprenden las tribus Taže o Timbirá, Kukoekamekran, Kreapimkataže, Krepúmkateye, Kanákataže, Krenže, Mehin, Sakamekran (Ramko-Kamekre o Merrime), Apañekrã o Aponežikran, Kapiekran, Krahó o Krão, Krikataže o Krikati, Piokobže (Pukobže o Bukobu), Augutže o Gaviões, Apinaže, Norokuaže o Ñurukwaye, Purekamekran o Porekamekrã, Mekamekran o Pepuši, Ponkataže o Kanákataže, Kenpokataže y la dudosa Aruá. Algunas de estas tribus (Kenkateye, Apánhecra, Ramcócamecra) se agrupan por los extraños bajo el nombre de Canella.

Ge meridionales: Karaho, Kayapó o Ibirayara (que incluyen los Meibenokre [también llamados Mekubengokre o Cayapó del Rio Pau d'Arco o Irãamraire], Gorotire o Cayapó del Rio Xingú, y Žore), Duludi, Kruatire, Uširin, Kradahó o Gradaú, y Cayapó del sur.

Ge occidentales o Suyá, que Steinen visitó en 1884 y 1887.

Ge orientales: Goyá, Šavante (Akuen o Akwẽ o Cayamó), Šerente, Šikriabá o Šakriabá, Aricobe o Krão, Goyez o Guegue, Žeicó, Pontá y Timbirá de Canella Fina.

Anónimo 1892[x] Barbosa de Faria 1925

Boudin 1950[x]
Castelnau 1852
Coudreau 1897
Ebner 1942
Ehrenreich 1888, 1894/5[x]
Eschwege 1830
Froes de Abreu 1931[x]
Gensch 1908[x]
Hurley 1932
Ignace 1910[x]
Kissenberth 1911[x]
Krause 1911[x]
Kupfer 1870
Latham 1862
Leal 1895
Loukotka 1939, 1955
Mansur Guérios 1939
Martius 1867
Moutinho 1869[x]
Nimuendajú 1914[x], 1915[x] 1929[x], 1931/2, 1939, 1942, 1946[x]
Oliveira, C. E. de 1930
Oliveira, J. F. de 1913
Pohl 1832
Pompeu Sobrinho 1930[x]
Renault 1904[x]
Saint-Hilaire 1830/51
Sala, R. P. A. M. 1914[x], 1920[x]
Sampaio, T. 1913
Schmidt, M. 1947
Schuller 1913
Snethlage, H. E. 1931
Sócrates 1892
Steinen 1882[x]
Vellard ms.
Vianna 1928[x]

14. 3. CAMACÁN. Este apartado, como los dos siguientes, eran antes sumados al Ge. Parecen independientes entre sí, pero en los tres grupos se notan "intrusiones" Ge, según se ve por los estudios de Loukotka en este campo. Mason se inclina a considerar emparentadas estas tres familias (Camacán, Mašacali y Purí o Coroado), pues la fonética parece semejante, y algún rasgo morfológico también.

Los tres grupos parecen hoy completamente extinguidos, por lo que los datos reunidos por Loukotka para este y los tres grupos siguientes no pueden mejorarse. Sin embargo existen algunos datos inéditos de los pocos Camacán propiamente dichos que en 1938 pudo ver Nimuendajú.

El Camacán se asemeja ante todo al Ge, pero también al Mašacali y al Caingang. Son varios los dialectos que se citan: Camacán propiamente dicho (con los sinóni-

LÁMINA V. – Theodor Koch-Grünberg entre los Kaschiri.

mos Ezešio, Mongoyó y Monšocó), Cutašó o Cotoxó (o el Catathoy), Menián o Menieng y Masacará, cuyos últimos representantes visitó Martius en Joaseiro, sobre el Rio São Francisco.

Ignace 1909, 1912
Latham 1862
Loukotka 1932, 1955
Mansur Guérios 1944/5
Martius 1867
Métraux 1930
Nimuendajú & Mansur Guérios 1948x
Oiticica 1934
Sa Oliveira apud Moreira Pinto 1894
Schuller 1930x
Wied-Neuwied 1820/1

14. 4. MAŠACALI PROPIAMENTE DICHO. Se ha considerado emparentado con el Coroado-Purí y con el Ge (especialmente con el dialecto Cayapó) y también con el Camacán y Caingang. Se habló en una pequeña región de la costa al sur de la ciudad de Caravellas, y en otra zona al interior, en el actual estado de Minas Geraes. Seis lenguas se citan de este grupo: Capošó, Cumanašó, Macuní, Mašacali o Mašacari, Monoxó, Pañame. Se cita además el Parašin, y Rivet & Loukotka añaden a este grupo los Malali de la Serra Redonda y los del Río Sussuhy Pequeno.

Latham 1862
Loukotka 1932
Martius 1867
Saint-Hilaire 1830/51
Wied-Neuwied 1820/1

14. 5. PURÍ O COROADO. Coroados (Port. "tonsurados") se llaman los hablantes de esta lengua, como también otros de dialectos Caingang (14. 1) y Bororo (15.1). Semejanzas más acusadas tiene el Purí con el Ge, y en segundo término con el Caingang y el Mašacali, y en menor grado con el Botocudo (14. 9). Con el Camacán parece no se han señalado semejanzas. Aunque esta lengua se ha extinguido, quedan hasta unas 900 palabras reunidas y estudiadas por Loukotka.

El territorio de esta lengua se extendía al sur del Estado de Minas Geraes, paralelamente a la costa. Se distinguen el Coroado (con las tribus Maritong, Cobanipake, Tamprum y Sasaricon) y el Purí (con las tribus Sambora, Wambori y Šamišuna), a los que se añade por Rivet & Loukotka el Coropó (cf. 14. 8). Estos mismos autores incluyen en la familia a los Arari, Pitá, Šumeto, Cašine y Waitacá o Goyatacá (14. 11), extintas y desconocidas.

Ehrenreich 1886
Eschwege 1818
Ewerton Quadros 1892[x]
Loukotka 1937
Martius 1867
Noronha Torrezão 1889[x]
Rey 1884
Saint-Hilaire 1830/51
Wied-Neuwied 1820/1

14. 6. PATAŠÓ. Antes (Rivet 1924 y W. Schmidt) era incluido junto con el Mašacali como una sección del Ge. Desde Loukotka se considera lengua independiente. Los datos sobre esta lengua varían mucho de unas fuentes a otras, y tal vez pudieran completarse pues parece que no se haya extinguido esta lengua. Su territorio se extendía detrás de la costa, hacia la altura de la ciudad de Caravellas. Se citan como dialectos los Patašó propiamente dichos, los Canarin y los Hahahay, de los que Nimuendajú encontró un grupo entre los Monošó, junto al río Cachoeira. Loukotka cita otro dialecto extinto: Makinuka.

Ehrenreich 1891, 1894/5[x]
Latham 1862
Loukotka 1939[x]
Martius 1867
Métraux 1930
Wied-Neuwied 1820/1

14. 7. MALALÍ. Ya hemos dicho que Rivet y Loukotka sitúan a esta lengua junto al Mašacali. Mason dice que se acerca también al Patašó. No se conservan de esta lengua más de 100 palabras, que no permiten una segura clasificación.

Loukotka 1931
Martius 1867
Saint-Hilaire 1830/51
Wied-Neuwied 1820/1

14. 8. COROPÓ. Lengua extinta y de discutida clasificación. En Rivet & Loukotka la hallamos como "un dialecto diferenciado" del Coroado-Purí (14. 5). Loukotka la considera como la más interesante de todas las lenguas del antiguo agrupamiento rotulado Ge, pues según él debe contener restos lexicográficos de muchas lenguas extintas. Parece que se asemeja al Mašacali, Malalí, y Patašó, Purí-Coroado, Ge, en sentido estricto, Botocudo y Caingang.

Eschwege 1818 Loukotka 1937
Latham 1862 Martius 1867

14. 9. BOTOCUDO-AIMORÉ. El nombre de Botocudo ya hemos visto que se aplica a varias tribus y se debe a la costumbre de deformarse orejas o labios con un botón (botoque). Un grupo que lleva el nombre de Botocudos es de lengua Tupí (13. 2), pero los Botocudos mejor conocidos (aparte de otros Caingang, 14. 1), de la región que va de la Sierra del Espíritu Santo hacia el norte, en las cuencas de los ríos Doce, Mucury y Belmonte, hasta el Río Pardo al norte y el Rio Preto al sur, tienen una lengua especial, influida por el Ge. Sin embargo es considerada lengua independiente tanto por Rivet & Loukotka como por Nimuendajú.

Sus semejanzas mayores son con el Caingang, con el Ge, con el Coroado y con el Camacán, lo que supone, dice Loukotka, un origen norteño. No se conocen de esta lengua sino léxicos, y la morfología es problemática, como también su distribución dialectal. Nimuendajú señala en el mapa Anket, Nacnyanuc, Pimenteira y Yiporok o Poicá (que debe ser el que Rivet & Loukotka distinguen con el nombre de Požiča o Pojitxá). Otros dialectos o tribus que hallamos citados son: Arañá, Baljuen, Crecmun o Botocudo propiamente dicho, Čonvugn (Crenak o Utikrag), Guęren o Borun (cf. 14. 2), Gutucrac o Miñáyirúgn, Imbore o Ambore, Mañán, los dudosos Maracá, Nakrehe o Nakpie, Nahnanuc, Kokoiõ, Tucanugũ.

Anónimo 1825, 1882[x], 1899 ms. Pojitxa
Bruno 1909[x]
Castelnau 1850/9[x]
Cathoud 1936
Ehrenreich 1887[x], 1896[x]
Estigarribia 1934
Freyreiss 1900
Froes de Abreu 1929
Guérios 1944
Hartt 1870
Ignace 1909[x]
Ihering 1911
Jomard 1846
Knoche 1913
Latham 1862
Loukotka 1955[x]
Manizer 1917
Marliére 1825, 1825[x], ms.[x]
Martius 1867
Monteiro 1948
Nimuendajú 1946, ms.
Nimuendajú & Mansur Guérios 1948
Pimentel ms.
Porte 1947
Renault 1904
Rey 1884
Rudolph 1909
Saint-Hilaire 1830/51
Schott ms.
Silva ms.
Silveira, A. H. 1921
Simões da Silva 1924
Trança 1882[x]
Tschudi 1866
Wied-Neuwied 1820/1

14. 10. SAVANTE. Con el nombre de Chavante se conocen en Brasil hasta cuatro grupos. El más generalmente designado así, extendido en los estados de Pará y Goyaz, habla una lengua Ge (14. 2). Los otros, que citamos aquí juntos provisionalmente, parecen constituir otras tantas familias independientes.

14. 10. 1. OTÍ-CHAVANTE. Llamado también Eochavante, se habla sobre los ríos Tieté y Paranapanema y el Rio Pardo, al noroeste del Estado de São Paulo.

Baldus 1954
Borba 1908
Chamberlain 1913
Ewerton Quadros 1892[x]
Fernandes J. A. 1890
Ihering 1912
Loukotka 1931

14. 10. 2. OYAPÉ-CHAVANTE. Llamado también Ofayé-Chavante, se habla en el territorio entre los ríos Ivinhema, Pardo, Verde y Nhanduhy, al sur del Mato

Grosso. Era mal conocido, aunque en los últimos años se han logrado más datos sobre este idioma. Los Guachi de Vaccaria hablan un dialecto Opayé. Parece, con Mason y Rivet & Loukotka, que lo mejor es dejarlo sin clasificar.

Ihering 1912 Nimuendajú 1932
Loukotka 1931, 1935, 1939 Ribeiro, D. 1951[x]

14. 10. 3. CUCURÁ. El Cucurá del Rio Verde (Mato Grosso) es poco conocido, y debe de haberse extinguido.

Fernandes, J. A. 1890 Nimuendajú 1932
Loukotka 1931

14. 11. GUAITACÁ. Esta lengua, hablada en la costa oriental de Rio de Janeiro y en la de Espíritu Santo, se extinguió antes de que se registrase ningún dato, por lo que no se puede clasificar. Se citan cuatro variedades: Mopi, Yacarito, Guassú (grande) y Mirí (Pequeño).

Ehrenreich 1904 Métraux 1929
Koenigswald 1908 Steinen 1886

14.12. FULNIÓ Y OTRAS LENGUAS DE LA REGIÓN DE PERNAMBUCO. Mason recoge bajo este epígrafe una serie de pequeñas lenguas, correspondientes a tribus del ángulo nordeste del Brasil. En los últimos años se ha registrado avance en el conocimiento de este grupo de idiomas, que parecen ser todos distintos en cuanto a su origen.

14. 12. 1. El FULNIÓ o Furnió es la más estudiada y según Métraux (1952) hay 1200 hablantes de ella en la pequeña ciudad de Aguas Belas. También es conocida con otros nombres: Carnijó, Ía-té. Loukotka cree que es al Camacán a la lengua que más se asemeja.

Boudin 1950[x] Lemos Barbosa 1950
Branner 1887 Melo 1928/9[x]

Métraux 1952 Pompeu Sobrinho 1935, 1939
Oliveira 1931 Schuller 1930[x]

14. 12. 2. PANCARARÚ (Brancapurú). Sobrevive aún hoy en algunos individuos que habitan en las aldeas de Pancararú y Brejo dos Padres, sobre el San Francisco.

Pinto 1938

14. 12. 3. ŠUCURÚ. De esta tribu, con los Ičikile, de los que Nimuendajú descubrió los últimos hablantes en Cimbras, los Paratió o Prarto y los Garañun, en la Serra dos Garanhuns, tenemos ahora algunos datos.

Hohental 1954 Loukotka 1949[x], 1955

14. 12. 4. Aún se pueden citar aquí otros grupos lingüísticos: Šokó (Chocó) de los que hay datos inéditos de los últimos hablantes en la aldea de Rodelas; Teremembé, en la costa norte; Tarairiuw u Ochucayana, que parece relacionado con el Patašó o el Coropó; Natú, que sobrevive hoy en la aldea de Collegio, no lejos de la desembocadura del São Francisco, Est. de Alagoas; Tušá, subsistente en la aldea de Brejo dos Padres, inédita; Carapotó, en la aldea de Collegio, parece que pariente del Fulnió.

TARAIRIUW: Pompeu Sobrinho 1939
Schuller 1913 En general: Loukotka 1955

NATÚ: Estevão, datos inéditos

14. 13. CARIRI. Esta antigua familia, extendida antes en las fronteras de los estados de Piauhy y Ceará, Pernambuco y Paranahyba, y luego concentrada al oeste de Bahía, ha sido considerada independiente. Gillin propuso incorporarla al Caribe como una rama, pero no parece esto admisible. Se halla casi extinguida, y sólo se citan como supervivientes miembros de la tribu Camurú en la misión de Pedra Blanca, olvidados de su idioma. Otros

dialectos son el Kipea o Kaitiri y el Dzubucua, además de la lengua Sapuyá o Sabuyá, que pervivía hacia 1818 en la misión de Serra Chapada. Nimuendajú añadía a estas lenguas las tribus de los Ikó, Kariú, Ixú, Korema, Jucá, Ariú o Peba e Iñamum.

Adam 1879x, 1897x
Bernardo de Nantes 1709x
Chamberlain 1913
Gabelentz 1892x
Gillin 1940
Goeje 1932x, 1934x
Loukotka 1955
Mamiani 1699x
Martius 1867
Petazzoni 1941
Pompeu Sobrinho 1928, 1934, 1954
Rodrigues 1944/5x
Uriarte ms.

14. 14. PIMENTEIRA. Los autores, desde Adam, solían considerar este idioma de la región de la Serra de Piauhy como Caribe, pero o bien debe clasificarse aislado, como hace Lowie, o bien habrá de ser incluido, con Nimuendajú, con el Botocudo (14. 9)

Loukotka 1955
Martius 1867

14. 15. GAMELLA. Este grupo estaba situado en la costa del Estado de Maranhão, en la región inferior de los ríos Itapicurú y Turiaçú, hasta el Paranahyba; Nimuendajú descubrió a los últimos representantes de esta lengua en Vianna, donde llevaban el nombre de Barbados. El propio investigador une a este grupo a los Arañí, Puti, Anapurú, Urnati y Cururi. Se da como sinónimo el de Akobu, y tribu afín debieron ser los Bukotu.

Nimuendajú 1937

14. 16. KARIRI DE MIRANDELA. En las cercanías de Mirandela, entre los ríos Vasa Barris e Itapicurú, ha descubierto Métraux una nueva lengua, que él llama Tapuya, la cual es distinta, a lo que parece, de todos los grupos conocidos. En primer lugar del Cariri más arriba reseñado. Loukotka propone identificarla con la antigua tri-

bu Katrimbi (o Katembri).

Métraux 1951[x]

## LENGUAS DEL CENTRO Y OESTE DEL BRASIL

15. 1. BORORO-OTUKÉ. Se debe a Rivet & Créqui-Montfort la agrupación de estas dos lenguas, la primera de las cuales era creída durante mucho tiempo dialecto Tupí. Sin embargo, Métraux duda de la conveniencia de esta unificación. La lengua Otuké o Louširu quizá habría de ser puesta aparte junto con otras extinguidas del sudeste de Bolivia (incluidas por Rivet & Loukotka junto con los Bororo): Covareca (Cubere) y Curuminaca (Curomina), Curave (Corabe) y Curucaneca. El Bororo ha sido designado también con el nombre de Coroado (cf. 14. 4).

Del Bororo se citan en Mason varios dialectos o variedades: Oarimugudoge u Orari (oriental, sobre el Rio das Velhas), Cabaçal y Campanha (occidentales), y además Acioné, Aravira, Biriuné, y los de dudosa existencia Corôa y Coxipo. También tenemos junto al Bororo otro dialecto: el Umotina o Barbados, sobre el Rio dos Bugres, afluente del Paraguay, sobre el que se anuncia que hay datos inéditos reunidos por F. G. Lounsbury.

Indicamos algunas notas para la tipología del Bororo-Coroado oriental, hablado en las Misiones Salesianas:

Complejo vocalismo (hasta 11 vocales distintas, no sabemos si todas con valor fonológico). Oclusivas con órdenes dobles de sorda y sonora (k g , t d , p b); igualmente doble orden de africadas (č ẑ). Nasales m n. Vibrante r. Finalmente h y parece que v.

No hay grupos internos, pero sí consonantes geminadas. Las palabras terminan en vocal.

Existe plural, con sufijos distintos para seres irracionales (incluyendo los inanimados) y racionales. También se hallan plurales con diferentes sufijos coexistiendo con los anteriores.

Los casos se indican con sufijos, pero estos sufijos son pocos y de uso bastante impreciso. Por ejemplo el sufijo de acusativo (que la gramática de los misioneros considera como una especie de artículo) es el mismo sufijo locativo.

Existen prefijos posesivos, claramente relacionados con los pronombres personales. Los animales domésticos tienen una forma especial de prefijo posesivo.

En los pronombres personales parece que hay que distinguir un "nosotros" inclusivo y otro exclusivo.

El adjetivo se postpone, incluso en la frase predicativa (sin verbo cópula).

El genitivo se antepone, el acusativo objeto se postpone al verbo.

La conjugación es mediante prefijos para indicar el pronombre sujeto. No son los mismos prefijos posesivos de los nombres, sino los pronombres personales. Entre el prefijo y el verbo se intercalan signos que indican aspecto (durativo), voz (reflexivo) o tiempo (pasado). El signo de futuro puede ir igualmente entre el prefijo y la raíz verbal o después de ésta.

La numeración es binaria.

No existe conjunción copulativa, pero sí una partícula que indica oposición o sucesión: *-re*.

Albisetti 1948[T], 1955
Belaieff ms.
Caldas 1899[x], 1903[x]
Cardús 1886

Castelnau 1852
Colbacchini s. f.[x] y 1925
Colbacchini & Albisetti 1942
Créqui-Montfort & Rivet 1912[x], 1913[x]
Cruz 1939
Chamberlain 1910, 1912
Freitas 1910
Frič & Radin 1906
Latham 1862
Lounsbury ms.
Magalhães 1918[x]
Mansur Guérios 1939
Martius 1867
Missão Salesiana 1908[x], 1919[T]
Moutinho 1869[x]
Orbigny 1839
Rondón & Barbosa de Faria 1948
Schmidt, M. 1929[x], 1941
Schultz, H. 1952[x]
Steinen 1894
Tonelli 1927, 1928[x]
Trombetti 1925
Villeroy 1891[x]

15. 2. NAMBICUARA. Este grupo (Guar. nambi "oreja", "guara" suf. de propiedad o esencia: "Orejones"), situado geográficamente al noroeste del anterior, sobre el alto Juruena, el alto Roosevelt y el alto Guaporé, ha sido estudiado sólo recientemente por C. Lévy-Strauss. Característica de este grupo lingüístico es una serie de sufijos clasificadores que establecen diez géneros o clases. En la morfología se han señalado afinidades con el Chibcha, lo que recogemos como dato importante.

Se establecen tres dialectos principales, de los que los dos primeros presentan sintaxis y vocabulario comunes, pero distinta morfología verbal y del nombre. El tercer dialecto es de afiliación dudosa:

1º dialecto oriental, dividido en el de los Kôkôsu (del Rio Papagaio al Juina) y de los Anunzê (al oeste del anterior).

2º dialecto occidental, con un subgrupo entre el Guaporé y el Roosevelt, que comprende: Uaintasu, Uaindzê, Kabiši, Tagnaní, Tauités, Tarutés y Tašuités, y otro subgrupo en la cuenca alta y media del Roosevelt, que corresponde a los Tamaindé. Aquí citaremos con Loukotka al dialecto Navaité.

3º dialecto septentrional, con un área mal definida, situado al norte y nordeste de los Anunzê, con los grupos siguientes: Sabanê (que se considera muy distinto, con fuertes influjos Arawak, venidos principalmente de los Paresí [16. 3], vecinos meridionales de los Nambicuara).

Albuquerque 1916
Garvin 1948[x]
Lévy-Strauss 1948, 1948
Loukotka 1950
Rondón 1910
Roquette Pinto 1912, 1917
Schmidt, M. 1929[x], 1947
Schuller 1912, 1921
Souza, A. 1920
Vellard ms.

15. 3. CABIŠI. El nombre se aplica a diferentes tribus. Hay Paressí-Cabiši Arawak (16. 3), otros Cabiši de los Wanyam (12. 2). Para Nimuendajú este nombre es sinónimo de los Uaintasu Nambicuara (15. 2), con lo cual este problemático dialecto quedaría incluido entre los Nambicuara.

Schmidt, M. 1929

15. 4. MATANAWI. Como lengua aislada, incrustada entre los dialectos Tupíes Kawaíb y Mundurucú y el grupo Mura, descubrió Nimuendajú ésta, en las orillas del Rio dos Marmellos. Algunos autores creen que hay que situarla con dicho grupo Mura.

Loukotka 1950
Nimuendajú 1925
Nimuendajú & Valle Bentes 1923.

15. 5. MURA. Al norte del grupo anterior, extendiéndose hasta el norte del río Amazonas se hallaba esta familia lingüística, de difícil clasificación, por lo que ha de ser considerada aislada. Loukotka señala contactos con el Camacán. El Mura tiene hoy tres dialectos que apenas sobreviven ante la invasión de Portugués y Tupí: Bohurá (sobre el Rio Manicoré), Pirahá (sobre el Maicy) y Yahahí, quizá identificables con los Boruaray, sobre el Antaz.

Brinton 1891
Chamberlain 1910
Ehrenreich 1905
Hanke 1950x
Loukotka 1950
Martius 1867
Moutinho 1869x
Nimuendajú 1925, 1932
Nimuendajú & Valle Bentes 1923
Rodríguez-Ferreira ms.

15.6. TRUMAÍ. Este pequeño dialecto, cuyos hablantes son designados Trumalhys, es conocido sólo desde Steinen, y está situado en la región al sur de la ocupada por los dialectos Tupí Awetɨ (13.2) y Manitsawa (13.3), a la izquierda del bajo Culisehú, afluente del alto Xingú. Los datos son demasiado pobres para clasificarlo.

Chamberlain 1910
Steinen 1886, 1894

15.7. CARAJÁ. A lo largo del río Araguaya, entre los 15 y los 6° de lat. S. se extiende esta familia, considerada independiente y examinada frente a los troncos Arawak, Caribe, Tupí y Ge de manera confirmatoria. Sus dialectos son tres: Carajá o Carayahi, Yavahé o Žawaže o Šavaye, y Šambioa. A éstos añade W. Schmidt como posibles miembros a los Asurini de la orilla derecha del bajo Xingú y compara el nombre étnico de Carajá con el mismo aplicado a una tribu extinguida de Minas Geraes, que pudo pertenecer a este mismo grupo.

Brito Machado 1947, 1950x
Castelnau 1852
Chamberlain 1913
Coudreau 1897
Ehrenreich 1894
Krause 1911
Kunike 1916, 1919
Martius 1867
Moraes Jardim & Souza Spinola 1880
Latham 1862
Palha 1942x
Vellard ms.

15.8. CATUKINA. Es una familia bastante extendida geográficamente, pero poco conocida, aparte de que la nomenclatura de sus grupos y tribus a veces se repite en otras estirpes lingüísticas. Se sitúan al sur de los Omaguas, entre los Pano y el Mura.

Las lenguas mejor conocidas son el Catukina propiamente dicho (dividido en Pidá dyapá "gente del jaguar" y Kutiá dyapá "gente de la nutria"), el Canamari (distintos de sus homónimos Pano 9. 4 y Arawak 16. 3) y el Catawiší o Hewadie, los cuales Rivet & Loukotka consideran no un grupo con sinonimia, sino dos independientes y distintos. Inclasificados quedan otros Catawiší en el mapa de Nimuendajú.

Penetraciones Pano, Arawak y hasta Tupí-Guaraní complican el problema de la clasificación de estas lenguas.

Otros dialectos que se citan en este grupo son: Beñ dyapá, Parawa, Tawari o Tauaré (llamados también Kadikili dyapá), Tucún dyapá o Tucano dyapá, Burue, y una serie de tribus que llevan como segunda parte del nombre el término dyapá: Amena, Cana, Hon, Marö, Ururu y Wiri dyapá.

Church 1898
Loukotka 1949ˣ
Marcoy 1867
Martius 1867
Rivet 1920ˣ, 1921
Tastevin 1928

15. 9. TARUMA. Se sitúa esta lengua hoy en la ladera septentrional de los montes Acarahy, pero antes debió estar más al sur, a la orilla izquierda de la confluencia del Amazonas y el Río Negro. Se ha considerado lengua del grupo Arawak, pero Nimuendajú y Loukotka, a quienes seguimos, prefieren considerarla aislada.

Farabee 1918
Loukotka 1935, 1949ˣ
Mordini 1931
Schomburgk 1849

## ARAWAK

16. Es esta una de las más grandes y extendidas fa-

milias lingüísticas de América, y además seguramente la primera con la que los descubridores españoles entraron en contacto. Se ha extendido geográficamente desde las grandes Antillas hasta los límites del Chaco y quizá hasta el Río de la Plata (3. 5). Se ha sostenido incluso que los Uros de Bolivia (6.1) y hasta los Changos de Chile septentrional (6.2) pertenecieran a esta familia, lo que parece poco verosímil. El Arawak en muchos puntos se ha batido en retirada ante el Caribe, y en otros los Arawak han sido asimilados y sometidos por los Tupí-Guaraní. Loukotka & Rivet señalan como foco de dispersión de estas gentes la región entre el Orinoco y el Río Negro. Otros autores, en cambio, hacen venir a los Arawak de las Antillas y Mesoamérica: la estructura de la lengua a primera vista parece inclinar a esta solución. Sólo un estudio comparado, aún muy lejos de estar ni iniciado, de las lenguas de este extensísimo grupo, podría ayudar a establecer cómo se produjeron las migraciones, sin duda que en múltiples oleadas.

Las Arawak son hoy lenguas en rápido proceso de desaparición. Se citan más de cien dialectos en este grupo, y muchos se han extinguido ya. El problema de su clasificación es muy difícil, y los autores varían grandemente, así como en cuanto a incluir o separar de la familia Arawak a ciertos grupos. No existe aún una gramática comparada que permita ordenar las relaciones, por lo que la clasificación que tomamos de Mason y Rivet & Loukotka es esencialmente una clasificación geográfica.

Brinton 1869, 1871
Chamberlain 1913
Fanshawe 1948
Farabee 1918
Goeje 1928[x], 1928
Gumilla 1745
Hestermann 1911
Hoff 1955
Kalina 1955[x]
Koch-Grünberg 1911[x]
Perea y Alonso 1937, 1938, 1942
Rivet 1948
Schmidt, M. 1917
Schuller 1919/20
Swadesh 1958
Taylor 1953, 1955, 1957, 1957, 1958

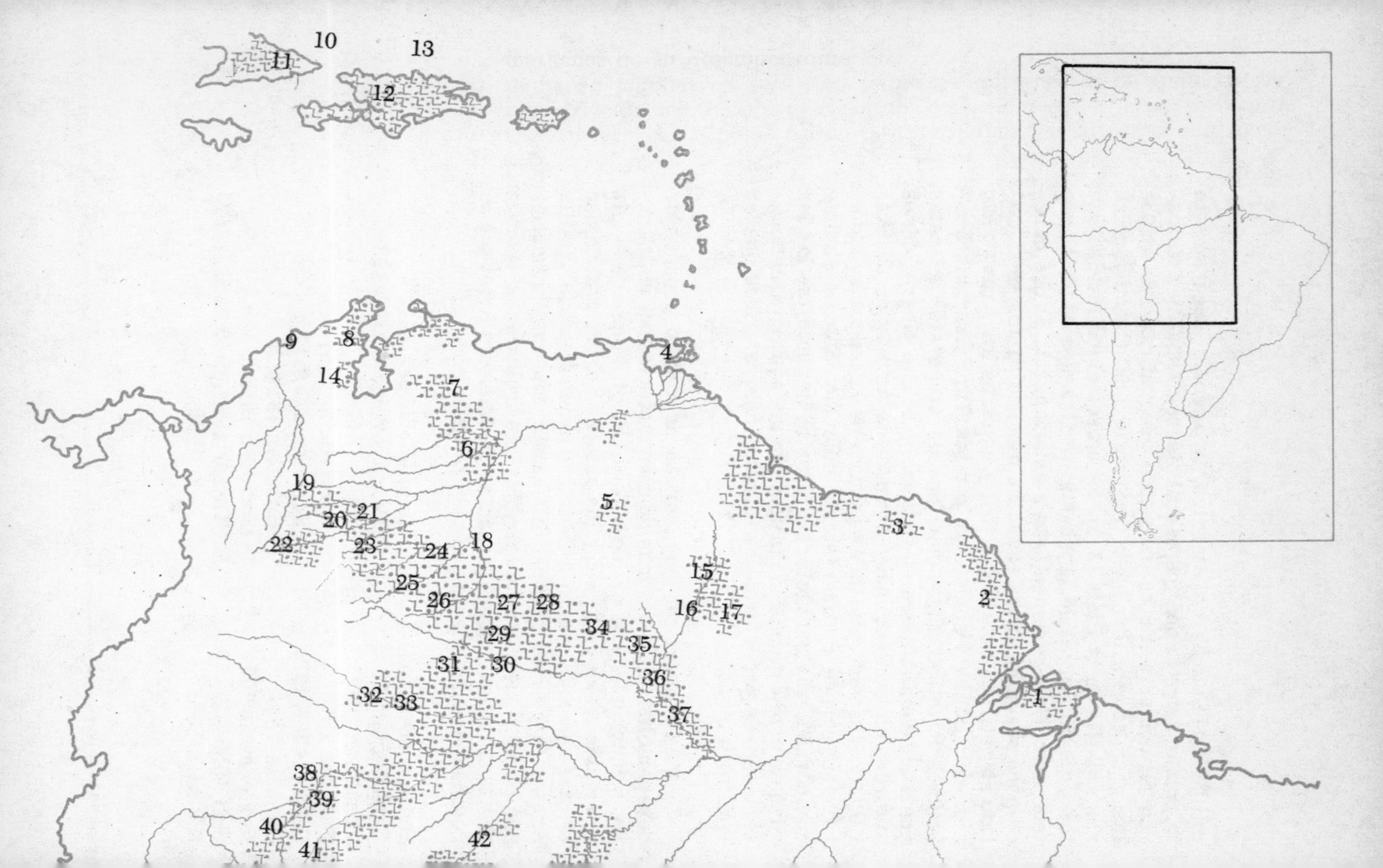
1
2
3
4
5
6
7
8
9
10
11
12
13
14
15
16
17
18
19
20
21
22
23
24
25
26
27
28
29
30
31
32
33
34
35
36
37
38
39
40
41
42

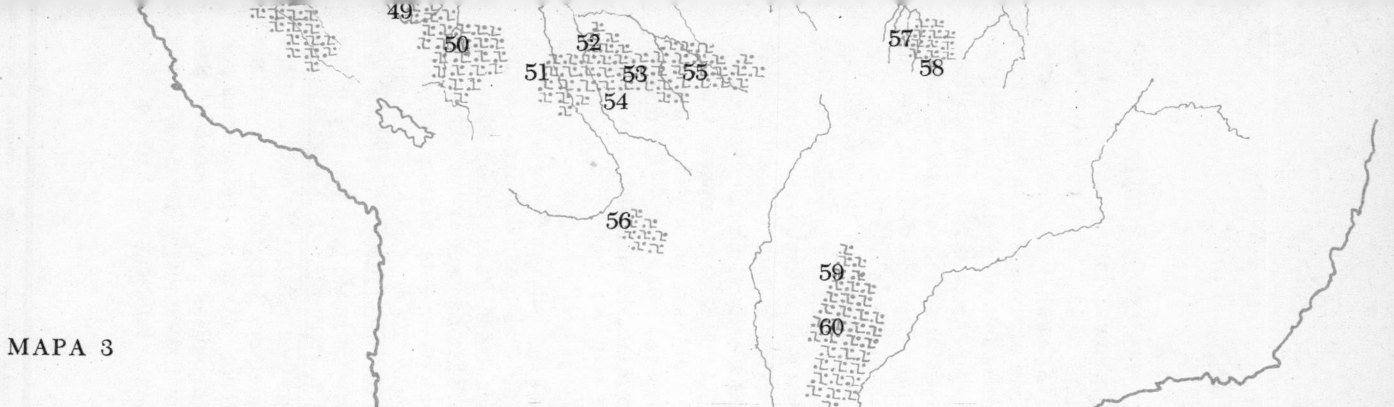


MAPA 3

LENGUAS ARAWAK. – 1. Aruá 2. Marawa 3. Lokono 4. Igneri 5. Guinaú 6. Caquetio 7. Axagua 8. Parahujano 9. Tirona 10. Lucayo 11. Ciguayo 12. Taino 13. Allouague 14. Motilones 15. Wapisana 16. Mapidi 17. Atorai 18. Maipure 19. Achagua 20. Chucuna 21. Amarizama 22. Guaymí 23. Mitua 24. Piapoco 25. Adzaneni 26. Baniua 27. Baré 28. Yavitero 29. Arekena 30. Baniua del Içana 31. Cauyarí 32. Resígero 33. Yucuna 34. Wiriná 35. Širiana 36. Bahúana 37. Manao 38. Cawišiana 39. Passé 40. Mayoruna 41. Cuniba 42. Araúá 43. Kurina 44. Manitenere 45. Canamari 46. Chontaquiro 47. Campa 48. Masco-Piro 49. Tuyunairi 50. Lapachu 51. Mojos 52. Baure 53. Saraveca 54. Paiconeca 55. Paresí 56. Chané 57. Custenaú 58. Mehinacú 59. Tereno 60. Guaná

Pueblos de gran movilidad, los de lengua Arawak se extendieron por todas las Antillas y luego, a lo largo de los ríos, por todo el centro de América del Sur. Perseguidos y hostigados por Guaraníes y Caribes, los Arawak aparecen generalmente fragmentados, retirados en los lugares más inaccesibles y pobres, casi siempre cediendo el paso a tribus más impetuosas y guerreras. Sin embargo, fueron ellos los primeros portadores de tipos de cultura superiores en toda esta parte del Continente. La agricultura, adaptada a las condiciones de la selva amazónica, les debe las bases de sus progresos. Infatigables navegantes en sus canoas, los Arawak fueron en las Antillas los primeros indígenas con quienes los europeos trabaron conocimiento, y probablemente hablaban lenguas de este tipo indígenas del Río de la Plata en las márgenes de su desembocadura.

Tello 1913, 1913 Williams 1924
Veigl 1785

16. 1. ARAWAK SEPTENTRIONAL Y DEL NOROESTE. Forman la sección del Arawak insular las lenguas de las Grandes Antillas: Taino de las islas de Santo Domingo (Caquetio), Jamaica (Yamaye), y Puerto Rico (Borinquen). Una cultura afín, que algunos llaman Sub-Taino se extendía por gran parte de la isla de Cuba. La antigua raza de Cuba, los Siboneyes, no sabemos si eran Arawak. Ciguayo sería un dialecto especial de la región de Samaná en Santo Domingo y del extremo oriental de Cuba (este último punto aparece en W. Schmidt considerado como Caribe). En las islas Lucayas o Bahamas se hablaba una lengua Arawak distinta, el Lucayo. En las Pequeñas Antillas el Igneri o Eyeri de Trinidad y el Allouague y Cabre de las islas de Sotavento son restos de la eliminación de la lengua por la invasión de los Caribes. En muchos casos en las islas menores el Caribe había sido impuesto por la invasión como lengua de los hombres, pero el Arawak subsistía como lengua de las mujeres y los niños. Formas especiales de lengua mujeril distinta de la masculina se formaron, así como mezclas.

Al noroeste de América del Sur, en Venezuela y Colombia, tenemos una serie de dialectos: Goajiro o Uáira con los antiguos Cosina, Guanebuca, Paraujano o Parahowkã, y los dudosos Tairona y Chimila, que otros atribuyen al grupo Chibcha. Desaparecidos en esta misma región se citan los Toa, Zapara y Onoto. El P. Castellví calculaba unos 50000 hablantes de Goajiro (1940). Alrededor del golfo de Maracaibo están los Caquetio (con los que estaban emparentados también los primitivos habitantes de Curaçao y sus actuales dependencias), al sudeste de ellos están los Axagua de las fuentes del Tocuyo, que se extienden tierra dentro por los llanos. Quizá se relacionan con los Caquetio los Quinó de Lagunillas y los Tororó de San Cristóbal. Los Motilones de Catatumbo y Río de Oro son quizá Arawak, aunque el material lingüístico de que se dispone sobre ellos es escaso y Rivet & Loukotka los incluyen, con el sinónimo de Cunaguasaya o Dobokubí, en el grupo Chibcha-Aruak, junto a los Muisca o Chibchas propiamente tales. Guayupe, Eperigua y Sae formaban un grupo al oeste de los Achagua y al sur del núcleo principal de los Chibchas. Son Arawak los Achaguas del Apure y el Arauca. Piápoco o Dzá·ze, con el dialecto antiguamente llamado Cabre o Caberre y hoy (según Rivet & Loukotka) Mitua, en la región del Ariari, completan este grupo.

Alemany y Bolufer 1929^x, 1929
Anónimo ms. s. f., 1882^x, 1919^x, 1928^x, s. f. Pláticas
Bachiller 1883
Blanco 1940
Carcagente 1940^T
Caudmont 1951
Celedón 1878^x
Crévaux, Sagot & Adam 1882^x
Chaffanjon 1889
Ernst 1887, 1891
Gilij 1780/4
Goeje 1939^x
Gumilla 1745
Henríquez Ureña 1935
Holmer 1947, 1950^xT
Isaacs 1884
Jahn 1914^x, 1927
Julián 1787
Koch-Grünberg 1917/28^x
Lehmann, W., 1920
Marcano 1890
Martius 1867
Mesa 1952
Morales Cabrera 1932
Neira & Rivero 1928^x
Oramas 1913^x, 1916^x, 1918^x, 1918^x
Penard 1927/8
Perea & Perea 1935
Posada 1926
Rafinesque 1836
Raimundo 1934
Rat 1898^x
Reichel-Dolmatoff 1947^x
Rivero y Ustaiz 1857
Rivet & Wavrin 1952^x
Schumann 1882^x
Schultz 1850^T
Tavera Acosta 1907
Tastevin 1919
Tejera 1956
Tello 1913
Toro ms.
Urteaga 1895^x
Vivanco 1953
Zayas y Alfonso 1914, 1931

16. 2. ARAWAK DEL NORDESTE Y CENTRAL. Tenemos en primer lugar el Aruac o Aroaqui propiamente dicho, que ha dado nombre a todo el grupo lingüístico, y

cuyos hablantes se dan a sí mismos el nombre de Lokonc o Lukkunu, en la costa de la Guayana británica, y el Aruá, la tribu más oriental (que hay que distinguir de la de 13. 7 del mismo nombre), en la desembocadura del Amazonas. Marawa (grupos Palikur, Okawa y Rukua [cf. 17. 1] ) se habla en la Guayana franco-brasileña.

En la región del Rio Branco, al sur de las Guayanas inglesa y holandesa, se hablan los dialectos Wapišana y Amariba, Atoraí o Daurí (hoy absorbidos por los Wapišana), con el Mapidi o Mayopity (variedad hoy subsistente del Atoraí) y el Makwakwa.

El grupo del Orinoco está formado por los Guinaú o Inao o Temomeyemẽ (antiguos Guaniare), los Maipure o Amorúa, los Tegua, Amarizama, Chucuna, el Yavitero o Paraene, los Achagua del Casanare y el alto Meta, los Anauyá, los Pauišana, los Uareka o Uarekena hoy casi extintos, según Nimuendajú (1950), los Kurripako, los Karro. Vecinos de los Yavitero son los Baré al este (antes dueños de todo el Río Negro, hoy reducidos a su curso alto), el Arekena (que debe de ser el citado Uarekena de Loukotka, que Nimuendajú dejaba sin clasificar) y el Cariay.

Más complicado es el grupo del Río Negro-Yapurá (que podría coincidir, aunque no del todo, con lo que Loukotka llama grupo Baré), que comprende: un grupo de Izaneni o Baniua, con el Carútana, el Yaguareté-Tapuya o Korekarú, Baniua del Içana (cuya lengua, según informe de Nimuendajú, es muy distinta del Baniua de Marva y San Fernando de Atabapo en Venezuela), Wadzolidakenai, Mapache dakenei, Urubu-Tapuya, Dzawi-Minanei, Adam-Minanei, Arara-Tapuya, Yurupari-Tapuya, Catapolítani (o Kadaupuritana), Caua-Tapuya (o Máulieni), Cuati (Coati-Tapuya, Capité Minanei), Huhúteni o Hohodene, Mapanai (Ira-Tapuya) también llamados Izaneni especialmente), Moriwene (Sucuriyú-Tapuya), Payualieni (Payoarini, Pacú-Tapuya), Siusí (Waliperi-Tapuya o Ueriperi-Dakeni) e Ipeca-Tapuya (Cumata-Minanei), Tapiira; un grupo Miritiparaná con las tribus Cañarí (Karyarí), Matapi, Yucuna, (del que registra hacia el Mirití unos 70 individuos la estadística de Igualada & Castellví); junto a éstos citan los mismos autores el dialecto Maratí (sobre los ríos Mirití y Apaporis) con 139 hablantes; se citan también los Menimehe y posiblemente Guarú; otro grupo Mawaca, con los Adzáneni (Adyana) o Tatú-Tapuya, Mandawaca, Masaca (sobre el Río Casiquiare) y Yabaana; un grupo Tariana, con los Tariana propiamente dichos y los Itayaine o Iyaine. En el Yapurá, de una parte agrupa Mason a los Wainumá y Mariaté o Muriaté, de los que Igualada & Castellví han registrado en 1940 grupos entre los ríos Upí y Cahuinarí, y de otra a los Cawišiana, Yumaná (v. infra), Manao u Oremanau, Širiána, los Bahúana, Cauyarí o Cabuyarí (de los que señalan 10 hablantes los PP. Igualada y Castellví sobre el alto Apaporis, zona colombiana Amazonas-Caquetá); de la lengua Guarú o Garú registran estos mismos autores 30 hablantes sobre los ríos Mamcuá y Kuona, afluentes del Meta, y la consideran, parece, independiente, aunque influida por el Arawak. Añadamos los Aruaki y finalmente los Wiriná, sobre el río Marari, que para W. Schmidt forman de por sí un grupo.

Los Passé, hoy en el bajo Içá, ocuparon antaño el vasto territorio entre el Río Negro y el Putumayo. Registran hablantes de este idioma (1940) Igualada & Castellví, con el sinónimo para su idioma de Yumaná o Chumaná (Chimano), en el bajo Putumayo, hacia los 2° 30′ lat. S.

De este grupo Arawak elegimos, por disponer de datos modernos (Hickerson), el Lokono, para presentar algunas notas características.

La estructura de las palabras es VCVCV y formas parecidas. Raros grupos internos de n más oclusiva. Finales en vocal (a veces en n). La l/r y d/r son variantes facultativas. Se hallan fonológicamente distintas la d y la t, pero de las otras oclusivas sólo existe b (y no p) y k (y no g). Hay en cambio f. La h y las nasales m y n completan este reducido sistema.

Existe en este dialecto la distinción Arawak de un género varonil frente a otro femenino-inanimado.

Hay prefijos posesivos. Varios sufijos que hacen el papel de nuestra preposición se encuentran con los nombres.

Los elementos gramaticales van, a lo que parece, muy sueltos, y puede ocurrir que el pronombre sujeto vaya prefijado a un adverbio, mientras que el verbo precede en forma absoluta.

Acusativo antepuesto.

El pronombre objeto puede prefijarse o sufijarse al verbo.

Una gran riqueza de elementos gramaticales indican las categorías de género, la nominalización, el plural. Especialmente en el verbo diversos sufijos indican la voz, el modo, el aspecto, o lo que para nosotros serían determinaciones adverbiales o el propio pronombre relativo.

Numeración quinaria.

Anónimo s. f.
Brett 1900/2
Brinton 1869, 1871, 1892
Cardona Puig 1945$^{x}$
Carvalho, B. de, 1936
Casas Manrique ms.
Civrieux & Lichy 1950$^{x}$
Concepción ms. ?
Coudreau, H. A. 1886/7
Crévaux, Sagot & Adam 1882$^{x}$
Chaffanjon 1889
Chamberlain 1910
Farabee 1918
Fernandes 1932$^{x}$
Ferreira Penna 1881$^{x}$
Fredericks & Stoll 1954
Gilij 1780/4
Goeje 1928$^{x}$, 1948$^{x}$
Grupe y Thode 1890
Heuvel 1844

Lámina VI. — Ezequiel Uricoechea.

Hickerson 1953, 1954[T]
Hilhouse 1832
Jesús, Fray Juan de, ms.?
Jesús María, ms.?
Kalina 1955
Koch-Grünberg 1909/10, 1911[x], 1913, 1917/28[x]
Koch-Grünberg & Hübner 1908
La Grasserie 1892[x]
Leprieur 1834
Loukotka 1929[x], 1943[x]
Martius 1867
Melgarejo 1886
Montolieu 1882[x]
Mordini 1935
Nimuendajú 1926, 1932, 1950, 1955 (Širiana, Wapičana)
Penard & Penard 1926/7
Pupiales ms.
Quandt 1807[x], 1815[x]
Rivet 1947[x]
Rivet & Reinburg 1921[x]
San Antonio ca. 1675
Schomburgk 1847/8
Stahel 1944
Tavera Acosta 1907[x]
Taylor 1958
Tello 1913[x]
Wallace 1853

16. 3. DIALECTOS OCCIDENTALES, PREANDINOS Y MERIDIONALES. En la región del Amazonas tenemos, al sur de los Omaguas, los dialectos Marawa (de la cuenca del Jurúá) y Waraikú (Araiku, Wareku), con los Kulino, Kurina o Kollina Arawak, sobre el Juruá) y entrando hacia el oeste en territorio Pano, los dialectos Cutinama, Cuniba y Cujisenayeri; en la zona del Juruá-Purús los Canamari (a distinguir de los de 9. 2 y 15. 8), Catukina (cf. también 15. 8), Catianá; Inapori o Mašco-Piro, a la izquierda del Madre de Dios; Ipuriná o Kángiti, son su fracción llamada Kašarari; Manitenere y Uainamari. Tenemos que incluir en este grupo al Mayoruna o Morike que nos es conocido por un vocabulario recogido por Tessmann, y que hay que distinguir del homónimo Mayoruna que hemos incluido junto a las lenguas Pano (9. 6). Se sitúa sobre el río Javarý, y es un dialecto Arawak muy alterado por mezclas.

Un grupo conocido de antiguo es el Campa o Anti, llamado de la Montaña o Chuncho: Anti, Antaniri (o Ungomino), Camatica, Campa (o Atziri), Catongo, Chicheren, Chonta, Kimbiri, Kirinairi, Pangoa, Tampa, Ugunichiri,

Unini son los dialectos que cita Mason. Junto al Campa o Anti, en el mismo apartado de la Montaña peruana tenemos: Piro (con los dialectos Manatinavo, Chontaquiro, Cušitineri, Simirinch y Upatarinavo (de los que hay otro grupo en la cuenca del Purús), el Machiguenga, Mašco, Sirineri, Huachipairi o Guachipare, Mohino o Moeno, Puncuri, Tuyunairi y Pucacuri.

Más al sur tenemos, conocidos ya por gramáticas antiguas, a los Mojos (Muchojeone o Morokosi o Mochono) y a los Baure o Chiquimiti; junto a ellos están los Chiquito Arawak (Paiconeca o Paiconé y Paunaca, con los que Cardús daba por análogos los Napeça). En el alto Madeira están los Pama.

Al este sigue el grupo Paresí (Ariti o Maimbasi), con los Cašiniti (y Waimaré), los Iranche (Şacuriú-Iná, Tahuru-Iná y Timaltia) y los Tamararé y Cozárini (Cabiší salvajes, Paressí-Cabiší y Mahibarez). Entre este grupo y el anterior, sobre el Río Verde, están los Saraveca. En la región del Purús están los Pamana.

La avanzada más meridional de los Arawak está señalada en la región del Paraná por los Guaná (o Chaná), de los que un grupo queda en los alrededores de Cuyabá, Layaná, Tereno (Etrena), Echoaladi (Echenoana, Chararana), Quiniquinao, al este, y por los Chané e Izozeños al oeste. Estos grupos en general han sufrido transculturación, y han perdido sus dialectos Arawak, para adoptar, los orientales, dialectos Guaicurú, y los occidentales, el Guaraní.

Sobre el problema de que los Chaná de las regiones vecinas al Río de la Plata fueran Arawak ya hemos hablado anteriormente (3. 5).

Más al este, aislado entre lenguas Ge, Tupí-Guaraní y Caribe, tenemos el grupo Arawak del Xingú, con los Mehinacú, Yaulapiti, Custenau y Waurá.

Elegimos el Machiguenga para dar una muestra de los dialectos Arawak de la Montaña, y a él corresponden las siguientes notas tipológicas, con algunas referencias al Anti o Campa de los anónimos misioneros de Adam & Leclerc:

Las palabras tienen muy frecuentemente la estructura CVCVCV. No hay grupos en medio de palabra salvo los de n más oclusivas o la č. El final de palabra es siempre una de las vocales a, e, i, o. Los mismos caracteres se observan en Anti.

Las oclusivas b y p, g y k, permutan en ciertas condiciones (sonoras en inicial, se ensordecen detrás de un prefijo). En cambio d y t parecen puras variantes la una de la otra. Por su parte la b alterna con w (lo que probaría su carácter fricativo). Tampoco parece que haya distinción fonológica entre e/i, o/u. La h a veces no se pronuncia en Machiguenga. El resto del cuadro fonológico es muy simple: r, y, w, š, č, y otra variedad de č que no podemos aclarar por las explicaciones del P. Aza. Nasales: m, n, ñ. Africada ç.

Los géneros, como en todas las lenguas Arawak, son dos: masculino y femenino-inanimado (en Anti parece que a veces se distinguen tres géneros). Tal distinción genérica informa a todo el idioma, pues alcanza con desinencias o enfijos no sólo a sustantivos y adjetivos, sino a los numerales y hasta al verbo que viene a equivaler a "ser, estar, haber" (aiño "es" masc./aitio "es" fem. -inanim.).

Los nombres tienen, generalmente los inanimados, un sufijo cuando van absolutos, y lo pierden cuando toman el prefijo posesivo individualizador. Los nombres del género animado no suelen tener este sufijo, pero a veces sí lo tienen, y lo cambian por otro al recibir el prefijo posesivo. La concordancia de género es muy característica de las lenguas Arawak. También los pronombres y posesivos (prefijos) de 3a. persona tienen distinción de género.

El plural tiene en Machiguenga un elemento formante distinto para el animado y para el inanimado (y de modo semejante en Anti). El plural se caracteriza en los nombres con un sufijo, pero en las formas verbales se incorpora.

Los nombres en Machiguenga no conocen sino un sufijo de tipo postposicional, pero las relaciones gramaticales de "caso" se precisan incorporando al verbo regente partículas adecuadas. También se incorporan al verbo palabras enteras que indican en nuestra sintaxis el complemento (incluso el que llamamos circunstancial).

Del mismo modo el verbo mediante enfijos toma toda clase de determinaciones modales, de aspecto, reflexivo y recíproco, matiz dubitativo, desiderativo, etc.

Los pronombres van con el verbo como prefijos para indicar el sujeto, y como sufijos para hacer de objeto o dativo.

La negación se antepone al verbo, y entonces las formas verbales son más simples.

El pronombre "nosotros" tiene formas distintas para inclusivo y exclusivo.

El genitivo se postpone en la frase, como también el adjetivo. El sujeto y el objeto también se postponen al verbo.

Numeración quinaria.

Adam 1890[x]
Adam & Leclerc 1880[x]
Alemany, A. 1906[x]
Anónimo 1699[x], 1880[x], 1933[T], s. f.
Aza 1923[x], 1924[x], 1924[x], 1924[x], 1933[T], 1935[x]
Bach 1916
Baldús 1937[T]
Barrasa ms.
Boggiani 1896[x]
Bossi 1863

Cardús 1886[x]
Carrasco 1901
Castelnau 1852
Coparcari 1880[x]
Créqui-Montfort & Rivet 1913[x]
Chandless 1866
Delgado, E. 1896/7[x]
Dirks 1953[x]
Ehrenreich 1897[x]
Farabee 1922
Fonseca 1880
Hanke 1942
Harden 1946
Iraizos ms.
Koch-Grünberg 1914/9[x]
Latham 1862
Magio 1880[x]
Marbán 1701
Marcoy 1875
Marqués ms.[T]
Martius 1867
Masô 1919
Matteson 1954[T]
Matteson & Pike 1958
Métraux 1942
Moura, J. 1957
Moutinho 1869[x]
Nimuendajú 1955[x] (Ipuriná)
Nimuendajú & Valle Bentes 1923
Nusser-Asport 1890
Onnfroy 1895[x]
Oppenheim 1948[x]
Orbigny 1839[x]
Pauly 1928
Pereyra 1944[x]
Polak 1894[x]
Reich 1903
Richter 1685[xT]
Rivet 1920
Rivet & Reinburg 1921
Rivet & Tastevin 1919/24[x]
Rondón 1910
Rondón & Barbosa de Faria 1948[x]
Rosell 1916
Sala, G. 1905/6[x]
Schmidt, M. 1903, 1914, 1942, 1943, 1947
Schuller 1907, ms.
Sisler de Insley 1957
Steere 1903
Steinen 1894, 1906
Stiglich 1908
Taunay 1868
Tello 1913[x]
Tessmann 1930
Touchaux 1908[x]
Zavala 1895[x]

16. 4. RESÍGERO o RESÍGARO. Aquí tenemos que situar a esta lengua, antes de incierta agrupación entre Bora, Uitoto y Arawak. Se trata de un idioma que ha de ser incluido entre los dialectos Arawak del Río Negro: Tariana, Siusí, y Catapolítani son los que en la comparación de vocabularios resultan más próximos. Igualada y Castellví calculaban para la zona del Amazonas-Caquetá diez hablantes.

Calella ms.
Igualada & Castellví 1940
Ortiz 1942
Rivet & Wavrin 1951[x]
Tessmann 1930

16. 5. ARAUÁ. Este grupo y el siguiente los situamos como apéndice de la familia Arawak, siguiendo a Mason, que considera a estas lenguas probablemente Arawak. El grupo llamado Arauá sobre los ríos Chirue y Chiruaa, al sur del Amazonas, es muy complejo, y en él se incluyen, no sin vacilaciones, los dialectos Arauá, Yamamadí (sinónimos: Kapaná, Kapinamari, Kólö), Pammarí (Purupurú), Kulina, Madiha, Yuberi, bien que el primero es excluido del Arawak por Nimuendajú. Rivet los relaciona a todos, Arauá propiamente dicho incluido, en el grupo Arawak meridional Guaná-Layaná-Tereno, mientras que Loukotka propone considerarlos lenguas mixtas de Catukina.

Altenfelder Silva 1949
Carvalho 1929
Chandless 1869
Fritz 1687[x]
Ehrenreich 1897[x]
Rivet & Tastevin 1938/40[x]
Steere 1903

16. 6. APOLISTA O LAPACHU. Fue incluido entre las lenguas Arawak sobre la base de un pequeño vocabulario que Nordenskiöld pudo recoger de labios de uno de sus últimos hablantes. Loukotka lo cree en cambio emparentado con el Leco. Quizá los Apolistas son descendientes de los antiguos Aguachile.

Cardús 1886[x]
Créqui-Montfort & Rivet 1913[x]
Chamberlain 1910
Métraux 1942[x]
Nordenskiöld 1905
Orbigny 1839

## CARIBE

17. Casi compite en difusión geográfica con el Arawak y el Tupí-Guaraní esta tercera entre las grandes len-

guas de la América del Sur. Los pueblos hablantes de lenguas de este grupo fueron sorprendidos por el descubrimiento de América cuando estaban extendiéndose por las riberas del mar que aún lleva su nombre, principalmente a costa de las tribus Arawak. Su centro de difusión, según Rivet & Loukotka, sería la zona entre el alto Xingú y el Tapajoz. Se conserva hoy no sólo en las orillas del mar Caribe y en las Guayanas, sino en las cuencas del Orinoco y el Amazonas, desde las costas colombianas del Pacífico hasta el Pará. En el momento del descubrimiento, una tribu suya, los Cofachitas, habían puesto el pie en Florida, en la parte septentrional del Continente.

El Caribe ha sido relacionado con el Arawak para hacer un phylum lingüístico. Hasta se propuso la inclusión de Chibcha y Maya en tan amplio grupo (Schuller).

La clasificación de los dialectos Caribes es en gran parte geográfica, pues aunque hay ensayos de gramática comparada, de muchos de aquellos se carece de descripciones suficientes.

Ofrecemos las siguientes notas para una tipología de los dialectos Caribes, basándonos principalmente en Adam y Armellada. El tipo de palabra CVCV es frecuente, pero hay numerosos diptongos y no son raros los grupos de muta cum liquida. También se dan en final k y n. Numerosas vocales distintas. No hay distinción de sordas y sonoras en las oclusivas. La d (sin duda mojada) se convierte fácilmente en y.

En Caribe no existe género. Número dual existe en los pronombres en ciertos dialectos como Chaima y Tamanaco (no existe en cambio en Cumanagoto ni en Pemón). El plural se forma con sufijos distintos.

El pronombre "nosotros" en muchos dialectos se distingue en dos formas, inclusiva y exclusiva; en ésta última se nota que entra en composición la 3a. persona del plural.

El genitivo se antepone (Dios murer "el hijo de Dios") o se postpone (um[1] patar[2] "casa[2] de mi padre[1]"). El acusativo, sin sufijo (también el nom. carece de sufijo), se antepone al verbo de que es objeto.

Un verbo vicario (guaz "estar") se usa con muchos significados y en giros varios en Cumanagoto. Por ej. "tengo" se dice "estoy con".

Los casos y determinaciones adverbiales se expresan con postposiciones.

Los posesivos se indican con prefijos. En 3a. persona, como en Tupí-Guaraní, parece que puede distinguirse un posesivo reflexivo y otro no referido al sujeto.

Numeración quinaria.

Adam 1879[x], 1879, 1893[x]
Ahlbrinck & Vinken 1923/4
Alvarado 1919
Bertoni, M. S. 1921
Farabee 1924
Gillin 1936
Goeje 1910[x], 1924, 1928, 1932/3, 1937, 1939, 1941, 1946[x]
Hellinga 1954
Hoff 1955
Kalina 1955
Mitre 1909/10
Panhuys 1913
Pénard, A. P. 1928/29[x]
Quandt 1807[x], 1815[x]
Schuller 1919/20
Ximenez ms.

17. 1. CARIBE COSTEÑO. Un primer grupo lo forman los dialectos de la costa: el Caribe insular de las pequeñas Antillas (islas de Barlovento), el que se habló en la región de Matanzas en Cuba y en ciertas zonas al este de Puerto Rico y Santo Domingo. El Caribe insular continúa en parte la tradición Arawak (Igneri) de los antiguos habitadores, cuyas mujeres ya dijimos que fueron apresadas por los conquistadores Caribes y por ellos mantenidas en vida: la lengua mujeril de estas islas (Kaliponau)

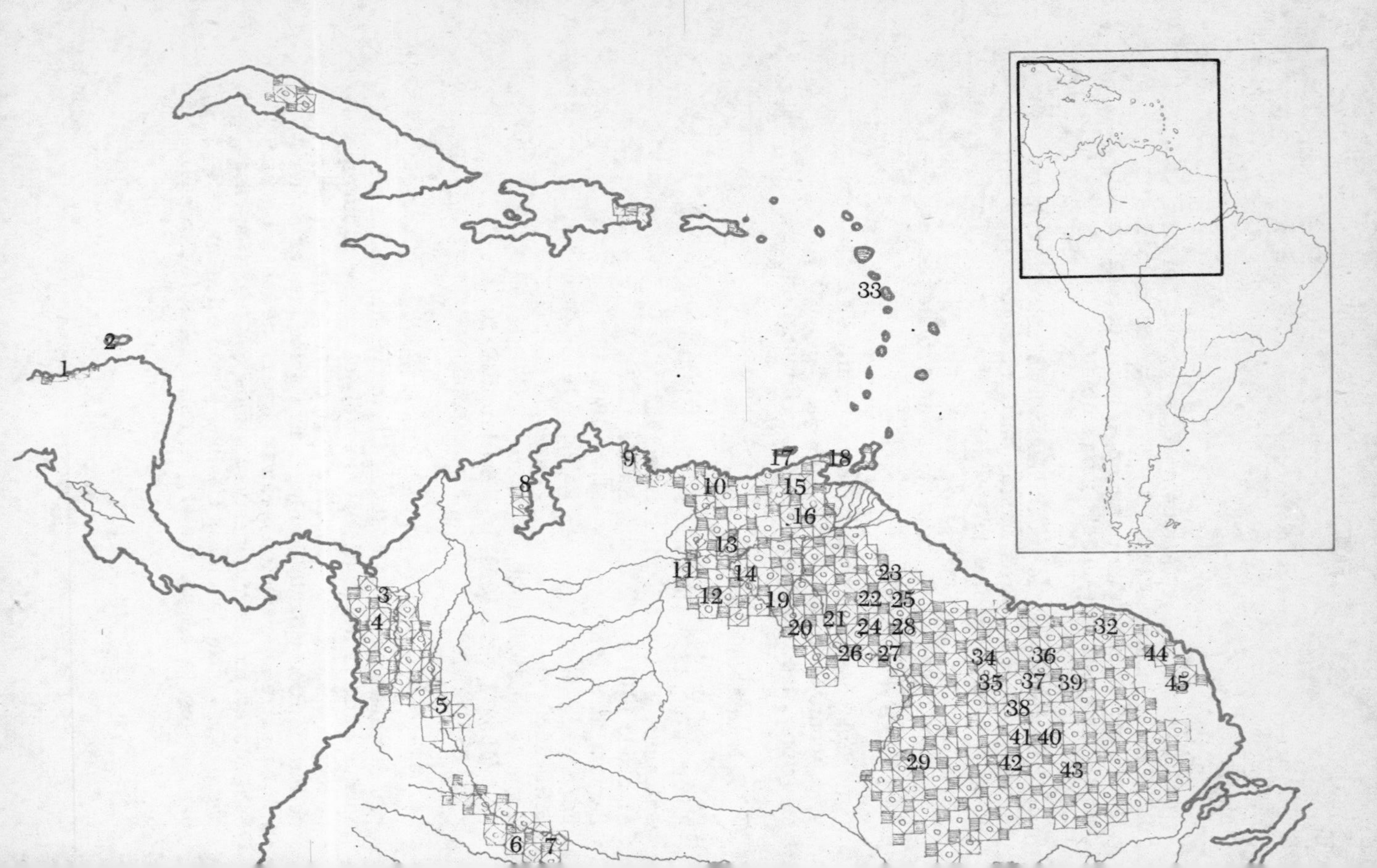
1
2
3
4
5
6
7
8
9
10
11
12
13
14
15
16
17
18
19
20
21
22
23
24
25
26
27
28
29
32
33
34
35
36
37
38
39
40
41
42
43
44
45

MAPA 4

LENGUAS CARIBES. – 1. Karif 2. I. Ruatán 3. Catio 4. Chocó 5. Pijao 6. Omagua 7. Carijona 8. Motilones 9. Šiparicot 10. Caraca 11. Mapoyo 12. Yabarana 13. Panare 14. Taparito 15. Cumanagoto 16. Palenque 17. Guaiqueri 18. Pariagoto 19. Arinagoto 20. Maquiritare 21. Camaracoto 22. Taurepán 23. Arecuna 24. Kenóloco 25. Acaway 26. Macusí 27. Ingaricó 28. Macusí 29. Uaiuai 30. Yuma 31. Arara 32. Calibí 33. Caribes 34. Urukuena 35. Saluma 36. Trío 37. Pauší 38. Šikiana 39. Oyana 40. Pianocoto 41. Rangu o Trío 42. Uaboi 43. Apalai 44. Yaho 45. Taira 46. Apiacá 47. Palmella 48. Bakaíri 49. Nahukwa 50. Aruma.

Junto a Tupí-Guaraní y Arawak, el grupo Caribe es el tercero con características semejantes en su difusión (fluvial y a base de una agricultura de maíz). Esta tercera oleada es la más reciente y sin duda la más violenta. En el momento del descubrimiento los Caribes estaban dominando y venciendo a los Arawak de las Antillas. También predominaban ya en las regiones del norte de América del Sur. Atacaban igualmente a los Chibchas en las regiones colombianas y parece que sobrepuestos a ellos surgieron dialectos Caribe-Chibcha. No tan extendidos geográficamente como los Tupí-Guaraní y los Arawak, parece que representan un pueblo de expansión más reciente y concentrada, extendidos al norte del Amazonas y sobre todo en la cuenca del Orinoco, la costa norte y las pequeñas Antillas.

tenía muchos elementos Arawak. Taylor ha mostrado las semejanzas con el Lokono Arawak del dialecto Caribe de Dominica, por ejemplo de lenguas mixtas que se produjeron en esta zona.

Un dialecto Caribe insular es también el Karif en la costa norte de Honduras y en la isla de Ruatán.

En la costa septentrional de nuestra parte del Continente tenemos el Calibí y Calina de la costa de Guayana, el Oyana (Upurui o Guayana) con el Rucuye (cf. 16. 2) y Urucuyana en el interior, y además el Taira (interior de Guayana francesa), Yaho (sobre los ríos Yavarikopo y Kaw), Saluma (entre el Trombetas y el Marajay).

Al oeste de las Bocas del Orinoco, el Cumanagoto, que comprendió como dialectos: Tamanaco, Chaima (Sayma, Warapiche) con las tribus Tagare y Cuaga (Cuaca), el Palenque o Guarine, el Guayuno y Pariagoto, Chacopata, Piritú, Cuneguara, Šiparicot o Chipa, Cuaiqueri (v. no obstante 19. 1), Caraca, Core y Carinapagoto. Los últimos supervivientes de estas tribus son los llamados Caribes de los estados venezolanos de Anzoátegui y Monagas.

Adam 1892[x], 1906
Ahlbrinck 1922/25[x], 1931
Alvarado 1912[x], 1917, 1953
Anónimo 1789[x], 1789[x]
Berendt 1874[x]
Biet 1664[x]
Breton 1664[T], 1665[x], 1666[x], 1667[x]
Brinton 1892
Caulín ms. 1779
Conzemius 1930
Coudreau, H. 1887, 1892[x]
Coudreau, O. 1903
Crévaux, Sagot & Adam 1882[x]
Davis 1666
Febres Cordero 1946[x]
Galindo 1833
Gilij 1780/84
Hawkins 1950, 1952[x]
Hawkins & Hawkins 1953
Henderson, A. 1847[T], 1865[T], 1872[x]
Käyser 1912
Koch-Grünberg 1915[T]
Lehmann, W. 1920

Martius 1867
Membreño 1897
Misioneros Capuchinos 1938[T]
Mutis mss.
Ober ms.
Pelleprat 1656[x]
Penard 1928/29
Pobo ms.
Puente & Alquézar
Rat 1897/98[x]
Rochefort 1665[T]
Ruiz Blanco 1683/90[x], 1892[T]
Sapper 1897
Sauvage 1763[x]
Stoll 1884
Swadesh 1956
Tapia, D. 1888[T], 1888[T]
Taradell 1928[T]
Tapia ms.
Tastevin 1919
Tauste 1888[xT]
Tavera Acosta 1907, 1921/22
Taylor 1935, 1938, 1945, 1946, 1948[T], 1951[x], 1952[x], 1953, 1954, 1955, 1955/58[x], 1957, 1958, 1959
Yangües 1683[x]

17. 2. CARIBE DEL NORDESTE. Más al interior, en la cuenca del Caroni, cerca de la Sierra de Roraima, se halla el grupo que con el P. Armellada podríamos llamar Pemón (Arecuna, Camaracoto y Taurepan o Taulipang). En las cercanías de éste sitúa Mason (con el Teweya) sobre el alto Río Blanco, Waicá, Ingaricó, Sapará, Wayamará. Añadamos con Rivet & Loukotka el Maracana y Seregong.

Al sur citaremos el Paravilhana (Paraguano o también Šilikuna), Kenóloco, Monoico, Azumara, Paušiana (o Pavišiana, que otros hacen Arawak), Mapoyo (que son los antiguos Kuakua o Nepoyo), Panare, Cariniaco y Taparito (este último para otros es idéntico al Otomaco, que no es Caribe, sino lengua aislada [19. 7] ). En los límites de Guayana británica con el Brasil tenemos los Uaiuai, sobre los altos Essequibo y Mapura, de los que quedaban 150 habitantes hace unos diez años.

Al Oeste, en la zona del Ventuari (llanos de Venezuela) tenemos los dialectos Maquiritare (Mayongkong o Majuyonco), divididos en los dialectos Yecuaná (o Deukwána), Ihuruana, Decuaná o Wainungomo, Cumaná, y además, se gún Mason, Maitsi y Yabarana (Curašicuna y Wökiare) con pocos individuos supervivientes.

Adam 1905[x]
Armellada 1936, 1943/44[x]
Armellada y Matallana 1942
Barbosa Rodrigues 1885
Brett s. f., s. f.
Carvalho 1936
Coudreau, H. 1887
Chaffanjon 1889
Escoriaza 1959[x]
Farabee 1924
Gillin 1936
Hawkins 1950, 1952
Hilhouse 1832
Im Thurn 1883
Kalina 1955
Koch-Grünberg 1913, 1915, 1917/28[x]
Koch-Grünberg & Hübner 1908
Lutz 1912
Martius 1867
Mayer, A. 1951[T]
Nimuendajú 1955[x]
Oramas 1913[x]
Salathé 1931/32
Schomburgk 1847/48
Simpson 1940
Tavera Acosta 1907[x], 1921/22[x]
Voegelin 1957
Wilbert 1957
Williams 1932[x]

17. 3. CARIBE AMAZÓNICO. Los grupos Caríbicos del Amazonas forman una zona bastante compacta desde el Amazonas, el Río Negro y el Orinoco hasta las Guayanas coloniales, y se pueden agrupar en una sección oriental y otra occidental.

A la primera corresponden las tribus Pianocotó, Araquajú, Apalai ( o Aparai), Wayawai (o Wayewa, probablemente idénticos con los Uaiuai enumerados en el grupo anterior), Pauxi, Trio o Diau, Tirió, Rangú, Šikiana o Chikena sobre el Apiniau, Tivericoto, Cataui o Parucatu, Wayano, Cumayena u Okomayana, en las fuentes del Curuni, y Urukuena. Podríamos completar esta sección con los nombres tribales de Cašuena o Casiana sobre el Río Cachorro y Uaboi sobre el Trombetas.

En la segunda entran los Carijona o Kalihona (un centenar registrado hacia el Apaporis por Igualada & Castellví en 1940) con el Umawa u Omagua, Hianacoto, Guane, Saha o Caháçaha, Guagua, Caicušana, Mahotóyana, Huaque y Riama, que se extienden por el sur de Colombia.

Es posible que los Tapajó, citados en la desembocadura del Tapajoz en el Amazonas por fuentes españolas del XVI y portuguesas del XVII, fueran Caribes.

Barbosa Rodrigues 1885
Brinton 1892
Coudreau, H. 1887, 1892[x]
Coudreau, O. 1901
Crévaux, Sagot & Adam 1882[x]
Farabee 1924
Fernandes 1952
Friede 1948
Koch-Grünberg 1906, 1908, 1909
Martius 1867
Mense 1946/47[x]
Nimuendajú 1949
Payer 1906
Pompeu Sobrinho 1936[x]
Rice 1931[x]
Rocha, J. 1905
Sancta Rosa, ms.
Souza, A. 1916

17. 4. CARIBES DEL SUR DEL AMAZONAS. Al sur del gran río se citan de estirpe Caríbica las siguientes tribus: los Arará o Ajujuré del Madeira, con los Yuma, sobre el Jacaré y el Ituxi, que aunque Rivet & Loukotka incluyen aquí, nosotros consideramos aparte (17. 7) con Nimuendajú, y los Apiacá o Apingui (procedentes de la cuenca del Xingú, hoy en la orilla izquierda del bajo Tocantins), Parirí y Timirem, del Estado de Pará.

Otro grupo se encuentra aún más al sur en la región del alto Xingú: los Bakaíri, Ananqua o Nahukwa, con los Guicurú o Kuikuru o Guicutl, Apalakini o Kalapalo, Maria pe-Nahukwa, Naravute, Yaruma o Aruma, Yamarikuná, Akuku y Etagl. Aquí sitúan también algunos al Pimenteira (14. 4).

Abreu 1938
Coudreau, H. 1897
Ehrenreich 1888, 1894/95[x]
Krause 1936
Loukotka 1950
Moutinho 1869

Nimuendajú 1914x, 1931/32, 1932
Páez 1946x
Schmidt, M. 1947
Souza, A. 1916
Steinen 1892x, 1894

17. 5. GRUPO DE COLOMBIA NORD-ORIENTAL Y REGIÓN DE MARACAIBO. Muchas son las tribus que se incluyen en este grupo Caribe. En primer lugar los Motilones (entre los que hay elementos lingüísticamente Arawak, 16. 1). Mason los clasifica en Chaké (Macoa, Tucuco, Parirí [cf. 17. 4] y Chaké propiamente dichos), Mapé (Macoa, Macoita, Yasa, Chapara, Sicacao, Tucuco, Cunaguasata, Maraca, Aguas Blancas, Aricuaisá, Catatumbo, Irapeno), Carato y Zapara (algunos consideran a estos últimos Arawak). Rivet & Loukotka clasifican a los Motilones en Yuco "gente brava" y Yupa o Yukpa "gente mansa". Los Yuco viven en las laderas de la cordillera de Perijá y se identifican con los Tupe o Coyaima de los antiguos cronistas; en las laderas occidentales de la misma cordillera se citan los Macoa, Opón, Manastara, Chaparro, Uasamo, Mišorka, Pšicacao y Pariri.

En esta misma región de la Sierra de Perijá se sitúan los Japréria, que el P. Armellada cree intermedios entre Goajiros Arawak y Yukpa.

Otros grupos de la misma región entre el Magdalena y el lago Maracaibo son: Bubure o Coronados, Yariguí, Quiriquire o Kirikiri, Topocoro, Topoyo, Chiracota, Araya, Guamaca, Tholomeo, Carare (Colima o Tapa, con los grupos Murca, Marpapi, Curipa; Naura y Nauracoto), Muso o Muzo, Burede, Guanao, Pemeno, Patagón, Camaniba, Pantagoro o Patangora, también llamados Palenque, Panche.

Anónimo 1789x
Armellada 1948
Bolinder 1916, 1917
Booy 1929x
Carranza, B. A. 1934
Ernst 1887x
Goeje 1929/30
Hanes 1952
Hildebrandt 1958x
Isaacs 1884

Jahn 1927
Landínez Salamanca 1942
Lengerke 1878[x], 1878[x]
Mutis, ms.
Oramas 1918
Páez 1936
Pineda Giraldo & Fornaguera 1958
Reichel-Dolmatoff 1945
Reichel-Dolmatoff & Clark 1950
Rivet & Armellada 1950
San Antonio ca. 1675
Tavera Acosta 1921/22[x]

17. 6. CHOCÓ-PIJAO. Consideramos aquí, siguiendo a Mason y otros autores modernos, un gran grupo, extendido por todo el noroeste de Colombia, y aun por regiones más centrales del mismo país. Se trata de varias lenguas, la mayor parte extintas, que se ha demostrado eran Caribes y no Chibchas, como antes se creía. Es lo probable que invasiones Caribes se hayan superpuesto en muchos puntos a anteriores poblaciones de lengua Chibcha.

En todo caso podemos atribuir al grupo del noroeste (Chocó) un carácter más resueltamente Caribe que a los dialectos del centro (Pijao, etc.). El Chocó tiene por lo demás muchas concordancias léxicas con el Chibcha, y muchos autores prefieren considerarlo independiente. En cuanto al Pijao, Quimbaya, etc. hay especialistas (así Hernández de Alba) que lo incluyen dentro del Chibcha, en relación con el grupo Páez (21. 3), mientras que otros prefieren dejarlo aislado. El Pijao se consideraba extinto, pero se han descubierto unos pocos grupos de hablantes en la cuenca del Saldaña, y ha podido ser estudiado.

El Chocó en sentido amplio abarca tres secciones: el Chocó propiamente dicho, a lo largo de la costa del Pacífico (Emperá y Catío al norte [cf. 21. 3: los antiguos eran Chibcha, los modernos Caribe], Chanco al sur), el Cenú hacia el Magdalena medio, y los extinguidos dialectos del Valle del Cauca (Quimbaya, Carrapa, Ancerma, Antioquia y Arma). Este último grupo es de dudosa pertenencia.

También son de dudosa clasificación los grupos meridionales: Gorrón, Buga y Chanco al oeste, y Arvi, igualmente poco conocidos.

Rivet & Loukotka enumeran las siguientes tribus y aldeas de los Chocó: Chami, Andagueda o Andágueda, Murindo, Cañasgordas, Río Verde, Necoda, Caramanta, Tadocito, Pato, Curusamba, Tucurá, Saija, Micay, Sambu, Noanama o Chocama, Baudocitaras, Tado, Papare. Otros nombres tribales Chocó son los Picara, en las fuentes del Río Pozo, y los Paucura, Pakura o Pancura en el Río Pacora. Por fin: Cholo, Citará, Darién, Dabeiba, Quiboló.

Anónimo 1918[T]
Arboleda ms.
Bastian 1876[x]
Berendt 1874[x]
Beuchat & Rivet 1910
Brinton 1895, 1896[x]
Collins, F. 1879[x]
Cullen 1851[x], 1866/68
Daniel 1954
Greiffenstein 1878[x]
Hurtado 1937
Jijón y Caamaño 1941/43
Latham 1851
Lehmann, W. 1920[x]
Lorenz 1939[x]
Maeztu 1929
Merizalde del Carmen 1921
Ortiz 1940[x], 1954[x]
Otero de Costa 1920
Pablo del Santísimo Sacramento 1933[x]
Pinart 1897[x]
Reichel-Dolmatoff 1945, 1945, 1945[x]
Rivet 1912, 1943, 1943[x], 1946
Robledo, G. 1922[x]
Robledo, J. 1865
Röthlisberger 1883/84
Simons 1887[x]
Solís Moncada 1934
Tessmann 1930[x]
Uribe 1883[x]
Vallejo 1910[x]
Velázquez 1916[x]
Wassén 1933[T], 1935
White 1884

17. 7. YUMA. Entre el Amazonas y el Madeira (cf. 17. 4) se halla esta lengua, que se suele considerar miembro de la familia Caríbica. Pero seguimos a Nimuendajú, que cree es mejor considerarla aislada.

Loukotka 1950

17. 8. PALMELLA. Este pequeño grupo lingüístico, cuyos hablantes habitan a la derecha del Guaporé, cerca de la frontera boliviana, representa la avanzada Caribe más alejada hacia el suroeste.

Fonseca, J. S. de, 1880/81 (reproducido en Becker-Donner 1956)

## HUITOTO, BORA Y ZÁPARO, CON OTRAS LENGUAS VECINAS

18. Se trata de dos "familias" lingüísticas mal conocidas y cuya clasificación presenta difíciles problemas. Mason incluye al Huitoto y al Záparo en su phylum Macro-Tupí-Guaraní, junto con el Miraña y el Bora. Pero no nos resolveremos a seguirle en un punto no precisado por estudios de detalle. Es un campo mal conocido el de estas lenguas, y la extinción de un gran número de ellas, sin que exista documentación segura, hace difícil la solución de muchos problemas en este orden. Las afinidades con el Tupí-Guaraní, con el Caribe, con el Arawak, así como las relaciones mutuas de los dialectos que agrupamos aquí, no han sido estudiadas aún de modo que permita una clasificación segura. No limitamos, pues, a enumerar los dialectos, que se extienden, alternando con grupos Caribe y Arawak, por la región del noroeste de la cuenca Amazónica y suroeste de la del Orinoco.

Incluimos también en esta sección una serie de lenguas no clasificadas, pero que pueden agruparse con las Huitoto-Záparo por razones de vecindad geográfica. También son ellas muy mal conocidas.

18. 1. HUITOTO. Su posición independiente es generalmente admitida, y varias lenguas han sido agrupadas con ésta. J. P. Harrington cree no sólo en la unidad de Huitoto, Cocama (13. 2) y Miraña, sino también en la agrupación de todos ellos con el Tupí-Guaraní en un sentido más estricto. Ortiz separa el Bora o Miraña del Huitoto,

pero Jijón y Caamaño los agrupa juntos.

El Huitoto, cuyo centro está en el alto Putumayo, se denomina en la misma lengua Komiuveido. El P. Castellví cree que los Huitoto descienden de los antiguos Quiyoya y calcula en 5.000 el número de sus hablantes. Seguimos en todo este capítulo la clasificación de Ortiz, que es más bien geográfica.

El Huitoto propiamente dicho abarca: Caime u Ocaina (también llamado Dukaiya sobre el río Igarapaná), Xura, Séueni, Eraye, Jayruya. El Mekka comprende: Yaboyano, Meneka, Meresiéne, Bue, Fitita, Ificuene-Caimito; como dudosos y tal vez sinónimos con alguno de los anteriores cita Mason: Aefsuye, Aipui, Ajayú, Bodyánisai, Gayafeno, Emenani, Fayagene, Fusigene, Gibuñe, Idekofo, Ichibuyene, Jetuye, Jidua, Joyone, Kanieni, Kotuene, Modenidza, Nequerene, Nofuicue, Orotuya, Huitoto Piedra, Uiyókoe, Yane, Yowi (Jómane, Neimade), Yusigene y Yauyane.

Un grupo nordoccidental de dialectos Huitoto lo forman los Orejones (de dialecto posiblemente afín al Tucano) y el Coeruna (que se ha extinguido y parece que Martius alcanzó sobre el Miritiparaná, y es por algunos, como Loukotka, considerado independiente). Para otros son más bien dialectos Miraña.

Algunos datos estadísticos tomamos de Igualada & Castellví: del Huitoto-Mekka señalan 200 hablantes en El Encanto y los ríos Caraparaná y Buriburi, y 431 en la Igaraparaná. Del Ifikuene o Caimito, 37 en los ríos Igaraparaná y Caucajá. Del Bue y otros dialectos indeterminados, 800 hablantes. Del Ocaina, 23 hablantes en el bajo Igaraparaná.

Otros grupos son: los Hairuya en el Río Tamboryaco, los Nonuya o Añonofá en las fuentes del Cahuinari.

LÁMINA VII. — Cipriano Muñoz y Manzano, Conde de la Viñaza.

Un grupo especial es el Andoke (Andokero, o Miraña-Carapaná-Tapuya, sobre el Yapurá) que dejamos como independiente siguiendo a los PP. Igualada y Castellví.

Agnew & Pike 1957
Anónimo 1919[x], 1930[x]
Barcelona, J. de, ms.
Berner 1906[x]
Calella ms.
Castellví 1934, 1951/53 1952
Corts 1946[x]
Cruxent 1951
Farabee 1922
Hamp 1958
Hardenburg 1910, 1912
Harrington, J. P. 1944
Heyser 1947
Hockett 1959
Igualada, Fr. B. de 1930/31[x]
Igualada & Castellví 1940
Ipiales ms.
Kinder 1936[x]
Koch-Grünberg 1906[x], 1906, 1909/10, 1910[x]
Loukotka 1943, 1949[x]
Manresa ms.
Martius 1867
Minor 1956
Murdock 1936
Ortiz 1942[x], 1954[x]
Pereira 1951[x]
Pinell 1928
Preuss 1921/23[T]
Puente 1703
Quito ms.
Rivet & Wavrin 1953
Rocha 1905
Santander Uscategui 1930[x]
Tessmann 1930
Voegelin 1957
Whiffen 1915

18. 2. MIRAÑA O BORA. Al Sudoeste del grupo Huitoto, entre el Yapurá y el Igaraparaná, tenemos éste, que algunos autores consideran independiente, mientras que otros (así Rivet en 1924) lo incluían en el Tupí-Guaraní. Mason reconoce relación lexical tanto con éste como con el Huitoto.

Es un grupo mal conocido hasta ahora, y del que no hay gramáticas, sino sólo vocabularios. Se citan como lenguas Miraña o Bora las siguientes: Imihita, Fã-ãi, Piraña propiamente dicho, Miranha-Oirá-Asu-Tapuya, Hawk y Mosquito. Rivet & Loukotka agrupan al Miraña con Carapaná-Tapuya dentro de la familia Huitoto, bajo el nombre de Andoquero, y lo distinguen, según el antecedente de Koch-Grünberg, de los Miranha-Oirá-Asu-Tapuya, cuya lengua muestra afinidades con el Záparo, Huitoto, Arawak y especialmente el Tupí-Guaraní.

Del Bora registran Igualada & Castellví 260 hablantes en los ríos Cahuinarí y Caquetá; del Miraña 160 en Las Palmas-Mirití y La Pedrosa. Un centenar de hablantes citan de dialectos "Bora impropio" (el citado Imihita, y Nonuya-Bora y Muinane-Bora) en la sierra Futahí y los ríos Cahuinarí y Miritá.

Barcelona, J. de, ms.
Igualada, ms.
Igualada & Castellví 1940
Koch-Grünberg 1906[x], 1906, 1909/10, 1910
Martius 1867
Mochi 1902/03
Ortiz 1942
Pupiales ms.
Rivet 1911
Tessmann 1930
Voegelin 1957
Whiffen 1917

18. 3. YAGUA, PEBA Y YAMEO. Como dos o tres lenguas independientes se han considerado estas, que sólo por razones geográficas citamos aquí. Yagua se ha creido por algunos mezclado de Pano y Caribe; Yameo, de Arawak y Pano. Seguimos a Rivet & Loukotka unificando a estos tres nombres en un solo grupo. Se trata en realidad de un territorio mal conocido, y se citan como dialectos del Peba: Cauwachi, Caumari, Pacaya; del Yameo, que Brinton llamaba Lama: Napeanos, Masamaes, Nahuapos, Amaonos, Miquianos, Parranos, Alabonos, San Reginos, Mazanes y Camuchibos. Junto a este grupo, que incluyen resueltamente en el Caribe, Rivet & Loukotka citan el Nixamro o Mišara.

Igualada & Castellví citan 30 hablantes de Yagua en las orillas del Amazonas colombiano.

Castelnau 1852
Chamberlain 1910
Fejos 1943
González Suárez 1904
Marcoy 1867
Martius 1867
Newman 1943
Powlinson, P. & E. 1958
Rivet 1911[x], 1912
Tessmann 1930

18. 4. NONUYA, MUINANA Y FITITA. Estas tres lenguas se agrupan a veces junto con el Huitoto y a veces con el grupo Miraña. Se sabe poco de ellas.

Es posible que sea aquí donde tengamos que referir los siguientes datos estadísticos de hablantes, según Igualada & Castellví: del Nonuya (dos dialectos en el alto Igaraparaná) 30 hablantes, del que ellos llaman Muinane-Huitoto (que puede ser idéntico con el Muenana) 130 hablantes.

| | |
|---|---|
| Barcelona, J. de, ms. | Rivet & Wavrin 1953 |
| Ortiz 1942, 1954 | Tessmann 1930 |
| Preuss 1921/23 | Whiffen 1915 |

18. 5. ANDOKE. Aunque ha sido agrupado bajo el epígrafe del Huitoto, parece mejor considerar a esta lengua, llamada también Patsinehé, independiente. Posiblemente los indios Andakí, cuya lengua se ha extinguido, y que parece era un dialecto Chibcha (21. 4), han de ser relacionados con ellos. Los Andoke, Paçiače o Čo'oxe viven sobre el Yapurá, entre el Yarí y el Tinotecurú. Igualada & Castellví los dividen en septentrionales y meridionales, con un par de centenares de hablantes.

| | |
|---|---|
| Batet ms. | Ortiz 1942 |
| Castellví 1934 | Rivet & Wavrin 1952[x] |
| Igualada ms. | Tessmann 1930 |
| Igualada & Castellví 1940 | |

18. 6. ZÁPARO. Se suele considerar éste como un grupo independiente, si bien falta un estudio detenido, que tal vez permita establecer relación con el Huitoto y el Bora, o como Rivet y Loukotka proponen, con el Miraña. Mason lo incluye en el gran phylum Tupí-Guaraní. Como en muchas otras lenguas de este apartado, sólo tenemos materiales lingüísticos escasos, e insuficientes para dar una idea de su estructura gramatical.

También la clasificación es muy confusa, y reposa sobre viejos datos, no comprobados ulteriormente. Andoa, con el Gae, Semigae y otros grupos, forma una de las ramas; Conambo o Combo, otra; Iquito o Akenóini, otra; otra el Kahuarano, y finalmente el Záparo propiamente dicho.

| | |
|---|---|
| Anónimos 1928, 1930[x] | Ortiz 1940, 1954 |
| Beuchat & Rivet 1908, 1910 | Osculati 1854 |
| Brinton 1898[x] | Peeke 1954 |
| Castelnau 1852 | Peeke & Sargent 1953 |
| Clark 1879 | Rimbach 1897 |
| Chonemann ms. | Rivet 1911, 1912, 1930 |
| Gilij 1780/84 | Simson 1879[x] |
| González Suárez 1904 | Tessmann 1930 |
| León, A. M. 1930 | Veigl 1785 |
| Martius 1867 | |

18. 7. OMURANO O ROAMAINA. La posición del Omurano o Numurana es muy discutida; en primer lugar es problemática su identificación con el Roamaina, que Hervás reunía con el Maina, es decir, el que llamamos Cahuapana (22. 8). En el Omurano (también llamado Humurana) se comprenden el extinto Zapa y el superviviente Pinche (con sus dialectos Pava, Arasa, Uspa [Učpa] o Llepa, Habitoa).

| | |
|---|---|
| Majano ms. | Tessmann 1930 |

18. 8. AWIŠIRA. Esta lengua, cuyo nombre se ortografía también Abijira o Abixiri, y que en labios de sus propios hablantes se llama Tekiráka, ha sido incluida en el grupo Tucano. Geográficamente queda entre los dialectos Tucanos occidentales y el Záparo, muy cerca de la orilla derecha del Napo, a partir del bajo Cururey. Con el Záparo también ha sido puesta en relación. Otros autores la clasifican como Pano-Arawak, o bien como Chibcha.

| | |
|---|---|
| Casas Manrique ms. | Tessmann 1930 |

18. 9. CANELO. Este dialecto, situado al norte del territorio del Jívaro, fue sustituido por el Quechua a fines del siglo XVI. Pudo estar vinculado a cualquiera de sus vecinos: Jívaro, Záparo o las lenguas Chibchas. Los datos que quedan no parece permitan una solución del problema. Dialectos o grupos que se citan son: Ymmunda o Inmuda, Guallingo, Sante, Penday, Chontoa y Canicha.

Jijón y Caamaño 1941/43 Karsten 1935

## OTRAS LENGUAS DEL MARAÑÓN AL ORINOCO

19. 1. TUCUNA. Son varios los autores que sitúan esta lengua (también llamada Tikuna o Tokuna) entre las Arawak, por lo menos como dialecto Arawak "muy corrompido" (así Rivet e Igualada & Castellví). Seguimos a Nimuendajú, que prefiere considerarlo como un lenguaje aislado, con escasas influencias Tupí y Ge, pero con un carácter propio. No hay que desconocer sin embargo la fuerte proporción de coincidencias lexicales con lenguas Arawak. La región de estas tribus son las orillas del Río Amazonas-Solimões, de Leticia hacia el oriente, así como el Atacuari y sus afluentes, y entre el Amazonas y el bajo Yavarí. Igualada & Castellví calculaban en 1940 en casi un millar los hablantes de este idioma en la región colombiana del Amazonas-Caquetá.

Anderson, Lambert 1958
Batet ms.
Castelnau 1852
Chamberlain 1910
Marcoy 1875
Martius 1867
Nimuendajú 1932, 1952[x], ms.
Rivet 1912[x]
Tessmann 1930

19. 2. JURÍ O YURÍ. Es mejor considerar, con Koch-Grünberg y Chamberlain, a esta lengua como aislada, dado que sus afinidades con el Arawak, defendidas por autores del prestigio de Brinton y Métraux, no son definitivamente claras, como tampoco las que posiblemente tiene con el Caribe, como indica Loukotka. Sus hablantes, también llamados Tucano-Tapuya, vivían sobre el bajo

Yapurá hasta el Putumayo, y nada se sabía de ellos desde hace un siglo. Los PP. Igualada y Castellví dan sin embargo noticias de un pequeño núcleo en Santa Clara-Alto Puré-Karatué-Yurí, como resto de hasta diez dialectos que existieron antiguamente.

| | |
|---|---|
| Chamberlain 1910 | Rivet & Tastevin 1921 |
| Koch-Grünberg 1909/10$^{x}$ | Tessmann 1930 |
| Martius 1867 | Wallace 1853 |

19. 3. TUCANO (-BETOYA). Es esta una familia bastante extendida y compleja. Está ubicada en la región de los ríos Vaupés y Putumayo, dividida en dos zonas por los Caribes Carijona y lenguas Huitoto. La rodean por muchas partes dialectos Arawak. No tenemos, puede decirse, descripción suficiente de ningún dialecto, y la clasificación es geográfica más que lingüística.

En la zona oriental, más extensa, tenemos el Cuveo, con los dialectos Hölöwa y Hahänana (Hehénawa o Ko béua), que en la estadística de Iguálada & Castellví figura con seis hablantes en los ríos Cayaví y afluentes; en el Brasil el Cobéua se extiende, según Nimuendajú, por las orillas del Querarí y del alto Ayarí, con los clanes Dyure mâwa (Yiboya-Tapuya), Dyaniwa, Koaitarabewi, Biówa, Kawikuliwa, que son antiguos Baniuas (Arawak) tucanizados hace tiempo. Los Kobéua se dan a sí mismos el nombre de Kaníwa. El nombre, ya citado, de Hehénawa es de un clan, pero Koch-Grünberg lo extendió a toda la tribu. Según Nimuendajú el Cobéua no tiene dialectos. Sigue lue go el grupo Tucano-Tuyuca, con los Arapaso, Neenöa, Yohoroä, Uina Tapuya, que forman el Tucano propiamente dicho (Daxsea [i. e. Dašsea], Dase o Dagsexe), del que Igualada & Castellví citan 7 hablantes de las cuencas del Vaupés, y Bará (3 hablantes en el Río Tikeié, según estos mismos autores) y Tsolä en el Tuyuca o Doxkafuara; junto a este grupo se sitúa el Wanana (Ananas o Kótitia), cuya autodenominación, según Nimuendajú es Kotedia, con el Waíana (Yurutí Tapuya), Piratapuyo (Waickea,

Urubú Tapuya, en las fuentes del Caiarý: dos hablantes en La Pedrera), Uaicana (Piratapuya, Waikino) y Uainana. El Tucano propiamente dicho tiende, según observaciones de Nimuendajú, a convertirse en lengua general de los indios del Uaupés, desde el territorio que al norte ocupa el Cobéua, hasta el curso inferior del río. Para este etnólogo últimamente citado constituyen el Tucano propio las tribus Arapaço (citado arriba), Curauá, Uça, Yi y Miritî-Tapuya, de origen desconocido, y Yuruparî-Tapuya y Tariana, que antes hablaban Baniua del Içana.

El Poçangas-Tapuya y Baré (éste debe de ser sinónimo con el Bará arriba citado) son dos tribus del alto Tiquié de lengua Tucano, según afirma Nimuendajú.

Otros dialectos de este grupo son el Carapana o Möchda, que Loukotka considera mixto de Huitoto y Tucano, y del que Igualada & Castellví citan 17 hablantes del Cayarí-Vaupés-Papurí; Wasöna, llamado también como los anteriores Pirá-Tapuya, y Pamoa o Tatú Tapuya. Añadimos en este grupo, según Rivet & Loukotka, el Koreá, Wina (distinto del otro Winá o Desana que citamos más abajo), Čiranga o Siriána, Patsoka o Yuruti Tapuya, Palánoa, Tsöloa (distinto del Tsolä o Teiuano, pues que Rivet & Loukotka los citan separados), Menimehe (que otros autores citan entre los Arawak, cf. 16. 2), Durina o Socó, Puia Tapuya.

Otro grupo de dialectos orientales, el Buhágana o Carawatana-mira, lo forman el Makuna con el Hocabana o Japuana, sobre el Río Negro, el Buhágana propiamente dicho con sus variedades Ömöa, Sara, Doä, Tsaina, Tsölä o Teiuana, Yäba.

Cinco grupos completan el territorio oriental del Tucano: Desana (o Winá), del medio Tikié y Yavaraté (2 hablantes registrados en Igualada & Castellví), pero con representantes hallados por Nimuendajú en el bajo Uaupés, con el Yupua (2 hablantes en La Pedrera, según los mismos misioneros), Cueretú o Coretú, del Mirití y La Pedrera (15 hablantes, según los mismos), con el Cusiita o Kaŝiita; Yahuna (un único superviviente, según Igualada & Castellví), con el Ópaina o Tanimuca (27 hablantes), sobre los ríos Apaporis y Popeyacá, y finalmente el Dätuana del Vaupés, con 9 hablantes. Como vecino del Opaina citan los repetidos PP. Igualada & Castellví el Makuna, lengua inédita, con 55 hablantes en 1940. Se incluye aquí también el Bölöa y el Erulia. Yacaroa y Tucana son citados por Igualada & Castellví como nombres de dialectos extintos en esta misma región.

En la zona occidental se señalan los siguientes dialectos y subdialectos: Piojé-Sioni, con el Encabellado o Ignacate o Angutera (subdialectos Piojé o Pioxe, Encabellados, Secoya-Gai, Campuya, Santa María, Guaciguaje, Cieguaje, Macaguaje y Amaguaje) y el Sioni; Choki o Čoke, Seona o Zeona o Kokakañú, Icaguate, Auguteri y Eno, Correguaje o Koreguaxe y Coto, que es sinónimo de Orejón y, según Tessmann, en un vocabulario de 235 palabras, se acredita como un dialecto Tucano.

Al norte tenemos aislados el Tama (o Tamao) y su subdialecto Ayrico. A éstos añade el P. Castellví el Tetete. En el misionero anónimo de 1753 se citan junto a los Encabellados, los Payohuajes, Senzehuajes, Ancoteres, y el idioma general de las misiones del Napo es llamado Quenquehoyos.

Dialecto extinguido es el Coeuána. Manao es igualmente un antiguo dialecto Tucano hoy extinto. Nimuendajú señala que en contraste con el Arawak estas lenguas Tucanas presentan grupos consonánticos complejos. El verbo tiene gran riqueza de formas.

Posiblemente el extinguido idioma Pasto era un dialecto del Tucano occidental (v. sin embargo 21.2).

Albis 1855[x] Anónimo 1753[x], 1898[x], 1919[x],

1928[x], 1930[x], s.f. _Vocabulario_, s.f. _Diccionario_
Barrutieta & Carvo ms.
Batet ms.
Beuchat & Rivet 1911
Brinton 1892, 1892[x]
Casas Manrique ms.
Castellví 1939
Coudreau, H. 1886/7
Crévaux 1883
Chantre y Herrera 1901
Ernst 1891
Friede 1945
Fulop 1955
Giacone 1940[x]
González Suárez 1904
Igualada ms.
Koch-Grünberg 1906, 1909/10, 1913/6[x]
Kok 1921/2[x]
Manresa ms.
Martius 1867
Nimuendajú 1950, 1955[x]
Ortiz 1942[x], 1954
Pinell 1929
Preuss 1923, ms.
Quito ms.
Rivas 1944
Rivet 1916, 1929
Rocha 1905
Simson 1879[x]
Stradelli 1910[x]
Tessmann 1930
Uricoechea 1863[x]
Wallace 1853

19. 4. PUINAVE O MACÚ. Esta familia, hoy muy reducida, puede haber sido más extensa antes, y Rivet, Kok & Tastevin suponen que quizá en ella está el común origen de varios idiomas en una amplia área. Se han buscado relaciones con el Huitoto y tal vez el Tupí-Guaraní; el Tucano ha influido con numerosos préstamos en estos dialectos. Hoy son lenguas de tribus de cazadores nómadas de pobre cultura. Igualada y Castellví dan noticia de algunos grupos de ellos entre el bajo Caquetá y el Negro.

Tenemos, pues, áreas discontinuas, de las que la más extendida se encuentra a la derecha del Río Negro, entre éste y el Yapurá, con los grupos Macú propiamente dicho, Tikié, Kerarí, Papurí y Nadöbo. Más al norte, en la cuenca del Inírida, tenemos los Puinave o Guaipunavos (sinónimos Uaipí, Epined), con los grupos Bravos y Guaripa al oeste y los Mansos al este. Otros dialectos son Don y Hubde. Sobre los Macú mansos, en la margen derecha del Río Negro, del Uapés al Yurubaxí, informa Nimuendajú (1950, 1955). Señala algunas particularidades de la lengua que le recuerdan al Ge, pero confirma las ideas de Rivet & Tastevin sobre la constitución del grupo.

Caudmont 1954[x]
Chamberlain 1910
Crévaux, Sagot & Adam 1882[x]
Ernst 1895[x]
Koch-Grünberg 1906[x] 1909/10, 1913[x], 1922, 1917/28[x]
Loukotka 1943[x]
Nimuendajú 1950, 1955[x]
Oramas 1913[x]
Rivet, Kok & Tastevin 1924/5[x]
Rivet & Tastevin 1920
Tastevin 1923
Tavera Acosta 1907

19. 5. SÁLIVA Y PIAROA. Estas lenguas, ubicadas sobre el curso medio del Orinoco, se consideran independientes, aunque Loukotka ve influjos Arawak en la primera y Caribe en la segunda. Por lo demás, ambos nombres se han usado como sinónimos para designar la familia, como también el de Macu (que es el de un dialecto de este mismo grupo), y que no hay que confundir con otras lenguas del mismo nombre (19. 4 y 10).

Al norte, sobre el Sipapo y la orilla derecha del Orinoco, junto a las cataratas de Atures y Maipures, tenemos el Piaroa, con los subdialectos Ature o Adole y Guagua o Quaqua, y el Macu, entre el Ventuari y el Cunucunúma, al sur; el dialecto Sáliva propiamente dicho estaba a la izquierda del Orinoco, entre el Vichada y el Guaviare, pero sus hablantes se han corrido más al oeste, entre el alto Meta y el alto Vichada.

Anónimo 1790
Chaffanjon 1889
Chamberlain 1910
Crévaux, Sagot & Adam 1882
Ernst 1895[x]
Fabo 1911
Gilij 1780/4
Koch-Grünberg 1913, 1922, 1917/28[x]
Loukotka 1930[x], 1943[x], 1949[x]
Les Corts ms.
Manresa ms.
Marcano 1890
Oramas 1914[x]
Rivet 1920
Schuller 1912
Tavera Acosta 1907

19. 6. GOAHIBO. Al oeste del grupo anterior perviven todavía dialectos de este grupo, que se considera independiente. Uno de los grupos de Brinton, el Churoya, está constituido alrededor de uno de los dialectos Guahibos, pero incluyendo en él lenguas de otros orígenes. La relación con el Cofán ha sido negada por Ortiz. Rivet & Loukotka señalan la gran cantidad de elementos Arawak que se percibe en el léxico, y que sólo un estudio gramatical profundizado podría decir si son préstamos o indicio de un parentesco genealógico.

Como dialectos del Guahibo en sentido estricto tenemos el Chiricoa con el Sicuane, el Cuiba (o Guayba) con el Mella y el Ptamo y probablemente el Yamu. Otros grupos son el Churoya o Churuya con el Bisanigua y el Cunimía con el Guayabero. Mason cita como dialectos que posiblemente pertenecen a este grupo: Amorúa (que por algunos se considera Arawak), Catano, Cuiloto, Chiricoa y Maiba.

Crévaux 1882[x]
Chaffanjon 1889
Chamberlain 1910
Ernst 1891[x]
Fabo 1919/20
Fernández de San José & Bartolomé 1895[x]
Koch-Grünberg 1913, 1917/28[x]
Loukotka 1930[x], 1938[x], 1943[x]
Marcano 1890
Melgarejo 1886[x]
Ortiz 1943[x], 1944[x], 1954[x]
Ossa 1938
Pérez 1935[x]
Reichel-Dolmatoff 1944
Rivet 1912, 1948[x]
Sáenz 1876
Schomburgk 1849
Tavera Acosta 1907
Vráz 1900

19. 7. OTOMACO Y YARURO. Estas dos lenguas aisladas se encuentran al norte del Sáliva. De la primera, entre los ríos Orinoco, Mata, alto Arauca y Sinaruco, dice Rivet que se llamaba Taparita (cf. 17. 2) y que tiene influencia Caribe. De la segunda, sobre el Río Capanaparo, afluente del Orinoco por la izquierda, el nombre indígena parece que es Pameh o Pamé, y también Yuahin, y Jijón

y Caamaño la considera emparentada con el Chibcha.

Anónimo 1789[x], 1789[x]
Crévaux, Sagot & Adam 1882[x]
Chaffanjon 1889
Chamberlain 1910
Fabo 1919/20
Gilij 1780/4
Mutis ms.
Olmo
Oramas 1909[x]
Petrullo 1939
Rosenblat 1936[x]
Tavera Acosta 1907

19. 8. GUAMO. Situados más al norte, a orillas del Masparo y Santo Domingo, afluente del Apure, los hablantes de este idioma, que se ha extinguido en los años pasados, eran considerados por algunos como emparentados con los Chibchas y por otros como próximos afines al Otomaco.

Anónimo 1928[x]
Loukotka 1935
Mutis ms.
Petrullo 1939

19. 9. ŠIRIANÁ. Esta familia, considerada independiente, se extiende en el extremo norte del Brasil, limitando con la Guayana inglesa. La lengua más importante de ella es el Carime o Šanari, sobre el río Katerimany; existe un Širianá propiamente dicho, con el Guaicá (Waicá). Como sinónimo de Širianá se cita el nombre de Guaharibo. Otros Širiána Arawak hemos enumerado ya (16. 3) así como unos homónimos Waicá Caribes (17. 2). A estos nombres tribales añaden Rivet & Loukotka el de Pusarakú, salvajes de la cordillera Parima.

Armellada & Matallana 1942
Koch-Grünberg 1913, 1917/28[x]
Salathé 1931/2
Talavera Acosta 1921/2[x]

19. 10. MACU. También se escribe Mahku el nombre de este lenguaje, cuyos hablantes están en las orillas del Río Uráricoera, como el anterior grupo, al norte del estado brasileño de Rio Branco. A veces se aplica a esta

lengua el nombre de Sope. No hay que confundirlos con los Macu Puinave (19. 4), ni con los Macu del Ventuari, que son Sáliva (19.5), ni con los Macu de la laguna de Cuyabeno, que son Cofán (22. 6).

Armellada & Matallana 1942
Koch-Grünberg 1913, 1922, 1917/28x

19. 11. CALIANÁ. Conocido, como los grupos anteriores, por el viaje de Koch-Grünberg en 1913, sólo se posee de este dialecto un vocabulario. Se ha supuesto que tiene relación con el Chibcha. Rivet & Loukotka lo sitúan como independiente en el alto Paraua, afluente por la izquierda del Caroni.

Koch-Grünberg 1913, 1922, 1917/28x
Loukotka 1935

19. 12. AUAQUÉ. Conocida también bajo los nombres de Oewaku o Arutani, esta lengua, geográficamente vecina de la anterior y de los grupos Caríbicos del Roraima, es de pocos hablantes y quizás está ya extinta. También se ha creído tenga alguna relación con el Chibcha.

Armellada & Matallana 1942
Koch-Grünberg 1913, 1922, 1917/28x

19. 13. GUARAÚNO O WARAU. Este idioma de las bocas del Orinoco es considerado como independiente. Las relaciones observadas con el Arawak pueden deberse a préstamos. Quizá quepa también alguna relación con el Tupí-Guaraní. Mariusa y Chagua son tribus que hablan este idioma. Puede relacionarse con esta lengua el extinguido Guaiquerí o Waikerí, que Rivet prefiere considerar Caribe (17. 1).

Adam 1897
Anónimo 1870T, 1928x, 1950x
Barral 1948, 1957, 1958
Brett 1852
Crévaux, Sagot & Adam 1882x

Espinosa 1939/41
Loukotka 1943
Goeje 1930x, 1930/1
Méndez Acosta 1956x
Mutis ms.
Olea 1928x
Osborn 1959
Quandt 1807
Raimundo 1934
Schomburgk 1847/8
Tavera Acosta 1907x
Williams, J. 1928/9x

19.14. TIMOTE O MUCU. En la meseta venezolana, estado de Mérida, está situado este grupo, no conocido más que por algunos vocabularios. En éstos se ha descubierto afinidad con el Arawak, pero puede tratarse de sólo préstamos. Jijón y Caamaño cree más bien en un parentesco con el Chibcha en amplio sentido. Loukotka (1950) agrupa al Timote con el Sibundoy (21. 2, 22. 7) y el Mučik (20. 1).

Dos son las lenguas principales de este grupo: Timote propiamente dicho y Cuica. Parecen ser los dialectos del primero Mirripú o Maripú, Mocochí o Mukučí, Migurí, Tiguiñó y Escaguey; del segundo Tostó, Escuque y Jajó o Xaxó.

Briceño-Iragorry 1929
Brinton 1892
Calcaño 1886
Chamberlain 1910
Ernst 1885
Febres Cordero 1921
Fonseca 1914x
Jahn 1927
Lares 1918
Marcano 1891
Oramas 1920
Rivet 1927x
Tavera Acosta 1907
Urrechaga ms.

19. 15. JIRAJARA (XIRAXARA). Situada en la cordillera de Mérida, es esta una lengua posiblemente relacionada con sus vecinos Arawak, como proponen Oramas, W. Schmidt y Hernández de Alba. Sin embargo podría tratarse, como señala Mason, de préstamos léxicos y por otra parte hay elementos léxicos que apuntan relación al Chibcha. Algunas dificultades hay con los nombres tribales como Ajágua, lengua de este grupo, que parece sinónimo de Achagua Arawak (16. 1). El Cuiba puede ser un dialecto

Ajagua distinto del Guahibo (19.6). Otros dialectos que reúne Oramas son: Gayón, Ayomán, Xagua o Ajagua, y Jirajara propiamente dicho.

| | |
|---|---|
| Arcaya 1906 | Jahn 1927 |
| Febres Cordero 1942[x] | Oramas 1916[x] |
| Freites Pineda 1906 | |

## YUNGA - PURUHÁ

20. Reunimos -siguiendo a Jijón y Caamaño y Mason- en un grupo a una serie de lenguas de la costa del nordeste del Perú y Ecuador. Son lenguas extintas y faltas de descripciones, excepto por lo que hace al Yunga. Chimu, Mochica, nombres evocadores de culturas conocidas arqueológicamente, han servido para designar a este grupo.

20.1. YUNGA O YUNCA. La lengua así denominada, hoy casi totalmente extinguida, fue una de las grandes del Perú prehistórico. Se extendió por toda la costa septentrional, quizá hasta Lima y por el norte entraba en lo que hoy es República del Ecuador: Puruhá, Cañari y Manteña o Manabita son nombres considerados de dialectos Yunga por Jijón y Caamaño, que estudió la toponimia de estas regiones. Otra clasificación separa al norte los Mochicas propiamente dichos y al sur los Quingnam del país Chimu o Čimor, con el valle de Chicama como límite. Los Incas instalaron colonias Mochicas sobre el Marañón, en Balsas y Condebamba. También Rivet & Loukotka establecen un grupo meridional o Yunca y un Puruhá-Cañari al norte, englobados ambos bajo un común epígrafe de Mučik o Chimu. Jijón y Caamaño relaciona este grupo lingüístico con el Chibcha. Hoy no pervive esta lengua sino en restos en el pueblo de Eten.

Podemos presentar una caracterización del Yunga sobre los datos del Lic. Carrera:

Es una lengua con seis vocales distintas, las del español y la ö. Varias palatales: ll, š, č y otra č que no podemos precisar por la descripción que hallamos. Africada ç y su correspondiente aspirada (o acaso recursiva). Oclusivas: p, k, t y d. Las fricativas f, s (con una ss que se da en inicial y final y que no sabemos realmente qué representa). La r y también la rr múltiple, la l, y las nasales m, n, ñ y en final la ŋ completan la fonología de esta curiosa lengua.

Las palabras tienen formas como CVCVCCV, CVVC, VCVCVCVC y terminan muy frecuentemente en consonante (nasal, k, r, s, ç, ss y č). Al añadirse varios sufijos pueden reducirse las vocales de las sílabas finales.

Los casos se indican con postposiciones. El sufijo de plural se coloca antes de las postposiciones, pero su uso parece ser facultativo. El acusativo y el nominativo no llevan signo especial.

No hay géneros.

El verbo es muy complicado. Los tiempos se caracterizan por enfijos o por palabras como adverbios que se postponen. El sujeto puede indicarse mediante sufijos cuya forma recuerda la de los pronombres personales, pero si se quiere expresar con el verbo el pronombre personal con valor enfático, entonces desaparece el sufijo personal y en cambio la raíz verbal toma un prefijo que refiere a la tercera persona (parecería que entonces esta tercera persona se refiere al objeto). Con prefijos se indican los pronombres complemento.

Las formas nominales del verbo tienen un amplio desarrollo.

Sorprende la libertad con que en esta lengua pueden combinarse los elementos gramaticales: se nos dice que "esto es mío" puede decirse igualmente mofmöin o möñof mo o möiñ an mo, combinando mo "esto", möiñ(ô) "mío" y la 3a. persona del verbo sustantivo fo o aŋ (esta última es simplemente la forma del sufijo de genit. por lo que con ella la frase es nominal).

Multitud de formas causativas, modales, etc., complican la conjugación. Hay una voz pasiva mediante un enfijo.

Numeración decimal, con formas especiales de números para contar frutas o dinero.

Altieri 1939, 1939
Bastian 1878
Brüning 1913
Carrera 1644[x]
Compañón ms.
Cordero Palacios 1924
Christian 1932
Harrington 1945
Huber 1953
Jijón y Caamaño 1941/3
Kimmich 1917/8
Larco Hoyle 1938/9[x]
Middendorf 1892[x]
Oré 1607[T]
Rivet 1956
Villarreal 1921
Zeiuela ms.
Zevallos 1946, 1948, 1948

20. 2. PURUHÁ Y CAÑARI. Extinto el primero en el siglo XVII y relacionado con el Cañari, también extinto, de las provincias ecuatorianas de Cañar y Azuay, ambas lenguas son consideradas por algunos como dialectos afines al Yunga. El Puruhá se hablaba en la actual provincia ecuatoriana de Chimborazo.

Chamberlain 1910
Cordero Palacios 1924
Jijón y Caamaño 1921, 1927, 1941/43
Moreno-Mora 1922
Paz y Miño 1942[x]
Rivet 1912, 1949

20. 3. ATALLÁN. Hay que distinguir, según Mason, este grupo del siguiente, a pesar de su vecindad y semejanza de nombre. Los datos sobre ambos son muy escasos, por lo que todo es problemático. Atallán o Tallán (según Rivet 1924 y Rivet & Loukotka 1952) agrupa las len-

guas Manta, Huancavilca, Puna y Túmbez. Jijón y Caamaño lo incluye en el Puruhá-Mochica y además lo reúne con el grupo siguiente.

Jijón y Caamaño 1941/3

20. 4. SEC, SECHURA O TALLÁN. Aquí se agrupan las lenguas extinguidas del ángulo sudoeste del Ecuador. Aunque el dialecto de Tallana subsistió hasta el siglo pasado, nada se sabe de seguro para su clasificación. Quedan 40 palabras citadas en Markham. Se recuerdan otros dialectos extintos que podrían agruparse tal vez juntos: Chira o Lachira (quizá el Sečura de Rivet & Loukotka) Colán y Catacao en el curso superior del Piura.

Zevallos Quiñones ha aportado un valioso documento: un vocabulario reducido de estas lenguas, conforme el cual parece que podrían estar emparentadas las lenguas Sec, Sechura, Colán y Catacaos.

Compañón ms.
Loukotka 1949[x]
Markham 1864
Ramos 1950
Zevallos 1948[x]

## LENGUAS CHIBCHAS

21. El gran grupo de lenguas Chibchas es el más importante de la región nordoccidental de América del Sur; se extiende del Pacífico al Atlántico y desde el Ecuador sigue por América Central hasta llegar a Nicaragua y quizá a Honduras, y además ha sido considerado pariente del Maya y del grupo norteamericano Hoca-Sioux. Schuller construía un gran grupo mesosudamericano con el Maya, el Chibcha, el Caribe y el Arawak. Desde luego que la lengua Chibcha pertenece al ambiente mesoamericano. Sin embargo recientes estudios (Loukotka) han descubierto importantes coincidencias lexicales del Chibcha con lenguas pertenecientes a regiones muy centrales de América del Sur: con el Canichana (23 comparaciones),

con el Mobima (17), con el Cayubaba (10), el Itonama y Tuyuneri (8 en cada uno). El Canichana, el Cholón o Hibito, el Mašubi, el Nambikwara y el Dobokubí se podrían tal vez incluir, según estudios recientes, dentro del grupo o phylum Chibcha. Indudablemente hay que pensar en conceder a este grupo una importancia mayor de la que se le venía atribuyendo en la lingüística sudamericana.

El Chibcha, no obstante su importancia y la significación cultural de varias de las tribus que lo hablaban, ha tenido menos fortuna que otras lenguas americanas. El dialecto principal históricamente -Muisca- no había llegado a imponerse, antes de la Conquista española, como lengua general de la región. Parece además que el Chocó y demás dialectos de la costa colombiana del Pacífico (17. 6), antes considerados Chibchas, representan un superestrato Caribe establecido sobre territorio anteriormente Chibcha. Por otra parte, la extinción del dialecto principal, Muisca de los pobladores de la región de Bogotá, es completa.

Bollaert 1860
Castellví 1938
Forero 1934, 1939
Franco 1882[x]
Lehmann, W. 1910, 1910, 1920[x]
Lévy-Strauss 1948
Loukotka 1950
Rivet 1920
Sapper 1905
Swadesh 1956, 1958
Thomas & Swanton 1911
Uhle 1890

21. 1. El CHIBCHA propiamente dicho se extiende, con interrupciones, desde la sabana de Bogotá hasta el bajo Magdalena y la Sierra Nevada de Santa Marta, y tiene un grupo afín en los límites de Costa Rica y Nicaragua.

En la región de Bogotá se hablaban los dialectos Muisca o Mosca y Tunebo (nombres de grupos: Duit en el primero, y en el segundo: Sínsiga, Pedraza, Guarico, Chita, Fusagaricá y Marcote). El Sínsiga se ha considerado por algunos intermedio entre este grupo y el Cágaba-Arhuaco de la costa.

En la región de la Sierra de Santa Marta tenemos el grupo septentrional o Arhuaco con los dialectos: Kágaba (Köggaba o Kogi), Guamaca (Sanká, Arsario, Nabela), Atanque (Campanaque y Buntigwa o Calcuama), Bintucua (Busintana, Icu, Machaca, Ixca).

En América Central, de los varios dialectos Chibcha, pertenece a este mismo grupo el Rama, con un dialecto Melchora (antes llamado de los Voto o Boto), que está más estrechamente relacionado con los dialectos antes citados que con los que citaremos bajo el nº 6.

Vamos a ofrecer algunos rasgos de la lengua Chibcha con referencias al Kágaba y al Sanká.

Parece pueden reducirse fonológicamente las vocales a tres: a, i, u, con varios diptongos. Consonantes oclusivas p t k, b d g. Africadas ç y č. Parece que completan el sistema l, m n, s š z ž, y w. Las oclusivas sordas y tal vez las africadas aparecen en los dialectos modernos muchas veces aspiradas. En las descripciones de los antiguos misioneros parece que en el Muisca la c a veces era aspirada o tal vez recursiva. En el vocalismo el Muisca tenía también una vocal central breve: e. La acentuación en todas estas lenguas puede reducir vocales. En Kágaba la distinción fonológica entre oclusivas sordas y sonoras queda limitada a la posición inicial.

Anotaremos también de fonética la influencia que las vocales precedentes tienen sobre las consonantes en el caso de formarse compuestos.

A juzgar por los datos de Uricoechea, en Muisca cabría pensar que hubo cantidad vocálica o tonos, dados los sinónimos que recoge de listas de los misioneros.

El genitivo se antepone, bien con un sufijo especial,

# MAPA 5

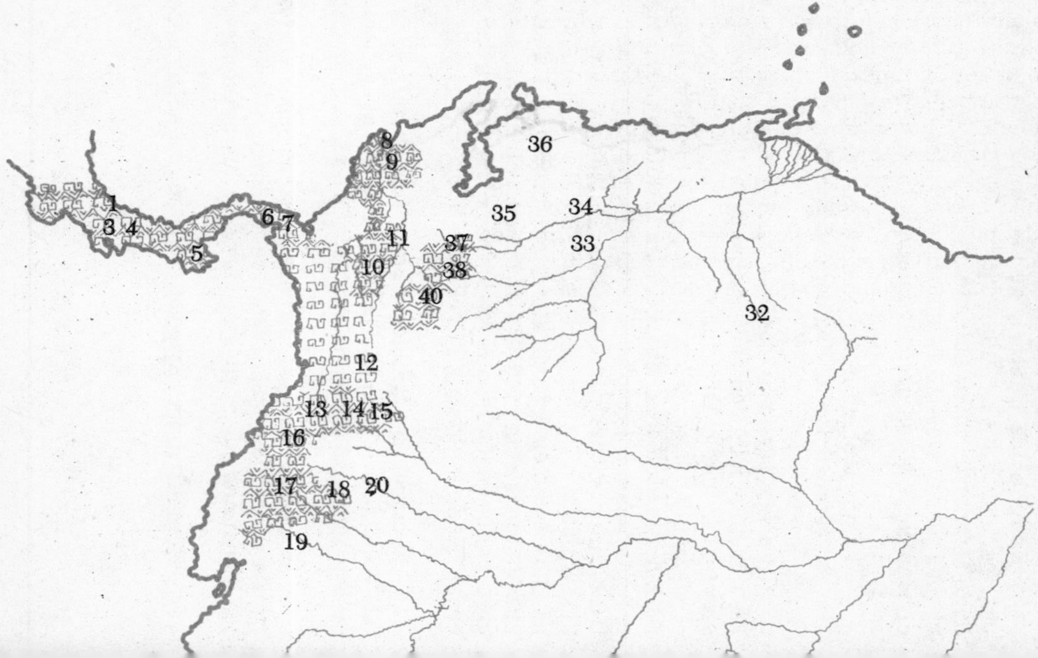

## POSIBLE DIFUSIÓN DE LAS LENGUAS CHIBCHAS

Se indica con signo incompleto el territorio de lenguas en las que está acreditada la presencia de elementos chibchas. Se indica el nombre de otras lenguas cuyo parentesco con el chibcha ha sido defendido.

1. Rama 2. Melchora 3. Dorasque 4. Guaymi 5. Dorasque 6. Cuna 7. Talamanca 8. Chibcha 9. Aruaco 10. Nutabe 11. Guamoco 12. Pijao 13. Coconuco 14. Páez 15. Andakí 16. Barbacoa 17. Cara 18. Quijo 19. Canelos 20. Awiširi 21. Yunga o Mochica 22. Chirino 23. Híbito 24. Cholón 25. Tuyuneiri 26. Itonama 27. Cayubaba 28. Canichana 29. Mašubi 30. Movima 31. Nambikwara 32. Caliana 33. Taruro 34. Guamo 35. Timote o Mucu 36. Jirajara 37. Betoy 38. Tunebo 40. Muisca.

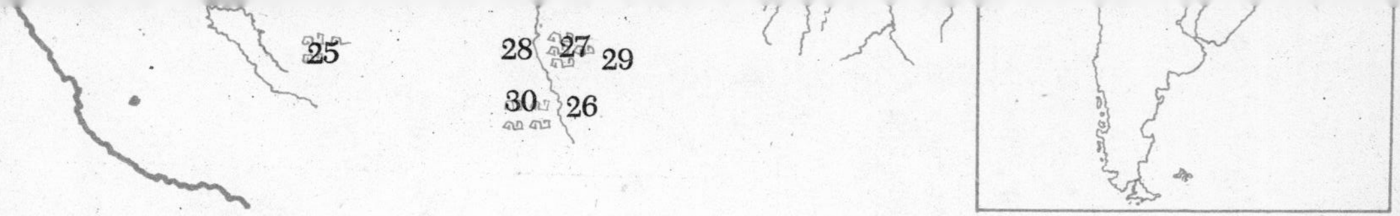

25 28 27 29 30 26

Las lenguas de este grupo Chibcha son de constitución problemática. Extendidas en toda la actual Colombia y en la mitad sur de América Central, podría pensarse que son una penetración de norte a sur en el mundo sudamericano. Como es sabido, en las mesetas de Colombia habían creado una de las altas culturas indígenas, heredera y cultora de una maravillosa metalurgia. Sin embargo, parece que se defendían mal de los ataques de otros indígenas (probablemente Caribes), y sucumbieron pronto, también culturalmente, ante los conquistadores. Extinguidos varios de sus principales dialectos, el estudio y clasificación de todo el grupo está hoy atrasado, y por ello es difícil hacerse idea de la distribución y organización de sus variedades. Recientes descubrimientos de relaciones del Chibcha con lenguas situadas más al sur, hasta en la actual Bolivia, plantean el problema de su distribución y hasta procedencia.

bien simplemente. El adjetivo siempre se postpone al nombre.

La numeración es quinaria. En Chibcha hallamos por ej. en "16" el procedimiento de la resta.

El verbo tiene prefijos (que son los mismos posesivos) para indicar el sujeto. Pero también prefijos indican los pronombres objeto (o dat.) en formas más bien nominales del verbo (esto es en Muisca, pues en Kágaba se usan sufijos para estas transiciones).

Sufijos indican algo equivalente a lo que llamaríamos modos del verbo. La negación también se postpone al verbo. Y también son sufijos los indicadores de tiempo.

Acosta Obregón 1938
Adam 1878[x], 1879[x]
Albarracín 1914
Anónimo 1789[x], 1919[x], 1926/7
Bernal 1919
Beuchat & Rivet 1910
Bolinder 1916
Brettes 1903
Celedón 1886, 1892[x], 1892[x]
Conzemius 1929, 1930
Charencey 1899
Dadey & Varaix ms.
Fabo 1911
Forero 1934, 1939
Guisletti 1935
Holmer 1952, 1953[x]
Isaacs 1884
La Grasserie 1904[x]
Lehmann, W. 1914
Loukotka 1939
Lugo 1619[x]
Medrano ms.
Mutis ms.
Preuss 1919/22, 1925[x], 1926/7[x]
Reichel-Dolmatoff 1949/50, 1951
Restrepo Canal 1936
Rivet 1924[x], 1954
Rivet & Oppenheim 1943[x]
Rocchereau 1926/7[x], 1946/50[T]
Rozo 1938
San Joaquín 1884
Uricoechea 1848[x], 1854, 1871[x]
Zapata de Cárdenas ms.

21. 2. BARBACOA. Antes este grupo era considerado aislado, pero por Jijón y Caamaño fue incluido entre las lenguas Chibchas. Se ubica al oeste de la Cordillera,

en las vertientes de los ríos Patí, Mira, Cayapa y Esmeraldas. La constitución del grupo entero es problemática y muchas de las lenguas a él atribuidas son desglosadas por otros y consideradas ajenas. El citado investigador ecuatoriano estableció dos ramas en este grupo que se extiende por el suroeste de Colombia y norte del Ecuador: Caranqui-Cayapa-Colorado en la costa, y Pasto en el interior. Rivet se limita a considerar en este grupo a solas las lenguas Coaiquer o Kwaiker (que se identifica por algunos con el Telembi), Cayapa y Colorado (este último con los dialectos Tsáčela y Yumbo). Posteriormente, con Loukotka, considera dentro de este grupo la antigua lengua Malla que abarca además de los citados tres, las tribus Sindagua o Telembi, Guapi, Pius, Serranos y Bombones, Nulpe, Tumaco y Pasto; otro apartado del grupo Barbacoa lo formaría -según ellos- el dialecto de los Cofán o Kingwuihasi (22. 6). H. Lehmann establece la identidad lingüística de Malla y Sindaguas con el Cuaiquer. Jijón y Caamaño añade a la rama Cayapa el Nigua y a la Pasto el Colima y Muellamuese. Pichilimbi, Isacande, Manabita, Latacunga (que Jijón y Caamaño agrupa con los Páez), Quillacinga, Sebondoy parece que pertenecen a este grupo.

La relación del Barbacoa con el Esmeralda y con el grupo Yunga-Mochica en general se ha discutido mucho. W. Lehmann no halló sino tres palabras comparables.

Andrée 1884
Barret 1909, 1925
Basurco 1903
Beuchat & Rivet 1907x, 1910
Buchwald 1908, 1919x
Caldas, R. 1946x
Cuervo Márquez 1930
González Suárez 1904
Gutiérrez R. 1920
Hagen 1939
Hidalgo 1894
Jijón y Caamaño 1941/3x
Lehmann, W. 1949
Metalli 1902
Ortiz 1938, 1954
Pankeri ms.
Paz y Miño 1940/2
Rivet 1905, 1912
San Antonio ms.
Schuller 1930

Seler 1885, 1902
Sodiro 1904[x]
Suárez de Cepeda 1923
Triana 1907
Vargas 1948
Verneau & Rivet 1912/22
Wilczynski 1887[x], 1888[x]
Wolf 1872, 1879

21. 3. GRUPO INTERANDINO. Este grupo establecido por Jijón y Caamaño comprende varias lenguas a las que antes se les reconocía situación independiente.

Tenemos una rama Coconuco, con el Totoró, Coconuco y Moguex o Guambía (Guambiano) por una parte, y quizás también el Polindara y Puben (o Popayán) y Pubenare. Con éstos agrupa Jijón y Caamaño el Popayanense, Malvasa, Timbia y posiblemente los extinguidos Panzaleo y Quijo (Quixo) (v. 21. 7). Con Rivet & Loukotka añadimos aquí: Ambaló, Purase, Guanuca, Tunía, Chisquío; Palacé y Colaza citados por el cronista Cieza de León; Guamza y Quilla.

La otra rama, Páez, comprende también con el Páez propiamente dicho el Paniquitá. Castellví calculaba (1940) unos 20. 000 hablantes de Páez y otros tantos de Paniquita.

Del Pijao ya dijimos (17. 6) que es un dialecto Caribe, pero presenta coincidencias importantes con el Chibcha. De características semejantes a él parecen ser el Panche y Patángoro o Palenque.

La misma posición intermedia entre el Caribe y el Chibcha (siendo este último el sustrato) tendrían los dialectos del grupo Nutabe establecido por Rivet y Loukotka (y llamado también Natave, Nutave) en el valle del Guarcama, afluente del Cauca por la derecha, en el que se citan como tribus los Tahamí o Tagamí y los Katío (Ibexico, Evégico, Tuin, Nitana, Pevere, Ceracuna, Buritica, Corome).

Geográficamente habríamos de situar aquí a los Guamoco con los Yamesí, hacia la ciudad de Zaragoza, al norte del departamento de Antioquia, cuya lengua Rivet & Loukotka incluyen con los Chibchas propiamente dichos.

Bernal Villa 1955
Castellví 1937
Castillo y Orozco 1878[x]
Douay 1890
Eraso Guerrero 1944[x]
Espinosa, G. de 1864
Jijón y Caamaño 1941/3
Lehmann, H. 1945[T]
Mosquera 1852
Narváez 1944
Otero 1952
Paz y Miño 1940
Pinto 1950[x]
Rivet 1941
Robledo 1865
Simón 1892
Swadesh 1956

21. 4. ANDAQUÍ. Este idioma ha de ser distinguido del Andoke, que ya hemos citado (18. 5). Jijón y Caamaño, seguido de W. Schmidt, lo considera Chibcha, y lo mismo Rivet & Loukotka, mientras que antes Rivet lo considera- ba independiente. El Andaquí se ha extinguido y el P. Igualada nos dice que en 1940 sus descendientes hablaban Quechua o Español.

Según los estudios de Friede, el grupo históricamente denominado Andakí es un complejo de tribus y lenguas distintas agrupable en apartados:

1º, lengua común de Quinchanas, Mulale, Laculata, Totalco, Guachico, Guarapa, Labayo y Lacaco.

2º, lengua de los Guenta, Oteguaza y Otegua.

3º, otra lengua de los Otongo, Cambi, Oñoco, que posiblemente abarca a los Maito, Oporaba y repartimiento de Moscopán y Pirama; es decir el grupo Yalcón de las fuentes españolas antiguas.

4º, Timaná y Suaza: los Timanáes de las fuentes españolas.

5º, lengua de los Tama.

Albis 1855
Anónimo 1928x
Carrocera 1934/5
Friede 1946, 1953
Igualada & Castellví 1940
Jijón y Caamaño 1941/3
Mutis ms.
Pittier de Fabrega 1907
Rivet 1912, 1924

21. 5. BETOYA. Hay que distinguir este idioma del que citamos como del grupo Tucano (19. 3). Se considera que el Betoy de la región de Airico es de origen Chibcha. Se citan otros nombres tribales: Girara o Xirara, Lache (que Nimuendajú deja sin clasificar), Situfa, Ayrica, Lucu lia, Xabice, Arauca, Kilifay, Anabali, Lolaca, Atabacá.

Beauchat & Rivet 1911
Gumilla 1745
Hervás 1784
Padilla ms.

21. 6. CHIBCHAS DE AMÉRICA CENTRAL. La mayoría de las lenguas de Panamá y Costa Rica pertenecen a la gran familia Chibcha y es posible que lenguas afines se extiendan por Nicaragua y Honduras. La clasificación de las lenguas Chibcha de estas regiones es muy discutida.

Jijón y Caamaño establece cinco grupos: el occidental o arcaico lo forman, con el Barbacoa (21. 2), el Cuna, del Istmo, el Talamanca (con el Bibri, que comprende Va liente, Viceita, Urinama, Tariaca, Guetar, Voto [v. sin embargo 21. 1], Suerre [v. al fin de este número]) y Gua tuso (con su variedad Corobici o Corobesi). El Cuna tiene como afín el Cueva o Coiba, Mandinga, Darién, Chucunaque, Kunakuna, Bayano, el isleño de San Blas (Tule o Yule, indios Manzanillos) y el Caimanes.

A otro grupo, el Chibcha propiamente dicho (21. 1), pertenecen como ya hemos dicho el Rama y el Melchora, entre el lago Nicaragua y el Mar Caribe.

Un tercer grupo lo forman el Guaymí con el Changi na. Con el Guaymí va el extinto Dorasque; nombres de otros dialectos del grupo son Chumulu, Gualaca (que son Dorasque-Changina transportados al departamento Chiriquí) y posiblemente Burica y Duy. Con el Changina o Changuina se relaciona el Chaliva o Soriba. Otros dialectos del grupo Dorasque-Guaymí son: Murire (Bukueta, Boukota, Bogota, Sabanero), en las grandes llanuras al sur de la cordillera y en los valles profundos del Departamento de Chiriquí hasta el río Chame; los Muoi, en el valle de Miranda; los Move (Valientes, Norteños), en el mismo valle y en la costa entre la laguna de Chiriquí y el río Belén; los Muite unidos a los anteriores y los Penonomeños.

Otro grupo, en la región meridional de la actual Costa Rica es el Térraba o Brurán. Se citan como dialectos: Tojar, Tešbi, Depso, Lari y Uren. Boruca o Brunca abarca los dialectos Kepo, Coto, Burucaca, Turucaca y Osa.

Finalmente el Cabecar se relaciona, según Lehmann, con el Corrhue, y con el Tucurrique van el Orosi, Cachi, Sakawhuac y Sechewhuac. Rivet y Loukotka lo incluyen en el grupo Talamanca y dan como tribus de él: Estrella, Chiripó, Tucurrique, Orosi y Suerre.

Alba 1950
Alphonse 1956[x]
Berengueras 1934[x]
Berendt 1874
Brinton 1897
Carmona 1898
Castellví 1938
Castillo y Orozco 1878[x]
Caudmont 1954[x]
Celedón 1886
Céspedes Marín 1923, 1924
Cullen 1851[x], 1866[x], 1866/8
Fernández, L. 1884
Fernández Guardia & Fernández Ferraz 1892
Gabb 1875, 1886
Gagini 1917
Gassó 1908[x], 1910/4
Harrington, J. P. 1925
Holmer 1946[x], 1947[x], 1947, 1951[T], 1952[x], 1953
Holmer & Wassén 1947[T], 1953[T], 1958[T]
Lehmann, W. 1910[x], 1920[x]
Llisa 1890
Monasterio 1930
Nordenskiöld 1928, 1928/30[T], 1932, 1938

Pinart 1882^x, 1890^x, 1892^x, 1897^x, 1900
Pittier (de Fábrega) 1897, 1903, 1904, 1941^x
Pittier de Fábrega & Gagini 1892
Prince, J. D. 1912^x, 1913^x 1913^T
Puig 1944^x, 1946^x, 1948
Rivet 1912, 1956
Seemann 1853
Stone 1947
Stout 1947
Thiel 1882, 1886
Uhle 1890
Wassén 1934^T, 1934, 1937^T, 1938^T
Zeledón 1918

21. 7. LENGUAS SOBRE CUYO CARÁCTER CHIBCHA SE DUDA. Bajo este epígrafe comprendemos con Mason el Cara (que Rivet incluye resueltamente en el Barbacoa) y el Caranqui (v. 21. 2) que quizá ya antes de la Conquista se había extinguido y sus hablantes habían adoptado el Quechua; y el Panzaleo y Quijo (cf. 21. 3). Esta última lengua también cedió el paso al Quechua; algunos lo creen comparable al Cofán (22. 6). En cuanto a la clasificación del Panzaleo se vacila entre el Chibcha y el Yunga-Mochica.

Buchwald 1908
Jijón y Caamaño 1941/3
Paz y Miño 1940/2
Tessmann 1930

## LENGUAS NO AGRUPADAS DE PERÚ, ECUADOR Y COLOMBIA

22. 1. JÍVARO. Conocida también bajo las formas Xivaro, Chiwaro, el nombre indígena de esta lengua es Šuara, Šiwora o Šuor, nombre que se da también a un dialecto del vecino grupo Záparo. Se ha pensado en una conexión genealógica con este grupo, pero no se ha probado, según parece. El Jívaro ha perdido terreno ante el Quechua. El parentesco que mejor se acusa, al parecer, con el Jívaro, es el del Arawak, especialmente con los dialectos Campa del Perú. Son varios los autores que consideran al Jívaro como un simple grupo del Arawak; así Beuchat & Rivet, si bien este último autor, en sus clasificaciones generales le concede categoría independiente; Ma-

LÁMINA VIII. — P. Wilhelm Schmidt.

son lo incluye entre las lenguas "posiblemente Arawak".

El tipo lingüístico del Jívaro es más bien andino, es decir con sufijos. Se citan muchos dialectos, pero su clasificación es geográfica más que lingüística: el grupo Šuara o Jívaro propiamente dicho comprende los dialectos Aguaruna o Awahun, Uambisa, Achual, Antipa, Arapico, Gualaquiza, Zamora, Pintuk, Miazal, Ayuli, Morona, Maca, Upano, Bolona (según Rivet & Loukotka, una tribu de los Palta) y Bracamoro o Pacamuru; al oeste se extendía, como dialecto bien caracterizado, el Palta con el Malacata, cuyos hablantes se han quechuizado.

Anónimo 1903[T], 1918[T], 1924[T], 1928[x], 1939[x], 1941[T], 1942[T]
Beuchat & Rivet 1909/10[x]
Brinton 1892
Caillet 1930/3[x]
Cordero 1875
Dávila, V. M. 1943
Delgado & Vacas Galindo 1929[T]
Duroni 1924[x], 1928[x]
Farabee 1922
Flornoy 1938[x]
Ghinassi 1938[x], 1939[x]
González Suárez 1904
Hassel 1902[x]
Jijón y Caamaño 1919[x]
Karsten 1921/2[xT], 1935
Larson 1957[x]
León, A. M. 1928/9[x]
Magalli 1891[T]
María, J. de, 1918/9[x]
Montalvo 1952
Rivet 1907/8, 1912
Simson 1886, 1899
Tessmann 1930
Turner 1958
Vacas Galindo 1891[T], 1895[T], 1903[T]
Verneau & Rivet 1912
Winans 1947[x]

22. 2. CHOLÓN E HÍBITO. Se trata de dos lenguas distintas, ambas extinguidas, cuya filiación es dudosa. Jijón y Caamaño considera a la primera como incluida en el *phylum* Chibcha. La segunda parece, según Loukotka, que tiene alguna relación con el Pano. En su obra de conjunto Rivet & Loukotka incluyen a los Cholón con los Seeptá y a los Híbito o Xíbito en el grupo Chibcha, sin precisar en qué rama. En ambas lenguas pueden señalarse rasgos mesoamericanos.

Araújo
Beuchat & Rivet 1909
Brinton 1892
Chamberlain 1910
Gutiérrez ms. ?
Izaguirre 1927/9[x]
Loukotka 1949[x]
Mata 1923
Rivet 1949, 1956
Tessmann 1930

22. 3. COPALLÉN Y ACONIPA. Dos lenguas ecuatorianas de las que se sabe muy poco y quedan aisladas. Los Aconipa o Tabankale viven en la aldea de su nombre, Río Chinchipe. Los Copallén, también en la misma cuenca, en Llanque, Las Lomas y Copallén.

Jijón y Caamaño 1941/3

22. 4. YURUMANGUI. Esta lengua de la costa occidental de Colombia, antes poco conocida, ha sido estudiada por Rivet, quien la cree miembro de la familia Hoca, y por consiguiente pieza importantísima para la cuestión de las relaciones oceánicas. Ortiz, que ha reexaminado la cuestión, prefiere aceptar la indicación de Rivet y no dejar aislado este idioma.

Arcila Robledo 1940[x]
Jijón y Caamaño 1941/3
Ortiz 1946[x] (y 1954[x])
Rivet 1943[x]

22. 5. ESMERALDA. Este pequeño grupo de la costa del Ecuador se cree que estuvo relacionado con el Chibcha, lo que Loukotka niega (1950), pero los datos son escasos y el tipo de parentesco es imposible de establecer. Loukotka señala elementos lingüísticos de América Central.

Jijón y Caamaño 1941/3
Rivet 1912
Seler 1902[x]
Wolf 1872

22. 6. COFÁN. También se suele dar por extinta esta lengua, que autores como Rivet y Jijón y Caamaño relacionan con el Chibcha; de éste los dialectos Quijo (21. 3 y 7) y Latacunga (21. 2) se han considerado especialmente

emparentados con ella. Igualada & Castellví dan noticias de la subsistencia de unos 200 hablantes en la Comisaría colombiana del Putumayo.

| | |
|---|---|
| Barcelona, V. de, ms. | Jijón y Caamaño 1941/3 |
| Calella ms. | Ortiz 1947ˣ, 1954ˣ |
| Castellví 1938ˣ | Quito ms. |
| Ferrer ca. 1602 | Rivet 1952 |
| Ipiales ms. | Tulcán ms. |

22. 7. COCHE-MOCOA. Este grupo, denominado también Camsá, tiene como resto viviente los hablantes distribuidos en las aldeas de Sibundoy y San Francisco, que alcanzaban en 1940 un número de 1700, según datos de los misioneros. Sus hermanos de lengua, los Quillacinga, se han extinguido y los Mocoa han adoptado el Quechua a consecuencia de la actividad de los antiguos misioneros católicos y ahora son conocidos como Inganos. Otro de los nombres que hallamos de tribus de este grupo es Pastoco.

| | |
|---|---|
| Anónimo s. f. | Ernst 1891ˣ |
| Buchwald 1919 | Igualada & Castellví 1940 |
| Casas Manrique ms. | Jijón y Caamaño 1939, 1941/3 |
| Castellví 1934ˣ, 1938, 1941 | Ortiz 1938, 1941ˣ, 1954ˣ |
| Caudmont 1953, 1954 | Rivet 1912 |
| Cuervo Márquez 1930 | Rocha 1905 |
| Chamberlain 1910 | Sañudo 1923 |

22. 8. CAHUAPANA O MAINA. La familia Cahuapana, antes llamada Maina, ocupa una pequeña región al este de los Jívaros, entre el Huallaga y el Potro, al sur del Marañón. No ha sido clasificada. Hervás y Panduro la unía con el Paranapura (22. 9) para formar un tronco Chayavita o Tsaawi. A esta familia añade Loukotka un extinto Mikirá o Suensampi. Otros nombres de dialectos son Choncho, Chébero o Xébero (de éste, Igualada y Castellví registran 15 hablantes en la Isla Ronda, cerca de Leticia), Yamorai o Balsapuertino, Ataguate, Siwila. Una se-

rie de tribus que hoy hablan Quechua o Español (Suchichi, Tabaloso, Zapaso, Lama, Chasutino o Kaskoasoa y Otanawi) es posible que hayan hablado antes un dialecto Cahuapana.

Anónimo s. XVIII[x]
Batet ms.
Beuchat & Rivet 1909
Brinton 1892
Loukotka 1943, 1949[x]
Ortiz 1941[x], 1954[x]
Rivet & Tastevin 1931
Schuller 1912
Tessmann 1930[x]
Veigl 1785

22. 9. MUNICHE O PARANAPURA. Muchimo, Otanabe, Churitana, son nombres de dialectos que podrían corresponder a este pequeño grupo, situado en medio de los dialectos Pano, sobre el río Paranapura. Su clasificación es difícil ante la escasa documentación disponible. Rivet & Loukotka aceptan que su origen esté en la montaña, al sur del citado río, hasta los alrededores de Lamas.

Hervás y Panduro 1800
Loukotka 1935
Lucero ?
Tessmann 1930

22. 10. TAIRONA Y CHIMILA. Estas tribus, de la costa septentrional de Colombia, a la derecha de la desembocadura del Magdalena, no han de ser incluidas ni con los Arawak -sus vecinos- ni con los Kágaba -de filiación Chibcha. Sin embargo recientes estudios de Reichel-Dolmatoff parece que acreditan, para el Chimila, carácter Arawak. Para Rivet los Chimila-Tairona entran dentro del grupo Dorasque del Chibcha (21. 6) y considera emparentados con ellos a los Pacabuey, junto a la laguna de Zapatoza, los Malibú de las orillas del Magdalena, y los Mocana, entre las bocas del Magdalena y la ciudad de Cartagena. Holmer señaló 11 paralelos lexicales, varios de ellos bastante seguros, entre el Chimila y el Cuna.

Bolinder 1916
Celedón 1886[x]
Cuervo Márquez 1930
Holmer 1947
Preuss 1927
Reichel-Dolmatoff 1947[x]

Rivet 1947[x]

22. 11. TUYUNERI O TUYONERI. Esta lengua, descubierta por Nordenskiöld, es considerada por Steward & Métraux como Arawak. Sería necesario un conocimiento más preciso del idioma para aceptar tal clasificación. Mason se limita a incluirlo entre las lenguas de posible relación con el Arawak, mientras que así la consideran resueltamente Rivet & Loukotka. El P. Aza la identifica con el Arasaire (9. 5) y en esto lo sigue Loukotka.

Aza 1933[x], 1935[x], 1937[x]
Nordenskiöld 1905
Oppenheim 1948

22. 12. CULLE O KUL'I. Los Culle habitaban en el Perú en las provincias de Huamachuco y Huaylas. Su lengua aún pervive en tres aldeas de la región de Ancash (Pallazca). Parece que es la misma que designan como Linga o Ilinga autores antiguos.

González ms.
Loukotka 1949[x]
Rivet 1949
Zevallos Quiñones 1948

22. 13. TINIGUA. Esta familia aislada comprende dos tribus: los Tinigua propiamente dichos, entre el alto Guayabero y el Ariarí, y los Pamigua o Bamigua, de los que los misioneros Capuchinos, según noticias del P. Castellví, han reunido un pequeño grupo en la aldea de Los Llanos del Guahibo. Ambos dialectos presentan semejanzas con el Guahibo (19. 6), pero los especialistas prefieren hasta ahora mantenerlos como independientes.

Castellví 1940[x]
Les Corts ms.
Manresa ms.
Rivet 1948

## LENGUAS DE AMÉRICA CENTRAL

23. Hasta la zona que estudiamos de América Central (como ya dijimos, la que queda al este de Guatemala

y Salvador), que sirve de transición entre Mesoamérica y América del Sur, se extienden, entrelazándose con las lenguas Chibchas que acabamos de enumerar, familias lingüísticas de gran extensión e importancia en la parte norte del continente.

Dávila Solera 1941
Fernández Guardia & Fernández Ferraz 1892
Gabb 1875
Gatschet 1900
Herzog 1886
Johnson 1940
La Grasserie 1904
Larde 1950
Latham 1851
Lehmann, W. 1910, 1920[x]
Loukotka 1939
Mason 1940, 1942
Sapper 1905
Scherzer 1855
Schuller 1928
Squier 1853, 1858
Stoll 1884
Thiel 1882
Thomas & Swanton 1911

23. 1. HOCA-SIOUX. El gran grupo Hoca-Sioux, que tiene sus representantes más meridionales en la parte septentrional de la actual República Mejicana, presenta sin embargo dos lenguas en América Central: el Subtiaba, en el ángulo noroeste de Nicaragua y el Maribio o Maribichicoa, al nordeste de los anteriores, en Nicaragua, al sur de la frontera con Honduras. Ambos se agrupan con el Tlapaneca del Estado mejicano de Guerrero.

También hemos de considerar aquí otra lengua, el Jicaque, del noroeste y centro de Honduras, cuyos hablantes han tomado rasgos culturales de los pueblos de la costa, pero cuyo léxico tiene evidentes relaciones con lenguas como Chontal, Yuma, Yana, Washo, Comecrudo, según han probado Greenberg y Swadesh. Datos estadísticos recientes (1957) dan 300 hablantes del dialecto más oriental, Torrupa, en la Montaña de la Flor; al este se cita el Jicaque del Palmar y en la región central fuentes del siglo XVIII citan el Jicaque de Yoro.

Agüero Vega 1957
Conzemius 1923[x]
Geenberg & Swadesh 1953
Hagen 1943

Harrington, J. P. 1943 Sapir 1925[x]
Lehmann, W. 1915, 1920[x] Squier 1853

23. 2. YUTO-AZTECA. Este grupo, tan extendido en América del Norte y Mesoamérica, tiene claras penetraciones en América Central, donde, como las intromisiones del grupo anterior, ha contribuido a hacer más polícromo y complejo el cuadro de distribución de lenguas. Una oleada más antigua es la que se muestra en el Nicarao (entre el Pacífico y el Lago Nicaragua), el Nahuatlato (en la costa al sur del Golfo de Fonseca), el Bagace (al noroeste de Costa Rica) y el Pipil (hacia el trifinio de Guatemala, Honduras y el Salvador).

Una segunda oleada, de comerciantes aztecas tardíos, ha dejado los dialectos Desaguadero (hacia la desembocadura del río San Juan en el Caribe) y Sigua (en las islas de la laguna de Chiriquí).

Arroyo 1953 Squier 1853
Güegüence 1883 Swadesh 1956
Scherzer 1853

23. 3. MANGUE. También esta familia representa una penetración desde Mesoamérica y precisamente del grupo Otomí, como demostró W. Lehmann. Ocupaba el oeste de Nicaragua y se ha extinguido completamente. Se citan en esta familia tres lenguas: Choluteca o Chorotega, Mangue (con los subdialectos Diria y Nagranda) y Orotina (con los subdialectos Orosi y Nicoya).

Brinton 1886 Squier 1853
Lehmann 1920[x]

23. 4. FAMILIAS LENCA Y PAYA. Estas dos familias situadas respectivamente al oeste y al este del Jicaque, son de difícil clasificación. El Paya parece presenta afinidades con las lenguas Chibcha, mientras que el Lenca se considera relacionado con el *phylum* norteameri

ricano Macro-Penutio (Mizocuave) o según otros, con el Maya. Ambos grupos constan de una sola lengua cada uno y no se pueden relacionar entre sí, ni con el Jicaque. No es admisible la propuesta de W. Schmidt de establecer un grupo Payaxinca, que incluye también el Jicaque y el Lenca.

Bonilla 1946
Conzemius 1923, 1927/8, 1929
Doblado Lara 1951[x]
Gatschet 1900
Hernández E. & Pinart 1897[x]
Lehmann 1920[x]
Membreño 1897
Peccorini 1910[x]
Sapper 1901
Squier 1856[x], 1858
Stoll 1884

23. 5. MOSQUITO. Mason ha agrupado esta familia, junto con las dos siguientes, bajo el epígrafe de Misumalpa, considerando a las tres como de probable relación con el Chibcha. El Mosquito, de la costa de los Mosquitos, llamado por los autores anglosajones Miskito, se habla sobre la costa caribe de Nicaragua y sus dialectos son Tawira, Mam, Wanki, Baldam, Cabo, que se ha considerado independiente o acaso en alguna relación con el Matagalpa. Swadesh anuncia haber descubierto coincidencias entre esta lengua y el Yámana y el Mosetén.

Adam 1891[xT], 1892
Berckenhagen 1894[x], 1905[x], 1906[x]
Brinton 1891[x]
Conzemius 1929, 1932
Cotheal 1848[x]
Heath, G. R. 1913[x], 1927[x], 1949[x]
Heath & Marx 1953[x]
Henderson, A. 1846[x]
Zidek 1894

23. 6. SUMO-ULOA. Este grupo de dialectos, considerados por Jijón y Caamaño y Mason como de posible filiación Chibcha, se extiende por todo el interior de la actual República de Nicaragua. Se citan en el grupo Sumo, al nordeste, los dialectos Tauachka o Twaka, Lacu, Coco, Wasabane y Pispi, Panamaca, Carawala y Tunki, Boa y Bawahca. El grupo Uloa, situado al sur, comprende el

Ulva o Ulua, Prinsu, Cuccra y Yosco.

Conzemius 1929, 1932 Martínez Landero 1934/6x
Dávila Solera 1941 Membreño 1897
Hernández & Pinart 1897x Squier 1853

23. 7. MATAGALPA. Este grupo de dialectos ocupa el norte de Nicaragua. Se citan el dialecto Matagalpa propiamente dicho, el Cacaopera, aislado más al oeste, y como dudosos el Chato, Dule y Pantasma.

Brinton 1895 Sapper 1901
Charencey 1899

## EL ESPAÑOL Y EL PORTUGUÉS EN AMÉRICA DEL SUR

24. No puede decirse que sea un capítulo completamente desatendido el de la convivencia de las lenguas peninsulares con las indígenas de América. Tema de obvia importancia y de inmediato planteamiento, su fecundidad ha sido vista por muchos estudiosos, a partir de R. Lenz y de R. J. Cuervo, y es hoy tópico admitido el del parangón entre la difusión del Español a este lado del Atlántico con la del Latín en la conquista del Occidente. Un nuevo modo de estudiar el problema en general, rotulándolo contacto de lenguas, puede hallar en la multiforme convivencia de nuestras lenguas con las innumerables de América un campo inagotable de observación.

Ya en la época colonial se estableció una gradación de lenguas. Una política lingüística planeada resultó ya en los últimos decenios del siglo XVI, conforme a las normas que la Corona española y la Iglesia trazaron. En las Leyes de Indias hallamos una disposición de 1550 (lib. VI, tít. I, ley 18) en la que se duda de la capacidad "de la más perfecta lengua de los Indios" para "explicar bien y con propiedad" la doctrina católica, y dada además la gran variedad de lenguas, se resuelve "introducir la Castellana" señalando que se les dé instrucción en ella a los indios. En 1580 se instituyen sin embargo cátedras de lengua general del país en las Universidades de Lima y Méjico (Leyes de Indias, lib. I, tít. XXII, ley 46) y los que quisieran ordenarse de sacerdotes en América tendrían que demostrar que habían cursado por lo menos un año en estas cátedras.

Poco tiempo después, en 1583, se reune el Concilio III de Lima, y en él se ordena que se les enseñen a los indios las oraciones y el catecismo en su propia lengua, sin obligarlos a que aprendan la nuestra si no es por su voluntad. A consecuencia de esta recomendación de Lima aparece la rica serie de libros, debidos principalmente a los jesuitas, que figuran en nuestra bibliografía como Anónimos 1584, 1585 y 1586. Al mismo canon limense obedece la publicación de algunas obras más de brillante poliglotismo (v. en la bibliografía Bárcena, Oré, Valdivia), pero en lo sucesivo vemos cómo se reduce el número de lenguas utilizadas y estudiadas.

En efecto, el Consejo de Indias presenta al rey una consulta en que se repiten todos los argumentos de la ley de 1550, y a consecuencia de ella, inmediatamente da Felipe II una cédula (3 de julio de 1596) en que se ordena la instrucción de los indios en lengua Española "proveyendo en ello de manera que se cumpla so graves penas, principalmente contra los caciques que contravinieren a la dicha orden o fueren remisos y negligentes en cumplirla, declarando por infame y que pierda el cacicazgo y todas las otras honras, prerrogativas y nobleza de que goza el que de aquí adelante hablare o consintiere hablar a los indios del dicho su cacicazgo en su propia lengua". Esta resolución refleja sin duda el parecer de los juristas de la Corona, tal cual lo hallamos resumido en la Política Indiana de Solórzano Pereyra (lib. II, cap. 26).

Sin embargo como una transacción entre el ideal eclesiástico de predicar a los indios en sus propias lenguas, y el curialesco de imponer el Español, se desarrolla el concepto de lengua general. Por lo demás los eclesiásticos, en la medida en que pudieron actuar con autonomía, utilizaron no sólo las grandes lenguas, sino también las marginales y tribales. Así vemos, en oposición a lo que disponían las órdenes reales, las actas de los Cabildos indígenas del Paraguay en lengua Guaraní, o cartas y documentos dirigidos por los indígenas en su lengua al propio Rey (Anónimo 1630, 1758/85, Carta 1768).

Recientemente (Morínigo 1959) ha sido señalada la importancia de una cédula de Carlos III, 10 de mayo de 1770), en la que se insiste en que el español debe ser impuesto a los indios. Es probable que sea esa orden, dictada pocos años después de la expulsión de los jesuitas, la que, como una coronación de la corriente de los legistas, significa el definitivo retroceso de las lenguas indígenas, incluso las generales.

Lengua general es aquella reconocida en calidad de tal por los conquistadores, pero aceptando un hecho anterior a la conquista misma. Son por lo mismo lenguas generales el Nahuatl de los Aztecas de Méjico y el Quechua de los Incas del Perú. El Aimara, que en las primeras obras posteriores al III Concilio de Lima aparece equiparado al Quechua, retrocede inmediatamente y se convierte en una de las lenguas cultivadas especialmente por una congregación religiosa. El Guaraní, utilizado por los jesuitas portugueses de la costa brasileña y los españoles del Paraguay, encabezados respectivamente por el canario José de Anchieta y el limeño Antonio Ruiz de Montoya, no fue designado por de pronto como lengua general. El título del Arte de Anchieta se refiere sólo a la "lingoa mais usada na costa do Brasil" y tenemos que esperar al siglo XIX para que el Tupí-Guaraní sea calificado de "lingua geral".

De la vitalidad de las cátedras de lenguas indígenas nos pueden dar idea las obras publicadas. En Lima tenemos aparte de las citadas y del trabajo inicial de Fray Do mingo de Santo Tomás, las Artes de González Holguin, Huerta, Roxo Mexia y Ocón, Melgar y Santa Cruz, Figueredo. De Quito sabemos por las Leyes de Indias que había una cátedra regentada por los dominicos y dedicada a la lengua Quechua. De la enseñanza del Araucano nos da algunas noticias Amberga: en 1666 la Corona establece una cátedra que se reorganiza en 1697. Pero estas cátedras menores no pueden compararse a las de Lima o Méjico, sino a la actividad de ciertas órdenes religiosas, como la de los jesuitas en Iuli, que concentran la literatura en Aimara. En Bogotá el dominico P. Bernardo de Lugo escribe la más importante gramática de Chibcha. Los franciscanos trabajan con los Caribes y escriben la hermosa colección que Platzmann reedita bajo el título de Algunas obras raras sobre la lengua Cumanagota.

En muchos otros lugares actuaron los misioneros, pero más desprovistos del apoyo oficial y sin cátedras en ciudades importantes, dejan sus artes y vocabularios manuscritos, transmitidos en los mismos conventos y casas de estudios de generación en generación. Muchos de estos vocabularios se conservan y han sido impresos o están en bibliotecas; muchos se han perdido. Representan la voluntad eclesiástica de acercarse a los indígenas en su idioma tribal, si bien en muchos lugares los misioneros adoptaron simplemente la lengua general y la extendieron entre los indígenas de lenguas menores. Pero la organización colonizadora de la Corona desconoció las lenguas menores.

La convivencia de lenguas que surge a partir de los últimos años del siglo XVI se mantiene invariable casi hasta nuestro siglo y determina las relaciones entre el Español y las lenguas indígenas. Su fórmula podría ser: utilización de la lengua invasora por indígenas, utilización de las grandes lenguas generales por conquistadores y misioneros y también por indígenas hablantes de lenguas menores. Ello significa bilingüismo extendido a amplias zonas de conquistados y a grupos no tan extensos, pero socialmente importantes, de conquistadores. Pero no se puede reducir a bilingüismo la situación sociolingüística de la América dominada por los españoles y por los portugueses. El Español (o Portugués) no se limitó a sustituir a la lengua general o a la lengua tribal, sino que quedó incorporado a una compleja escala; por debajo de todo estaba la lengua tribal, muchas veces ignorada por los misioneros mismos, y en la medida que entraba la civilización europea, condenada a la extinción; en medio, la lengua general, llave maestra en el complejo mundo indígena donde habían tenido su señorío las Monarquías Inca y Azteca, o en las regiones del Amazonas, el Paraguay y la costa brasileña; encima las lenguas peninsulares que la administración y los colonizadores imponían de modo incontrastable a todos.

Fuera de allí donde se extendían las lenguas generales o aquellas locales de mayor importancia (como el caso geográficamente delimitado del Araucano o el culturalmente especial de las zonas Mayas de Mesoamérica), quedan las tribus marginales, muchas veces insumisas, donde ni la economía ni razones estratégicas llevaron a los dominadores.

De la escala que hemos establecido, resulta una compleja situación interlingüística. Podemos afirmar que relación directa capaz de dejar huellas en la lengua, no se produce sino entre la lengua dominadora y la lengua general, o a lo sumo regional. Las listas de palabras americanas pasadas al Español corresponden en absoluto a lenguas generales. Y lo mismo ocurre con el Portugués del Brasil. Hay la excepción de los primeros préstamos americanos que entraron en el Español desde el Taino de Santo Domingo y las demás Antillas, lengua que no pudo llegar a hacerse general porque el choque con ella de la primera colonización resultó violento en exceso. Pero las grandes listas de palabras americanas no locales y difundidas en el Español proceden de las lenguas generales: del Nahuatl (11 palabras según Lapesa, 22 según M. L.

Wagner), del Quechua (10 y 23 respectivamente, según los mismos autores), del Guaraní (3 y 14). El resto de las lenguas no contribuye con casi nada a la gran corriente de americanismos que llegan como un reflujo a España y a veces a todo el mundo.

Y recíprocamente, son sólo las lenguas indígenas generales las que reciben préstamos del Español. El múltiple escalón lingüístico impide que el Español reciba palabras de lenguas secundarias y también en ellas las penetraciones españolas son muy limitadas. El merecido prestigio de algunas obras, demasiado escasas todavía, en el campo de las relaciones entre el Español y las lenguas americanas (Lenz, Morínigo) no debe llevarnos a creer corriente este tipo de relación. El Araucano es una lengua general en una región limitada y el Guaraní un idioma de enorme difusión, pero es completamente distinto el caso de las lenguas tribales y marginales. No se ha hecho, que yo sepa, ningún estudio de la relación entre el Español y una lengua menor sudamericana, pero los resultados podemos anticipar que serían semejantes a los alcanzados en algunos estudios sobre lenguas de América del Norte.

Y si tomamos lenguas marginales que se mantuvieron más ajenas a la penetración de conquistadores o misioneros, vemos que los préstamos son reducidísimos. Un repaso al vocabulario Mataco, por ejemplo de lengua aislada, nos da escasísimos préstamos: los numerales por encima de 3, palabras religiosas como Dios y apenas más. Las mismas palabras culturales que se señalan en lenguas tribales y marginales que tuvieron contacto antiguo, han sido, en Mataco, traducidas a términos indígenas: *wasetaj* "vaca" por ejemplo, se explica como un derivado aumentativo de *wase* "ciervo", y *lataj* "caballo" es igualmente un aumentativo de *la* "animal propio, favorito". La impenetrabilidad de estas lenguas entradas tarde en contacto con las peninsulares se puede simbolizar en la onomástica: el indígena tiene, por ejemplo en las regiones del Chaco, un nombre para relacionarse con los "civilizados" y otro para la vida familiar; nunca coinciden ambos, que están cada uno en su plano separado e inconfundible. Es sin duda de estas lenguas marginales de las que puede decirse que la influencia en el Español de América es nula o negativa.

En cambio las lenguas generales se convierten en muchas zonas en lenguas mixtas, en jerga o *lingua franca* de uso general. Muestras de ellas tenemos en la literatura, así en el *Güegüence* Hispano-Nahuatl de Nicaragua o en la pieza teatral que Hernando Balmori descubrió en Bolivia. El sabio germano-brasileño Curt Nimuendajú (1950) ha lamentado la difusión de una jerga Tupí-Portuguesa en ciertas zonas de Amazonia donde los indígenas jamás hablaron Tupí y el idioma aparece mutilado, corrompido y mezclado.

La consideración de estas relaciones interlingüísticas, con sus antecedentes, es útil para comprender la situación lingüística actual y futura de América del Sur. Investigaciones y estudios ulteriores permitirán precisar el cuadro que en el estado actual de los conocimientos puede apenas bosquejarse.

No hay que decir que la lista bibliográfica que sigue no aspira a ser completa, sino a contribuir con referencias a obras menos divulgadas y conocidas, al mejor estudio del Español y Portugués en América del Sur.

Acuña 1951
Agüero 1929
Aguiar 1937
Alvarado 1919, 1921, 1953
Amaral 1920
Angeles Caballero 1953, 1954
Anónimo 1918/9
Apolinar María 1946
Ayrosa 1937, 1938
Benvenuto Murrieta 1939
Berro García 1938, 1938/9
Canals Frau 1942
Castro 1936
Casullo 1950
Caudmont 1954
Cavada 1913, 1921
Cisneros 1957
Corominas 1942
Costa Rubim 1853, 1882

Chacín 1952
Echeverría i Reyes 1900
Egoavil Arrieta 1943
Farfán 1957
Fernández Ferraz 1892
Ferreira Paes 1938
Figueroa 1903
Fletes Bolaños 1928
Flórez 1953, 1955
Freitas 1934, 1936
Friederici 1926, 1947
García, R. 1915
Gatschet, A. S. 1884
Giese 1947/9
Goldsmith 1932
Granada 1890
Güegüence 1883
Gueiros 1938
Guérios 1937
Henríquez Ureña 1938
Ihering, R. von, 1940
Jauregui Rosquellas 1941
Jiménez Borja 1937
Jucá Filho 1938
Kiddle 1952
Knoche 1939
Lafone Quevedo 1927
Laytano 1938
Lemos, R. G. 1920
Lehmann-Nietsche 1928
Lenz 1904/5, 1904/10,
1910, 1912
López Albujar 1942
Lullo 1946
Macedo Soares 1880, 1881,
1890
Machado d'Oliveira 1936
Magalhaes 1943
Malaret 1937, 1940, 1945/56
Malmberg 1947/8
Marroquim 1945
Martínez, Jm. G. 1953
Martínez Orozco 1938
Membreño 1897
Mesquita de Carvalho 1938
Morínigo 1931, 1935, 1959
Nogueira 1887
Padberg-Drenkpol 1934/6
Perea y Alonso 1936
Pereira da Costa 1936
Pérez Guerrero 1934
Pombo 1931
Pompeu Sobrinho 1933
Portnoy 1936
Porto-Alegre 1921
Pupiales 1953
Quevedo 1945
Raimundo 1934
Read 1955
Rebollar y Loria 1937
Recalde 1937
Ribeiro 1933, 1933
Ricard 1949
Robledo, E. 1934
Rodríguez, Z. 1875
Rossi 1938
Samaniego Jurado 1932
Schuller 1933
Selva, Juan B. 1922
Seraine 1938, 1951
Silva Fuenzalida 1951
Silveira, G. de, 1938
Swadesh 1956
Taylor 1956, 1957
Teixeira 1938
Tejera 1946
Tobón Betancourt 1953
Toscano 1955

Ugarte 1942
Uribe Uribe 1886
Vargas Ugarte 1946
Vázquez 1921/4
Veríssimo 1878
Vidal 1938
Vieira 1938
Zayas y Alfonso 1914

## BOSQUEJO DE UNA TIPOLOGÍA

25. Un ensayo de aplicación del método tipológico, aunque éste sea todavía "inseguro y marginal" (Greenberg) en nuestros estudios, habrá de sernos útil. El tipólogo se encuentra ante el difícil trabajo de clasificar lenguas que muchas veces son en sus rasgos "no excesivas" (E. Lewy).

Uno de los resultados sólidos a que el examen tipológico ha llegado es el de la certeza sobre el hecho de que el "tipo" de un área geográfica se extiende sobre lenguas diversas, reduciéndolas, aunque sean de distinto origen, a una cierta unidad tipológica. Si en teoría cabe contraponer la clasificación tipológica a la genealógica y a la misma zonal o de áreas, de hecho las intercomunicaciones y contactos culturales imponen generalmente una marcada unidad de tipo en un área geográfica más o menos extensa.

Se ha intentado metodológicamente aplicar la tipología por partes. Tipologías fonéticas son relativamente fáciles de establecer y en ellas es especialmente posible la reducción a fórmulas cuantitativas, una vez que la fonología permite reducir al mínimo los factores que hay que tomar en cuenta; más complejas son las tipologías morfológicas, porque operan con un número grande de variables; en cuanto a las sintácticas son de las mismas características y las que se han intentado desde hace un siglo son principalmente sintácticas (y morfológicas en la medida en que es difícil establecer los límites entre estas dos viejas partes de la gramática).

Nuestro ensayo tipológico va a buscar los rasgos

donde los encuentre salientes: en el Quechua considera la subordinación de sufijos acumulados, en el Guaraní o Mataco descubre algún rasgo de incorporación y aún en más medida en el Cuna (Chibcha); la libertad en el orden de las palabras y la falta de morfemas que indiquen algo tan fundamental para nosotros, como es el "caso" gramatical o local nos llevará a propugnar la existencia de un tipo lingüístico "informe" en un cierto sentido.

TIPO I. Un tipo, el más primitivo, tiene su hogar en las zonas centro-orientales del continente, entre las gentes que podemos llamar del "viejo tronco" (Radin) o marginales. Si Steinthal tuvo razón al hablar de lenguas "informes", aquí puede aplicarse el adjetivo. Tomemos por ejemplo el Mataco. No sólo el orden de las palabras es libre y pertenece no a la gramática, mas al estilo, sino que la morfología carece de ciertos recursos que a nuestra conciencia lingüística le parecen indispensables para precisar las relaciones gramaticales y de caso. Pero en Mataco no hay nada que se parezca a nuestros casos: se dice lo mismo waj ihi "agua hay (en un cacharro)" que ihi waj "está en el agua (como un pez, por ejemplo)". Al mismo orden de lo informe pertenece la no distinción de número en muchas formas de pronombres personales y de prefijos posesivos: "yo" y "nosotros" se dice igual y lo mismo "tú" y "vosotros". Sueltamente se puede hacer seguir al verbo elementos varios que indican reciprocidad o dirección o forma causativa o durativa, etc.

Sin embargo, en este orden suelto y flojo, se produce a veces algo semejante a la "incorporación". El verbo puede abrirse (open out, como dice Hunt) y el complemento queda entre los dos trozos del verbo: así tenemos la frase ihi pule "está en el cielo" que es equivalente a i pule ye. Igualmente la negación puede incorporar dentro de sí a otra palabra (como vamos a ver que ocurre en dialectos Guaraníes).

El léxico presenta también características que, al

menos si lo comparamos con nuestras concepciones semánticas, podrían considerarse informes: lehi significa "bote, corral, libro", es decir "recipiente" en un sentido muy general; sakanej "despojar, robar, sujetar, apoderarse, lograr, saquear"; ma "dormir" y "marcharse" y así ocurre con muchas palabras, que tienen sentidos que a nosotros nos parecen vagos o contradictorios.

Podríamos hacer un grupo tipológico situando junto al Mataco otras lenguas chaqueñas: el Toba (con el rasgo incorporante de incluir el verbo o el nombre entre dos partes del pronombre sujeto o prefijo posesivo), el Chorote, y como típica de las lenguas del Brasil oriental, el Bororo.

TIPO II. En abrupta oposición al tipo "informe" de las viejas razas sudamericanas, está el tipo andino. Si puede hablarse en alguna parte de lengua "aglutinante" es aquí. El parecido que Dumézil ha señalado entre los numerales del Turco y los del Quechua (y de los que la estadística matemática excluye que sea semejanza casual) da que pensar que venga a coincidir con la regularidad y el orden en la presencia de los elementos que se aglutinan para indicar las relaciones y las categorías gramaticales. Sin entrar ahora a negar las coincidencias léxicas del Quechua con las lenguas oceánicas, como tipo de lengua nos atrevemos a afirmar que el tipo andino está en el polo opuesto del tipo "temático-aislante" que asigna al polinesio Finck.

Al tipo del Quechua pertenecen en primer lugar el Aimara, tan próximo a él; después el Araucano, con su orden de palabras fijo (si bien hemos de subrayar en él ciertas prescindencias de sufijo que harían pensar que perteneció al tipo informe); agrupamos aquí también a las antiguas lenguas cuyanas Allentiac y Millcayac, con sufijos ricamente desarrollados; el Lule-Tonocoté, donde apunta una transición al tipo estudiado en el apartado anterior; también incluimos en este grupo, de modo sorpren-

Lámina IX. — Roberto Lehmann-Nitsche.

dente, pues la lingüística no coincide con la etnoantropología para considerar marginales a estas gentes, las lenguas del extremo sur de esta parte del mundo: Tehuelche-Ona y Yámana, donde el tipo aglutinante está lejos del informe de las lenguas de las gentes más primitivas de este continente.

Lenguas de Bolivia oriental, como el Leco y el Mosetén, forman la transición entre el tipo "aglutinante" y el "informe" o "incorporante". Por lo cual, podrían entrar en nuestro tipo mixto o amazónico.

TIPO III. Un tercer tipo, en el noroeste de América del Sur, penetrando profundamente en el continente, se caracteriza por rasgos incorporantes. Son lenguas de sufijos, si bien algunas, como el Chiquito, tienen preposiciones. En este tipo hay lenguas donde se da la concordancia, así la que hemos señalado de sujeto y verbo en Pano (de tipo semejante al Ital. eglino amano, o al Al. du hast), o la de género, extendida a nombres con adjetivos y aun con formas verbales, en las lenguas Arawak. En estas lenguas ya hemos visto que se presenta con gran importancia el género (así en las lenguas Arawak) e incluso moción de terminaciones, como en el Mosetén.

La incorporación en estas lenguas se manifiesta en la sufijación de lo que para nosotros es verbo, o más en general, predicado. Así en Cuna: Kalu Tonikalutolakantipawaye? significa literalmente: "Oh (waye)" ¿si ser (tipa) nativo (tola) pl. (kan) de Kalu Tonikalu?", i. e. ¿Si serán nativos de K. T.?

No ha de pensarse que, por agruparse en estas complejas incorporaciones, los elementos gramaticales se organizan de un modo fijo e invariable. Una gran libertad de combinaciones podría señalarse, al parecer, como rasgo del grupo.

Podría aceptarse muy bien que las lenguas de este

tipo responden a una penetración desde Mesoamérica: la extensión hasta el Yunga, el Cholón y otras lenguas, de distintas formas de numerales, según los objetos que se cuentan, es una coincidencia tan interesante con el Nahuatl como las morfológicas que se han señalado entre la cultura Chimu de la costa del Perú y las culturas Mayas.

TIPO IV. Un último tipo, que participa de las características de los otros tres, es el amazónico. Su carácter mixto conviene perfectamente al dinamismo viajero de las razas de la cuenca del gran río sudamericano, así como a las del Orinoco.

Si tomamos por ejemplo el Guaraní como idioma representativo, observamos rasgos correspondientes a otros tipos: incorporante es el modo de encerrar en la negación el verbo o el pronombre: nda-yaha-i "no vamos", nda-ché-i "no soy". Igualmente es incorporante la posibilidad de manejar un nombre como afijo en un verbo: ai-po-peté "golpeo con la mano" [literal.: mi (a) golpear (peté) de ello (i) (de las) manos (po)] ; a-hova-peté "yo abofeteo" [literal.: mi (a) del rostro (hová) golpear (peté)]. En cambio un preciso y rico sistema de postposiciones (que corresponden a nuestras preposiciones y a nuestras conjunciones) recuerdan al tipo aglutinante del Quechua.

En los prefijos posesivos el Guaraní coincide con las lenguas del Tipo I, que hemos llamado (si bien no por ese aspecto) informes. Tales prefijos llegan a las lenguas del extremo sur, rasgo por el cual, aunque éstas se agrupan con las aglutinantes del Tipo II, parece que habrían tenido alguna relación con las del Tipo I.

Reuniríamos con el Guaraní y sus numerosos y extendidos dialectos los también numerosos dialectos Caribes, y tal vez otros de la cuenca amazónica, como por ejemplo las lenguas Pano, en las que los rasgos informes tal vez apuntarían a una antigua pertenencia al Tipo I.

# BIBLIOGRAFÍA

## BIBLIOGRAFÍA

Hemos reunido aquí todas las referencias que han llegado a noticia nuestra. Si sabemos bien que la lista no está completa, podemos desde luego afirmar que es la más amplia que hasta ahora se ha reunido. El lector sabe bien que el campo de las lenguas indígenas de América del Sur no ha sido muy cultivado con espíritu científico Por ello muchas veces hay que acudir a obras que no se ajustan a exigencias severas, pero que son preciosas fuentes de información. La dispersión de la bibliografía es una de las grandes dificultades con que se tropieza. Al menos como etapa previa para favorecer el conocimiento de la bibliografía correspondiente a cada idioma, esperamos haber realizado una labor útil.

Las referencias las damos completas en este índice. En el texto del libro, después de cada lengua o dialecto, indicamos las obras que a ella se refieren simplemente con el nombre del autor y la fecha de publicación: el lector habrá de acudir entonces al índice que sigue. En esas indicaciones que hemos dado en el texto, el asterisco que sigue a la fecha de publicación de una obra (x) significa que ésta es o contiene una gramática, vocabulario o descripción de importancia para el conocimiento de la lengua de que se trate. La referencia T empleada del mismo modo significa que la obra contiene texto escrito en esa lengua o dialecto.

Citamos en abreviatura las siguientes revistas:

AIEA = Anales del Instituto de Etnografía Americana, Univ. Nac. de Cuyo, Mendoza.
ASCA = Anales de la Sociedad Científica Argentina, Buenos Aires.
BANC = Boletín de la Academia Nacional de Ciencias, Córdoba.
BI = Boletín Indigenista, México.
BIGA = Boletín del Instituto Geográfico Argentino, Buenos Aires.
BLA = Bibliothèque linguistique américaine, París.
CIA = Congreso Internacional de los Americanistas.
IJAL = International Journal of American Linguistics, Bloomington, Indiana.
JSA = Journal de la Société des Américanistes, París.
MSL = Mémoires de la Société de Linguistique, París.
RChHG = Revista Chilena de Historia y Geografía, Santiago.
RIAT (RIET) = Revista del Instituto de Antropología (Etnología) de Tucumán.
RIHGB = Revista do Instituto Histórico e Geográfico Brasileiro, Rio de Janeiro.
RINEB = Revista del Instituto Nacional de Etnología, Bogotá.
RL = Revue de Linguistique et de Philologie Comparée, París.
RMLPlata = Revista del Museo de La Plata.
ZE = Zeitschrift für Ethnologie, Berlín.

Abbeville, Claudē de, v. García, Rodolfo 1920, 1927.
Abregú Virreira, Carlos
1942. Idiomas aborígenes. Los vocabularios de Mossi, Bertonio, Fe-

brés, Ruiz de Montoya y Antonio Machoni de Cerdeña, comparados, comentados y aumentados con nuevas voces y giros. Buenos Aires-México.

Abreu, João Capistrano de

1914. Rã-txa hu-ní-ku-ĩ, A lingua dos caxinauás do rio Ibuaçú, affluente do Marú (prefeitura de Tarauacá). Rio de Janeiro (1941. 2a. ed. com as emendas do Autor e um estudo critico do Prof. Th. Koch-Grünberg. Rio de Janeiro).

1938. Ensaios e estudos, crítica e história. Rio de Janeiro (con un capítulo Os Bacaeiris).

Acosta, P. José de, v. Anónimo 1584.

Acosta, Nicolás, v. Villamil de Rada.

Acosta y Lara, Eduardo F.

1955. Los Chaná Timbúes de la antigua Banda Oriental. Anales del Museo de Hist. Natural 2a. serie, 6 nº 5. Montevideo.

Acosta Ortegón, Joaquín

1938. El idioma Chibcha, aborigen de Cundinamarca. Bogotá.

Acuña, Luis Alberto

1951. Diccionario de Bogotanismos. Rev. de Folklore nº 5. 5-187. Bogotá.

Adam, Lucien

1878. Études sur six langues américaines: Dakota, Chibcha, Nahuatl, Kechua, Quiché, Maya. París.

1878. Examen grammatical comparé de seize langues américaines. Compte-rendu des travaux du 2 CIA, Luxembourg 1877, 2. 161-244. (1879. Idem. 2 CIA, 2. 309-66. Bruselas).

1879. Du parler des hommes et du parler des femmes dans la langue Caraïbe. Mémoires de l'Académie Stanislas. París.

1884/5. Grammaire de la langue Yaghan. RL 17. 245-322, 18. 10-26, 160-73.

1889. Notice grammaticale sur la langue Mosetena. RL 22. 237-46.

1890. Arte de la lengua de los indios Antis o Campas.... Conforme al manuscrito original hallado en la ciudad de Toledo por Charles Leclerc, con un vocabulario metódico i una introducción comparativa. BLA 13.

1890. Trois familles linguistiques des bassins de l'Amazone et de l'Orinoque. 7 CIA, Berlín 1888, 489-97.

1891. Langue Mosquito; Grammaire, vocabulaire, textes. BLA 14.

1892. De l'infixation dans la langue Mosquito. 8 CIA, París 1890, 588-9.

1892. Langue Oyampi. 8 CIA, París 1890, 610-12.

1892. Langue Roucouyenne. 8 CIA, París 1890, 612-4.

1893. Matériaux pour servir à l'établissement d'une grammaire comparée des dialectes de la famille Caribe. BLA 17.

1896. Matériaux pour servir à l'établissement d'une grammaire comparée des dialectes de la famille Tupi. BLA 18.

1897. Matériaux pour servir à l'établissement d'une grammaire comparée des dialectes de la famille Kariri. BLA 20.

1897. Esquisse grammaticale et vocabulaire de la langue Guaraouno. 11 CIA, México 1895, 479-89.

1897/8. Pronoms et indices personnels de l'Itonama. JSA 2. 48-52.
1899. Matériaux pour servir à l'établissement d'une grammaire comparée des dialectes de la famille Guaicurú (Abipone, Mocoví, Toba, Mbayá). BLA 23.
1902. Le parler des Caingangs. 12 CIA, París 1900, 317-30.
1905. Grammaire de l'Accawai. JSA n. s. 2. 43-90, 209-40.
1906. Le Caraïbe du Honduras et le Caraïbe des îles. 14 CIA, Stuttgart 1904, 357-71.
v. Coudreau, H. A.; Crévaux; Cueva; Sagot.

Adam, Lucien & Henry, Víctor
1880. Arte y vocabulario de la lengua Chiquita con algunos textos traducidos y explicados, compuestos sobre manuscritos inéditos del XVIIIº siglo. BLA 6.

Adam, Lucien & Leclerc, Charles
1880. Arte de la lengua de los indios Baures de la Provincia de los Moxos, conforme al manuscrito original del P. Antonio Magio. BLA 7.
v. Breton.

Adelung, Johann Christopher & Vater, Johann Severin
1806-17. Mithridates oder Allgemeine Sprachenkunde, mit dem Vater Unser als Sprachprobe in beynahe fünfhundert Sprachen und Mundarten. Berlín.

Agnew, Arlene & Pike, Evelyn G.
1957. Phonemes of Ocaina (Huitoto). IJAL 23. 24-7.

Agüero, Miguel C.
1929. Influencia del Keshua en la Argentina. Ensayos 1, nº 5. 1-3. Tucumán.

Agüero Vega, Raúl
1957. Los indios Xicaques de la Montaña de la Flor. BI 17. 56-9.

Aguiar, Martins de
1937. Fonética do Português do Ceará. Rev. do Inst. do Ceará. 51. 271-307. Fortaleza.

Aguilar, Juan de
1939. Arte de la lengua Quichua general de los indios del Perú [ms. de 1690]. Universidad Nac. de Tucumán.
v. Angeles Caballero 1955.

Aguilar, P. Juan Ignacio
ms. (hacia 1754?). Diccionario de la lengua quechua.

Aguirre, Juan Francisco
1899. Etnografía del Chaco. Manuscrito del Capitán de Fragata—— (1793), con introducción de Enrique Peña. BIGA 18. 464-510.

Ahlbrinck, W.
1922/5. De Karaib en zijn Tal. Onze Mission in Oost en West-Indie, nº 5. 233, nº 6. 241, 392, nº 7. 33, 159, nº 8. 20, 100, 177.
1931. Encyclopaedie der Karaïben, behelzend Taal, Zeden en Gewoonten dezer Indianen. Verhandelingen der Koninklijke Akademie van Wetenschappen te Amsterdam, Afdel. Letterkunde n. s. 27. 1.

Ahlbrinck, W. & Vincken, M. Aurelius
1923/4. Zur Lautlehre des Karaibischen. Anthropos 18/9. 951-7.

Alba C., M. M.
1950. Introducción al estudio de las lenguas indígenas de Panamá. Panamá.
Albarracín, Olegario
1914. Tierra adentro. Bogotá.
Albis, Manuel María
1855. Vocabulario Andaqui y Castellano. Vocabulario Correguaje y Castellano. Vocabulario Guaque y Castellano. Vocabulario Ingano y Castellano. Apud Vergara & Delgado.
Albisetti, César
1948. Estudos e notas complementares sôbre os Boróros orientais. Publicações da Sociedade Brasileira de Anthropologia e Etnologia 1. 5-24. Rio de Janeiro.
1955. Nótulas morfemo-etimológicas de lingua Bororo. 31 CIA, São Paulo, 2. 1073-82.
Albuquerque, A. Tenório d'
1949. Questões linguisticas americanas. Rio de Janeiro.
Albuquerque, Miguel Tenório d'
1929. Apontamentos para a Gramática Avá-Ñeẽ. Rev. do Mus. Paulista 16. 330-43.
1929. Lingua geral Tupi-Guaraní. Memória apresentada ao 20 CIA. Rev. do Mus. Paulista 16. 445-88.
Albuquerque, Severiano Godofredo d'
1916. Relatório dos serviços executados em Campos Novos da Serra do Norte. Commissão de linhas telegraphicas estrategicas de Mato Grosso ao Amazonas. Publ. nº 37.135-47. Rio de Janeiro.
Alegre, R. P. Fr. Juan N., v. Ruiz de Montoya 1640.
Alemany, Agustín
1906. Castellano-Shipibo, Vocabulario de bolsillo. Lima.
1906. Castellano-Piro. Vocabulario de bolsillo. Lima.
Alemany y Bolufer, José
1929. Gramática de la lengua Achagua. Bol. de la Univ. de Madrid 1, tirada aparte, 38 pp.
1929. Acerca de una particularidad de la lengua Achagua. Investigación y progreso 3. 88-9. Madrid.
Alencar, José de
1947. Ubirajara. Iracema (Lenda Tupi). São Paulo.
Alencastre Gutiérrez, Andrés
1950. Lecciones de Quechua (Qheswa). Rev. Universitaria 40. Cuzco.
1954. Errores del alfabeto adoptado para la escritura de las lenguas Quechua y Aimara. El Comercio 16 Dic. Cuzco.
1955. Taki parwa (publ. con el pseudónimo de Kilku Warak'a). Cuzco.
1956. Qusqu napaykuy. Rev. universitaria 45. 151-2. Cuzco.
v. Dumézil & Alencastre.
Allan, George & Barrón, Crisólogo
1922. Señorninchej Jesucristoj Mosoj Testamenton Quechuapi Boliviaj usunman [Nuevo Testamento en Quichua de Bolivia]. Nueva York.
Allen, P. H.
1947. Indians of South-eastern Colombia. The Geographical Review 37. 567-82.

Almeida Nogueira, Batista Caetano de
1876. Apontamentos sobre o Abañeẽnga, tambem chamado Guaraní ou Tupi ou Lingua geral dos Brasís. Primeiro opúsculo: Prolegómeno. Ortografia e Prosódia. Metaplasmos. Advertência com um extrato de Laet. Segundo opúsculo: O diálogo de Léry. Nota preliminar. O diálogo. Explanações. Ensaios de Sciencia. Rio de Janeiro.
1879. Esboço gramatical do Abañeẽ ou Lingua Guaraní, chamada tambem no Brasil Lingua Tupi ou Lingua Geral, propiamente Abañeẽnga, Anais da Biblioteca Nacional do Rio de Janeiro 6. 1-90.
1879. Primera catechese dos indios selvagens, feita pelos Padres da Companhia de Jesus, originariamente escrita em hispanhol pelo padre Antonio Ruiz... depois vertida em Abañeẽnga (em lingua indigena) por outro padre. 1733. Anais da Biblioteca Nacional do Rio de Janeiro 4. 9-366.
1879. Vocabulário das palavras Guaranis usadas pelo tradutor da "Conquista Espiritual" do Padre A. Ruiz de Montoya. Anais da Biblioteca Nacional do Rio de Janeiro 7. 7-603.
1879/80. A etimologia da palavra emboaba. Revista Brasileira 2. 348-66, 3. 22-36. Rio de Janeiro.
1880. Apontamentos sobre o Abañeẽnga, tambem chamado Guaraní ou Tupi ou Lingua geral dos Brasis. Ñande ruba ou a Oração dominical em Abañeẽnga. Ensaios de sciencia. Rio de Janeiro.
v. Ruiz de Montoya 1733.

Alonso Criado, v. Cominges.

Alonso Ocón, Juan
1761. Congregación y Junta de personas doctas y peritas en la lengua Guaraní de los indios... que mandó hacer... Don ——, Arzobispo de los Charcas en el Perú, para averiguar las calumnias que en aquellas provincias se avian inventado contra los religiosos de la Compañía de Jesús sobre las Oraciones, Catecismo y Doctrina Christiana que enseñan a los indios recien convertidos.

Alphonse, Ephraim S.
1956. Guaymi Grammar and Dictionary: with some etymological notes. Smithsonian Institution, Bull. 162. Washington.

Alquézar, Fray Joaquín de, v. Puente, Fr. Francisco de la

Altamirando, P. Christoval, v. Catecismos varios 1956.

Altenfelder Silva, Fernando
1949. Mudança cultural dos Terena. Rev. Mus. Paulista n. s. 3. 271-379.

Altieri, Radamés A.
1939. La Gramática Yunga de F. de la Carrera. Estudio bibliográfico con todos los modernos vocabularios. Univ. Nac. de Tucumán.
1939. Términos de parentesco en la familia Yunga. RIAT 2. 1-11.
1941. Sobre 11 antiguos kipu peruanos. RIAT 2. 176-211.

Alvarado, Lisandro
1912. Ensayo sobre el Caribe venezolano. Bol. Acad. Nac. Hist. 1. 43-67. Caracas.
1917. Observaciones sobre el Caribe hablado en los Llanos de Barce-

lona. Caracas.
1919. Voces indígenas de Venezuela. Cultura Venezolana 3. 22-26. Caracas.
1921. Glosario de voces indígenas de Venezuela. Caracas.
1953. Glosario de voces indígenas de Venezuela. Voces geográficas (trabajo inédito complementario). Caracas, Ministerio de Educación. Obras completas de Lisandro Alvarado, vol. 1.

Alviano, Frei Fidelis de
1957. Ensaios da língua dos índios Magironas ou Maiorunas do rio Jandiatuba [Pano], RIHGB 237. 43-60.

Amaral, Amadeu
1920. O dialecto Caipira [Indigenismos en Portugués]. São Paulo. (1955. reed. São Paulo)

Amberga, Fray Jerónimo de
1914. Estudio y enseñanza del Mapuche en la era colonial. RChHG 11. 420-24.

Ambrosetti, Juan Bautista
1894. Materiales para el estudio de las lenguas del grupo Kaingangue (Alto Paraná). BANC 14. 331-80.
1895. Los indios Cainguá del Alto Paraná. BIGA 15. 661-747.
1895. Los indios Kaingangues de San Pedro (Misiones), con un vocabulario. Rev. del Jardín Zoológico 2. 304-87. Buenos Aires.
1897. Apuntes sobre los indios chunupíes y pequeño vocabulario. ASCA 27. 150-60.

Ameghino, Carlos
1913. Vocabulario Tehuelche, Tehues, Pampa, Araucano. Ms. publicado en parte por Lehmann-Nitsche 1913.

Amerlan, Albert
1882. Die Indianer des Gran Chaco. Globus 42. 183-6, 201-2.

Amorim, Antonio Brandão de
1928. Lendas em Nheengatú e em Português. RIHGB 154. 9-475.

Anaya de Urquidi, Mercedes
1956. La poesía Kkjessua. Khana, Rev. munic. de arte y letras 19/20. 257-9. La Paz.

Anaya U., Francisco
1942. Composiciones en verso, Achicuipac y Yayaipac. Bol. de la Soc. de Geogr. e Hist. de Cochabamba 5. 121-5.

Anchieta, José de, S. J.
1595. Arte de grammatica da lingoa mais usada na costa do Brasil. Coimbra. (1874. reedición por J. Platzmann, Leipzig. 1876. id. Facsímil por J. Platzmann, Leipzig. 1933. Reed. Rio de Janeiro).
1618. Doutrina christaã e Mysterios da fé dispostos á modo de Dialogo, em beneficio dos indios cathecumenos. Lisboa. (1668. Reed.).
1874. Grammatik der brasilianischen Sprache, mit Zugrundelegung des Anchieta, herausgegeben von Julius Platzmann. Leipzig.
v. Leite, Lemos Barbosa, Paula Martins.

Anchorena, José Dionisio
1873. Traducción al Quechua de la Ley orgánica de municipalidades, en lo relativo a los concejos de distrito. Lima.

1874. Gramática Quechua o del Idioma del Imperio de los Incas. Lima.

Anderson, Lambert

1958. Vocabulario breve del idioma Tucuna. Tradición 8, nº 21. Cuzco.

Andrade, Almir de

1939. A psicologia e a cultura indígenas a través da estrutura de lingua Tupi-Guaraní. Revista do Brasil 2. 81-7. Rio de Janeiro.

1941. Formação da sociologia brasileira. Rio de Janeiro (con un capítulo Contribuções linguísticas para a etnografia indígena).

Andrée, E.

1884. Viaje a la América equinoccial. Barcelona.

Angeles Caballero, César A.

1953. Antecedentes históricos del empleo de peruanismos. Perú indígena 5. 51-75. Lima.

1954. Peruanismo, lenguaje popular y folklore en un libro de Miró Quesada. Letras 50/3. 104-24. Lima.

1955. La gramática Quechua de Juan de Aguilar. Mercurio peruano 36. 113-24.

Angelis, Pedro de

1837. Colección de obras impresas y manuscritas que tratan principalmente del Río de la Plata. Buenos Aires. (1910. Reedición. Buenos Aires).

1937. Numeros cardinales de cuatro de las principales lenguas del Chaco: Abipones, Tobas, Lenguas, Lules y Tonocotes, comparados con las lenguas Guaraní, Quichua, Araucana y Aimará. Bibliografía del Chaco pp. VII-VIII.

v. Cerviño, Cruz, Falkner.

Anónimo

1584. Doctrina Christiana y Catecismo para instrucción de los indios y de las demás personas que han de ser enseñadas en nuestra santa fe. Con un confessionario y otras cosas necessarias para los que doctrinan... compuesto por auctoridad del Concilio Provincial que se celebró en la Ciudad de los Reyes el año de 1583. Y por la misma traduzido en las dos lenguas generales de este Reyno Quichua y Aymara. Lima. (Menéndez Pelayo atribuye el libro al P. Bárcena, otros al P. González Holguín; a juicio de J. T. Medina y de Rivet & Créqui-Montfort la obra es de los PP. Acosta, Blas Valera, Bárcena y Bartolomé de Santiago). (1603. Reedición. Sevilla).

1585. Confessionario para los curas de Indios, con la instrucción contra sus ritos y exhortación para ayudar a bien morir, y summa de sus privilegios y forma de impedimentos del matrimonio, compuesto y traduzido en las lenguas Quechua y Aymara por auctoridad del Concilio Provincial de Lima del año 1583. Lima. (Menéndez Pelayo lo atribuía al P. Bárcena o al P. Diego de Alcozaba, pero con Rivet & Créqui-Montfort se puede decir lo que de la obra anterior). (1603. Reedición. Sevilla).

1585. Tercero Catecismo y exposición de la doctrina cristiana por sermones [en lenguas Quechua y Aymara].

1586. Arte y Vocabulario en la Lengua General del Perú llamada Quechua, y en la Lengua Española, el más copioso y elegante que hasta agora se ha impresso. Lima. (Se atribuye a Bárcena, pero siendo muy semejante al Vocabulario de Fray Juan Martínez, es probable sea este el autor, como señalan Rivet & Créqui-Montfort). (1614. Reed.).

1604. Catecismo de la lengua Española y Aymara del Perú, ordenado por autoridad del Concilio Provincial de Lima. Sevilla.

1624. Vocabulario de la lengua Guaraní que domina ambos mares, el del Sur por todo el Brasil y ciñendo todo el Perú. ms. del que existía una copia por el Barón de Merian, según Viñaza.

1628. Rolletes. Aymaru, Aymara, Entis o Antis. Bolivia, La Paz, siglo XX (reed. de un raro libro impreso en Amberes). Citado por Schuller 1912.

1630. Respuesta que dieron los Yndios a las Reales Provisiones en que se manda que no sirvan... San Ignacio de Ypaumbucú. Texto de un doc. en Guaraní publicado en Jesuítas e Bandeirantes no Guairá. Publ. Bibl. Nac. do Rio de Janeiro 1951.

1658. Doctrina Christiana y explicación de sus misterios en nuestro idioma español y en lengua Arda. Madrid (?). Cf. Rivet 1925.

1699. Arte y vocabulario de la lengua Morocosi, compuesto por un Padre de la Compañía de Jesús, Missionero en las Provincias de Moxos. Madrid.

1721. Manuale ad usum Patrum Societatis Iesu qui in reductionibus Paraquariae uersantur, ex rituali Romano ac Toletano decerptum. Loreto. (Atribuído el texto Guaraní de las pp. 46-54 al P. Restivo).

1740. Caderno da doutrina pela lingoa Monoa ou dos Manaos y compende da doutrina Christaa que se manda ensinar con preceyto. Ms. en el British Museum. V. Joyce.

1753. Arte de la lengua de las Miciones del Rio Napo de la nación de los infieles Quenquehoyos, idioma general de los demás de ese río, Payohuajes, Senzehuajes, Ancoteres, Encabellados; juntamente tiene la doctrina cristiana en dicha lengua y en la del Ynga. (Publicada la parte de Kenkehoyo [Betoya] por Brinton 1892, inédito el resto del ms.).

1753. Breve instrucción o arte para entender la lengua común de los indios según se habla en la provincia de Quito. Lima.

mediados s. XVIII. Confessonario de Chinchaisuios. Ms. del British Museum.

idem. Confessonario en lengua Quechua. Ms. del British Museum.

idem. Gramática de la lengua Xebera. Ms. del British Museum.

idem. Relación de algunos bocablos en lengua de indios Pehuenches. Ms. del British Museum.

idem. Vocabulario en la lengua Castellana, la del Ynga y Xebera. Ms. del British Museum.

1758/85. Colección de documentos en idioma Guaraní correspondientes a los Cabildos de indígenas en las Misiones jesuíticas del Uruguay, desde el año —— al ——. Ms. en la Biblioteca Mitre.

1772. Glosario Quichua, Aymara y Castellano. Ms. cit. por Viñaza.

ca. 1789. Breve compendio de nombres sustantivos y adjetivos ...

para entender la lengua Pariagota. Ms. en la Bibl. de Palacio. Madrid.

idem. Traducción de las voces Castellanas en la lengua Motilona... Ms. en la Bibl. de Palacio. Madrid.

idem. Traducción de las voces Castellanas en la lengua Yarura. Ms. en la Bibl. de Palacio. Madrid. (v. infra Anónimo s. f. Ms. sobre la lengua de los Yaruras).

idem. Vocabulario Mosco. Ms. en la Bibl. de Palacio. Madrid.

idem. Vocabulario Otomaco. Ms. en la Bibl. de Palacio. Madrid.

idem. Vocabulario de la lengua Taparita. Ms. en la Bibl. de Palacio. Madrid.

idem. Descripción de Puerto Deseado en la costa patagónica, con el vocabulario de los Patagones. Ms. en el British Museum.

1790. Gramática de la lengua Sáliva (escrita en el pueblo de Macuco, existía en la Biblioteca Vergara, según Rojas, A. 1941).

1795. Diccionario Portuguez e Brasiliano, obra necessaria aos ministros do altar que emprenderem a conversão de tantos milhares de almas... do Brasil. Lisboa (1891, 1896. Reediciones. 1934. Reed. Ayrosa, que lo atribuye a Fr. Onofre, misionero de Maranhão; según otros es del P. Fr. José Mariano da Conceição Veloso). V. Silva Guimarães.

1795. Vocabulario de la lengua Passa o Setaba (del Perú). 1850 ed. del ms. por Ribeiro de Sampaio RIHGB 13. 255.

fines del s. XVIII. Gramática de la lengua Omagua y vocabulario Guaraní. Ms. de Humboldt en la Bibl. de Berlín.

idem. Vocabularios de las lenguas Lule, Guaraní, Caribe y Quechua. Ms. de Humboldt en la Bibl. de Berlín.

idem. Gramática de la lengua Guaraní, según Hervás y Leal. Ms. de Humboldt en la Bibl. de Berlín.

1819. Llapananta acclianca José de San Martín sutiyocc. Santiago de Chile.

1822. Auqui-camachec Kcollama mama patriacru nancunata. s. l. (proclama del General José María Pérez Urdininca en Quechua).

1822. Llacctacunap sutimpi hucleachachuspa camarec Congreso Constituyente del Perú sutiyoc, Incacunap llaco rucacuman. Lima.

1825. Nomes da lingua Botocuda de varios lugares. O Universal nº 62, 7 dec. p. 248. Ouro Preto.

1834. Tesoros religiosos en Castellano y Quechua. Cuzco.

1835. Gramática y Breve vocabulario de los indios Moluches (en Angelis). Buenos Aires.

1845. Cartilla y catecismo de la doctrina cristiana en Castellano y Qqechua. Cuzco.

1852. Vocabulario da lingua Bugre. RIHGB 15. 60-75.

1855. Los indios del Andaqui. Memorias de un viajero, publicadas por José María Vergara i Vergara i Evaristo Delgado. Popayán (1856. 1889. 1934 Reed. 1860/1. Trad. al inglés en Bull. Amer. Ethnol. Soc. 1. 53-72). V. Albis.

1859. Catecismo de la doctrina cristiana en idioma Tacana, por un misionero del Colegio de Propaganda Fide. La Paz.

1863. Versículos em Guaraní que os indios de Missões costumam cantar na Semana Santa... com a tradução em Português, Rev. do

Inst. Histórico e Geografico da Província de S. Pedro 4. Porto Alegre.

1870 ? Questions on the Apostles'Creed, with other simple instruction, for the Warau Indians at the Missions in Guiana. Londres.

1876. Pequeño manual del misionero para evangelizar a los indios fronterizos. Buenos Aires.

1877. Abschrift eines im Privatbesitz des Herrn von Gülich befindlichen handschriftlichen Guaraní-Fragmentes, angefertigt von Julius Platzmann. Regalado a la Bibl. del Emperador del Brasil. Ms.

1877/8. Abschrift eines im Privatbesitz des Herrn von Gülich befindlichen handschriftlichen Guarani-Fragmentes im Auftrage von Julius Platzmann für Herrn Dr. Karl Hennig angefertigt durch Emmanuel Forchhammer. Ms.

1879. Notice sur plusieurs langues de la Nouvelle Grenade, par un ex-prêtre missionaire. RL 13. 264-74.

1880. Vocabulario de la lengua Campa, apud Wiener, Charles. Perou et Bolivie, París.

1882. Vocabulario dos Botocudos da provincia de Minas Geráis. Rev. Exp. Antropol. Brasil p. 13. Rio de Janeiro.

1882. Vocabulario dos Mundurucús. Rev. Exp. Antropol. Brasil p. 31. Rio de Janeiro.

1882. Catálogo dos objectos do Museu Paranaense remitidos â Exposição Anthropologica do Rio de Janeiro. Appendice. Curitiba.

1882. Arawakisch-Deutsches Wörterbuch. Grammatik der Arawakischen Sprache. Abschrift eines im Besitze der Herrnhuter Bruder-Unität bei Zittau sich befindlichen Manuscriptes. Apud Crévaux, Sagot & Adam.

1889. Cartilla y catecismo novísimo de la Doctrina Cristiana en el idioma de los indios de Guarayos, con el Castellano al frente, por el R. P. Prefecto de aquellas Misiones. Sucre.

1891. Resumen de la Doctrina Cristiana en Kichua, redactado por uno de los PP. Redentoristas. Cuzco.

1895. Abañeém Guia práctica para aprender el idioma Guaraní. Stuttgart.

1897. Relación de la doctrina y beneficio de Nambija y Yaguarzongo. Relac. geográf. de Indias 4. 21-3. Madrid.

1897. Relación de la tierra de Jaén. Relac. geográf. de Indias 4. 28-33.

1898. Vocabulario general de la lengua de los indios del Putumayo y Caquetá, publicado por la primera vez por el Dr. Marcos Jiménez de la Espada. Rev. de Archivos, Bibl. y Museos. Madrid.

1898. Idioma Shipibo (Vocabulario del idioma Shipibo del Ucayali). Bol. Soc. Geogr. de La Paz 1. 43-91.

1899. Sôbre os Botocudos. Rev. do Arquivo públ. Mineiro 4. 784-6. Bello Horizonte.

1903. Doctrina cristiana en la lengua Jívara. Lima.

1903. Vías del Pacífico al Madre de Dios. Publicación de la Junta de Obras Fluviales. Lima.

1905. Vocabulario poliglota incaico, compuesto por algunos religiosos franciscanos misioneros. Lima (v. Anónimo 1919).

1908. V. Missão Salesiana.
1910. Nociones elementales de catecismo en lengua Guaraní. Texto dedicado a la población rural de la diócesis del Paraguay. Asunción.
1913. Tũpã Ñandeyara ñẽẽ. Ñandeyara Jesu-Cristo recocue ja remimbocue rejeguare umi Evangelio marangatú cuera ja umi Apóstoles rembiapocue ja remimboecue rejeguare. Londres. (V. Lindsay).
1914. Ñandeyara Jesu Cristo rembiyocuai Apostol cuera rembiapocue (los Hechos de los Apóstoles), antigua versión española de Cipriano de Valera con una versión a la lengua Guaraní, ambas revisadas a la vista del original griego y otras traducciones. Londres. (v. Lindsay).
1914. Vocabulario de las voces más usuales en Aymara, Castellano y Quechua. Ultima edición. Cochabamba.
1916. Catecismo de la Doctrina cristiana en Guarayo y Castellano. Yotau.
1917. Catecismo en Quéchua Huanca. Lima.
1918. Catecismo Catio-Español, para uso de las misioneras de María Inmaculada y Santa Catalina de Sena y sus neófitos y catecúmenos. Revista departamental de Instrucción Pública, 2a. serie, nº 16, Diciembre, 494-513. Medellín.
1918. Doctrina cristiana en idioma Jívaro. Lima.
1918/9. Quechuismos en Colombia. Archivo historial, Organo del Centro de Estudios Históricos, 1. 221-2. Manizales.
1919. Thamet ta is Jesu Cristo thates San Marcos le lesainek papel, St. Mark's Gospel in Vejoz. Tentative Edition. British and Foreign Bible Society. Londres.
1919. Dialecto Chinchaysuyo. Primer suplemento a la Gramática Quichua, con prólogo de N. S. Vara Cadillo. Rev. Hist. Lima 6. 207-46.
1919. Vocabulario Castellano-Quechua y Quechua-Castellano de Ayacucho, Huancavelica y Apurimac, tomado del Poliglota Incaico, 2a. ed. corregida y aumentada. Lima (v. Anónimo 1905).
1919. Vocabularios Arhuaco, Guitoto y Coreguaje. Archivo historial, órgano del Centro de Estudios Históricos, 1. 543-5. Manizales.
1921. El Evangelio de Jesu Christo según San Lucas en Aymará y Español. Soc. Bíbl. Británica y Extranjera.
1923. Ortografía fonética de las lenguas indígenas [Quechua y Aymara]. Inca 1. 550-6.
1924. Diccionario Jíbaro-Castellano y Castellano-Jíbaro, compilado por los Misioneros Salesianos del Vicariato de Méndez y Gualaquiza. Bol. Acad. Nac. de la Historia de Quito 9. 1-67. (v. Anónimo 1941).
1925. Catecismo menor traducido del Español a la lengua Quichua y aprobado por el Concilio Provincial de Lima en 1773 para que por él se enseñe a los niños e indios. Rev. Arch. de Santiago del Estero. 2. 129-30.
1926/7. La catequización de los Tunebos. Revista de Misiones 2. 405-7. Bogotá.
1927. Gramática del idioma de Ayacucho, arreglado por el R. P. Fr.

F. Ma. R., O. F. M., Tipografía diocesana. Ayacucho.

1928. Breve vocabulario de las principales lenguas que se hablan en los diferentes pueblos y jibarías de la Prefectura Apostólica de Canelos y Macas. El Oriente Dominicano $1^{er}$ año, nº 3, febrero. Canelos.

1928. Catálogo de las voces usuales del Aimara con la correspondencia en Castellano y en Quechua. París. (Hay reed., por ej. 1944. La Paz).

1928. Lenguas de América. Manuscritos de la Real Biblioteca, vol. 1 (Catálogo de la Real Biblioteca vol. VI). Madrid. Comprende Vocabulario Andaquí-Español, pp. 175-95.
Vocavolario para la lengua Aruaca, anyo 1765, recivido a 5 de Febº de 1789, pp. 197-212.
Vocabulario de la lengua que usan los Yndios de estas Misiones. Ceona [o Amuguaje, de las Misiones Franciscanas de Popayán], pp. 307-79. (cf infra Anónimo s:f. Diccionario y catecismo en lengua Zeona).
Traducción de algunas voces de la lengua Guama, año de 1788 [de los pueblos de Santa Rosa, Río Maspano, Río Santo Domingo], pp. 381-93.
[Vocabulario] de Aspanyol y Guarauno, recibido oi 5 Febº de 1789, pp. 441-52.
v. también Bernal, Neira & Ribero, Taradell.

1929. Thawuk Jesu Cristo thames ta isen thaye Apostoles thenai [Evangelio y Hechos en Mataco]. Londres.

1929. As línguas indígenas da América. São Paulo.

1929. Nociones sobre creencias de los Catios. JSA 21. 71-105.

1929. Catálogo de las voces usuales en Aymara. Oruro.

1930. Apu Jesucristona suma arunac pa San Marcosana Kellkapata. Castellano aruta Aymara aruru Kellsuta conjamatejga griego aruna naycarata kellatanajga, uqhamarjama asquichata. McKinney, H. Cromwell, Medina, Angel & Peñaranda, Néstor, translators. Sociedad Bíblica. Nueva York.

1930. Vocabulario Castellano-Huitoto. Revista de Misiones 6º año, 238-40, 287, 336, 384, 431-2, 480, 571. Bogotá.

1930. Pequeño ensayo poligloto para las conversaciones más fáciles en Quichua y Shimigae. El Oriente Dominicano 3. 40-2. Quito.

1930. Thathamet-hi. Oración común (portions of the Book of Common Prayer in the Mataco Language), Soc. for Promoting Christian Knowledge, vol. 3. Londres.

1930. A connexão linguistica Basco-Americana. São Paulo.

1931. Thatenkai Dios Thamtes. Paraphrases of well-known English hymns in the Mataco Language. The Religious Tract Society. Londres.

1933. Toba Grammatical Notes. Inst. de Etnol. Univ. Nac. de Tucumán.

1933. Primer libro de lectura Mataco. Misión Chaqueña. Algarrobal.

1933. Las cartas de San Juan. Idioma Vejoz. Imprentado en Misión Chaqueña. Embarcación.

1933. El Padre nuestro en Machiguenga. Misiones Dominicanas del Perú 15. 36. Lima.

1934. Las investigaciones lingüísticas y etnográficas de la Misión del Caquetá. Introducción y bibliografía. Bol. de Estudios Históricos 5. 193-213. Pasto.
1935. Ñandeyara ñe'ẽ poraró pyré. Misión para la distribución gratuita de las Sagradas Escrituras. Londres.
1936. Arte de la lengua común de los indios de esta provincia de Quito. Boletín de Estudios Históricos 7. 121-42. Pasto.
1937. Llapa runaconapac conasca (Plática para todos los indios). El Oriente Dominicano 10. 42-5.
1938. Vocabulário na Língua Brasílica. Manuscrito Português Tupí do século XVII, coordenado y prefaciado por Plinio Ayrosa. Coleção Departamento de Cultura, vol. 20. São Paulo.
1939. Ensayo de aprendizaje de dialectos orientales. El Oriente Dominicano 12. Quito.
1940. Escritura práctica de las lenguas aborígenes. Tucumán, Instituto de Antropología.
1941. Manual de piedad para los internados en las Misiones Salesianas del Vicariato Apostólico de Méndez y Gualaquiza [Jíbaro, v. Anónimo 1924]. Cuenca.
1941. Los Evangelios y los Hechos en Aymará y Español. Puspacha kollan suma arunaca qhitatanacan luratanacapampi. Sociedad Bíblica.
1942. Los Hechos de los Apóstoles. Jodami Jesucristo Lalemagajeti [Toba]. Buenos Aires, Sociedad Bíblica.
1942. Yama puengenmaji Apu Jesu Cristonu Lukas puenkenmanmaya. El Evangelio según San Lucas en lengua Aguaruna. Lima.
1942/5. Explicaciones a los indios feligreses de la misión dominicana en su idioma Quichua. El Oriente Dominicano 15. 66-7, 86-7, 115-6, 158-9, 244-5, 287-8, 338-40, 16. 5-6, 67-8, 101-2, 205-7, 239-42, 295-7, 17. 10-1, 35-6, 62-3, 100-1, 164-5, 18. 43, 83-4. Quito.
1943. Vocabulario Siriono. Casarabe 1. 19. Casarabe-Beni.
1946. Compendio de las palabras más usuales del Vocabulario Castellano-Quichua que puede servir a los futuros misioneros de Canelos. El Oriente Dominicano 19.17-9, 44-5, 77-8, 107-8, 143-4, 170-1, 207-8. Quito.
1947. Nuevo Testamento en Quechua. Apunchis Jesucristoq Mosoq Rimanakuynin. Sociedades Bíblicas Unidas.
1948. Jatun llajtanchispaj qollana takin. Cantares del Altipampa. Runa Soncco 14, nº 10. 32-3. Juliaca.
1948. Sumaj notisias Juanpa escribisqanman jina. El Santo Evangelio según San Juán. Lima.
1950. Se estudia la lengua Haqe-Aru. BI 10. 254-6 (v. Farfán 1952/4).
1950. Diccionario Guarao-Español y Español-Guarao. Soc. La Salle de Ciencias Naturales. Caracas.
1951. Cancionero Ccanchis con calendario de fiestas y ferias comerciales. Cuzco, Imprenta Amauta.
1952. Kiglerponatu tokanchi Marcoya. El Santo Evangelio según San Marcos. Lima, Soc. Bíblicas Unidas.
1952. Dictionary of the Quechua language in two parts. Compiled by several members of the Bolivian Indian Mission. Cochabamba.

1953. Catálogo de las voces usuales en Aymara con la correspondencia en Castellano y Quechua. La Paz.
1953. Cuestionarios lingüísticos. Bol. Indigenista venezolano 1. 309-24. Caracas.
1953. Yaravi (Versos de la tradición oral) [Quechua]. Tradición nos. 12/4. 51. Cuzco.
1954. Alfabeto fonético para las lenguas Quechua y Aymara. Acta final del Tercer Congreso Indigenista Interamericano. La Paz. Suplemento al BI, p. 17-9.
1954. Jesucristo Tatitusana Machaca Testamento. Londres - Nueva York, Biblica Sociedadanaca mayachthapita.
1954. Señorninchej Jesucristo Mosoj Testamenton (en Quechua de Bolivia). Lima, Sociedades Bibl. Unidas.
1954. Programa de investigación de las lenguas aborígenes de Venezuela. Bol. indigenista venezolano 2. 19-21. Caracas.
1954. La escritura de las lenguas indígenas. Acción indigenista 13. México.
s. f. Ms. de 159 fojas. Rezos en chileno. Biblioteca Mitre, Buenos Aires.
s. f. Ms. Diccionario de la lengua Guajira, cit. por Julián, Antonio: La perla de América, Provincia de Santa Marta, reconocida, observada y expuesta en discursos históricos Madrid 1787. Quizá es el que recogió Mutis, y según Plaza Historia de la Nueva Granada está en la Biblioteca de la Academia de Ciencias de Estocolmo.
s. f. Ms. sobre la lengua de los Yaruras (cf. Anónimo ca. 1789), según Humboldt en la Biblioteca de la Propaganda de Roma.
s. f. Ms. Vocabulário Português-Lingua geral-Maué, fragmento. En la Biblioteca Nac. de Rio de Janeiro. El autor es probablemente el geólogo Ch. Fr. Hartt.
s. f. Ms. Confesionario de Amages. En el British Museum.
s. f. Ms. Advertencia sobre el idioma Chiriguano. En el British Museum.
s. f. Ms. Diccionario y catecismo en lengua Zeona. En la Bibl. Nac. de Bogotá. (V. supra anónimo 1928. Lenguas de América).
s. f. Ms. Pláticas y sermones en lengua Achagua. En la Bibl. Nac. de Bogotá.
s. f. Ms. Pequeño vocabulario de la lengua Muchoxeone. En posesión de P. Rivet, París.
s. f. Ms. Algunas palabras Mocoa. En posesión de P. Rivet.
s. f. Ms. Vocabulario de los dialectos Guarañoca, Poturero, Zamuco y Morotoca. En la Bibliothèque Nat. de París.
s. f. Ms. Breve instrucción o arte para entender la lengua común de los indios. Bibl. de la Univ. de Praga.
s. f. Ms. Vocabulario de la lengua de los indios que poblan los ríos Putumayo y Caquetá. Bibl. Nac. de Rio de Janeiro.
s. f. Ms. Vocabulario Oyampi do alto río Jary e Cuc, Guiana brasileira. Serv. de Prot. aos Indios. Inspectoria no Pará.
s. f. Ms. Vocabulário Pojitxa. Serviço de Proteçao aos Indios. Rio de Janeiro.
s. f. Salmocuera. The Psalms in Guarani, vol. I. Tentative Edition.

LÁMINA X. — Paul Rivet.

s. f. Diccionario Tocano-Español. Steyl.
v. Misioneros Capuchinos; Missão Salesiana.

Anónimo dominico
s. f. Ms. Diccionario de los Achaguas (de la isla y pueblo de Achagua, Est. Apure), en la Bibl. Nacional de Bogotá.

Anónimo jesuíta
1620. Chorus Brasilicus, en Juan Sardina Mimoso: Relación de la Real Tragicomedia con que los Padres de la Compañía de Jesús recibieron a la Magestad Católica de Felipe II de Portugal y de su entrada en este Reino, con lo que se hizo en las villas y ciudades en que entró. Lisboa.

Antonina, Barão de
1856. Vocabulário dos indios Cayuaz. RIHGB 19.

Aparicio, Francisco de, v. Levene.

Aparicio, Pedro
1540 ? Ms. perdido. Arte, vocabulario, sermones, etc. en Quichua.

Apolinar María, Hermano
1946. Vocabulario de términos vulgares en historia natural colombiana. Rev. de la Acad. colomb. de Ciencias exactas, físicas y naturales 7, nos. 25/6. 14-33. Bogotá.

Aragona, P. Alonso de
ca. 1620. Ms. Breve introducción para aprender la lengua Guaraní. En la Bibl. Mitre. Buenos Aires.

Arana, E.
1931. Bibliografía de lenguas americanas. I. Impresos sobre lenguas indígenas, II. Apéndice al Catálogo de Angelis. Bol. de Investigaciones Históricas 13. 138-38. Buenos Aires.

Araujo, P. Antonio d'
1618. Catecismo na lingoa Brasilica... Composto a modo de diálogos por Padres doctos & bons lingoas da Companhia de Iesu, agora novamente concertado, ordenado & acrescentado pello P. — —. Lisboa. (1952. Reed. facsímil. Univ. Catól. Rio de Janeiro).
1686. Idem. Emendado nesta segunda impressão pelo P. Bertholameu de Leam, da mesma Companhia. Lisboa.
1898. Catecismo Brasílico da Doutrina Christaã publicado de novo por Julio Platzmann. Leipzig.

Araujo, Fray José de
s. XVIII. Arte y vocabulario del idioma Cholón e Hibito, ms. cit. por Schuller.

Arboleda, Emma
ms. inédito. Vocabulario breve de un dialecto Chocó de la región Saija-Micay. En el Centro de Investig. Las Casas. Colombia.

Arcaya, Pedro M.
1906. Lenguas indígenas que se hablaron en el Estado Falcón. El Cojo Ilustrado nos. 351 y 355. Caracas.
1918. Lenguas indígenas que se hablaron en Venezuela. De re Indica 1. 4-11. Caracas.

Arce, P., S. J.
Ms. perdido. Vocabulario de los indios Chiquitos y catecismo en la misma lengua.

Arcila Robledo, Fr. Gregorio
1940. Vocabulario de los indios Yurumanguíes. Voz Franciscana 16. 341-43. Bogotá.
1941. Pueblos indígenas o doctrinas de Cartago (1585). Voz Franciscana 17. Bogotá.
Arctowski, Henryk
1901. Voyage d'exploration dans la région des canaux de la Terre du Feu. Bull. de la Soc. royale belge de géographie 25. 33-62.
Ardissone, Romualdo
1955. Aspectos de la glotogeografía argentina. Universidad de Buenos Aires.
[Argañaraz Apolinario]
1886. Clave técnica de la lengua indígena de Sud América, por Un Sacerdote Argentino. Córdoba.
Arguedas, José María
1948. La literatura Quechua en el Perú. La literatura erudita. I: Las oraciones e himnos de origen católico. Mar del Sur 1. 46-54. Lima.
1949. Canciones y cuentos del pueblo Quechua. Lima.
1952. El Ollantay. Letras peruanas 2. 113-16. Lima.
1953. Cuentos mágico-realistas y canciones de fiesta tradicionales del Valle de Mantaro, provincias de Jauja y Concepción. Folklore americano 1. 101-293. Lima.
1955. Los himnos Quechuas católicos cuzqueños. Estudio preliminar (v. Lira 1955, Farfán 1955). Folklore americano 3. 121-66. Lima.
Arias, P. Eusebio
s. f. Ms. Arte de la lengua Mayna [en realidad es del Quechua, que los misioneros introdujeron en aquella región]. En el British Museum.
Arias Larreta, Abraham
1951. Literaturas aborígenes. Azteca, Incaica, Maya-Quiché. Los Angeles, Colecc. Sayari.
Arizala, Fray Esteban, v. Puente, Fr. Francisco de la
Armellada, P. Cesáreo de
1936. Bellezas del dialecto Taurepán (lengua Caribe). Bol. Acad. Venezolana 3. 208-23.
1943/4. Gramática y Diccionario de la lengua Pemón (Arekuna, Taurepán, Kamarakoto, familia Caribe). Vol. I Gramática. Vol. II Diccionario. Caracas.
1948. Una aclaratoria necesaria. ¿Todos los indígenas de Perijá son Motilones? ¿Los Motilones son Caribes? Venezuela misionera 10 nº 112. 131-6.
1956. Los indios "Japréria", una nueva tribu redescubierta. BI 16. 356-65.
v. Rivet & Armellada.
Armellada, Fray C. de & Matallana, Fray B. de
1942. Exploración del Paragua. Bol. de la Soc. Venezolana de Cienc. Nat. 8. 61-110.
Armentia, P. Nicolás

1887. Navegación del Madre de Dios. Bibl. Boliv. de Geogr. e Hist. La Paz.
1888. Vocabulario de los dialectos Tacana, Araona, Pacaguara, Caviñena y Moseteno, hablados por los indios mosetenes en la orilla del Beni, por los Tacanas..., por los Caviñenos..., por los Pacaguaras del Beni, Madre de Dios, Manioré y Madeira, y por los Shipibos del Ucayali y Guallaga. 1º de Agosto. Ms.
1898. Vocabulario del idioma Shipibo, del Ucayali, que es el mismo que el Pacaguara del Beni y el Madre de Dios. Este es un dialecto de la lengua Pano, que es la lengua general del Huallaga, del Ucayali y de sus afluentes. Bol. Soc. Geogr. de La Paz 1. 43-91.
1902. Arte y vocabulario de la lengua Tacana, manuscrito del R. P. Fray — —, Oraciones y Catecismo por el R. P. Fr. Antonio Gili, con introducción, notas y apéndices por S. A. Lafone Quevedo. RMLPlata 10. 63-172, 297-311.
1903. Los indios Mosetenes y su lengua; noticias generales y vocabularios, con introducción de S. A. Lafone Quevedo. ASCA vols. 52, 53, 54.
1906. Arte y vocabulario de la lengua Caviñena o Cavina, manuscrito del R. P. Fray — —, ordenado con notas por S. A. Lafone Quevedo. RMLPlata 13. 1-120.

Arquellada Mendoza, Domingo José, v. Molina, Juan Ignacio
Arronches, Frei João, v. Ayrosa, Plinio, 1935.
Arroyo Ponce, Gamaliel
1955. Literatura oral de Tarma. Archivos peruanos de folklore 1. 70-85. Cuzco.

Arroyo S., Víctor Manuel
1953. Nauatismos y nahuatlismos en Costa Rica. Tlatoani 7. 13-7. México.

Ascásubi, Luis de
1954. Sobre un tipo de invasiones precolombinas. Bol. de la Acad. Nac. de la Historia 34. 246-64. Lima.

Asociación de Promotores de Lenguas Indias Bolivianas
1954. Estatutos. BI 14. 256-62.

Astete Ch., S.
1936/7. Aportes para una gramática Cjeswa [Quechua]. Rev. Instit. Arqueol. 1. 80-90, 2. 77-84. Cuzco.
1937. Bibliografía. El lenguaje peruano, por P. M. Benvenuto Murrieta. Rev. Instit. Arqueol. 2. 86-90. Cuzco.

Augusta, Fray Félix José de
1903. Gramática Araucana. Valdivia.
1910. Lecturas Araucanas. Valdivia.
1911. Zehn Araukanerlieder. Anthropos 6. 684-98.
1916. Diccionario Araucano-Español y Español-Araucano. Dos vol. Santiago de Chile.
1922. Pismahuile; un cuento Araucano. Publ. Mus. Etnol. Antropol. Chile 2. 385-400.

Augusta, Fray Félix José de & Frauenhäusl, P. Sigifredo de
1934. 2a. ed. revisada y ampliada de Augusta 1910.

Aulir, v. Biet.
Avendaño, Fernando
1649. Sermones de los misterios de nuestra Santa Fe Católica, en Lengua Castellana y la General del Inca. Lima.
Avila, Francisco de
s. XVII. Ms. Tratado y relación de los errores, falsos dioses y otras supersticiones y ritos diabólicos en que vivían antiguamente los yndios de las provincias de Huaracheri, Mama y Chaclla.
1942. De priscorum Huarachirensium origine et institutis, ad fidem mscpti nº 3169 Bibliothecae Nationalis Matritensis, edidit Prof. Dr. Hippolytus Galante. Madrid.
v. Trimborn.
Ayala Aquino, Gumersindo
1949. Apĩtu'ũ Potĩ. México (poemas en Guaraní).
Ayllón, Juan H.
1926. Santo Evangelio k'ochunaca [Aimara]. Imprenta de la Misión Boliviana de Santidad "Amigos". Sorata.
Ayres de Cazal, Manoel
1845. Corografía Brasílica ou Relação historico-geographica do Brasil. 2a. ed. Rio de Janeiro.
Ayrosa, Plinio (Marques da Silva)
1933. Primeiras noções de Tupi. Edição dedicada ao Centro de Professorado Paulista. São Paulo.
1934. Diccionário Português-Brasiliano e Brasiliano-Português. Reimpressão integral da edição de 1795, seguida da 2a. parte inédita, ordenada e prefaciada por ——. Rev. Mus. Paulista 18. 17-322.
1935. O Caderno da Lingua, ou Vocabulário Português-Tupi de Frei João de Arronches, 1739: Notas e comentários á margem de um manuscrito do século XVIII. Rev. Mus. Paulista 21. 49-322.
1937. Termos Tupis no Português do Brasil. Coleção do Departamento de Cultura, vol. 13. São Paulo.
1937. Os "Nomes das partes do corpo humano pela língua do Brasil" de Pedro de Castilho. Texto Tupi-Português e Português-Tupi do século XVII. Coleção do Departamento de Cultura, vol. 14. São Paulo.
1938. Subsídios para o estudo da influência do Tupi na fonologia Portuguesa. Anais do Primeiro Congresso da Língua Nacional Cantada 679-96. Município de São Paulo.
1939. Dos índices de relação determinativa de posse no Tupi-Guarani. Universidade de São Paulo, Faculdade de Filosofia, Ciências e Letras, Boletim 11.
1941. Poemas Brasílicos do Pe Cristóvão Valente S. J. (Notas e tradução). Universidade de São Paulo, Faculdade de Filosofia, Ciências e Letras, Boletim 23.
1941. Colóquio da entrada ou chegada ao Brasil entre a gente do pais chamada Tupinambá e Tupiniquin, em lenguagem Brasílica e Francesa, en Juan de Léry: Viagem à terra do Brasil, tradução integral e notas de Sergio Milliet. São Paulo.
1942. Glossário dos têrmos Tupis que ocorrem na parte oitava da

História Natural do Brasil, de Jorge Marcgrave. Edição Portuguesa do Museu Paulista. São Paulo.
1943. Apontamentos para a bibliografía da língua Tupi-Guarani. Universidade de São Paulo, Faculdade de Filosofia, Ciências e Letras, Boletim 33. (1954. 2a. edición, Boletim 169).
1950. Orações e dialogos da Doutrina Cristã na lingua Brasílica. Mss. do século XVIII transcritos e anotados por — —. Univ. de São Paulo, Fac. de Filos., Ciências e Letras, Boletim 106.
1950. Nomes dos membros do corpo humano e outros designativos na língua Brasílica. Mss. do século XVIII transcritos e anotados por — —. Univ. de São Paulo, Fac. de Filos., Ciências e Letras. Boletim 114.
1951. Vocabulário Português-Brasílico. Universidade de São Paulo, Faculdade de Filos., Ciências e Letras, Boletim 135.
v. Anônimo 1938; Catecismos varios.

Aza, P. José Pío
1923. Vocabulario Español-Machiguenga. Lima, Casa Editora La Opinión Nacional.
1924. Vocabulario Español-Machiguenga. Bol. Soc. Geogr. Lima 41. 41-78.
1924. Estudio sobre la lengua Machiguenga. Casa Editora La Opinión Nacional. Lima.
1924. La lengua Machiguenga. Misiones Dominicanas del Perú 6. 57-62. Lima.
1927. La aglutinación en las lenguas salvajes. Misiones Dominicanas del Perú 9. 128-34. Lima.
1928. Vocabulario Español-Huarayo. Lima (Antes fue publicado en el Bol. Soc. Geográf. Lima 41. 117-33, 1924).
1930. Lenguas de civilizados y salvajes. Misiones Dominicanas del Perú 12. 193-99. Lima.
1930. El género gramatical en las lenguas salvajes. Misiones Dominicanas del Perú 12. 214-19. Lima.
1930/2. La tribu Huaraya. Misiones Dominicanas del Perú 12. 3-12, 14. 181-90, 245-53. Lima.
1931. El verbo en las lenguas cultas y en las lenguas salvajes. Misiones Dominicanas del Perú 13. 26-33. Lima.
1933. Doctrina cristiana en Machiguenga y Español. Lima.
1933. La tribu Arasairi y su idioma. Misiones Dominicanas del Perú 15. 139-44. Lima.
1935. Vocabulario Arasairi o Mashko. Misiones Dominicanas del Perú 17. 190-3. Lima.
1937. Vocabulario Español-Arasairi. Lima.

Azpilcueta Navarro, Juan, S. J.
ca. 1550. Ms. Oraciones y catequesis en lengua general del Brasil, perdido.

Azpilcueta, Tomás
1938. Estudio de la lengua Quechua. Boletín de clase 6º año pp. 151-7. Lima.

Baca Mendoza, Osvaldo & otros
1954. Escritura de las lenguas Quechua y Aymara. Tres documentos sobre el sistema de escritura de estas lenguas aprobado y reco-

mendado por el III Congreso indigenista interamericano de La Paz. Cuzco.

Baca Mendoza, O., Morote Best, E., Núñez del Prado C. & Roel Pineda, J.
1954. Los errores que se cree ver en la escritura del Quechua y del Aymara. El Comercio 24 Dic. Lima.

Bacarreza, Zenón
1910. Fragmento del informe de la Provincia de Carangas, del Departamento de Oruro. Bol. Ofic. Nac. Estado 6. 477-80. La Paz.
1957. Proyecto de alfabeto para escribir la lengua Aymará. Khana, Rev. munic. de arte y letras 25/6. 57-63. La Paz (contiene un vocabulario Uru-Chipaya).

Bach, J.
1916. Datos sobre los indios Terenas de Miranda. ASCA 82. 87-94.

Bachiller y Morales, Antonio
1883. Cuba primitiva. La Habana.

Baena, v. Hino.

Bairon, Max A.
1952. La educación indígena en las selvas de Bolivia. América indígena 12. 141-7.

Baldrich, J. Amadeo
1890. Las comarcas vírgenes. El Chaco central norte. Buenos Aires.

Baldus, Herbert
1927. Os indios Chamacocos e a sua língua. Rev. Mus. Paulista 15, parte 2a. 5-62.
1931. Notas complementares sôbre os indios Chamacocos. Rev. Mus. Paulista 17. 529-51.
1931. Kaskihá-Vocabular. Anthropos 26. 541-50.
1932. Beiträge zur Sprachenkunde der Samuko-Gruppe. Anthropos 27. 361-416.
1935. Sprachproben des Kaingangs von Palmas. Anthropos 30. 191-202.
1937. Tereno-Texte. Anthropos 32. 528-44.
1944/9. Os Tapirapé, tribu Tupi do Brasil central. Rev. do Arq. Mun. de São Paulo vols. 96/105, 107/24, 127.
1946/7. Vocabulario zoológico Caingang. Arquivo do Mus. Paranaense 6. 149-60. Curitiba.
1952. Breve notícia sôbre os Mbyá-Guaraní de Guarita. Rev. Mus. Paulista n. s. 6. 479-88.
1953. Terminologia de parentesco Kaingang. Sociología 14. 76-9. São Paulo.
1954. Os Oti. Rev. Mus. Paul. n. s. 8. 79-92.
1958. Contribuçao à linguistica Gê. Misc. Paul Rivet 2. 23-42. México.

Bandini, P. Simón, v. Catecismos varios 1956, Restivo 1892.

Baptista, Cyriaco
1931/2. Worte und Texte der Tembé-Indianer. Aufgezeichnet von —, herausgegeben von Dr. Emil Heinrich Snethlage. RIET 2. 347-93.

Barata, Federico, v. Nimuendajú 1949.

Barbará, Federico
1856. Diálogos en Español y en lengua Puelche. Buenos Aires.

1879. Manual o vocabulario de la lengua Pampa y del estilo familiar. Buenos Aires. (1948. Reedición. Buenos Aires). v. Vignati 1946.

Barbosa de Faria, João
1925. Tupis e Tapuias. Bol. Mus. Nac. Rio de Janeiro 2. 63-6.
1948. Vocabulário dos indios Pauatê. En: Glossario general das tribos silvícolas de Mato Grosso e outras da Amazonia e do Norte do Brasil. Com. Nac. Prot. aos Indios, Publ. nº 76. Com. Rondón, Anexo 5, 1. Rio de Janeiro.
1948. Vocabulário dos indios Quepi-quiri-uáte. Ibidem. Vocabularios manuscritos (inéditos).

Barbosa Rodrigues, João
1881. Notas (botânicas, zoológicas e geográficas) à obra de John Luccock, A Grammar and Vocabulary of the Tupi Language. RIHGB 62. 33-130.
1885. Rio Jauapery. A pacificação dos Krischanas. Rio de Janeiro.
1888. A lingua geral do Amazonas e o Guaraní. Observações sôbre o alfabeto indígena. RIHGB 51. 73 ss.
1890. Lendas mitológicas. Anais da Bibl. Nac. do Rio de Janeiro 1-140.
1890. Quadro em que se mostra a adulteraçao da lingua [Tupi] pela pronúncia e pela ortografia. Anais da Bibl. Nac. do Rio de Janeiro 14.
1890. Contos zoológicos. Anais da Bibl. Nac. do Rio de Janeiro 14. 193-206.
1890. Contos astronômicos e botânicos. Anais da Bibl. Nac. do Rio de Janeiro 14. 209-70.
1890. Cantigas [dos Tapuyos da Amazonia]. Anais da Bibl. Nac. do Rio de Janeiro 14. 275-334.
1890. Poranduba amazonense (Kochiymauara porandub). Anais da Bibl. Nac. do Rio de Janeiro 14.
1892. Vocabulário indígena comparado, para mostrar a adulteraçao da língua. Anais da Bibl. Nac. do Rio de Janeiro 15, fasc. 2.
1892/4. Vocabulário indígena com a ortografia correta. Anais da Bibl. Nac. do Rio de Janeiro 15. 1-47.
1893. Complemento do Vocabulário indígena com a ortografía correta. Anais da Bibl. Nac. do Rio de Janeiro 16. 49-64.
1905. Mbaé kaá tapyiyetá enoyndaua ou a botânica e a nomenclatura indígena. Memória apresentada ao 3º Congresso Científico Latino-Americano. Rio de Janeiro.

Barboza d'Almeida, Hermenegildo Antonio
1846. Viagem as villas de Caravellas, Viçosa, Porto Alegre de Mucury e aos rios Mucury e Peruhipe. RIHGB 8. 451-2.

Barcatta de Valfloriana, Frei Mansueto
1918. Ensaio de gramática Kaingang Rev. do Mus. Paulista 10. 528-63.
1918. Uma crítica ao "Vocabulário da língua Kainjgang" do Visconte de Taunay. Rev. do Mus. Paulista 10. 565-628.
1920. Dicionarios Kainjgang-Português e Português-Kainjgang. Rev. do Mus. Paulista 12. 1-381.

Barcelona, P. Javier de

ms. inéditos. Encuestas esquemáticas de las lenguas Bora-Emejeite, Bora-Muinane, Nonuya, Okaina, Uitoto-Mekka, Uitoto-Meneka, Uitoto-Muruy y Uitoto-Búe. En el Centro de Investig. Las Casas. Colombia.

Barcelona, P. Valentín de

ms. inédito. Vocabulario breve de la lengua Cofán. En el Centro de investig. Las Casas. Colombia.

Bárcena (o Bárzana), P. Alonso de

1590. Lexica et praecepta grammatica, item liber confessionis et precum, in quinque Indorum linguis, quarum usus per Americam australem, nempe Puquinica, Tenocotica, Catamarcana, Guaranica, Natixana siue Mogamana. (Obra perdida que no parece se haya impreso nunca).

1893. Arte de la lengua Toba... con vocabularios facilitados por los Sres. Angel J. Carranza, Pelleschi y otros, editados y comentados por Samuel A. Lafone Quevedo. Bibl. Ling. del Mus. de La Plata, vol. 2, parte 1 (RMLPlata 5. 129-84, 305-87).

1896. Arte y vocabulario de la lengua Toba con un léxicon Toba-Castellano y otras piezas, editados y comentados por S. A. Lafone Quevedo. RMLPlata 7. 189-227.

1896. Vocabulario Castellano-Toba, acompañado de equivalencias apuntadas por el Indio López en 1888, por S. A. Lafone Quevedo. RMLPlata 7. 229-61.

Barral, Basilio María de

1948. Cantares Guaraúnos. Venezuela misionera 10. 139-41, 170-1, 373-7.

1957. Canciones de cuna de los Warrau (Guaras, Guarauno). Antropológica (Soc. de Cienc. Nat. La Salle) 2. 31-8. Caracas.

1958. Vocabulario teúrgico-mágico de los indios guaraos. Antropológica (Soc. de Cienc. Nat. La Salle) 4. 27-36. Caracas.

Barranca, José S.

1906. La raíz kam en el Kichua y sus derivados. Rev. Histórica 1. 60-4. Lima.

1914. Yamiaco. Bol. Soc. Geogr. Lima 30. 5-8.

1915-20. Lingüística peruana. Raíces kichuas para servir al estudio de este idioma y de otras lenguas autóctonas afines. Bol. Soc. Geogr. Lima 31. 1-32, 122-45, 377-97, 32. 238-63, 393-417, 33. 58-122, 279-94, 378-94, 34. 107-20, 148-97, 36. 157-63

1919. Dialecto Chinchaysuyu. Primer suplemento a la gramática Quechua, con prólogo de N. S. Vara Cadillo. Rev. Histórica 6. 207-46. Lima.

1922. Ensayo de clasificación y etimología de los nombres geográficos peruanos (Kichua y Aimara). Bol. Soc. Geogr. Lima 39. 28-51, 183-208.

Barranca, Sebastián

1868. Ollanta, o sea la severidad de un padre y la clemencia de un rey... traducido del Quichua al Castellano. Lima.

1876. Fragmentos de una gramática para el Cauqui. El Siglo, año 3. Lima.

Barranca, S. & Urteaga

1936. ed. de Ollanta.

Barrasa, P. Cipriano, S. J.
ca. 1700. Doctrina cristiana en la lengua de los Moxos (?).
Barrera Oro, Julio
1926. Verdadera clasificación de las lenguas aborígenes de la Repúbli ca Argentina. Interesante descubrimiento sobre el origen de las poblaciones precolombianas de América. Mendoza.
Barrett, S. A.
1909. The Cayapa numeral system. Putnam Anniversary Volume, Anthropological Essays 395-404. Nueva York.
1925. The Cayapa Indians of Ecuador. Indian Notes and Monographs, vol. 40, Nueva York.
Barrionuevo, Roberto
1955/7. Escritura de las lenguas Quechua y Aymara. Tradición 7. 2-11. Cuzco.
Barros Arana, Diego & Lenz, Rodolfo
1893. La lingüística americana, su historia y su estado actual. Anales de la Universidad de Chile 84. 985-1029.
Barros Paiva, Tancredo de
1930. Raça brasilica: usos, costumes, linguagem; ethnografia e antro pologia, bibliografia. Bol. do Minist. da Agricultura, Ind. e Co mercio 19. 121-40, 255-71.
1932. Bibliographia etnico-linguistica brasiliana. 20 CIA Rio de Janei ro 1932, 3. 331-400.
Barrutieta, José Joaquín & Carvó, José
ms. Diccionario y catecismo de la lengua Zeona del Putumayo. Bibl. Nac. de Bogotá.
Bartoli, Matteo
1937. Ancora delle origini dei linguaggi precolombiani alla luce delle norme spaziali. Mélanges Van Ginneken 123-33. París.
Basadre, Jorge
1938. Literatura Inca. Selección de —— ——. Biblioteca de Cultura Pe ruana. París.
1939. En torno a la literatura Quechua. Sphinx 3. 7-37. Lima.
Bassilan, Mallat de
1892. L'Amérique inconnue d'après le journal de voyage de J. de Bret tes. París.
Bastian, Adolf
1876. Bericht über die Sprache welche die Chamies- Andaguedas- Mu rindoes- Cañasgordas- Rioverdes- Necodades- Caramantas- Tadocitos- Patões- Curusambas-Indianer sprachen. ZE 7. 359-77.
1878. Die culturländer des alten Amerikas. Berlín.
Basurco, A.
1903. Viaje a la región de los Cayapas. Rev. de Ciencias 7. 9-13. Lima.
Batet, Lucas de
1951/3. Texto de las coplas del cancionero. Amazonia colombiana americanista 5. 35-71.
ms. inédito. Encuestas en Tanimuca, Andoke, Jébero, Tikuna y Kokama. En el Centro de Investig. Las Casas. Colombia.
Bauve, Adam de & Ferré, P.

1833/4. Voyage dans l'intérieur de la Guyane. Bull. de la Soc. de Géogr. série II, 28. 105-44, 165-78. París.

Bayer, Wolfgang

1775/6. Concio de Passione D. N. I. C. in lingua Aymarensi Indica, in Missione Juliensi in Regno Peruano prolata a P. ___ ___ [Precede un capítulo Von der Aymarischen Sprache in Perú]. Christoph Gottlieb von Murr Journal zur Kunstgeschichte und zur allgemeinen Litteratur 1. 112-22, 2. 277-334, 3. 55-104. Nuremberg.

Beaurepaire-Rohan, Henrique de

1899. Diccionario de Vocábulos Brasileiros. Rio de Janeiro.

Beauvoir, J. M.

1901. Pequeño diccionario del idioma Fueguino-Ona, con su correspondiente Castellano. Buenos Aires.

1915. Los Shelknam, indígenas de la Tierra del Fuego, sus tradiciones, costumbres y lengua. Buenos Aires.

Beauvoir, J. M. & Zeballos, E. S.

1915. Lengua Fueguina Sheiknam. Rev. Derecho, Historia y Literatura, julio.

Beck-Bernard, Lina

s. f. Le rio Paraná. París.

Becker-Donner, Etta

1955. Notizen über einige Stämme an den rechten Zuflüssen des Rio Guaporé.
Archiv f. Völkerkunde 10. 275-343.

1956. Archäologische Funde am mittleren Guaporé (Brasilien). Archiv f. Völkerkunde 11. 207-49.

Beghin, François-Xavier

1951. Les Guaja. Rev. Mus. Paulista n. s. 5. 137-9.

Belaieff, Juán

1930. Los indios Sociagay. Rev. Soc. Cientif. Paraguay 2.

1931. Vocabulario Macá. Clave y apuntes gramaticales. Rev. Soc. Cientif. Paraguay 3. 53-67, 124-30.

1936. Cahyguas. Rev. Soc. Cientif. Paraguay 2. 193 ss.

1937. El vocabulario Chamacoco. Rev. Soc. Cientif. Paraguay 4. 10-47.

1940. El Maccá. Rev. Soc. Cientif. Paraguay 4, nº 6. 1-111.

mss. inéditos. Vocabularios de los idiomas Siracua, Musuraki, Otuquie, Cautarie, Poturero, Guarañoca y Moro.

Belgrano, Manuel

1810. Documentos históricos (cinco doc. en Esp. y Guaraní). ms. del Museo Mitre.

Beltrán, Carlos Felipe

1854. Doctrina cristiana en el idioma Quechua, más completa y depurada. Sucre (1872. Reed. Oruro, y varias veces posteriormente, bajo el título de Civilización del indio).

1872. Civilización del indio. Doctrina cristiana en Castellano y Aymara. Oruro (reed. posteriores).

Benítez, Leopoldo A.

1925. Guahú tetãriguára. Himno nacional, versión Guaraní. Prólogo de D. Juan E. O'Leary, Glosario del Dr. Tomás Osuna. Asunción.

Bentivoglio, Pio
1879. Pequeño catecismo Castellano-Indio [Araucano]. Buenos Aires (1907. Reed. Santiago de Chile).
Berckenhagen, Hermann
1894. Grammar of the Miskito language, with exercises and vocabulary. Gustav Winter, Stolpen, Saxony.
1905. English-Miskito-Spanish phrase-book. Bethlehem, Pa.
1906. Pocket Dictionary Miskito-English-Spanish and English-Miskito-Spanish. Bethlehem, Pa.
Berendt, C. H.
1874. On a Grammar and Dictionary of the Carib or Karif Language, with some Accounts of the People by whom it is spoken. Ann. Repp. Smithsonian Instit. 1873. 363-4.
1874. The Darien Language. Paper read before the American Ethnological Society. American Historical Record 3. 54-9.
Berengueras, José
1934. Rudimentos de gramática Karibe-Cuna. Panamá.
Bernal, P. Enrique
1919. Esbozo de la estructura gramatical de nombres propios y apellidos Chibchas. El Catolicismo 24 Sept. 1919. Bogotá.
Bernal, P. Fr. Joseph
1800. Catecismo de Doctrina Christiana en Guaraní y Castellano, para el uso de los curas doctrineros de Indios de las naciones Guaraníes de las provincias del Paraguay. [Buenos Aires]. (Reimpreso en Anónimo 1928, Lenguas de América 395-439).
Bernal Villa, Segundo
1955. Bases para el estudio de la organización social de los Páez. Rev. Colomb. de Antropol. 4. 165-88.
Bernardo de Nantes, R. P. Fr., Capuchino
1709. Katecismo índico da lingua Kariri. Lisboa. (1896. Edición facsimilar, Leipzig).
Berner, Ernst
1906. Vocabulaire de la langue Ouitoto, étude linguistique, apud Koch-Grünberg 1906.
Berríos, José David
1919. Elementos de gramática de la lengua Keshua. Nueva York-Londres. (2a. ed. La Paz).
Berro García, Adolfo
1938. Lexicografía rochense. Bol. de Filol. 2. 199-220. Montevideo.
1938/9. Prontuario de voces del lenguaje campesino uruguayo. Bol. de Filol. 2. 389-412. Montevideo.
Bertolasso Stella, Jorge
1938. As línguas indígenas da América. São Paulo.
Bertoni, A. de Winkelried
1909. Vocabulario zoológico Guaraní (con etimología y nomenclatura técnica). Terceira Reunião do Congresso Científico Latino-Americano, Rio de Janeiro 1905. 3. 541-603.
Bertoni, Guillermo Tell
1924. El indio Guayakí, una raza interesante y mal conocida. 20 CIA, Rio de Janeiro 1922. 1. 103-10.

1926. Fonología prosódica y ortográfica de la lengua Guaraní. Rev. Soc. Cient. Paraguay 2, nº 2. 1-23.
1927. El indio Guayakí. Bosquejo etnológico de una raza interesante y mal conocida. Asunción.
1936. La lengua Guaraní, importancia histórica y actual... La conjugación del verbo y la existencia del verbo "ser". San Lorenzo, Paraguay.
1939. Diccionario Guayakí-Castellano. Rev. Soc. Cient. Paraguay 4, nº 5.
1941. Análisis glotológico de la lengua Guaraní-Tupí. 1a. Parte: Origen y caracterización tipológica de la lengua. Rev. Soc. Cient. Paraguay 5, 2. 63-102.
1952. El uso de la jota por ye en el alfabeto Guaraní. Bol. de Filol. 7. 742-8. Montevideo.

Bertoni, Moisés Santiago
1914. Ortografía Guaraní. Asunción (1927. 3a. ed. Puerto Bertoni, Paraguay).
1916. Influencia de la lengua Guaraní en Sud-América y Antillas (I. Los nombres Guaraní, Tupí, Karaíve y Tapuya, II. Enumeración de los dialectos Guaraníes, III. Cuadro comparativo de la influencia Guaraní en las lenguas Guaranianas, IV. Los Karaíves o Karaí-Guaraní en las Antillas y Centro América, V. Analogías lingüísticas Guaraní-Peruanas). Anales Científ. Paraguayos nº 1, serie II. Puerto Bertoni, Paraguay.
1920. La lengua Guaraní como documento histórico. Estructura, fijeza, inalterabilidad, consecuencias para la etimología. Anales Científ. Paraguayos 2. 432-64.
1920. Aperçu ethnographique préliminaire du Paraguay Oriental et Haut Paraná. Anales Científ. Paraguayos 2. 468-544.
1920. Los Chiriguaná, actual estado de cultura de una nación Guaraní [reseña de Nordenskiöld 1910]. Anales Científ. Paraguayos 2. 545-51.
1921. Analogías lingüísticas Caraibes-Guaraníes y la lengua Guaraní en Antillas, Venezuela, Colombia y Centro-América. Anales Científ. Paraguayos 3, nº 1. Puerto Bertoni.
1922. La civilización Guaraní. Parte I: Etnología. Origen, extensión y cultura de la raza Karaí-Guaraní y protohistoria de los Guaraníes. Puerto Bertoni, Paraguay.
1926. Fonología, prosodia y ortografía de la lengua Guaraní. Asunción.
1932. La lengua Guaraní como documento histórico (estructura, fijeza, inalterabilidad), consecuencias para la etimología. 20 CIA, Ric de Janeiro 1922. 3. 135-50.
1940. Diccionario botánico Latino-Guaraní y Guaraní-Latino, con un glosario de vocablos y elementos de la nomenclatura botánica. Asunción.
1940. La lengua Guaraní. Estructura, fundamentos gramaticales y clasificación (Apuntes póstumos). Rev. Soc. Científ. del Paraguay 5 nº 1.

Bertonio, P. Ludovico
1603. Arte breve de la lengua Aymara, para introduction del arte gran-

de de la misma lengua. Roma.
1603. Arte y grammatica muy copiosa de la lengua Aymara. Roma. (1879. Reed. Platzmann, Leipzig).
1612. Vocabulario de la lengua Aymara. Iuli, Chucuito (en realidad Lima). (1879. Reed. Platzmann, Leipzig. 1945/54. Reed. Bol. Soc Geogr. La Paz 56, nº 68. 207-300, 71/2. 36-49).
1612. Confessionario muy copioso en las dos lenguas Aymara y Española. Iuli, Chucuito (Lima).
1612. Libro de la vida y milagros de Nuestro Señor Iesu Christo en dos lenguas, Aymara y Romance. Iuli, Chucuito (Lima).
v. Abregú Virreira.

Bettendorff, P. Juan Felipe, S. J.
1687 (por errata se lee 1678) Compendio de Doutrina Christiana na lingoa Portugueza e Brasilica. Lisboa. (1800. Reed. Lisboa).

Beuchat, Henri & Rivet, Paul
1907. Contribution à l'étude des langues Colorado et Cayapa. JSA 4. 31-70.
1908. La famille linguistique Zaparo. JSA 5. 3-17.
1909. La famille linguistique Cahuapana. ZE 41. 616-34.
1909/10. La langue Jibaro ou Šiwora. Anthropos 4. 805-22, 1053-64, 5. 1109-24.
1910. Affinités des langues du Sud de la Colombie et du Nord de l'Equateur. Le Mouséon 11. 33-68, 141-98.
1911. La famille Betoya ou Tucano. MSL 17. 117-36, 162-90.

Bezerra de Menezes, Antonio
1902. Carta ao Dr. Teodoro Sampaio. Revista da Academia Cearense 7. 161-7.

Bianchetti, Juan de
1944. Gramática Guaraní (Avá ñeẽ) y principios de filología. Buenos Aires.

Bibolotti, Benigno
1917. Moseteno Vocabulary and Treatises... from an unpublished manuscript in possession of Northwestern University, with an Introduction by Rudolph Schuller. Evanston and Chicago.

Biet, Antoine
1664. Dictionnaire de la langue Galibi (en Aulir, Voyage de la France Equinoctiale en l'isle de Cayenne, París). (1896. Reed. París).

Blanco, Tomás
1940. Anotaciones sobre población puertoriqueña. I: Los Indios. Ateneo Puertoriqueño 4, nº 2. 99-108. San Juán.

Blixen, Olaf
1958. Acerca de la supuesta filiación Arawak de las lenguas indígenas del Uruguay. Montevideo, Instit. de Filología.

Blumensohn, Jules N.
1936. A preliminary sketch of the kinship and social organization of the Botocudo Indians of the Rio Plate in the municipality of Blumenau, Santa Catarina, Brasil. Boletim do Mus. Nacional 12, nº 3: 41-58. Rio de Janeiro.

Boggiani, Guido
1894. I Ciamacoco. Conferenza tenuta in Roma alla Società Geografica Italiana. Roma.

1895. I Caduvei Studio intorno ad una tribu indigena nell'Alto Paraguay nel Mato Grosso. Roma.
1895. Vocabulario dell'idioma Guaná. Atti della R. Accad. dei Lincei, Memorie, Ser. 5, vol. 3, parte 1a. pp. 57-80.
1897. Importante correspondencia. Apuntes sueltos de la lengua de los indios Caduveos del Mato Grosso. BIGA 18. 367 ss.
1899. Cartografía lingüística del Chaco. Estudio crítico sobre un artículo del Dr. D. G. Brinton. Rev. del Instituto Paraguayo 3.
1899. Guaicurú, sul nome, posizione geografica e rapporti etnici e linguistici di alcune tribù antiche e moderne dell'America meridionale. Mem. della Soc. Geogr. Italiana 8. 242-95. Roma.
1900. Compendio de etnografía paraguaya moderna. Asunción.
1900. Lingüística sudamericana. Datos para el estudio de los idiomas Payagua y Machicui. Trabajos de la 4a. Sección del Congreso Científico Latino-Americano 203-82. Buenos Aires.
1929. Vocabulario dell'idioma Ciamacoco, v. Loukotka.
ms. inédito. Vocabolari inediti, idiomi Chinichinao, Tereno, Mbühá, Toba.
v. Steinen 1895.

Bolaños, Fr. Luis de
ms. 1655. Testimonio del Cathecismo y Oraciones de la lengua Guaraní del Paraguay e informaciones sobre el mismo. En la Bibl. Mitre de Buenos Aires. Extractos en Rev. de la Bibl. Públ. de Buenos Aires 4. 25-30 (1882).

Bolinder, Gustav
1916 En etnografisk forksningsfärd i norra Colombia 1914/5. Ymer 36. 175-93. Estocolmo.
1916. Det tropiska snöfjallets indianer. Estocolmo (1925. Trad. alem. Die Indianer der tropischen Schneegebirge. Stuttgart).
1917. Einiges über die Motilon-Indianer der Sierra de Perijá. ZE 49. 21-51.
ms. inéd. Vocabulario de la lengua de los Manastara y de los Maraca.

Bollaert, William
1860. Antiquarian, ethnological and other researches in New Granada, Ecuador, Perú and Chile. Londres.

Boman, Eric
1908. Antiquités de la région andine de la République Argentine et du desert d'Atacama. Mission scientifique G. de Créqui-Montfort & E. Sénéchal de la Grange. París. 2 vol.

Bonilla, Marcelina
1946. El municipio indígena de Guajiquiro [con noticias sobre los hablantes de Lenca]. BI 6. 138-50.

Bonpland, Aimé
ms. 1821. Sur la langue des indiens Guaranis. Bibl. Nac. de Rio de Janeiro.

Booy, Theodor de
1929. The language of the Macoas (Motilones) collected by —— ——, edited by C. H. de Goeje. Internat. Archiv für Ethnogr. 30. 53-8.

Borba, Telemaco Morocines

1882. Breve noticia sobre os indios Caingangs, acompanhada de um pequeno vocabulario da lingua dos mesmos indigenas e da dos Caiguas e Chavantes. Rev. Soc. Geogr. de Lisboa, Brazil, vol. 2. 20-36 (1886. En Globus 50. 233 ss.).
1904. Observações sobre os indigenas do Estado de Paraná. Rev. Mus. Paulista 6. 53-62.
1908. Actualidade indigena. Curitiba.

Borgatello, Maggiorino
1924. Nella Terra del Fuoco. Memorie di un Missionario Salesiano. Turín (2a. ed. de: 1921. Nozze di argento, ossia 25 anni di missione salesiana nella Patagonia Meridionale e Terra del Fuoco. Turín).
1928. Alcune notizie grammaticali della lingua Alakaluf. 22 CIA, Roma 1926, 2. 433-58.
1928. Notizie grammaticali e glossario della lingua degli indi Alakaluf abitanti dei canali Magellanici della Terra del Fuoco. Contributi scientifici delle Missioni Salesiane. Turín.

Bossi, Bartolomé
1863. Viaje pintoresco por los ríos Paraná, Paraguay, San Lorenzo, Cuyabá, etc. París. (Contiene un vocabulario Paresí con los nombres de partes del cuerpo).

Botelho de Magalhães, A.
1946/7. Indios do Brasil. América Indígena 6. 68-81, 141-8, 275-83, 7. 77-89, 149-63, 261-8.

Bottignoli, P. Justo
s. f. Gramática razonada de la lengua Guaraní. Turín. (1938. Reed. en el Bol. de Filol. 2. 251-87, 527-66, Montevideo. 1940. Reed. Montevideo).
1927. Diccionario Guaraní-Castellano y Castellano-Guaraní. Asunción y Turín.

Boudin, Max H.
1950. Singularidades da língua Ía-té. Verbum 7. 66-73. Rio de Janeiro.
1950. Apontamentos para um estudo da língua Krẽ-yé. Verbum 7. 557-628. Rio de Janeiro.

Bourricaud, François
1956. El mito de Inkarri. Folklore americano 4. 178-87. Lima.

Bove, Giacomo
1883. La spedizione antartica. Boll. della Soc. geogr. ital. 20. 5-60, 96-113, 132-47.
1883. Expedición austral argentina. Informes preliminares presentados a SS. EE. los Ministros del Interior y de la Guerra y Marina de la Rep. Argentina. Buenos Aires.

Branco, Joaquim
1935. Vocabulário etimológico de Aba-ñeeng. Rev. Arq. Munic. São Paulo 9. 45-56, 10. 17-28, 11. 25-31, 12. 67-72, 13. 47-58, 14. 47-51, 15. 137-42, 16. 159-235.

Brand, Donald D.
1941. A brief History of Araucanian Studies. New Mexico Anthropologist 5. 19-35, 36-52.
1941. The Peoples and Languages of Chile. New Mexico Anthropolo-

gist. 5. 72-93.
v. Huaiquillaf.

Branner, J. C.
1956. Notes upon a native Brazilian Language [Fulniô]. Proceed. Amer. Assoc. Adv. Sciences 35th meeting, Buffalo 1886, pp. 329-30. Salem.

Bravo, Domingo A.
1956. El Quichua Santiagueño. Universidad de Tucumán.
1956. Cancionero Quichua Santiagueño. Universidad de Tucumán.

Brentano, Padre
s. XVIII. Catecismo en lengua Zamea. Cit. por Schuller.

Breton, Raymond
1664. Petit catechisme ou sommaire des trois premieres parties de la doctrine Chrestienne [en Caribe de las islas]. Auxerre.
1665. Dictionaire Caraibe-Françoise, meslé de quentitě de remarques historiques pour l'esclaircissement de la langue. Auxerre. (1892. Reed. facsimilar por Platzmann, Leipzig).
1666. Dictionaire François-Caraibe. Auxerre (1900. Reed. facsimilar por Platzmann. Leipzig).
1667. Grammaire Caraibe. Auxerre.
1878. Grammaire Caraibe, composée par le P. ———. suivie du Catéchisme Caraibe, Nouvelle édition publiée par L. Adam & Ch. Leclerc, BLA 3.

Brett, William Henry
1900/2. A short Grammar of the Language of the Arawâk Indians, British Guiana. Guiana Diocesan Magazine. Georgetown.
s. f. Acawôio Indian Language: First Part of Genesis and the Gospel of St. Matthew with supplementary extracts from other Gospels, including the Parables of Our Lord. Society for Promoting Christian Knowledge. Londres.
s. f. Simple Questions on the historical parts of the Holy Bible for the Instruction of the Acawôio Indians at the Missions in Guiana. Society for Promoting Christian Knowledge. Londres.

Brettes, Joseph de
1903. Les indiens Arhouaque-Kaggabas. Bull. de la Soc. d'Anthropol. 318-57. París.
v. Bassilan.

Briceño-Iragorry, Mario
1929. Procedencia y cultura de los Timotes-Cuycas. An. Univ. Venezuela 17. 156-83.

Bridges, Lucas
ms. Vocabulario y frases de la lengua de los Onas. 32 pp. de alfabeto fonético Ellis. En el Mus. Mitre. Buenos Aires.

Bridges, Thomas
1881. Gospl Luc Eamanci. The Gospel of St. Luc translated into the Yaghan Language. Londres, Soc. Biblica.
1883. The Acts of the Apostles, translated into Yaghan Language. Londres, Soc. Bíbl.
1884/5. The Yaghans of Tierra de Fuego (Extract from a letter addressed to Prof. Flower by the Rev. ———). Journ. Anthropol. Instit. Great Brit. 14. 288-9.

1893. A few notes on the structure of Yaghan. Journ. Anthropol. Instit. Great Britain 23. 53-80.
1933. Yamana-English, a dictionary of the speech of Tierra del Fuego, edited by Ferdinand Hestermann & Martin Gusinde. Mödling bei Wien.
v. Hestermann, F , Koppers, W.

Brigniel, J., v. Lafone Quevedo 1896/7.

Brinton, Daniel Garrison
1869. Remarks on the ms. Arawack Vocabulary of Schultz. Proceed. Amer. Philos. Soc. 11. 113-4.
1869. A notice of some manuscripts in Central American Languages. Amer. Journ. of Sciences and Arts 17. 222-30.
1871. The Arawack Language of Guiana in its linguistic and ethnological relations. Trans. Amer. Philol. Soc. 14. 427-44.
1882. Further notes on Fueguian Languages. I. An early Fueguian Vocabulary. Proc. Amer. Philos. Soc. 30. 250.
1884. Indian Languages in South America. Science 4. 159.
1885. The philosophical grammar of American languages as set forth by Wilhelm von Humboldt, with the translation by him on the American verb. Proc. Amer. Philos. Soc. 22. 306-54.
1886. On Polysynthesis and Incorporation as Characteristics of American Languages. Proc. Amer. Philos. Soc. 23. 48-86.
1886. Notes on the Mangue, an extinct dialect formerly spoken in Nicaragua. Proc. Amer. Philos. Soc. 23. 238-57.
1886. The conception of love in some American languages. Proc. Amer. Philos. Soc. 23. 546-61.
1887. The rate of change in American languages. Science 10. 274.
1889. Traits of primitive Speech, illustrated from American languages. Proc. Amer. Assoc. Advancement Sciences 37th Meeting, Salem 1888, 324-5.
1890. The Tupi-Guarani Dialects, en el libro Essays of an Americanist, Philadelphia.
1890. Note on the Puquina language of Peru. Proc. Amer. Philos. Soc. 28. 242-8.
1891. The American race: A linguistic classification and ethnographic description of the native tribes of North and South America. Nueva York (1946. La raza americana, trad. Buenos Aires).
1892. Further notes on the Betoya dialects, from unpublished sources. Proc. Amer. Philos. Soc. 30. 271-8. V. Anónimo 1753.
1892. Studies in South American native languages. Proc. Amer. Philos. Soc. 30. 45-105.
1892. Further notes on Fueguian languages. Proc. Amer. Philos. Soc. 30. 249-54.
1892. The "Hongote" language. Science 19. 277.
1894. Characteristics of American languages. American Antiquarian. 16. 33-7.
1894. On certain morphological traits in American languages. American Antiquarian 16. 336-40.
1895. Some words from the Andágueda dialect in the Choco stock. Proc. Amer. Philos. Soc. 34. 401-2.
1895. The Matagalpan linguistic stock of Central America. Proc. A-

mer. Philos. Soc. 34. 403-10.
1896. Vocabulary of the Noanana dialect of Choco stock. Proc. Amer. Philos. Soc. 35. 202-4.
1897. The ethnic affinities of the Güetares of Costa Rica. Proc. Amer. Philos. Soc. 36. 496-8.
1898. The linguistic cartography of the Chaco region. Proc. Amer. Philos. Soc. 37. 178-205. V. Boggiani 1899.
1898. On two unclassified recent vocabularies from South America. Proc. Amer. Philos. Soc. 37. 321-3.
1898. A record of study in American aboriginal languages. Media, Pa. (Edición privada).
1900. On various supposed relations between the Anerican and Asian Races. Brinton Memorial Meeting. Amer. Philos. Soc. Filadelfia.
v. Güegüence.

Brito Machado, Othon Xavier de
1947. Os Carajás (Inan-son-uera). Publicações do Conselho Nac. de Proteção aos indios, nº 104. Rio de Janeiro.
1950. Nomes, na lingua Carajá, de algumas plantas e animais do Brasil central. Arq. do Mus. Paranaense 8. 147-64.

Bruch, Carlos, v. Outes, Félix.

Brüning, Enrique
1913. Beiträge zur Deutung der Namen "Yunga" und "Quichua". ZE 45. 929-31.

Bruno, Rudolph
1909. Wörterbuch der Botokudensprache. Hamburg.

Buck, Fritz
1939. Inscripciones calendáricas del Perú preincaico. Rev. Mus. Nac. 8. 139-66. Lima.

Buchwald, Otto von
1908. Die Kara. Globus 94. 123-5.
1908. Altes und Neues von Guayas. Globus 94. 181-3.
1908. Vokabular der Colorados von Ecuador. ZE 40. 70-82.
1909. Ecuatorianische Grabhügel. Globus 96.
1919. El Sebondoy. Vocabulario y notas. Bol. Soc. Ecuatoriana Est. Hist. Americanos 3. 205-12. Quito.
1919. Migraciones sudamericanas. Bol. Soc. Ecuatoriana Est. Hist. Americanos 3. 227-36. Quito.
1921. La lengua de la antigua provincia de Imbabura. Bol. Acad. Nac. Hist. Quito nos 7/8. 177-91.
1922. Análisis de una gramática atacameña. Bol. Acad. Nac. Hist. Quito 5. 292-301.

Buitrón, Bárbara Salisbury
1946. Transcripción fonética de las lenguas indígenas del Nuevo Mundo. Cuestiones indígenas del Ecuador 1. 179-90. Quito, Inst. Indigenista Interamericano.

Burmeister, Carlos V.
1891. Breves datos sobre una excursión a la Patagonia. RMLPlata 2. 280-8.

Buzó Gomes, Sinforiano
1943. Indice de la poesía paraguaya. Asunción-Buenos Aires.

Caballero, Lucas
1933. Relación de las costumbres y religión de los indios Manacicas. Restudio preliminar del ms. de 1706 por Manuel Serrano y Sanz. Madrid.
Caballero, Ramón V.
1911. Contribution à la connaissance de la phonétique Guarani. Rev. de Phonétique 1. 138-62. París.
Cabral, Luis Domingo
1901. Abá-Ñeé. Vocabulario del idioma Guaraní-Español; contiene ochocientas voces ajustadas a las equivalentes en Castellano. Buenos Aires. [Dialecto de Corrientes]. (1914. Reedición. Corrientes).
Cabrera, Pablo
1917. Datos sobre etnografía Diaguita. Rev. de la Univ. de Córdoba 4. 430-63.
1927. Onomástica indiana del Tucumán. Humanidades 14. 215-24. Buenos Aires.
1929. Los aborígenes del país de Cuyo. Córdoba (contiene un nomenclador Huarpe-Puelche-Pehuenche).
1931. Córdoba del Tucumán prehispánica y protohistórica. Rev. Univ. Nac. de Córdoba 18. 25-141.
Cadogan, León
1946. Las tradiciones religiosas de los indios Jeguaká Tenondé Porägué'i, comunmente llamados Mbyá, Mbyá-Apyteré o Ka'yguá. Rev. de la Soc. Científ. del Paraguay 7. 15-47.
1948. Los indios Jeguaká Tenondé (Mbya) del Guairá (Paraguay). América Indígena 8. 131-9.
1950. El culto al árbol y a los animales sagrados en el folklore y las tradiciones Guaraníes. América Indígena 10. 327-33.
1950. La encarnación y la concepción; la muerte y la resurrección en la poesía sagrada "esotérica" de los Jeguaká-va Tenondé Porägüé (Mbya-Guaraní) del Guairá, Paraguay. Rev. do Mus. Paulista n. s. 4. 233-46.
1951. Mitología de la zona Guaraní. América Indígena 11. 195-207.
1951. La lengua Mbya-Guaraní. Bol. de Filol. 5. 649-70. Montevideo.
1952. El valor científico de nuestros mitos autóctonos. Bol. de Filol. 7. 463-8. Montevideo.
1952. Hurgando en la prehistoria Guaraní. Bol. de Filol. 7. 469-72. Montevideo.
1953. Ayvu Rapyta (textos míticos de los Mbyá-Guaraní del Guairá), cap. I. Revista de Antropología 1. 35-41. São Paulo.
1955. Aves y almas de difuntos en la mitología Guaraní y Guajakí. Anthropos 50. 149-54.
1955. Breve contribución a la nomenclatura Guaraní en botánica. Servicio Interamericano de Cooperación Agrícola (STICA). Asunción.
1958. En torno al bilingüismo en el Paraguay. Rev. de Antropología 6. 23-30. São Paulo.
1959. Como interpretan los Chiripá (Avá Guaraní) la danza ritual. Asunción.
Cafferata, Antonio F.

LÁMINA XI. – Richard James Hunt.

1926. Los Comechingones. Apuntes para su estudio. Rosario.

Caillet, Luis María

1930/3. Vocabulario Castellano-Jívaro según el dialecto que hablan en la actualidad los indios de Arapicos. El Oriente Dominicano 3. 179-81, 217-8, 4. 29-31, 70, 103-5, 162-3, 186-7, 5. 2, 51, 104, 132, 165, 6. 15. Quito.

Calandrelli, Matías

1896. Filología americana. Lule y Tonocote. La Biblioteca nº 5. 261-76. Buenos Aires.

Calcaño, Julio

1886. Vocabularios. Resumen de las Actas de la Acad. Venezolana 37-45.

Caldas, Alferez José Augusto

1899. Vocabulário da lingua indigena dos Bororos Coroados. Cuyabá.

1903. Apontamentos para a organisação da gramática Bororo. Alphabeto. Arquivo do Mus. Nac. do Rio de Janeiro 12. 311-25.

Caldas R., A. J.

1946. Palabras del idioma Kuaiquer. Rev. de Historia 2. 136-7. Pasto.

Calella, P. Plácido de

ms. Encuestas esquemáticas y sumarias del Cofán, Rosígaro, Muaine-Huitoto y Siona. En el Centro de Investigaciones Las Casas, Colombia.

Camacho, José María

1943. Urus, Changos y Atacamas. Bol. Soc. Geogr. La Paz 54, nº 66. 9-35.

1944/5. La lengua Aymara. Bol. Soc. Geogr. La Paz 55, nº 67. 9-35, 56, nº 68. 3-40.

Camaño, Joaquín

ms. Gramática de la lengua Chiquita. En la Bibl. de la Univ. de Jena (?)

Câmara Cascudo, Luis da

1934. Anhangá, mito de confusão verbal. Rev. Inst. Arqueol. Hist. Geogr. Pernambucano 33. 75-80.

Campana, Domenico della

1902. Notizie intorno ai Ciriguani. Arch. Antropol. Etnol. 32. 17-139, 283-9.

Canals Frau, Salvador

1940. Introducción y notas a la Doctrina cristiana y catecismo en la lengua Allentiac... por el P. Luis de Valdivia. AIEA 1. 19-24.

1941. La lengua de los Huarpes de San Juan. AIEA 2. 43-167.

1942. La lengua de los Huarpes de Mendoza. AIEA 3. 157-84.

1942. Sobre el origen de la voz "bagual". Anales del Instit. de Lingüística 1. 71-7. Mendoza.

1944. Los indios Capayanos. AIEA 5. 129-57.

1946. Etnología de los Huarpes, una síntesis. AIEA 7. 9-147.

1952. Una visita al antiguo valle de los Capayanes. El P. Machoni y los indios Lules y Tonocotés. Anales Instit. Etnol. Nac. 3. 13-25.

1953. Las poblaciones indígenas de la Argentina. Su origen, su pasado, su presente. Buenos Aires.

Canstatt, Oskar
1877. Brasilien, Land und Leute. Berlín.
Canto, Francisco de
ms. perdido. Arte gramatical, vocabulario y confesonario Quechua.
Cañas Pinochet, Alejandro
1902. Estudios etimolójicos de las lenguas de Chile. Actas de la Soc. Científ. Chile 12.
1911. Estudios de la lengua Veliche. Primer Congreso Científico Pan americano (IV Latino-Americano), Santiago de Chile 1908/9, 11. 143-330.
Capelo, Joaquín, v. Zavala, Miguel J.
Carabaza, Hilario
1910. El trópico de Capricornio argentino, o 37 años entre los indios Tobas. Buenos Aires.
Carcagente, P. Angel Ma. de
1940. Catecismo Hispano-Goajiro de la Doctrina Cristiana. San Antonio, Barranquilla.
1940. Guía Goajiro. San Antonio, Barranquilla.
1952. Guía Guajiro. 2a. ed. reformada por el P. Camilo de Torrano. Barranquilla.
Cardona Puig, Félix
1945. Vocabulario del dialecto Karro del Río Guainía. Acta Venezolana 1. 221-30.
Cardús, Fray José
1883. La doctrina cristiana explicada en Guarayo y en Castellano para uso de los neófitos de las misiones de San José de Tarata. Cochabamba.
1886. Las Misiones Franciscanas entre los infieles de Bolivia. Descripción del estado de ellas en 1883 y 1884, con una noticia sobre los caminos y tribus salvajes, una muestra de varias lenguas, curiosidades de historia natural y un mapa para servir de ilustración. Barcelona.
1916. Catecismo de la doctrina cristiana en Guarayo y Castellano, por el R. P. exconverso ——, 2a. ed. Yotau.
v. Lafone Quevedo 1905.
Carmona, José Daniel
1898. De San José al Guanacaste e indios Guatusos. San José de Costa Rica.
Carranza, Angel Justiniano
1884. Expedición al Chaco Austral. Buenos Aires.
1899. Los Tobas. Su ubicación geográfica, idioma y costumbres. Rev. Nacional 28. 345-56, 29. 5-16. Buenos Aires.
v. Bárcena.
Carranza, B. Alejandro
1934. Notas sobre el pueblo Panche. Bol. de Historia y Antigüedades 21. 330-41. Bogotá.
Carrasco, Const.
1876. Ollanta. Drama Quichua en tres actos y en verso, puesto en verso castellano. Lima.
Carrasco, Francisco
1901. Principales palabras del idioma de las cuatro tribus de infie-

les: Antis, Piros, Conibos y Sipibos. Bol. Soc. Geogr. Lima 11. 205-11.

Carrera, Fernando de la
1644. Arte de la lengua Yunga. Lima (1939. Reed. Univ. Nac. de Tucumán).
v. Altieri, R.

Carrocera, P. Cayetano de
1934/5. Varios artículos en el Bol. de Estudios Históricos nos. 61/8, especialmente 6. 8-26 Los indios del Andaqui, con un vocabulario. Pasto.
1935. Las lenguas indígenas de Venezuela y su clasificación por familias. Revista de las Españas 10. 316-31. Madrid.

Carta
1768. -- del Gobernador de Buenos Aires al Conde de Aranda remitiéndole otra en idioma Guaraní con su versión castellana, escrita a S. M. por los corregidores y caciques de 30 pueblos situados entre los ríos Paraná y Uruguay. En F. J. Bravo Colección de documentos relativos a la expulsión de los Jesuítas de la República Argentina y Paraguay en el reinado de Carlos III. Madrid, 1872.

Cartagena, Alberto de
1951/3. Palabras indígenas relacionadas con los apuntes sobre el baile de algunas tribus de la región sud-oriental de Colombia. Amazonia Colomb. Americanista 5. 26-33.
1951/3. Cantos indígenas con su traducción y transcripción aproximada. Amazonia Colomb. Americanista 5. 95-102. Sibundoy.
1953. Apuntes sobre danzas indígenas de algunas tribus de la Amazonia Colombiana. Antropología y etnología 8. 83-113. Madrid.

Carvalho, Dr. Braulino de
1936. Macuchy (Vocabulario e modo de falar dos Macuchys). Bol. do Mus. Nacional 12. 111-28. Rio de Janeiro.
1936. Uapixana. Bol. do Mus. Nac. 12. 53-74. Rio de Janeiro.

Carvalho, João Braulino de
1929. Breve notícia sôbre os indígenas que habitam a fronteira do Brasil com o Perú. Relatôrio presentado ao Presidente da República... do Brasil pelo Ministro de Estado das Relações Exteriores, vol. 4, Annexo especial nº 2. 301-32. (1931. Reed. en el Bol. do Mus. Nac. 7. 225-56. Rio de Janeiro).

Casamiquela, Rodolfo
1958. Canciones totémicas Araucanas y Gününâ kënâ. RMLPlata n. s. Secc. Antropol. 4. 293-314.

Casas Manrique, Manuel José
ms. Textos y monografías de la lengua Kamsá del Sibundoy.
ms. Encuestas en dialectos Inga, Macaguaje, Correguaje, Awishiri, Yocuna, Eno y Siona.

Castelnau, Francis de
1850/9. Expédition dans les parties centrales de l'Amérique du Sud, de Rio de Janeiro à Lima, et de Lima au Para, éxecutée par ordre du Gouvernement Français pendant les années 1843 à 1847. París, 14 vols.
v. Lafone Quevedo 1896.

Castellví, P. Marcelino de

1934. Manual de investigaciones lingüísticas, para uso de los investigadores del Departamento de Nariño y de las regiones de Caquetá, Putumayo y Amazonas. Clasificación resumida de los idiomas indígenas hablados en su territorio. Ensayo de instrucciones y encuestas según los métodos modernos, adaptados especialmente para dichas regiones. Pasto.

1934. Diccionario indio. Bol. Est. Hist. 6. 19-26. Pasto.

1935. Las investigaciones lingüísticas y etnográficas en la Misión del Caquetá. Bol. de Est. Históricos 5. 199-213. Pasto.

1937. Tabla de las lenguas aborígenes del Departamento del Valle del Cauca, clasificada según la lingüística moderna. Bibliotecas y libros 1, nº 4. 41.

1937. Las lenguas aborígenes del Departamento Vallecaucano y su clasificación y bibliografía. Bibliotecas y libros 1, nº 5. 8-14, nº 6. 12-6. Cali.

1938. Cuadros de las lenguas de Costa Rica. El Heraldo Seráfico 26, nº 302. 84, 305. 173-4. Cartago de Costa Rica.

1938. Materiales para estudios glotológicos. Nombres de algunos animales en lenguas indígenas más o menos vecinas o relacionadas posiblemente con antiguas inmigraciones al macizo colombiano. Bol. Est. Hist. 7, nº 84. 365-82. Pasto.

1938. La lengua Kofán. JSA 30. 219-33.

1939. Bibliografía sobre la familia lingüística Tucano. Proc. Second Conv. Inter-American Bibl. Libr. Assoc. ser. 2, vol. 2. 97-105. Washington.

1940. La lengua Tinigua. JSA 32. 93-101.

1941. Bibliografía sobre los Sibundoyes y otros de la familia lingüística Kamsá o Coche. Proc. of the Third Convention of the Inter-Amer. Bibliograph. an Library Assoc. Washington 1940. 86-97.

1941/2. Lenguas utilizables en la enseñanza del Castellano a los indígenas. Amazonia Colomb. Americanista 2, nos. 4/6. 121-5. Sibundoy.

1942/3. Bibliografía de la familia lingüística Piaroa o Sáliva. Inter-American Bibliographical Review 2. 238-42.

1951/3. La macrofamilia lingüística Witoto y sus relaciones con la familia Sabela y otras indoamericanas. Amazonia Colomb. Americanista 5. 9-16. Sibundoy.

1952. La macrofamilia lingüística Witoto y sus relaciones con la familia Sabela y otras indoamericanas. 29 CIA, Chicago, 3. 295-301.

ms. inéd. Encuesta externa e interna del Kamtsá o Coche. En el Centro de Investig. Las Casas, Colombia.

ms. inéd. Vocabulario Malibú, extraído de antiguos documentos. Centro de Investig. Las Casas, Colombia.

v. Igualada, Francisco de; Tulcán, I. de

Castellví, P. Marcelino de & Rivet, Paul

ms. 1938. Encuesta sumaria del idioma Guambiano de Silvia. Inédito en el Centro de Investigaciones Las Casas, Colombia.

Castilho, Pedro de, v. Ayrosa 1937.

Castillo, Joseph

1906. Relación de la provincia de Mojos. Documentos para la historia geográfica de la República de Bolivia compilados y anotados por Manuel V. Ballivián. Serie 1a., vol. 1. La Paz.

Castillo y Orozco, Eugenio del

1878. Vocabulario Páez-Castellano, catecismo, nociones gramaticales i dos pláticas conforme a los que escribió el Señor — —, con adiciones, correcciones y un vocabulario Castellano-Páez por Ezequiel Uricoechea. París. BLA 2.

Castro, C. Batista de

1936. Vocabulário Tupí-Guaraní (Coletânea dos principais elementos com que contribuiu a lingua geral para a formação das palavras do Português-Americano). Rio de Janeiro.

Castro Loayza, Arturo

1953. Poesía Quechua [consideraciones generales]. Tradición nos. 12/4. 108-36. Cuzco.

Casullo, Fernando Hugo

1950. Voces de supervivencia indígena. Bol. Acad. Arg. de Letras 19. 385-

Catarroya, Fr. Francisco de

1738. ms. Vocabulario de algunas voces de la lengua de los indios Motilones que habitaron los montes de las provincias de Santa Marta y Maracaibo, con su explicación en nuestro idioma castellano. 15 páginas.

Catecismos varios

1952. I. El Tesoro de la Doctrina Christiana en lengua Guaraní. Prólogo de Plinio Ayrosa. Universidade de São Paulo, Faculdade de Filosofia, Ciências e Letras, Bol. 155.

1953. II. Doctrina Christiana por el P. Gaspar Astete... traducida en lengua Guaraní por otro Padre de la misma Compañía. Prefacio de Plinio Ayrosa. Universidade de São Paulo, Faculdade de Filosofia, Ciências e Letras. Boletim 167.

1954. III. Catecismo por el P. M. Gerônimo de Ripalda... traducido en Guaraní por Francisco Martínez, con cuatro tratados muy devotos. Univ. de São Paulo, Faculd. de Filos., Ciências e Letras, Boletim 180.

1955. IV. Catecismo mayor o Doctrina Christiana claríssima y brevíssimamente explicada... por un Padre de la Compañía de Jesús. Univ. de São Paulo, Faculdade de Filosofia, Ciências e Letras, Boletim 200.

1956. V. Varias doctrinas en lengua Guaraní, por el P. Simón Bandini, de la Comp. de Iesús. Univ. de São Paulo, Faculdade de Filosofia, Ciências e Letras, Boletim 212.

1956. VI. Compendio de la Doctrina Christiana para niños, compuesto en lengua Francesa por el R. P. Francisco Pomeij. Trad. en lengua Guaraní por el P. Christoval Altamirando. Univ. de São Paulo, Faculdade de Filosofia, Ciências e Letras, Bol. 213.

Cathoud, Arnaldo

1936. Os Bacuens de Imburana. Bol. do Museu Nacional 12. 129-33. Rio de Janeiro.

Cattunar, Hermann, v. Romano, Santiago.

Caudmont, Jean
1951. El género, el número y la determinación en Goajiro. Aulas 1. 13. Bogotá.
1953. Los fonemas del Inga. Rev. Colombiana de Antropol. 1. 357-90.
1954. La influencia del bilingüismo como factor de transformación de un sistema fonológico. Rev. Colombiana de Antropol. 2. 207-18.
1954. Fonología Puinave. Rev. Colombiana de Antropol. 2. 265-76.
1954. Materiales para el estudio lexicográfico de la lengua Inga. Divulgaciones etnológicas 3. 165-86. Cartagena.
1954. Fonología del Guambiano. Rev. Colombiana de Antropol. 3. 189-206.
1955/6. La lengua Chamí. I. Análisis de sus fonemas. Rev. Colombiana de Antropol. 4. 273-84. II. Esbozo gramatical. Rev. Colombiana de Antropol. 5. 53-69. III. Textos y vocabulario. Rev. Colombiana de Antropol. 5. 71-108.
Caulín, Fr. Antonio
ca. 1750. Doctrina Christiana trad. del Castellano al Cumanagoto, para el uso de las Misiones y Doctrina de la Concepción de Piritu que están a cargo de los Missioneros de la Regular Observancia de N. S. P. San Francisco. ms. que poseía Arístides Rojas.
1779. Historia coro-geográphica natural y evangélica de la Nueva Andalucía. Madrid.
Cavada, F. J.
1913. Chiloé y los Chilotes. RChHG 5. 389-472, 6. 405-66 (con vocabulario y folklore).
1920. Lingüística del archipiélago de Chiloé (continuación). La Revista Católica 34. 789-91. Santiago de Chile.
1921. Diccionario manual isleño. Provincialismos de Chiloé (Chile). Santiago de Chile.
Cavalcanti, Amaro
1883. The Brasilian Language and its Agglutination. Rio de Janeiro.
Cavero, Moisés
1942. Huamangamanta Punoman. Huamanga 9, nos. 49/50. 11-2. Ayacucho.
1943. Caipim Tucun ñacarinai... Huamanga 9, nº 54. 31-2. Ayacucho.
Celedón, Rafael
1878. Gramática, catecismo y vocabulario de la lengua Goajira... con una introducción y un apéndice por E. Uricoechea. BLA 5.
1886. Gramática de la lengua Köggaba, con vocabularios y catecismos, y un vocabulario Español, Guamaka, Chimila y Bintukua. BLA 10.
1892. Vocabulario de la lengua Antanques. 8 CIA, París 1890, 591-9.
1892. Vocabulario de la lengua Bintukua. 8 CIA, París 1890, 599-609.
Centeno de Osma, Gabriel
1938. Comedia famosa de un milagro de Na. Señora de Belén, que sucedió en la Ciudad del Cuzco, del pobre más rico. ms. del siglo XVII. Monumenta linguae Incaicae. Lima.
Cerdá Castillo, J. M.
1954. Sobre los indios Mocobíes. BI 14. 252-5.
Cepeda, Alfredo, v. Orbigny 1839.

Cerviño, Pedro A.
1839. ms. Vocabulaire Yniadgech, ou des Lenguas [Payaguá], tribu presque inconnue du Grand Chaco, établie sur les bords du Rio Pilcomayo, avec un avant-propos par don Pedro de Angelis. En el Museo Mitre, Buenos Aires, con extractos por Lafone Quevedo en Mitre, Catálogo razonado, 2. 132 ss.

Céspedes Marín, Amadeo
1923. Crónicas de la visita oficial y diocesana al Guatuso. San José de Costa Rica.
1924. Apuntes léxicos del dialecto Guatuso. Rev. de Costa Rica 5. 72-6. San José.

Cezar, Dr. Livio
ms. inédito. Vocabulario Cachuena.

Cimitile, Frei Luis de
ms. s. f. Epitome dos costumes e religião dos indios Cames ou Coroados com um pequeno Vocabulario. Ms. 618 na Biblioteca do Instituto Histórico-Geográfico Brasileiro. Rio de Janeiro.

Cisneros, Luis Jaime
1951/2. La primera gramática de la lengua general del Perú. Bol. del Instit. Riva Agüero 1. 197-264.
1955. Nuevo planteamiento sobre el Quechua. Orbis 4. 485-91. Lovaina.
1957. Historia de la lengua en el Perú. Orbis 6. 512-24. Lovaina.

Civrieux, Marc & Lichy, René
1950. Vocabulario de cuatro dialectos Arawak del Rio Guainía [Bare, Baniva, Guarekena y Kurripako]. Bol. de la Soc. Venezolana de Cienc. Naturales 13. 121-59.

Claraz, Jorge, v. Outes 1926/7.

Clark, Charles Upson
1937. Jesuit Letters to Hervás on American Languages and Customs. JSA 29. 97-145.

Clark, Hyde
1879. Note on the Zaparo Vocabulary. Journ. Roy. Anthrop. Instit. of Great Britain & Ireland 8. 227.

Coba Robalino, José M.
1950/3. Los orígenes del Quichua; su raza y su lengua. Gaceta Municipal 34. 197-225, 35. 265-78, 36. 232-41. Quito.

Cohen, Jacob
s. f. Gira dos indios do Tapajós, Mapuerá e Cachorro, sendo estes dois o ultimo no rio Trombetas, estado de Pará. ms. inéd. en la Bibl. de Rivet.

Cohen, Marcel
1952. Esquisse de description du Kitchoua ou Rounasimi, apud Meillet & Cohen, Les langues du monde 1193-6.
v. Meillet & Cohen.

Cojazzi, Antonio
1911. Contributi al folklore e all'etnografia dovuti alle Missioni Salesiane. Gli indii dell'Arcipelago Fueghino. Turín. (1914. Los indios del Archipiélago Fueguino [trad. incompleta]. RChHG 9 288-352, 10. 5-51).

Colbacchini, Antonio

s. f. Grammatica dei Bororos-Orarimudoge del Matto Grosso. Turín.

1925. I. Boróros orientali Orarimudoge del Mato Grosso (Brasile). Turín.

Colbacchini, Antonio & Albisetti, César

1942. Os Boróros orientais Orarimogodogue do planalto oriental de Mato Grosso. Bibl. Pedag. Brasil. serie 5a. vol. 4.

Collins, Frederick

1879. Vocabulary of the Indians of the Canton of Chocó. Napipi Expedition 118-21. Washington.

Collymore, Frank A.

1954. Notes for a glossary of words and phrases of Barbadian dialect. Bim 5. 307-21. St. Michael, Barbados.

Colman, Narciso R.

1917. Ocara Poty (Cantares del Rosicrán), con un apéndice que contiene producciones poéticas de otros bardos guaraníes. Vol. 1. Asunción.

1921. Ocara Poty, con el Parnaso de Guarania. Antología de bardos guaraníes contemporáneos. Prólogo de Juan O'Leary. Asunción.

1929. Mil refranes Guaraníes (Ñe'ẽngá). Asunción.

1929. Ñande ipi cuéra. Poema Guaraní etnogenético y mitológico. Asunción. (1936. Nuestros antepasados. Versión Castellana del mismo autor. Poema Guaraní etnogénético y mitológico, seguido de un estudio etimológico de los mitos, nombres y voces empleadas. Asunción).

1936. Ñande ÿpÿ cuera. Poema sobre los aborígenes (Nuestros antepasados). 20 CIA, Rio de Janeiro 1922, 3. 171-225.

Comas, Juan

1954. Los CIA. Síntesis histórica e índice bibliográfico. México, Instituto Indigenista Interamericano.

Cominges, Juan de

1892. Obras escogidas. Con su bibliografía por el Dr. Matías Alonso Criado. Buenos Aires. (Contiene un vocabulario del Guaná).

Constancio

1939. Algo sobre la Compañía y las lenguas indígenas. Estudios 61. 245-64. Buenos Aires.

Conzemius, Edward

1923. The Jicaques of Honduras. IJAL 2. 163-70.

1927/8. Los indios Payas de Honduras. JSA 19. 245-302, 20. 253-60.

1929. Notes on the Miskito and Suma Languages of Eastern Nicaragua and Honduras. IJAL 5. 57-115.

1929. Bibliografía referente a los indios Payas de Honduras. Rev. del Arch. y Bibl. Nac. de Honduras 8. 279-82, 349-53. Tegucigalpa.

1929. Die Rama-Indianer von Nicaragua. ZE 59. 291-362.

1930. Une tribu inconnue du Costa Rica: les indiens Rama du Rio Zapote. L'Anthropologie 40. 93-108.

1930. Sur le Garif des Caraîbes noirs de l'Amérique centrale. Anthropos 25. 859-77.

1932. Ethnographical survey of the Miskito and Suma Indians of Hondu-

ras and Nicaragua. Bureau Amer. Ethnol. Bull. 106.
Cook, Orator Fuller
1916. Quichua names of sweet potatoes. Journ. Wasnington Acad. Sciences 6. 86-90.
Cooper, John M
1917. Fueguian and Chonan tribal relations. 19 CIA, Washington 1915, 445-53.
1917. Critical Bibliography of the Tribes of Tierra de Fuego and Adjacent Territory. Bureau Amer. Ethnol., Bull. 63.
Coparcari, Fco. de Asís
1880. Gramática de los indios Baures de la Provincia de Mojos, apud Adam & Leclerc 1880.
Coqueiro, Mota
1935. Araquá, araquara, araraquara (um pouco de história e um pouco de Tupi). Rev. Arq. Mun. São Paulo 10. 152-4.
1935. A palavra araraquara. Rev. Arq. Mun. São Paulo 15. 209-13.
Cora, Guido
1892. Rapports négatifs des langues américaines et polynésiennes. 8 CIA, París 1890, 535-6.
Cordero, Luis
1875. Una excursión a Gualaquiza. Cuenca (habla del Jívaro).
1895. Diccionario Quichua-Castellano y Castellano-Quichua. Quito.
Cordero Palacios, Octavio
1924. El Quechua y el Cañari; contribución para la historia precuencana de las provincias azuayas. Cuenca.
1930. Léxico de vulgarismos Azuayos. Rev. del Colegio Benigno Malo 9. 283-300. Cuenca.
Cornelsen, Eugenio
1937. Lingua Guaraní, genuina lingua Brasileira. Rio de Janeiro.
Corominas, Juan
1942. Indiano-Románica. Rev. de Filol. Hispánica 4. 1-35, 139-75, 209-54. Buenos Aires.
Coronado, P.
1946. Ccapacc Musucctaquicuna, taitachaman, mamachaman. Lima.
Corrado, Fr. Alejandro María
1871. Catecismo de la Doctrina Cristiana con varias oraciones y prácticas devotas en lengua Chiriguana con su traducción literal al Castellano. Para uso de las Misiones del Colegio de Propaganda Fide de Tarija en la República de Bolivia. Sucre.
v. Giannecchini, Doroteo.
Correa de Faria, Francisco Raymundo, v. Faria.
Correia Neri, João Baptista
1901. Carta pastoral, despedindose da Diocese do Espiritu Santo, seguida de algumas noticias sobre a Diocese. Campinas.
Corts, Estanislao de las
1946. Vocabulario Huitoto. Rev. de Historia 2. 327-43. Pasto.
1946. Vocabulario Inga hecho con ayuda del P. ___ ___ en 1908 (?), archivo de Dn. Miguel A. Cabrera, Pitalito. Rev. de Historia 2. 317-26. Pasto.
ms. inéd. Encuesta externa, datos gramaticales, vocabulario, formulario de conversación y de confesión y algo de catecismo en len-

gua Tinigua. En el Centro de Investigaciones Las Casas, Colombia.

Corvalán, Octavio
1956. El substratum Quechua en Santiago del Estero. Humanitas 3.85-94. Tucumán.

Coryn, Alfredo
1922. Los indios Lenguas, sus costumbres y su idioma, con compendio de gramática y vocabulario. ASCA 93. 221-82.

Cosio, José Gabriel
1916. Los dramas Quechuas. Usca Panccar. Revista Universitaria 5, nº 17. 2-9. Cuzco.
1919. Etimología Quechua de la voz "guacho". Mercurio Peruano. Lima.
1923. Algo sobre el alfabeto de la lengua Quechua o Runa simi. Revista Universitaria 12, 41/2. 1-14. Cuzco.
1924. Fonetismo de la lengua Quechua o Runa simi en sustitución del sistema insinuado por la revista limeña "Inca". Cuzco.

Costa, Dom Frederico
1909. Mahie Ia-muhnan quau Mendariçaua ti ramé ahiqué Pahy. Modo de celebrar o casamento na ausência do Padre. - Nheengatú rupi. Vocabulario miri o Pequeno vocabulario Nheengatú. Elementos necessarios parà aprender o Nheengatu. Carta pastoral de — —, Bispo do Amazonas. Ceará-Fortaleza.

Costa-Aguiar, Dom José Lourenço da
1898. Cnristu Muhneçâua çurimaan-uará arama nhihingatú rupi, Caríua hinhinga recuiara irumo çuaindape. Petrópolis. (Catecismo en Tupi).

Costa Rubim, Braz da
1853. Vocabulário Brasileiro para servir de complemento aos dicionários da lingua Portuguesa. Rio de Janeiro.
1882. Vocábulos indígenas e outros introduzidos no uso vulgar. RIHGB 65. 363-90.

Costa Pinheiro, M. T.
1915. Exploração do Rio Juruena. Comm. Lin. Telegr. do Mato Grosso ao Amazonas, Relat. 3, anexo 1. Rio de Janeiro. (Vocabulario de Mundurucú).

Costa e Sá, Manoel José María
1827. Cantiga bacchica em lingua Paraviana. Mem. da Acad. Real das Sciencias de Lisboa 10. 241.

Cotheal, Alexander I.
1848. A grammatical sketch of the language spoken by the Indians of the Mosquito Shore. Trans. Amer. Ethnol. Soc. 2. 235-64.

Coudreau, Henri Anatole
1886/7. La France Equinoxiale. Vol. 1. Etudes sur les Guyanes et l'Amazonie. Vol. 2. Voyage à travers les Guyanes et l'Amazonie. París.
1892. Vocabulaires méthodiques des langues Ouayana, Aparaï, Oyampi, Émerillon, précédés d'une introduction par Lucien Adam, BLA 15.
1897. Voyage au Tapajoz, 28 juill. 1895-7 janv. 1896. París.

1897. Voyage au Xingú, 30 mars-26 oct. 1896. París.
1897. Voyage au Tocantins-Araguaya, 31 déc 1896-23 mai 1897. París.
1942 Dialecto Apiacá. Viagem ao Tapaios. Brasiliana 208. 255-66. São Paulo.

Coudreau, Olga
1901. Voyage au Cumina, 20 avril-7 sept. 1900. París.
1903. Voyage au Rio Curuá, 20 nov. 1900-7 mars 1901. París.
1903. Voyage à la Mapuera, 21 avril-24 déc. 1901. París.

Couto de Magalhães, José Vieira
1863. Viagem ao Araguaia. Goyaz. (1934. 3a. ed.).
1876. O selvagem. I, Curso da Lingua Geral segundo Ollendorf comprehendendo o texto original de lendas Tupis. II, Origens, costumes, religiao selvagem, methodo a empregar para amansalos por intermedio de colonias militares e do interprete militar. Rio de Janeiro.
1900. Tricentenario do Veneravel Joseph de Anchieta 245-82. París-Lisboa.
v. Mauro, Humberto.

Cox, Doris
1957. Candoshi Verb Inflection. IJAL 23. 129-40.

Créqui-Montfort, G. de & Rivet, P.
1912. Linguistique Bolivienne, Le groupe Otuké. JSA 9. 317-37.
1913. Linguistique Bolivienne, Les affinités dus dialectes Otuké. JSA 10. 369-77.
1913. La famille linguistique Čapakura. JSA 10. 119-71.
1913. La langue Saraveca. JSA 10. 497-540.
1913. La langue Lapaču ou Apolista. ZE 45. 512-31.
1913. Linguistique Bolivienne. Les dialectes Pano de Bolivie. Le Mouséon 14. 19-78.
1913. La langue Kanichana. MSL 18. 354-77.
1914. L'origine des aborigènes du Pérou et de la Bolivie. Comptes-rendus de l'Académie des Inscriptions et Belles Lettres 196-202. París.
1914 Linguistique Bolivienne. La langue Mobima. JSA 11. 183-211.
1914. Linguistique Bolivienne. La langue Kayuvava. Le Mouséon 15. 121-62.
1916/7. La langue Itonama. MSL 19. 301-22, 20. 26-57.
1917/20. Linguistique Bolivienne. La langue Kayuvava. IJAL 1. 245-65.
1921. Linguistique Bolivienne. La langue Uru ou Pukina. Internat. Archiv für Ethnographie 25. 87-113. Leiden.
1921/3. La famille linguistique Tacana. JSA 13. 91-102, 281-301, 14. 141-82, 15. 121-67.
1925/7. Linguistique Bolivienne. La langue Uru ou Pukina. JSA 17. 211-44, 18. 111-99, 19. 57-116.

Crévaux, Jules Nicolas
1882. Vocabulaire de la langue Guahiva, en Crévaux, Sagot & Adam 1882.
1883. Voyages dans l'Amérique du Sud. París.

Crévaux, Jules Nicolas, Sagot, P. & Adam, Lucien
1882. Grammaires et vocabulaires Roucouyenne, Arrouague, Piapoco et autres langues de la région des Guyanes. BLA 8.
Cruxent, J. M.
1951. Un grupo de indios en los llanos del Estado Anzoátegui (Venezuela). América Indígena 11. 115-28.
Cruz, P. L. de la
1835 Vocabulario de la lengua de los Peguenches, en Angelis Colección. Buenos Aires.
Cruz, M.
1939. A imposiçao do nome entre os indios Bororo. JSA 31. 197-209.
Cuervo Márquez, Carlos
1930. Razas desaparecidas. Los Taironas. Los Killasingas. 20 CIA, Rio de Janeiro, 2.
Cueva, R. P. G. de la
1893. Principes et dictionaire de la langue Yuracare ou Yurujure publiés conformément au manuscrit de A. d'Orbigny par Lucien Adam. BLA 16.
Cullen, Edward
1851. Vocabulary of the language of the Cholo or Choco Indians of the Isthmus of Darién, collected by———. Journal Roy. Geogr. Soc. 20. 189-90.
1851. Vocabulary of the language of the Yule Indians, who inhabit the rivers and the Coast of Darien, from the mouth of the Atrato to the coast of San Blas. Journ. Roy. Geogr. Soc. 21. 241-2. (1866 y 1868 reimpresos en Trans. Ethnol. Soc. London 4. 264-8, 6. 172-5).
1866/8. The Darien Indians. Trans. Ethnol. Soc. London 4. 264-68, 6. 150-75.
Cúneo Vidal, Rómulo
1913. Puntos fundamentales para el estudio de la historia y la geografía de Arica. Bol. Soc. Geogr. Lima 29. 171-74.
Cunha, Quintino
1927. Apontamentos gramaticais sobre o íeienga-tú. Rev. da Lingua Portuguesa nº 47. 97-141. Rio de Janeiro.
Chacín, Francisco Gustavo
1952. Voces recogidas en Zaraza (Llanos del Guárico). Archivos Venez. de Folklore 1. 119-35.
Chaffanjon, Jean
1889. L'Orénoque et le Caura; relation de voyages exécutés en 1886 et 1887. París.
Chagas-Lima, Francisco
1842. Memoria sobre o descubrimento e colonia de Gurupuava. RIHGB 4. 43-64.
Chamberlain, Alexander F.
1907. South American Linguistic Stocks. 15 CIA, Quebec 1906, 2. 187-204.
1910. Sur quelques familles linguistiques peu connues ou presque inconnues de l'Amérique du Sud. JSA 7. 179-202.
1910. The Uran: a new South American linguistic stock. American Anthropologist 12. 417-24.

1911. On the Puelchean and Tsonekan (Tehuelchean), the Atacameñan (Atacaman) and Chonoan, and the Charruan linguistic stocks of South America. Amer. Anthrop. 13. 458-71.
1911. The present state of our knowledge concerning the three linguistic stocks of the region of Tierra del Fuego. Amer. Anthrop. 13. 89-98.
1912. The Calchaquian linguistic stock. Amer. Anthrop. 14. 167.
1912. The Allentiacan, Bororoan and Calchaquian linguistic stocks in South America. Amer. Anthropol. 14. 499-507.
1912. The linguistic position of the Pawumwa Indians of South America. Amer. Anthrop. 14. 632-35.
1913. Linguistic stocks of South America Indians, with distribution map. Amer. Anthrop. 15. 236-47.
1913. Nomenclature and distribution of the principal tribes and subtribes of the Arawakan linguistic stock of South America. JSA 10. 273-96.
1913. The Carayan, Caririan, Chavantean and Guatoan linguistic stocks of South America. Science 37. 344.

Chandless, W.
1866. Ascent of the river Purus. Journal of the R. Geogr. Soc. 36. 86-118. Londres.
1869. Notes of a journey up the river Juruá. Journal of the R. Geogr. Soc. 39. 296-311.

Chantre y Herrera, José
1901. Historia de las misiones de la Compañía de Jesús en el Marañón español (1637-1767). Madrid.

Charencey, H. de
1899. Noms de points de l'espace dans divers dialects américains. JSA n. s. 2. 109-78.

Chermont de Miranda, Vicente
1944. Estudos sôbre o Nheêngatu. Anais da Bibl. Nac. do Rio de Janeiro 64. 3-127.

Cherubim, P.
1921. Vom Tapajoz. Akademische Missionsblätter 9. 39-41. Münster in Westphalien (sobre los Parentintins).

Chiappa, V. M.
1901. Contribución a los estudios Araucanos. Nombres zoológicos Mapuches. Victoria.

Chome, P. Ignacio, S. J.
Catecismo en lengua Zamuca (?).
Arte y vocabulario de la lengua Chiquita (?).

Chonemann, P. Pedro
s. XVIII. Arte y vocabulario de la lengua de los Iquitos. cit. por Schuller.

Christian, F. W.
1924. Early Maori migration as evidenced by physical Geography and Language. Australasian Association for the Advancement of Science, Report of the 16th meeting, Wellington 1923, 523-35.
1932. Polynesian and Oceanic elements in the Chimu and the Inca languages, Journal of the Polynesian Society 41. 144-56, New Plymouth, Nueva Zelandia.

Chuqiwanqa, Ayulo
1928. Ortografía indoamericana. La Sierra 2º año, nos. 13/14. 48-51. Lima.

Church, George E.
1898. Notes on the visit of Dr. Bach to the Catuquinanú Indians of the Amazonas. Journ. Roy. Geogr. Soc. 12. 63-67. Londres.

Dxx
1882. Les indiens Cherentes. Rev. d'Ethnographie 1. 237-49. París.

Dadey, P. José & Varaix, P. Francisco
ms. Gramática y vocabulario de la lengua de los Moscas o Muiscas (en Palacio, Madrid).

Dahl, Ivar
1953. Un texto guaraní. Le Maître Phonétique 99. 7.

Dangel, Richard
1930. Quechua und Maori. Mitt. Anthrop. Gesell. Wien 60. 343-51.
1931. Beiträge zur Kenntnis der heutigen Quechua-Dialekte. Anthropos 26. 946-49.
1931. Das chinchaysuyu der Departamentos Huanuco-Ancash. JSA 23. 71-113.

Daniel, H.
1954. Apuntes etnológicos. Los Caramanta. Bol. del Instit. de Antropol. 1. 171-9. Medellín.

Darapsky, Ludwig
1888. La lengua araucana. Santiago de Chile.
1889. Estudios lingüísticos americanos [sobre el Yaghan]. BIGA 10. 368-80.

Daus, Federico A., v. Levene.

Dávila, Francisco
1646/8. Tratado de los Evangelios ... Explícase el Evangelio y se pone un sermón en cada una en las lenguas Castellana y General de los Indios deste Reyno del Perú. 2 vol. Lima.

Dávila, Víctor M.
1943. Los grupos lingüísticos de la Amazonia peruana. Alpha, sept. 1943. 24-7. Lima.

Dávila Solera, José.
1941. Tribus y lenguas indígenas de Costa Rica y Nicaragua. Rev. de los Arch. Nac. 5. 41-6. San José de Costa Rica.

Davis, John
1666. The history of the Caribby islands, with a Caribbian vocabulary rendered into English. Londres.

Decreto
1813. Decreto de la Asamblea General de las Provincias Unidas del Río de la Plata de 12 de marzo de 1813 en español, aymará, quichua y guaraní extinguiendo el tributo, el yanaconazgo y el servicio personal de los indígenas. Buenos Aires.

de Goeje, C. H., v. Goeje, C. H. de.

Deheza Arias, Corsino
1937. Versos quechuas. Bol. de la Soc. Geogr. de Sucre 32. 228-9.

Delgado, Alberto & Vacas Galindo, Enrique
1929. Catón en lengua Jíbara para la misión de Macas. El Oriente Dominicano 2. 31-2, 62-3. Quito.

Delgado, Eulogio
1896/7. Vocabulario del idioma de las tribus Campas. Bol. Soc. Geogr. de Lima 5. 445-57, 6. 96-105, 230-40, 347-56, 393-96.
Demersay, Alfred
1859. Recherches philologiques sur la langue Guaranie. Bull. de la Soc. de Géographie 18. 105-15. París.
Dengler, H.
1927. Eine Forschungsreise zu den Kawahib-Indianern am Rio Madeira. ZE 59. 111-26.
Deniker, v. Hyades.
Denis, Ferdinand
1850. Une fête brésilienne célébrée à Rouen en 1550 suivie d'un fragment du XVIe. siècle roulant sur la théogonie des anciens peuples du Brésil et des poésies en langue tupique de Christovam Valente. Paris.
1877. Rapport sur quelques ouvrages de linguistique brésilienne, publiés en ces derniers temps. Paris.
Denuce, J.
1910. Note sur un vocabulaire complet de la langue Yaghane. 16 CIA, Viena 1908, 2. 651-4.
Díaz Romero, Belisario
1918. El idioma Aymara. Bol. Soc. Geogr. La Paz 16. 52-64.
1955. El idioma Aymara. Nuevas investigaciones gramaticales. Khana, Rev. mun. de arte y letras 13/4. 121-32. La Paz.
Diaztaño, P. Francisco
Gramática de la lengua Gualacha y catecismo en ella. Cit. por Hervás.
Dijour, Elizabeth
1931/2. Preliminaty study of Runa-simi (Q'ešwa) of the Cuzqueño and Bolivian groups. RIET 2. 155-83.
Dirks, Sylvester
1953. Campa (Arawak) Phonemes. IJAL 19. 302-4.
Doblado Lara, Jorge
1951. Vocabularios Lencas de Honduras. Anales del Mus. Nac. San Salvador 2. nº 6. 73-9.
Dobrizhoffer, P. Martin, v. Lafone Quevedo 1893, 1896, Platzmann 1902.
Domeyko, Ignacio
1845. Araucania y sus habitantes. Montevideo.
Domínguez, Manuel
1912. Raíces Guaraníes. 17 CIA, Buenos Aires 1910, 193-221.
Domville- Fife, Charles William
1924. Among wild tribes of the Amazons. Londres-Filadelfia.
Bornas Filho, João
1938. Vocabulario Quimbundo. Rev. Arquiv. Mun. São Paulo 49. 143-50.
Douay, León
1890. Contribution a l'américanisme du Cauca (Colombia). 7 CIA, Berlin 1888, 753-86.
Douville, J. B., v. Métraux 1930.
Drumond, Carlos

1943. Designativos de parentesco em Tupí-Guaraní. Sociologia 5. 328-54. São Paulo.
1944. I. Designativos de parentesco no Tupí-Guaraní. II. Notas gerais sobre a ocorrencia da partícula tyb, do Tupí-Guaraní em toponimia brasileira. Bol. Fac. Filos. Ciências e Letras, Univ. de São Paulo, Boletim 46.
1946. Notas sobre os trocanos. Universidade de São Paulo, Faculdade de Filosofia, Ciências e Letras, Boletim 58.
1946. Da partícula háb-a do Tupí-Guaraní. Univ. de São Paulo, Faculdade de Filosofia, Ciências e Letras, Boletim 66.
1948. Notas sobre algumas traduções do Padre Nosso em Tupi-Guaraní. Universidade de São Paulo, Faculdade de Filosofia, Ciências e Letras, Boletim 90.
1952. Vocabulario na lingua brasílica, vol. I (A-H). Universidade de São Paulo, Faculdade de Filosofia, Ciências e Letras, Boletim 137.
1953. Vocabulario na língua Brasílica. vol. II (I-Z). Universidade de São Paulo, Faculdade de Filosofia, Ciências e Letras, Boletim 164.

Ducci, Zacarías
1904. Los Tobas y su lengua. BIGA 21. 165-214.
1905. Vocabulario Toba-Castellano recogido y ordenado por ———. BIGA 22. 68-88.
1911/2. Los pronombres de la lengua Toba con referencia a los del Mocoví y una introducción de S. A. Lafone Quevedo. RMLPlata 18. 232-45.

Duff, Martha
1957. A Syntactical Analysis of an Amuesha (Arawak) Text. IJAL 23. 171-8.
v. Wise, Mary Ruth.

Dulley, Charles
1902/4. Vocabulario dos Coroados. Arquivo-Revista do Centro de Sciencias e Artes. Campinas, nos. 1 y 7.

Dumézil, George
1954. Deux pièces "costumbristas" Qhiswa de Kilku Warak'a (Andrés Alencastre G.). JSA 43. 1-82.
1954. Remarques sur les six premiers noms des nombres du Turc. Studia Linguistica 8. 1-15.
1955. Remarques complémentaires sur les six premiers noms des nombres du Turc et du Quechua. JSA 44. 17-37.
1955. Catégories et vocabulaire des échanges de services chez les indiens Quechua: Ayni et Mink'a. JSA 44. 3-16.
1957. Structure du Quechua (dialecte Cuzquenien). Travaux de l'Institut de Linguistique de l'Université de Paris 1. 125-34.
1957. Los seis primeros nombres de números del Turco y del Quechua. Extracto y traducción de Nélida Miramón Pourtalé. Revista de educación 2. 73-8. La Plata.

Dumézil, G. & Alencastre, G. Andrés
1953. Fêtes et usages des indiens de Langui (Dépt. du Cuzco). JSA 42. 1-118.

Dumézil, G. & Curien, H.
1957. Remarques statistiques sur les six premiers noms de nombres du Turc et du Quechua. JSA 46. 181-8.
Duquesne, José Domingo
ms. Gramática y vocabulario de la lengua Mosca Chibcha (paradero desconocido).
Durand, Juan
1915/8. Etimologías peruanas. Bol. Soc. Geogr. Lima 31. 306-13, 348-53, 32. 102-04, 267-73, 418-28, 34. 145-47, 459-62.
1921. Etimologías peru-bolivianas. La Paz.
Durand, Juan E.
1931. La lengua de los Diaguitas. Bol. de la Soc. Geogr. de La Paz 34. 122-33.
Duroni, Salvador
1924. Diccionario Jíbaro-Castellano y Castellano-Jíbaro. Bol. Acad. Nac. de la Hist. Quito 9. 1-67. (1928 Diccionario de bolsillo del idioma Jíbaro, Cuenca, 2a. edición del mismo).
Ebner, C. B.
1940/2. Erste Nachrichten über die Duludy-Indianer in Nordbrasilien. Anthropos 35/6. 363-8.
Eckart, Anselm von
1890. Specimen linguae Brasilicae uulgaris. Editionem separatam alias inmutatam curauit Julius Platzmann. Leipzig.
Echeverría i Reyes, Aníbal
1889. Disquisiciones (La lengua Araucana, etc.). Santiago.
1890. Noticias sobre la lengua Atacameña. Santiago.
1900. Voces usadas en Chile. Santiago.
1912. Noticias sobre la extinguida lengua Cunsa. 17 CIA, Buenos Aires 1910, 222.
Edelweiss, Frederico G.
1947. Tupís e Garanís, Estudos de Etnonímia e Linguística. Publicações do Museu da Bahía.
Egoavil Arrieta, Pedro
1943. Algunas formas y modos de expresión usados en la provincia de Huánuco. Tierra, agosto 1943. 10-11. Ambo.
Eguía, Constantino
1945. España en América: lenguas y lingüistas en el antiguo Paraguay español. Rev. de Indias 6. 445-80. Madrid.
Ehrenreich, Paul
1886. Über die Puris Ostbrasiliens. ZE 18. 184-8.
1887. Über die Botokuden der brasilianischen Provinzen Espiritu Santo und Minas Geraes. ZE 19. 1-82.
1888. Reise auf dem Araguaya. Verhandl Berliner Gesell. Anthrop. Ethnol. Urgesch. 547-50.
1891. Beiträge zur Völkerkunde Brasiliens. Berlin. (1948. trad. port. Rev. do Mus. Paulista n. s. 2. 7-136).
1894. Materialien zur Sprachenkunde Brasiliens. Die Sprache der Apiaká (Pará). ZE. 27. 149-76.
1896. Ein Beitrag zur Charakteristik der botokudischen Sprache. Festschrift Adolf Bastian 607-30. Berlin.

1897. Materialien zur Sprachkunde Brasiliens. Vokabuläre von Purus Stämmen. ZE 29. 59-71.
1904. Die Ethnographie Südamerikas zu Beginn des XX. Jahrh. unter besonderer Berücksichtigung der Naturvölker. Amer. Anthrop. 3. 39-75.

Elzaguirre, José Manuel
1897. Tierra del Fuego. Recuerdos e impresiones de un viaje al extremo austral de la República. Córdoba.

Ellis, Alexander John
1882/4. Report on the Yaagan language of Tierra de Fuego. Trans. of the Philol. Soc. 32-4. Londres.

Englert, P. Sebastián
1934. Los elementos derivados del Aymará y Quechua en el idioma Araucano. Araucano y Rapanui. Anales de la Facultad de Filosofía y Educación. Secc. de Filología (Universidad de Chile) Santiago.
1936. Lengua y Literatura Araucanas. Anales de la Fac. de Filosofía y Educación, Secc. de Filología (Univ. de Chile) 1. 62-109. Santiago.

Enrique, Tulio, v.

Entwistle, William J.
1951/5. El sistema lingüístico Quechua. Documenta, Rev. de la Soc. Peruana de Historia 3. Lima.

Eraso Guerrero, Alberto
1944. Lengua Guambiano. Rev. Hist. 3/4. 63-8. Pasto.

Ernst, A.
1872. Notizen über Urbewohner der ehemaligen Provinz Santa Marta in Neu-Granada. ZE 4. 190-2.
1885/6. Über die Resten der Ureinwohner in der Gebirgen von Merida. ZE 17. 190-7, 18. 372-3.
1887. Einige Wörter aus der Sprache der Indianer von Tucurá in Neu-Granada. ZE 19. 302.
1887. Die Sprache der Motilonen. ZE 19. 376-8.
1887. Die ethnographische Stellung der Guajiro-Indianer. ZE 19. 425-44.
1891. Les anciens habitants de la Cordillera de Mérida. Potterie, langues, affinités. Compte-rendus du Congrès intern. d'Anthropol. prehist. 10. 491-500. París.
1891. Über einige weniger bekannte Sprachen aus der Gegend des Meta und oberen Orinoco. ZE 23. 1-13.
1895. Upper Orinoco Vocabularies. Amer. Anthrop. 8. 393-401.

Escalada, Federico A.
1949. El Complejo "Tehuelche", Estudio de etnografía patagónica. Buenos Aires.

Escalante, Aquiles
1954. Notas sobre el Palenque de San Basilio, una comunidad negra en Colombia. Divulgaciones etnológicas 3. 207-358. Barranquilla.

Escalante, J. A., Ritchie, J., Silva, J. F., Franco, A. & Farfán, J. M. B.
1939. Cómo puede ser la escritura del Qheswa, sus dialectos y el Aymará. 27 CIA, Lima y México 1939. 2. Lima.

Escobari, Isaac
1931. Analogías filológicas de la lengua Aymara. Bol. de la Soc. Geogr. de La Paz 34. 137-47.
Escobari, Macario
1904. Silabario Aimara, con la ortología propia de esta lengua y del Quichua. 2a. edición. La Paz.
Escoriaza, Damián de
1959. Datos lingüísticos de la lengua Maquiritare. Antropológica (Soc. de Cienc. Nat. La Salle) 6. 7-46. Caracas.
Eschwege, L. W. von
1818. Journal von Brasilien oder vermischte Nachrichten aus Brasilien. Weimar.
1830. Brasilien, die neue Welt. Brunswick.
Espejo Núñez, Teófilo
1956. Estudios sobre el Cauqui (1851-1953) y vocabulario de la lengua Cauqui: un inédito de Pablo Patrón. Lima.
Espinosa, Alonso M. de
1939/41. Cuentos y tradiciones de los indios Guaraúnos. Venezuela Misionera 1-3. Caracas.
Espinosa, Gaspar de
1864. Relación dada a Pedrarias Dávila (1516). Colección de documentos inéditos relativos al descubrimiento de América y Oceanía. 2. Madrid.
Espinosa, Lucas
1935. Los Tupí del Oriente Peruano, estudio lingüístico y etnográfico. Publicaciones de la expedición Iglesias al Amazonas. Madrid.
1955. Contribuciones lingüísticas y etnográficas sobre algunos pueblos indígenas del Amazonas peruano. Madrid.
Espinosa, Angel Antonio
1938. Breve ensayo sobre el alfabeto Quechua para el concurso de literatura Quechua con motivo del IV centenario del Cuzco. Rev. Inst. Arqueol. Cuzco 3. 82-6.
Espinosa Medrano de los Monteros, Juan de
Auto sacramental del Hijo Pródigo, publicado por E. W. Middendorf.
ms. Auto sacramental del Robo de Proserpina y Sueño de Endimión.
Estevão, Carlos
ms. inéd. Vocabularios dos idiomas de indios do Collegio, Jatobá, Potiguará e Teremembé.
Estigarríbia, Antônio
1934. Trecho de un relatório apresentado pelo inspetor do Serviço de Proteção aos Indios, no ano de 1912 relativamente aos índios do rio Doce. Rev. do Instit. Geogr. de Espiritu Santo 1. 20-52. Vitória.
Evreux, P. Ives d'
1864. Voyage dans le nord du Brésil, fait durant les années 1613-1614. París. (1929. trad. portuguesa, Rio de Janeiro).
Ewerton Quadros, Francisco Raimundo
1892. Vocabulário comparado: Português, Guaraní, Caiuá, Coroado e Xavante. Anexo à Memória sôbre os trabalhos de observação e exploração efetuada pela 2a Secção da Comissao Militar encar-

LÁMINA XII. — Plinio Ayrosa.

gada da linha telegráfica de Uberaba a Cuiabá. RIHGB 85. 233-60.
Eyzaguirre S., Dr. Delfín
1956. Astronomía Aymara. Khana, Rev. mun. de arte y letras 19/20. 82-96. La Paz.
F. M.
1907. Método práctico para aprender la lengua Guaraní. Asunción.
Fabo, Pedro
1911. Idiomas y etnología de la región oriental de Colombia. Barcelona.
1919/20. Etnografía y Lingüística de Casanare (Colombia). Anthropos 14/5. 21-32.
Failletey, Luciano S.
1957. Panpa Simi o Lengua común. Buenos Aires.
Falb, Rudolf
1888. Die Andes-Sprachen in ihren Zusammenhang mit dem semitischen Sprachstamme. Leipzig.
Falkner, P. Tomás, S. J.
1835. Gramática y breve vocabulario de la lengua de los indios Moluches. En Angelis.
1899. Thomas Falkner's Nachricht von der Molusischen Sprache; separat und unverändert herausgegeben von Julius Platzmann, Leipzig.
Fanshawe, D. B.
1948. Glossary of Arawak Names in Natural History. IJAL 15. 57-74.
Farabee, William Curtis
1918. The central Arawaks. Univ of Pennsylvania Anthropological Publications vol. 9.
1922. Indian Tribes of Eastern Peru. Introduction of Louis John de Milhau. Papers of the Peabody Museum of American Archaeology and Ethnology. Harvard Univ., vol. 10.
1924. The Central Caribs. Philadelphia.
Farfán, J. M. B.
1939. Escritura práctica de las lenguas aborígenes del Perú y Bolivia. Bol. Bibl. Antrop. Amer. 3. 10-14.
1941. Glosario patológico Quechua de la "Crónica" de Guamán Poma y un breve vocabulario patológico Quechua. Rev. del Mus. Nac. 10. 157-64. Lima.
1941. Quechua o Quichua? Letras nº 19. 190-3. Lima.
1941/2. La clave del lenguaje Quechua del Cusco. Rev. Mus. Nac. Lima 10. 215-39, 11. 117-34, 249-66.
1942. Poesía folklórica Quechua. RIAT 2. 530-625.
1942. Vocabulario Quechua. Rev. Mus. Nac. 11. 249-66. Lima.
1942. Epítetos "lapidarios" del Quechua. 37 CIA. Lima, 2. 37-40.
1943. La lengua Quechua. Una leyenda del zorro en sus versiones Quechua, Castellana e Inglesa. Rev. Mus. Nac. 12. 115-22. Lima.
1943. El Quechua bibliográfico. Una leyenda del mes de agosto en sus versiones Quechua, Castellana e Inglesa. Rev. Mus. Nac. 12. 228-38. Lima.
1944. La lengua Quechua. Bol. Soc. Geogr. de Sucre 40. 44-8.
1944. Cantos Quechuas de Ancash. Rev. Mus. Nac. 13. 145-52. Lima.

1947/51. Colección de textos Quechuas del Perú central. Rev. del Mus. Nac. 16. 85-122, 17. 120-50, 18. 121-66, 19/20. 191-269. Lima.
1952. El drama Quechua Apu Ollantay. Lima.
1952/4. Textos del Haqe-Aru o Kawki. Rev. Mus. Nac. 21. 77-91, 22. 61-74, 23. 34-49. Lima.
1954. Cronología Quechua-Aymara según el cálculo léxico-estadístico. Rev. Mus. Nac. 23. 50-5. Lima.
1955. Colección [de himnos Quechuas católicos cuzqueños]. Folklore Americano 3. 222-32. Lima.
1955. Estudio de un vocabulario de las lenguas Quechua, Aymara y Haqe-aru. Rev. del Mus. Nac. 24. 81-99. Lima.
1956. Notas lingüísticas. El Aymara o Haqe-Aru. El Yaraví tupino. Revista del Museo Nac. 25. 257-63. Lima.
1957. Estudios de nuestras lenguas indígenas. Rev. del Mus. Nac. 26. 41-50. Lima.
1957. La interrogación en la lengua Quechua. Rev. del Museo Nac. 26. 51. Lima.
1957. Quechuismos: su ubicación y reconstrucción etimológica. Rev. del Museo Nac. 26. 52-65. Lima.
v. Escalante & otros.

Faria, F. R. C. de
1858. Compendio da lingua brazilica, para uso dos que a ela se quizerem dedicar. Pará.

Fast, Peter W.
1953. Un cuento Amuesha. Perú Indígena 5. 113-22. Lima.
1953. Amuesha (Arawak) Phonemes. IJAL 19. 191-4.

Fawcett, Colonel
ms. inéd. Vocabulary of the Mashubi-language. En el archivo de Loukotka.

Febrés, Andrés
1765. Arte de la lengua general del reyno de Chile con un diálogo chileno-hispano muy curioso, a que se añade la doctrina christiana, esto es, rezo, catecismo, coplas, confesionario y pláticas, y por fin un vocabulario Hispano chileno y un calepino Chileno-Hispano más copioso. Lima. (1882, reed. por Juan M. Lársen).
1846. Diccionario Hispano-Chileno, compuesto por el P. —— de la C. de J., enriquecido y mejorado por el R. P. Misionero Fr. Antonio Hernández y Calzada, de la Orden de la Regular Observancia de N. P. S. Francisco. Santiago.
1846. Gramática de la lengua Chilena, escrita por el Rev. P. Misionero —— de la C. de J., adicionada por el R. P. Fr. Antonio Hernández Calzada. Santiago.
1864. Gramática Chilena. Concepción.

Febres Cordero, Tulio
1921. Historia de los Andes. Procedencia y lengua de los aborígenes. Mérida.
1942. Los Ayamán-Gayón-Jirajara. Bol. de la Soc. Venez. de Ciencias Naturales 7. 173-94, 245-49. Caracas.
1946. Un vocabulario caribe del Oriente venezolano. Rev. Nac. de Cultura nº 57. 3-18. Caracas.

Feijoo Reyna, R.
1924. Las lenguas Quechua y Aimará Rev. Arqueol. 2.

Fejos, Paul
1943. Ethnography of the Yagua. Viking Fund Publ. Anthropol. nº 1.
v. Newman, Stanley 1943.

Fernandes, Adauto de Alencar
1924. Gramática Tupí. Ceará-Fortaleza.

Fernandes, Enrico
1932. Vocabulario Paricurú. Rev. do Inst. Hist. e Geogr. do Pará 7. 211-16. Belém.
1952. Algumas notas sobre os Waiano e os Apalaí do Rio Jarí. Inst. de Antropol. e Etnol. do Pará, Publ. nº 4. Belém.
Vocabulario Emerenhon. ms. inéd.

Fernandes, José Antonio
1890. Memória sobre os travalhos de observação e exploração effetuada pela segunda secção da comissão militar da linha telegráfica de Uberaba a Cuyabá. RIHGB 55. 233-65.

Fernández Ferraz, Juan
1892. Nahuatlismos de Costa Rica. San José.

Fernández, León
1884. The Guatuso Indians of Costa Rica. Ann. Rep. Smithsonian Institution 1882. 675-77.
v. Fernández Guardia & Fernández Ferraz.

Fernández y González, Francisco
1893. Los lenguajes hablados por los indígenas del norte y centro de América. Madrid.
1893. Las lenguas habladas por los indígenas de la América Meridional. Madrid.

Fernández Guardia, Ricardo & Fernández Ferraz, Juan
1892. Lenguas indígenas de Centro-América en el siglo XVIII según copia del Archivo de Indias hecha por el licenciado don León Fernández y publicada por ___ y ___ para el 9º Congreso de Americanistas. San José de Costa Rica.

Fernández- Guizzetti, Germán
1957. La etnolingüística: del mundo del idioma al mundo de la cultura. Rev. de Antropología 5. São Paulo.

Fernández Naranjo, Nicolás
1948. Calidad y esencia de la lengua Colla ("Aymara"). La Paz en su IV centenario 1548-1948. 2. 57-66.
1951. Notas del verbo Aymara. Kollasuyo 10, nº 66. 49-55. La Paz.
1951. Notas sobre la lengua Aymara. Kollasuyo 10, nº 67. 55-63. La Paz.

Fernández Nodal, José
1873. Elementos de gramática Quichua o idioma de los Yncas. Cuzco.
1873. Los vínculos de Ollanta y Cusi-Kcuyllor, drama en Quichua, obra compilada y espurgada con la versión castellana al frente de su testo. Ayacucho.

Fernández de San José, Manuel & Bartolomé, Marcos
1895. Ensayo de gramática Hispano-Goahiva, por los RR. PP. Misioneros de Casanare ___ y ___. Bogotá.

Ferrario, Benigno
1927. Observaciones sobre indagación lingüística aplicada a los idiomas de la América Meridional. Rev. Soc. Amigos de la Arqueol. 1. 181-201.
1933. La investigación lingüística y el parentesco extracontinental de la lengua Qhexwa. Rev. Soc. Amigos de la Arqueol. 7. 89-120.
1934. Della natura della lingua Qhexwa (programma di recerche future). 25 CIA, La Plata 1932, 2. 229-45. Buenos Aires.
1937. A propósito de idiomas indígenas. La mañana, 20 año, nº 6954, 20 Enero. Montevideo.
1938. Della possibile parentela fra le lingue altaiche ed alcune americane. Tip. della R. Accad. dei Lincei. Roma (aparte del XIX Congreso Internazionale degli Orientalisti, 210-23).
1939. Las lenguas de los Chonos y de los Caucaues en el sur de Chile. Rev. Soc. Arg. Cienc. Nat. 16. 379-88.
1942. Revisión gramatical de la lengua Tsoneca. 27 CIA, México y Lima 1939, 2. 377-82. Lima.
1952. El problema lingüístico de la Patagonia: su estado actual. Folia Linguistica Americana 1. 3-9.
1956. Tres textos en lengua Tsôneca. Montevideo.
1956. La dialettologia ed i problemi interni della Runasimi (vulgo Quechua). Orbis 5. 131-40.
Ferreira França, Ernesto
1859. Chrestomatia da lingua Brasilica. Leipzig.
Ferreira Paes, Elpidio
1938. Alguns aspectos da fonêtica Sul-Rio-Grandense. Anais do 1 Congreso da lingua nac. cantada 361-428. São Paulo.
Ferreira-Penna, Domingo Soares
1881. Algumas palavras da língua dos Aruans [Arawak]. Arquiv. Mus. Nac. Rio de Janeiro 4. 15-25.
Ferrer, P. Rafael, S. J.
ca. 1602. Doctrina Christiana en lengua Cofane. Cit. por Hervás.
Fiebrig-Gertz, C.
1927. Nombres Guaraníes de plantas y animàles paraguayos. Rev. del Jardín Botánico de Asunción 2. 99-149.
1932. Nomenclatura Guaraní de vegetales de Paraguay. 20 CIA, Rio de Janeiro 1922, 3. 305-29.
Figueira, Pe. Luiz
1621. Arte da lingua Brasilica, composta pelo Padre —— da Companhia de Iessu. Lisboa. (Reed. 1681, 1687, 1795, 1851, 1878, 1880. v. Platzmann 1899).
Figueredo, Juan de
1701. Arte de la lengua Quichua. Lima.
v. Pardo, L. A., Torres Rubio.
Figueroa, G.
1903. Vocabulario etimológico de nombres chilenos. Santiago.
Finck, F. N.
1909. Die Sprachstämme des Erdkreises. Leipzig.
Firestone, Homer L.
1955. Chama Phonology. IJAL 21. 52-5.

Fita, R. P. Fidel
1884. Discurso acerca de la relación del vascuence con las lenguas americanas. 4 CIA, Madrid 1881, 2. 136-41.

Fitz Roy, Capt. Robert
1839. Narrative of the surveying voyages of His Majesty's ships Adventure and Beagle between the years 1826 and 1836. Londres. (En el vol. 2 apéndice con un vocabulario Alakaluf, v. extractos en Mitre).

Fletes Bolaños, Anselmo
1928. Lenguaje vulgar, familiar y folklórico de Chile y Nicaragua. Rev. Chilena de Hist. y Geogr. 59. 271-99.

Flórez, Luis
1953. El castellano y las lenguas indígenas de América. Rev. Colomb. de Folklore 1. 278-92. (Reed. 1953/4. BI 14. 90-99).
1955. Algunas voces indígenas en el español de Colombia. Rev. Colomb. de Antropología 4. 285-310.

Flornoy, Bertrand
1938. Contribution a l'étude de la langue Jívaro ou Suor. JSA 30. 333-41.

Flury, Lázaro
1944. Guiliches. Tradiciones, leyendas, apuntes gramaticales y vocabulario de la zona Pampa-Araucana. Córdoba.
Tradiciones, leyendas y vida de los indios del norte. Con el primer vocabulario completo Castellano-Mocobí y Castellano-Toba. Buenos Aires.

Fonseca, Amílcar
1914. Dialecto Cuicas. Gaceta de los Museos Nacionales 2. 216-20. Caracas.

Fonseca, João Severiano da
1880/1. Viagem ao redor do Brasil, 1875-78. Rio de Janeiro. 2 vol. (1895. Reed. Rio de Janeiro).

Fontana, Aníbal
1881. El Gran Chaco. Buenos Aires.

Fontana, Luis Jorge
ms. 1897. Vocabulario Payaguá. En el archivo de Loukotka.

Forero, Manuel José
1934. Vestigios de la lengua Chibcha. Generos 2. 41-48. (1946/50. Amazonia Colombiana Americanista 4. 39-49).
1939. El idioma de los Chibchas. Bol. de Hist. y Ant. 26. 110-16. Bogotá.

Franco
1882. Noticias de los indios del departamento de Veragua y vocabulario de las lenguas Guayami, Norteño, Sabanero y Dorasque. Colección de lingüística y etnografía americanas, publicada por A. L. Pinart, vol. 4. San Francisco.

Franco, A., v. Escalante & otros.

Franco Inojosa, José María
1937. Del Aymara. Apuntes lingüísticos para la reivindicación del Uru. Rev. Inst. Arqueol. Cuzco 2. 85.

Frauenhäusl, Fray Sigisfredo de, v. Augusta, P. Félix José de.

Fredericks, Edna & Stoll, Ignatius

1954. Registración en Lokono (Arawak), referencia en IJAL 20. 245.
Freire, Anibal
Vocabulario Sanamaikã. ms. inéd.
Freire Alemão, Francisco
1882. Questões propostas sobre alguns vocábulos da língua geral brasiliana. RIHGB 65. 351-61.
Freitas, Dr. Affonso A. de
1910. Ethnografia paulista. Os Guayanás de Piratininga. São Paulo.
1911. Os Guayanás de Piratininga. Rev. do Inst. Hist. e Geogr. de São Paulo 13. 359-78.
1911. Vocabulário comparado de várias nações indígenas que habitaram ou habitam o território da antiga Capitanía de São Vicente. Rev. do Inst. Hist. e Geogr. de São Paulo 13. 41-59.
1934. Emboaba. Rev. do Arq. Munic. de São Paulo 1. 35-41.
1936. Vocabulario Nheengatú vernaculizado pelo português falado em São Paulo. São Paulo.
Freitez Pineda, R.
1906. Vocabulario Ayamán de los indios de Parupano. Barquisimeto.
Freyreiss, G. W.
1900. Viagem a várias tribos selvagens na Capitania de Minas Geraes, permanencia entre elas, descrição de seus usos e costumes. Rev. do Instit. historico-geographico de São Paulo 6. 236-52.
Frič, Vojtěch Alberto
ms. Slovnik nárecí Kamé a Kadurukre (en poder de Loukotka).
Frič, Vojtěch Alberto & Radin, Paul
1906. Contribution to the Study of the Bororo Indians. Journ. Royal Anthrop. Instit. 36. 382-406.
Friede, J.
1945. Reseña etnográfica de los Macaguajes de San Joaquín sobre el Putumayo. Bol. de Arqueol. 1. 553-65. Bogotá.
1946. Los Andakí. Rev. de Historia 2. 306-16. Pasto.
1948. Algunos apuntes sobre los Karijona-Huaque del Caquetá. 28 CIA, París, 255-63.
1950. La investigación histórica y la lingüística americana. Rev. de Hist. 5. nos. 26/7. 58-70. Pasto.
1952. Consideraciones sobre la lengua Andakí. Rev. de Antrop. y Etnol. 6. 187-222. Madrid.
1953. Los Andakí (1538-1947). Historia de la aculturación de una tribu selvática. México, Fondo de Cultura Económica.
Friederici, Georg
1926. Hilfswörterbuch für den Amerikanisten. Lehwörter aus Indianersprachen und Erklärungen altertümlichen Ausdrücke. Halle.
1930. Vier Lehnwörter aus dem Tupi (ajoupa, boucan, paletuvier, tiburon). Zeit. f. französ. Sprache u. Literatur 54. 175-87.
1947. Amerikanistisches Wörterbuch. Hamburgo.
v. Schuller 1905.
Fritz, P. Samuel
ms. Vocabulario en la lengua Castellana, la del Ynga y Xebera. En el British Museum.
ms. Gramática de la lengua Jebera. En el British Museum.

Froes de Abreu, Sylvio

1929. Os indios Crenaques (Botocudos do Rio Doce) en 1926. Rev. Mus. Paul. 16. 569-602.

1931. A lingua dos Guajajáras e vocabulário Guajajára colhido nas aldeias S. Pedro e Colonia no alto Mearim. En el libro Na Terra das Palmeiras - Estudos brasileiros. Prefácio do Prof. Roquete Pinto. Rio de Janeiro.

Fulop, Marcos

1955. Notas sobre los têrminos de parentesco entre los Tucano. Rev. Colomb. de Antropol. 4. 121-64.

Furlong, C. W.

1917. Tribal Distribution and Settlements of the Fueguians, comprising nomenclature, etymology, philology and populations. The Geographical Review 3. 181.

1917. The Haush and Ona, primitive tribes of Tierra de Fuego. 19 CIA, Washington, 432-44.

Furlong, P. Guillermo, v. Sánchez Labrador 1936.

Furquim Lahmeyer, Lucía, v. Spix & Martius.

Gabb, William M.

1875. On the Indian tribes and languages of Costa Rica, Proc. Amer. Philos. Soc. 14. 483-602.

1886. Tribus y lenguas indígenas de Costa Rica. Col. Doc. Hist. Costa Rica. Barcelona. Trad. del anterior.

Gabelenz, C. von der

1892. Grammatik der Kiriri Sprache [traducida de Mamiani]. Leipzig.

Gaffarel, Paul

1887. Jean de Léry, La langue Tupi. Rev. de Ling. et de Philolog. Comparée.

Gagini, Carlos

1917. Los aborígenes de Costa Rica. San José de Costa Rica.
v. Pittier & Gagini.

Galante, Hippolytus

1938. Ollantay, edidit ———. Monumenta lingua Incaicae. Lima.
v. Avila, Francisco de, Jurado Palomino; Tola Mendoza.

Galindo, Juan

1833. Notice of the Caribs in Central America. Journal of the R. Geogr. Soc. 3. Londres.

Galvão, Eduardo

1952. Breve noticia sobre os indios Juruna. Rev. Mus. Paul. n. s. 6. 469-78.
v. Wagley & Galvão.

Gálvez, Manuel, v. Rosas.

Gallardo, Carlos R.

1910. Los Onas. Buenos Aires.

Gamio, Manuel

1945. La lingüística y el conocimiento de los indios monolingües. BI 5. 294-300.

Gancedo, A.

1922. El idioma japonés y sus afinidades con lenguas americanas. Rev. Derecho, Hist. y Letras 73. 114-22.

Garate, Dr. Justo
1949. El Euskera y las lenguas amerindias. Eusko-Jakintza 3. 49-59. Sare (B. P.).
Garbe, Richard von
1883. Eine vollständige Grammatik des Yagan und ein Vokabular von ca. 30. 000 Wörtern. Göttingsche Gelehrte Anzeigen 1. 336-76.
García, Juan Antonio
1917. Gramática Aymara sobre la base de una edición antigua. 2a. ed. La Paz.
García, Rodolfo
1915. Dicionário de brasileirismos (Peculiaridades pernambucanas). RIHGB 127. 633-947.
1920. Frases e discursos Tupís [restauración y traducción de los elementos tupíes en Claude d'Abbeville, Histoire de la Mission des Pères Capucins en l'Isle de Maragnon]. Rev. de Lingua Portuguesa 1. 87-93. Rio de Janeiro.
1927. Glossário das palavras e frases da lingua Tupí contidas na Histoire de la Mission des Pères Capucins en l'Isle de Maragnon et terres circonvoisines do Padre Claude d'Abbeville. RIGHB 148. 5-100.
1929. Nomes de aves em lingua Tupí. Boletim do Museu Nacional 5. 153-88. Rio de Janeiro.
García Ayuso, Francisco
1871. Lenguas de América. Madrid.
García Gutiérrez, Francisco, v. Mossi 1859.
Garraux, Anatole Louis
1898. Bibliographie brésilienne (1500-1898). París.
Garro, L. J. Eugenio
1939. Características fonéticas del Chinchaysuyu de Ancash. Rev. Mus. Nac. Lima 8. 283-95.
1942. Northern Kechuan Dialects of Peru. Amer. Anthrop. 44. 442-50.
1944. Kechuan Dialect of Callejón de Haylas. IJAL 10. 139-43.
Garrote, P. Pedro Nolasco, S. J.
Gramática de la lengua Chilena (?).
Garvin, Paul L.
1948. Esquisse du système phonologique du Nambikwara-Tarunde. JSA 37. 133-89.
1955. Problems in American-Indian Lexicography and Text Edition. São Paulo.
Gassó, Leonardo
1908. Gramática Karibe-Cuna. Barcelona.
1910/14. La misión de San José de Narganá, entre los Karibes. Las misiones católicas vols. 18-22. Barcelona.
Gatschet, Albert S.
1884. The Aruba language and the Papiamento Dialect. Proc. of the Amer. Philos. Soc. 21. 299-305.
1900. Zentralamerikas Sprachstämme und Dialekte. Globus 77. 81-84, 87-92.
Gatti, Carlos
1945. Vocabulario Guaraní-Español para uso médico. An. Fac. Cienc. Méd. Asunción.

Gatti, G.

1925. Gramática Araucana.

Gensch, H.

1908. Wörterverzeichnis der Bugres von Santa Catharina. ZE 40. 744-59.

Gez, Juan W.

1915. Disquisiciones filológicas sobre la lengua Guaraní. Corrientes.

Ghinassi, Juan

1938. Gramática teórico-práctica y vocabulario de la lengua Jíbara. Quito.

Ghisletti, Louis V.

1946/50. Un documento Mwiska inédito. Amazonia colombiana americanista 4. 109-15. V. Rivet 1954.

1952. El idioma Muiska y sus relaciones con el complejo lingüístico Macro-Chibcha. Bogotá (Mimeogr.).

1953. Los nombres de animales en Mwiska y su aspecto semasiológico. Rev. Colombiana de Folklore nº 2. 273-86. Bogotá.

Giacone, P. Antonio

1940. Pequeña gramática e diccionario da lingua Tucana. Manáus.

1949. Os Tucanos e outras tribus do rio Uaupes, afluente do Negro-Amazonas. São Paulo.

Giannecchini, Doroteo

1896. Reglas elementales de la lengua Chiriguana. Obra póstuma del R. P. Alejandro María Corrado. Lucca.
v. Romano, S. & Cattunar, H.

Giese, Wilhelm

1947/9. Hispanismos en el Mapuche. Boletín de Filol. 5. 115-35. Santiago de Chile.

Gili, Antonio

1862. Catecismo de la doctrina cristiana en lengua Tacana. La Paz.

1902. Oraciones y catecismo en Tacano por el R. P. Fr. —— RM LPlata 10. 297-311. v. Armentia 1902.

Gilij, Filippo Salvatore

1780/4. Saggio di storia americana, o sia, Storia naturale, civile e sacra de'regni e delle provinzie spagnuole di Terra-Ferma nell'America meridionale. 4 vol. Roma.
v. Lafone Quevedo 1896, Veigl.

Gillin, John

1936. Quichua-speaking Indians of Northern Ecuador. Amer. Anthrop. 38. 548-53.

1936. The Barama river Caribs of British Guiana. Papers of the Peabody Museum 14. 2. Cambridge, Mass.

1940. Some anthropological problems of the tropical forest areas of South-America. Linguistic studies. Amer. Anthropol. 42. 647-8.

ms. Vocabulary of the language of the Aguarico river Indians.

Goeje, C. H. de

1910. Etudes linguistiques caraibes. Verhandelingen der Koninklijke Akademie van Wetenschappen te Amsterdam. Afdeel. Letterk., N. R. 10. 3.

1946. Idem, vol. II, ibidem, 51. 2.

1924. Guayana and Carib tribal names. 21. CIA, La Haya, 1. 212-16

1928. The Arawak Language of Guiana. Verhandelingen der K. Akademie van Wetenschappen te Amsterdam. Afdeel. Letterk., deel 28. nº 2.
1928. Old relations between Arawak, Carib and Tupi. 22 ÇIA, Roma 1926. 1. 63-7.
1929/30. Het merkwaardige Arrawaksch. De West-Indische Gids 11. 11-28. La Haya.
1930. The inner structure of the Warau Language of Guiana. JSA 22. 33-72.
1930/1. Het merkwaardige Warau. De West-Indische Gids 12. 1-16. La Haya.
1932. Das Kariri (Nordost Brasilien). JSA 24. 147-78.
1932/3. Het merkwaardige Karaibisch (Een ethnologisch verhaal woor den gewonen lezer). De West-Indische Gids 14. 99-123. La Haya.
1933. Le bilinguisme dans le Caraïbe des îles Antilles. Atti del 3 Congr. Intern. dei linguisti. Roma. 404-7.
1934. Das Kariri (nordost Brasilien). 24 CIA, Hamburgo 1930, 1. 298-322.
1935. Fünf Sprachfamilien Südamerikas. Mededeelingen K. Akad. Wetensch., Afdeel. Letterk., 77. 5.
1937. Laut und Sinn in Karibischen Sprachen, Mélanges de linguistique et de philologie offerts a Jacques van Ginneken 335-39. París.
1939. Nouvel examen des langues des Antilles, avec notes sur les langues Arawak-Maipure et Caribe, et vocabulaire Shebayo et Guayana. JSA 31. 1-120.
1941. Bijdragen tot de taal-, land- en volkenkunde van Nederlandsch -Indie, 100. 71-125. La Haya.
1948. La langue Manao. 28 CIA, París, 157-72.
v. Booy.

Goldsmith, Peter H.
1932. Contribuciones indígenas americanas al idioma español. 20 CIA, Rio de Janeiro 1922, 3. 119-33.

Gómez Haedo, Juan Carlos
1937. Un vocabulario Charrúa desconocido. Bol. de Filología 1. 323. Montevideo.

Gonçalves, Antônio Manuel, v. Tocantins.

Gonçalves da Cruz, Benjamín
1897. Palavras guaranis. RIHGB 40. 145-7.

Gonçalves Dias, Antonio
1854. Vocabulario da lingoa geral usada hoje em dia no alto Amazonas. RIHGB 17. 553-76.
1858. Diccionario da língua Tupy chamada lingua geral dos indígenas do Brazil. Leipzig. (basado en el Diccionario Brasiliano de 1795, con errores).

Gondim, J.
1938. Etnografía indígena. Ceará.
Relação oficial. ms. inéd. en la inspectoria do Serviço de Prot. aos Ind.

González, Antonio E.
1952. Fonética y ortografía Guaraníes. Bol. de Filología 6. 15-65.

Montevideo.
González, Natalicio
1958. La poesía Guaraní. América Indígena 18. 51-70.
González, Padre
ms. inéd. Vocabulario del idioma Culle y Quechua Huancayo. Bibl. de P. Rivet.
González Barcia, Andrés
1737. Epítome de la Biblioteca Oriental, Occidental, naútica y geográphica de don Antonio de León Pinelo... añadido y enmendado nuevamente... 3 vol. Madrid.
González Bravo, Antonio
1952/3. Poemas Aymaras. Inti Karka 1. 41-5, 2. 44-9. La Paz.
1953. Versión Aymara de la Declaración Universal de los Derechos del Hombre. Khana, Rev. Munic. de arte y letras 1/2. 50-2. La Paz.
1956. En torno a la lengua Aymara [ortografía]. Khana 15/6. 172-4.
1956. Puma Kholtu, poemas Aymaras. Khana 15/6. 219-20.
1956. Umttaña, poemas Aymaras. Khana 19/20. 260-1.
1957. Kotachi, poema Aymara. Khana 25/6. 264-5.
González Holguín, P. Diego
1607. Gramática y arte nueva de la lengua general de todo el Perú llamada lengua Qquuichua o lengua del Inca... Lima. (1842 y 1901 reeditada en Lima, 1952 id. con prologo de R. Porras Barrenechea).
1608. Vocabulario de la lengua general de todo el Perú, llamada lengua Qquichua o del Inca. Corregido y renovado conforme a la propiedad cortesana del Cuzco. Lima (1901 reed. con la gramática. Lima. 1952, Reed. Lima, con prólogo de R. Porras Barrenechea).
v. Anónimo 1584 y 1585.
González Suárez, Federico
1904. Prehistoria ecuatoriana. Ligeras reflexiones sobre las razas indígenas que poblaron antiguamente el territorio actual de la República del Ecuador. Quito. [contiene algunos textos cristianos en Yameo]. V. también Hidalgo, Tomás.
González Torres, Dionisio
1952. A Lingua Guaraní. Curso proferido na Escola de Sociología e Política de Sao Paulo. Ed. mimeografiada.
Gornall, Pedro
1882. Les langues brésiliennes. Monographie bibliographique des livres les plus intéressants... de la linguistique du Brésil. Buenos Aires.
Granada, Daniel
1890. Vocabulario Rioplatense razonado, precedido de un juicio crítico por D. A. Magariños Cervantes. 2a. ed. corregida, considerablemente aumentada, y a la que se añade un nuevo juicio crítico publicado por Don Juan Valera. Montevideo.
Granja, J. C.
1941. Palabras Cofanes tomadas en los ríos Coca, Aguarico y San Miguel (Zona ecuatoriana). Nuestro Oriente 1942. 85-6. Quito (reproducido en Ortiz 1947 y 1954).

Grasserie, Raoul de la, v. La Grasserie, Raoul de.

Grebinet, P. Guillermo, S. J.

*ca.* 1710. Gramática de las lenguas Omagua y Cocama. cit por Hervás.

Greenberg, Joseph H.

1956. The Measurement of Linguistic Diversity. Language 32. 109-15.

1956. Tentative Linguistic Classification of Central and South America (mimeogr.).

Greenberg, J. H. & Swadesh, M.

1953. Jicaque as a Hokan Language. *IJAL* 19. 216-22.

Greiffenstein, C.

1878. Vocabulario der Chami-Indianer. *ZE* 10. 135-8.

Grigôrieff, Sergio

1935. Compendio del idioma Quichua. Con notas detalladas sobre las particularidades del idioma en Santiago del Estero. Buenos Aires.

Grimm, Juan M.

1896. La lengua Quechua. Friburgo de Brisgovia.

1897. Vocabulario Quichua-Español y Español-Quichua. Friburgo de Brisgovia.

Grubb, Kenneth G.

1927. The Lowland Indians of Amazonia; a survey of the location and religious condition of the Indians of Colombia, Venezuela, the Guianas, Ecuador, Perú, Brazil and Bolivia. Londres.

Grubb, Wilfred Barbrooke

1911 (1913). An unknown people in an unknown land; an account of the life and customs of the Lengua Indians of the Paraguayan Chaco. Londres.

Grupe y Thode, G.

1890. Über den Rio Blanco und die anwohnenden Indianer. Globus 57. 251-4.

Guasch, P. Antonio, S. J.

1947. El idioma Guaraní, 2a. ed. Buenos Aires. (1956. El Idioma Guaraní [Gramática y antología de prosa y verso]. Asunción).

1948. Diccionario Guaraní, precedido de una síntesis gramatical y de la fauna y flora guaraníticas. Buenos Aires.

1952. Gramática general y Guaraní. Bol. de Filol. 6. 209-31.

1952. Catecismo de la Doctrina Cristiana, bilingüe en Guaraní y Español. Impreso en la Argentina.

Güegüence, The,

1883. A Comedy Ballet in the Nahuatl- Spanish Dialect of Nicaragua, ed. by D. G. Brinton. Philadelphia.

Gueiros, Jerónimo

1938. Importância da unidade ortoépica da lingua nacional e como asse gurála em face das dialetações regionais. Anais do I Congresso da lingua nacional cantada 55-64. São Paulo.

Guérios, Rosário Farani Mansur

1935. Novos rumos da Tupinologia. Rev. do Círculo de Estudos Bandeirantes 1. 3-16. Curitiba.

1937. Pontos de gramática histórica portuguesa. São Paulo.

1939. O Nexo linguístico Bororo-Merrime-Caiapó (contribuição para a unidade genética das linguas americanas). Rev. do Círculo de Estudos Bandeirantes 2. 61-74. Curitiba.

1941. Tabús linguísticos. Arquivos do Museu Paranaense 1. 149-60. Curitiba.

1942. Estudos sobre a língua Caingangue. Arquivos do Museu Paranaense 2. 97-117. Curitiba.

1944. Entre os Botocudos do Rio Doce. Gazeta do Povo, 18, 20, 21 junho. Curitiba.

1944/5. O Xocrén é idioma Caincangue. Arq. do Mus. Paranaense 4. 321-31. Curitiba.

1944/5. Estudos sobre a lingua Camacã, Arq. do Mus. Paranaense 4. 291-320. Curitiba.

1945. O Xocrén é idioma Caingangue. Bol. bibliogr. da Biblioteca publica municipal de São Paulo 6. 60-8.

1948/9. Diccionário das tribus e línguas indígenas da America Meridional. Museu Paranaense, Publ. avulsas tomo I, A, tomo II B-Cax.

1950. Investigaçoes etimológicas tupís. Anuario da Univ. do Paraná 238-87. Curitiba.

v. Nimuendajú & Guérios.

Guerra, Lucas

1946. Traducción y comentario de una de las oraciones incaicas de Cristóbal de Molina. Rev. de la Secc. Arqueol. de la Univ. Nac. nº 3. 148-67. Cuzco.

Guerrero y Sosa, Pedro

1932. Compendio de gramática Quichua. El Oriente Dominicano 5. 8-9, 68-9, 88-99, 133. Quito.

Guevara, Tomás

1911. Folklore Araucano. Santiago.

1913. Las últimas familias y costumbres Araucanas. Santiago.

Guillaume, H.

1888. The Amazon province of Peru. Londres.

Guimarães, Cônego José da Silva

1865. Memória sobre os usos, costumes, linguagem dos Appiacás, e descobrimiento de novas minas na provincia de Mato Grosso. RIHGB 6. 305-25.

Guimarães Daupías, Jorge

1922. O dialecto Capiau. Rio de Janeiro.

Gumilla, Joseph

1745. El Orinoco ilustrado y defendido. Historia Natural, civil y geographica de este gran río y de sus caudalosas vertientes. Madrid. 2 vol. (1791. Reed. bajo el título: Historia natural, civil y geográfica de las naciones situadas en las riveras del río Orinoco. Barcelona. 2 vol.).

Gumucio, Rafael

1878. Apuntes sobre el Quechua. La Estrella de Chile 15. 29-40, 56-61, 101-13.

Gusinde, Martin

1926. Das Lautsystem der feuerländischen Sprachen. Anthropos 21. 1000-24.

1927. Der Ausdruck "Pescheräh", ein Erklärungsversuch. Deutsche Monatshefte für Chile 7. 33-41. Concepción.
1928. Die Manuskripte über die Yamana-Sprache des Pastors Thomas Bridges. Ethnol. Anzeiger 5. 374-5, Stuttgart.
1934. Die Manuscripte der Yamana-Sprache des Rev. T. Bridges. 25 CIA, La Plata 1932, 2. 247-51. Buenos Aires.
1931. Die Feuerland-Indianer. I. Die Selk'nam. Mödling bei Wien.
1937. Idem. II. Die Yamana. Mödling bei Wien.
1939. Idem. III. Anthropologie. Mödling bei Wien.
1948. Das Sprachgut der Selk'nam-Feuerländer. Archiv für Völkerkunde 3. 204-6.
v. Bridges, Thomas.

Gutiérrez, Fr. Francisco
s. XVIII. Arte y Vocabulario de la lengua Cholona. cit. por Schuller.

Gutiérrez, Juan María
1871. Algunas observaciones sobre las lenguas Guaraní y Araucana. Rev. del Río de la Plata 2. 71-86, 198-203.

Gutiérrez, Rufino
1920. Monografías. Bogotá, Biblioteca de Hist. Nacional.

Gutiérrez de Pineda, Virginia
1956. San Joaquín, Joaquín de: Gramática... de la lengua Chibcha. Estudio comparativo. Bogotá.

Guzmán, Manuel
1920. Gramática de la lengua Quichua (dialecto del Ecuador). Quito.
1920. Vocabulario de la lengua Quichua, cual se habla hoy en la República del Ecuador. Quito.

Haberl, M.
1928. Gesetze des Lautwechsels in der Sprache der Yamana auf Feuerland. Festschrift P. W. Schmidt 63-66. Viena.

Hagen, Víctor W. von
1939. The Tsátchela Indians of Western Ecuador. Indian Notes 51. 1-61.
1943. The Jicaque (Turrepan) Indian of Honduras. Indian Notes and Monographs, nº 53. Museum of the American Indian. Nueva York.

Hale, Horatio
1846. Ethnography and Philology. United States exploring expedition under the command of Ch. Wilkes. Philadelphia.

Hämmerly Dupuy, D.
1947. Sobre los Aksánas o lengua de los Kaueskar. Rev. Geográfica Americana, sept.
1947. Idem. Ciencia e Investigación, diciembre.

Hamp, Eric P.
1958. A question on Ocaina syllables. IJAL 24. 239-40.

Handel, Padre
1890. Abañeéme. Guia práctica para aprender el idioma Guaraní. Stuttgart. (1892. Nueva edición. Buenos Aires).

Hanes, Leonard C.
1952. Phonemes of Motilone (Carib). IJAL 18. 146-9.

Hanke, Wanda
1938. Indianersprachen im Gran Chaco. Lasso 5.565-8. Buenos Aires.

1942. Cadivéus e Terenos. Arquivos do Museu Paranaense 2. 79-86. Curitiba.

1946/7. Los indios Botocudos de Santa Catarina, Brasil. Arq. do Museu Paranaense 6. 45-59. Curitiba.

1946/7. Vocabulario del dialecto Caingangue de la Serra de Chagú, Paraná. Arq. do Museu Paranaense 6. 99-106.

1949. Algunas voces do idioma Karipuna. Arquivos, Coletanea de documentos para a historia da Amazonia 10. 5-12. Manaos.

1950. Breves nôtas sobre os indios Mondé e o seu idioma. Dusenia 1. 215-28.

1950. Ensayo de una gramática del idioma Caingangue de los Caingangues de la Serra de Apucarana, Paraná, Brasil. Arq. do Museu Paranaense 8. 65-146. Curitiba.

1950. Vocabulário e idioma Mura dos indios Mura do Rio Manicoré. Arquivos 12. 3-8. Manaus.

1953. Parintintin y Boca Negra con sus idiomas. Un estudio lingüístico comparativo. Kollasuyo 12. 29-47. La Paz.

1954. Notas complementarias sobre los Sirionos. Rev. de Cultura 1. 167-89. Cochabamba.

1956. Beobachtungen über den Stamm der Huari (Rio Corumbiara), Brasilien. Archiv f. Völkerkunde 11. 67-82. Viena-Stuttgart.

Hanke, W., Swadesh, M. & Rodrigues, A.

1958. Notas de fonología Mekens. Misc. Paul Rivet 2. 187-218. México.

Harden, Margaret

1946. Syllabe structure of Terena. <u>IJAL</u> 12. 60-3.

Hardenburg, Walter E.

1910. The Indians of the Putumayo, Upper Amazon. Man 10. 134-8.

1912. The Putumayo, the Devils Paradise; travels in the Peruvian Amazon region and an account of the atrocities commited upon the Indians therein. Londres.

Harrington, John Peabody

1925. Ethnological and linguistic notes on the Tule Indians of Panamá. Explorations and Field-Works of the Smithsonian Institution in 1924. Smithsonian Misc. Coll. vol. 77. 112-36.

1943. Hokan discovered in South America. Journ. Washington Acad. Sciences 33 (nº 11). 334-44.

1944. Quechua Grammarlet. Rev. Mus. Nac. Lima 13. 130-44.

1944. Sobre fonética Witoto. <u>AIEA</u> 5. 127-8.

1944. Ten ways in which the study of South American Languages illuminates Linguistic Knowledge. Acta Americana (Inter-American Society of Anthropology and Geography) 2. 104-8.

1945. La lengua Aymara, hermana mayor de la Quichua. <u>AIEA</u> 6. 95-101.

1945. Yunka, Language of the Peruvian coastal culture. <u>IJAL</u> 11.24-30.

1947. Phonetics of Quechua. Rev. Mus. Nac. 16. 17-32. Lima.

1948. Matako of the Gran Chaco. <u>IJAL</u> 14. 25-8.

Harrington, John P. & Valcárcel, Luis E.

1941. Quichua phonetics. A shortcut to the scientifig writing of the Language of the Incas of Peru. Rev. Mus. Nac. Lima 10. 201-14.

Harrington, Tomás
1925. Algo sobre la lengua Puelche o Künnü. ASCA 99. 205-6.
1933/5. Observaciones sobre vocablos indios. Publ. Mus. Antrop. Etnogr. Serie A 3. 59-69.
1946. Contribución al estudio del indio Gününa Küne. RMLPlata, n. s. Secc. Antropol. 2. 237-76.
Hartt, Charles Frederick
1870. Geology and Physical Geography of Brasil. Boston (con un apéndice sobre los Botocudos p. 577-606).
1872. Notes on the lingoa geral or modern Tupi of the Amazonas. Transactions of the Amer. Philol. Association. Nueva York. (1938. Traducción al portugués en Anais da Biblioteca Nacional do Rio de Janeiro 41. 305-71).
1938. Frases (em Tupí moderno e Português). Anais da Bibl. Nac. do Rio de Janeiro 51. 319-81.
1938. Conversaçao (em Tupí moderno e Português). Anais da Bibl. Nac. do Rio de Janeiro 51. 383-90.
ms. inéd. Vocabulario da lingua Botocudo. Bibl. Nac. de Rio de Janeiro.
Note of the Mundurucú and Maué languages. ms. inéd. en la Bibl. Nac. de Rio de Janeiro.
v. Anónimo s. f. ms., Paula Martins 1958.
Hasemann, J. D.
1912. Some notes on the Pawumwa Indians of South America. Amer. Anthrop. 14. 333-49.
Hassel, Jorge M. von
1902. Vocabulario Aguaruna. Bol. Soc. Geogr. Lima 12. 73-86.
Haudricourt, André
1952. Esquisses de descriptions de langues américaines. Yamana. en Les langues du monde 1196-98. v. Meillet & Cohen.
Havestadt, Bernard
1777. Chilidugu siue Tractatus linguae Chilensis. Münster in Westphal. (1883 reed. por J. Platzmann en 3 vol. Leipzig).
Hawkes, J. G.
1947. On the origin and meaning of South American Indian potato names. Journal of the Linnean Soc. of London 53. 205-50.
Hawkins, W. Neil
1950. Patterns of Vowel Loss in Macushi (Carib). IJAL 16. 87-90.
1952. A fonología da lingua Uáiuái [Caribe]. Univ. de São Paulo, Faculdade de Filosofia, Ciências e Letras, Boletim 157.
Hawkins, W. Neil & Hawkins, Robert E.
1953. Verb Inflections in Waiwai (Carib). IJAL 19. 201-11.
Haya(ns), G., v. Holmer, N. M.
Heath, Edwin R.
1883. Dialects of Bolivian Indians. A philological contribution from material gathered during three years' residence in the Department of Beni in Bolivia. Kansas City Review Sci., Industry 6. 679-87.
Heath, George Reineke
1913. Notes on Miskito Grammar and on other Indian languages of eastern Nicaragua. Amer. Anthropol. 15. 48-62.

1927. Grammar of the Miskito Language. Herrnhut.
1950. Miskito Glorssary, with Ethnographic Commentary. IJAL 15. 20-34.

Heath, C. R. & Marx, W. G.
1953. Diccionario Miskito-Español, Español-Miskito. Tegucigalpa.

Hellinga, W. G.
1951. Education in Suriname (Dutch Guiana) and the linguistic situation. BI 12. 102-05.
1954. Petroglyphes Caraïbes, Problème sémiologique. Lingua 4. 121-66.

Henderson, Alexander
1846. A Grammar of the Moskito Language. Nueva York.
1847. Araidatiu Tumirau-segung Madeju karabagungte lau. The Gospel according to Matthew in the Caribbean language (— — translator). Edimburgo.
1865. Catecismo de los Metodistas, nº 1. Para los niños de tierna edad. Catecismo tile Metodistaoob N. 1. Utial mehen palaoob. Londres.
1872. Grammar of the Karib language as spoken in the Bay of Honduras. Belize.

Hengvart, P. Eugenio
1907. Gramática de la lengua Quichua adaptada al dialecto Ayacuchano. Lima.

Henriksen, Adolfo
ms. Vocabulario Lengua. Casa de Misiones inglesas, Concepción del Paraguay.
v. Loukotka 1952.

Henríquez Ureña, Pedro
1935. Palabras antillanas en el Diccionario de la Academia. Rev. Filol. Esp. 22. 175-86.
1938. Para la historia de los indigenismos. Fac. de Filosofía y Letras de la Universidad de Buenos Aires.

Henry, Jules
1935. A Kaingang text. IJAL 8. 172-218.
1936. The linguistic position of the Ashuslay Indians. IJAL 10. 86-91.
1948. The Kaingang Language. IJAL 14. 194-204.
1955. Noticia sobre dos grabaciones en Kaingang. IJAL 21. 87.

Henry, Victor, v. Adam, L.

Hensel, R.
1869. Die Coroados der brasilianische Provinz Rio Grande do Sul. ZE 1. 124-35.

Hermann, Wilhelm
1908. Pilcomayo Expedition. ZE 40. 120-33.

Hernández, Eusebio & Pinart, A. L.
1897. Pequeño vocabulario de la lengua Lenca. París.

Hernández, José, v. Saguier 1951.

Hernández Calzada, v. Febrés, Andrés.

Hernando Balmori, Clemente
1955. La conquista de los españoles [drama Quechua-Español] y el teatro indígena americano. Tucumán.

Herrera (y Garmendia), Fortunato L(uciano)
1916. Nombres indígenas y técnicos de algunas especies botánicas espontáneas en el departamento de Cuzco. Rev. Universitaria 5º año, nº 15. 19-28, nº 16. 41-48, nº 17. 43-52. Cuzco.
1923. Nomenclatura indígena de las plantas. Flora Cuzconiensis. Inca 1. 607-23. Lima.
1933. Botánica etnológica. La duplicación de las voces en la nomenclatura indígena. Rev. Mus. Nac. Lima 2. 3-8.
1933/4. Filología Quechua. Botánica etnológica: nomenclatura binaria indígena. Rev. Mus. Nac. Lima 2. 131-36, 3 37-62.
1939. Etnobotánica. Nomenclatura binaria en la lengua Quechua del Cuzco. Actas de la Academia de Ciencias Exactas, físicas y naturales de Lima 2. 39-46.
1939. Filología Quechua. Etimología de algunos nombres vernaculares de plantas indígenas en el Depart. de Cuzco. Lima.
1941. Estudios lingüísticos. Clasificación de los nombres simples de plantas en el Quechua del Cuzco. Rev Universitaria 30, nº 80. 158-86. Cuzco.
1941. Enumeración de algunos nombres Quechuas atendiendo a su sílaba terminal. Rev. Mus. Nac. Lima 10. 189-200 (antes en 27 CIA, México y Lima 1939, Lima 2.).
1943. Glosario. Nomenclatura física de las plantas del Cuzco atendiendo a la índole de las lenguas de su origen. Rev. Mus. Nac. 12. 41-60. Lima.

Herrero, Andrés
1834. Doctrina y oraciones cristianas en lengua Mosetena... traducidas en español palabra por palabra. Roma.

Herrero, P., v. Lafone Quevedo 1905.

Herrero S. J., v. Urioste & Herrero.

Hervás y Panduro, Lorenzo
1778/87. Idea dell'Universo che contiene la storia della vita dell'uomo; elementi cosmografici, viaggio statico al mondo planetario e storia della terra. 21 vol. Cesena. Señalamos en esta obra: vol. 17, Catalogo delle lingue conosciute e notizia della loro affinità e diversità. 1784. vol. 18, Origine, formazione, meccanismo ed armonia degl'idiomi, 1785. vol. 19, Aritmetica delle nazioni e divisione del tempo, 1786. vol. 20, Vocabolario poligloto con prolegomeni sopra più di CL lingue, dove sono delle scoperte nuove ed utili all'antica storia dell'uman genere ed alla cognizione del meccanismo delle parole, 1787. vol. 21, Saggio prattico delle lingue e dialetti, con cui si dimostra l'infusione del primo idioma dell'uman genere, e la confusione delle lingue in esso poi accaduta, e si additano la diramazione e dispersione delle nacioni con molti risultati utili alla storia. Opera dell'abbate don ——. Cesena.
1800/5. Catálogo de las lenguas de las naciones conocidas, y numeración, división y clases de estas según la diversidad de sus idiomas y dialectos. 6 vol. Madrid.
ms. Elementi grammaticali della lingua Guarani. En la colección de Humboldt, Bibl. de Berlín.

v. Clark, Ch. U., Lafone Quevedo 1896, Outes 1913, Vignati 1940.

Herzog, Wilhelm

1886. Über die Verwandtschaftsbeziehungen der costaricensischer Indianersprachen mit denen von Central- und Süd-America. Archiv für Anthropologie 16. 623-27.

Hestermann, Ferdinand

1910. Die Pano-Sprachen und ihre Beziehungen. 16 CIA, Viena 1908, 2. 645-50.

1911. Weitere Ergänzungen zur Bibliographie der No-Sprachen. Anthropos 6. 640-2.

1913. Zur Transkriptionsfrage des Yagan. JSA 10. 27-41.

1913. Nactrag zur Quellenliteratur der Pano-Sprachen, Bolivien. Anthropos 8. 1144.

1914. Zu den Sprachen Feuerlands. Anthropos 9. 657-8.

1914. Die Schreibweise der Pano-Vokabularien. JSA 11. 21-33.

1925. Zur Ausgabe "Julius Platzmann. Das anonyme Wörterbuch Tupi-Deutsch und Deutsch-Tupi (s. l., s. a.) 1901". Folia ethnoglossica 1. 14-8 Hamburgo.

1927. Die Linguistik Südamerikas, besonders in Deutschland, von der ersten Xingú bis zur letzten Orinoko-Expedition. Folia ethnoglossica 3. 1-4. Hamburgo.

1927. Die älteren Vokabulare des Halakalup. Folia ethnoglossica 3.43-47. Hamburgo.

1929. Das Pronomen in Yámana, Feuerland. IJAL 5. 150-79.

1938. Die Schmidtsche Kulturkreistheorie und Sprachwissenschaft in Südamerika. Actes du 4e. Congrès International des Linguistes, 1936, 199-203 Aarhus.

v. Bridges, Thomas.

Heuvel, I. A. van

1844. El Dorado. Nueva York.

Heyser, Ramón H.

1947. Análisis comparativo de la lengua Huitota. Bol. de Filología 5. 149-92. Montevideo (Poco sólido).

Hickerson, Nancy P.

1953. Ethnolinguistic Notes from Lexikons of Lokono (Arawak). IJAL 19. 181-90.

1954. Two versions of a Lokono (Arawak) Tale. IJAL 20. 295-301.

Hidalgo, Tomás

1894. La historia del Ecuador por el Dr. González Suárez. La Revista Ecuatoriana 6. 295-99. (1913. reed. en Quito). (Contiene un vocabulario Coaiquer).

Hildebrandt, Martha

1958. Sistema fonémico del Macoita. Lenguas indígenas de Venezuela nº 1. Caracas.

Hilhouse, William

1832. Vocabulary, 82 nouns and numerals 1-10 in four Indian languages of British Guiana. Journ. Roy. Geogr. Soc. 2. 247-8.

Hino [Tupí-Guaraní]

1839. Hino que cantam em lingua geral os indígenas das provincias do Pará e Amazonas na festa denominada do Sairé. En Monteiro

LÁMINA XIII. — Martín Gusinde con sus padrinos, en su primera participación en las ceremonias de iniciación a la pubertad.

Baena, Antonio L., Ensayo corográfico sobre a prov. do Pará. Pará.

Hockett, Charles F.

1959. On the format of phonemic reports, with restatement of Ocaina. IJAL 25. 59-62.

Hocquardt, P. Julián

1916. Janaco pacha ñan. Devocionario Huamanga Diócesis Runacunapac. Lima.

Hoehne, Frederico Carlos

1915. Apontamentos da lingua dos indios Apiacás [Tupí-Guaraní]. Comissão das Linhas Telegráficas estratégicas de Mato Grosso ao Amazonas, vol. 3. 175-77. Rio de Janeiro.

1937. Algo sobre a etimologia dos nomes indígenas das plantas. En Botánica e Agricultura no Brasil no seculo XVI (Pesquisas e contribuções). São Paulo.

Hoeller, Alfred

1932. Grammatik der Guarayo-Sprache. Guarayo-Deutsches Wörterbuch. Hall in Tirol, Missions druckerei.

Hohental, W.

1954. Notes on the Shucurú Indians of Serra de Ararobá, Pernambuco, Brasil. Rev. Mus. Paul. 8. 93-166.

Hoijer, Harry

1941. Methods in the classification of American Indian Languages. Language, Culture and Personality, Essays in Memory of Edward Sapir 3-13. Menasha, Wisconsin.

1956. Lexicostatistics: A critique. Language 32. 49-60.

Holmberg, Eduardo L.

1910. Lin-Calél. Buenos Aires.

Holmer, Nils M.

1946. Outline of Cuna-Grammar. IJAL 12. 185-97.

1947. Critical and Comparative Grammar of the Cuna Language. Etnologiska Studier 14. Gotemburgo.

1950. Goajiro (Arawak). I, Phonology, II, Nouns and Associate Morphemes, III, Verbs and Associate Morphemes, IV, Texts. IJAL 15. 45-56, 110-20, 145-57, 232-5.

1951. Cuna Chrestomathy. Etnologiska Studier 18. Gotemburgo.

1952. Ethnolinguistic Cuna Dictionary. Etnologiska Studier 19. Gotemburgo.

1952. Inatoipippiler or Adventures of three Cuna boys according to Manibigdinapi. Etnologiska Studier 20. 1-83.

1952. Linguistic Notes on Kaggaba and Sanka. Folia Linguistica Americana 1. 13-24.

1953. Some semantic problems in Cuna and Kaggaba. Intern. Anthropol. and Linguistical Review 1. 195-200. Miami.

1953. Contribución a la lingüística de la Sierra Nevada de Santa Marta. Rev. Colomb. de Antropol. 1. 311-56.

1953. Apuntes comparados sobre la lengua de los Yaganes (Tierra de Fuego). Rev. de la Fac. de Humanidades y Ciencias 10. 193-223, 11. 121-42. Montevideo (hay también edición separada).

1956. Amerindian Structure Types. Sprakliga Bidrag 2, nº 6. Universidad de Lund (mimeografiado).

1958. Chapters of comparative Amerindian. I, Introductory. Sprakliga Bidrag 2, nº 11. Universidad de Lund (mimeografiado).

Holmer, Nils M. & Wassén, S. Henry

1947. Mu-Igala or the Way of Muu. A medicine Song from the Cuna Indians of Panama, with transl. and comments by ___ ___ and ___ ___, after an original record by G. Haya. Gotemburgo, Etnografiske Museets.

1952. Some remarks and the divisions of Guaymí Indians, 29 CIA. Chicago, vol. 3.

1953. The complete Mu-Igala in picture writing. A native record of the Cuna Indian Medicine Song. Etnologiska Studier 21. Gotemburgo.

1958. Nia-Ikala, Canto mágico para curar la locura. Texto en lengua Cuna, anotado por el indio Guillermo Hayans con traducción española y comentarios. Etnologiska Studier 23. Gotemburgo.

Holten, Hermann von

1877. Das Land der Yurukarer und dessen Bewohner. ZE 9. 105-15.

Horn, Friedrich von

ms. 1952. Algunas notas para un estudio de la lengua de los indios Pauserna o Wadunëe (un dialecto del oriente boliviano). En poder del autor.

Horta Barbosa, Nicolau Bueno

1922. Exploração e levantamento dos rios Anary e Machadinho. Comissão das linhas telegráphicas estratégicas de Mato Grosso ao Amazonas, Publ. nº 48. Rio de Janeiro.

Houser, Raul

1954. Referencia a una grabación en Tupí-Guaraní. IJAL 20. 245.

Huaiquillaf, M. Collió

1941. A trilingual Text [Ingl., Esp., Mapuche]. Introd. by D. D. Brand. New Mexico Anthropol. 5. 36-51.

Huber, Konrad

1953. Contribution à la langue mučik [Perú]. JSA 42. 127-34.

Hübner, G. & Koch-Grünberg, Th.

1907. Die Yauaperý. ZE 39. 225-48.

v. Koch-Grünberg & Hübner.

Huerta, Alonso de

1616. Arte de la lengua Quechua general de los Yndios del Pirú. Lima.

Humboldt, W. von

ms. Palavras do Guarani du Sul. Colección de Humboldt, Bibl. de Berlín.

v. Brinton 1885.

Hunt, Richard James

1913. El Vejoz o Aiyo. Intr. de S. A. Lafone Quevedo. RMLPlata 22. 7-214.

1913. Vocabularios Español-Inglés-Vejoz. RMLPlata 23. 93-214.

1915. El Choroti o Yőfuaha, con vocabularios Lengua-Enimaga o Towothli y Chunupi o Suhin. RMLPlata 23. I-V, 1-305.

1917. The place of the Lengua-Mascoy among the Indians of the Paraguayan and neighboring Chacos, from a linguistic point of view. 19 CIA, Washington 1915, 555.

1936. Mataco-English and English-Mataco Dictionary. Etnologiska Studier 5. 1-98. Gotemburgo
1940. Mataco Grammar (Revisada por el Rev. B. A. Tompkins, Misionero de la South American Missionary Society). Univ. Nac. de Tucumán.

Hunziker, Juan Federico
1910. Grammar of the Tsoneca Language Republished by Lehmann-Nitsche, Buenos Aires.
v. Outes, F. F. 1926.
1928. Un texto Aônükün'k (patagón meridional) para incitar a la caza... 1861. v. Outes, F. F. 1928 pp. 367-9.
1928. Vocabulario y frasear io Genakenn (Puelche) reunidos por —— —— en 1864, v. Outes, F. F. 1928.

Huonder, P. Anton
1902. Die Völkergruppierung im Gran Chaco im 18. Jahrhundert. Nach der spanischen Handschrift eines unbekannten Verfassers veröffentlicht. Globus 81. 387-91.

Hurley, Henrique Jorge
1931. Vocabulario Tupí-Portugués, falado pelos Tembés dos rios Gurupi e Guamá, do Pará. Rev. Mus. Paul. 17. 323-51.
1931. Sobre a grafia de Oyapos. Rev. Mus. Paul. 17. 483-92.
1932. Eu e o meu profesor de Apinagé. Rev. Mus. Paul. 17. 827-32. (y también Rev. do Inst. hist. e geogr. do Pará 7. 241-44. Belém).
1932. Dialecto Urubú, arnerábas da raça Tupy do Gurupy. Rev. do Inst. hist. e geogr. do Pará 7. 245-9. Belém.
1932. Vocabulario dos aborigenes dos rios Trombetas, Cachorro e Jaçycury. Rev. do Inst. historico-geogr. do Pará, 1932. 231 ss. Pará.
1934. Itarana (Pedra falsa). Lendas, mitos itaranas e folclore amazônicos. Rev. do Inst. hist. e geogr. do Pará 9. Belém.

Hurtado, Guillermo O.
1937. Los Noanamáes [Chocó]. Idearium 1. 203-10. Pasto.

Hyades, P. D. J.
1884. Contribution a l'ethnographie fuégienne, avec éléments de grammaire Yaghan. Bull. de la Soc. d'Anthrop. 7. 147-84. París.

Hyades, P. & Deniker, J.
1891. Mission scientifique du Cap Horn 1882/3, vol. VII Anthropologie, Ethnographie, pp. 260-337.

Ibarra Grasso, Dick Edgar
1938. Las numeraciones de los indígenas americanos. Bol. Acad. Arg. de Letras 6. 396-417.
1939. Las numeraciones de los indígenas americanos. Bol. Acad. Arg. de Letras 7. 187-213.
1939. Las numeraciones cuaternarias. Bol. Acad. Arg. de Letras 7. 585-606.
1950. El problema lingüístico en los orígenes oceánicos de parte de los indígenas americanos. Homo 1. 231-44. Stuttgart. (Reed. 1956 en Khana, rev. munic. de arte y Letras 15/6. 65-75. La Paz).

1952. Las relaciones lingüísticas de Asia y Oceanía. Ciencia Nueva 1. 23-73. Cochabamba.
1953. La escritura indígena andina. La Paz.
1954. La cuenta por resta en la América indígena. Univ. Mayor de San Simón. Cochabamba.
1955. Lenguas indígenas de Bolivia. Khana, Rev. munic. de arte y letras. 7/8. 36-49. La Paz.
1956. La escritura jeroglífica de los indios andinos. Cuadernos Americanos 86. 165-72. México.
1957. Los sistemas de numeración. Khana, Rev. municipal de arte y letras 25/6. 24-44. La Paz.
1958. Lenguas indígenas americanas. Buenos Aires.
1958. Las formas de contar los pueblos primitivos y las influencias lingüísticas surasiáticas y oceánicas en la América indígena. Misc. Paul Rivet 2. 269-96. México.

Ignace, P. Etienne
1910. Les Boruns. Anthropos 4. 942-4.
1910. Les Capiecrans. Anthropos 4. 948-56.

Igualada, Fray Bartolomé de
1930/1. Vocabulario Castellano-Huitoto. Rev. de Misiones 6. 238-40, 287, 336, 384, 431-2, 480, 571, 7. 192. Bogotá.
ms. inéd. Encuesta interna sumaria del Andoke-cho'oje, Garú, Makuna y Bora. En el Centro de Investigaciones Las Casas, Colombia.

Igualada, Francisco de & Castellví, Marcelino de
1940. Clasificación y estadística de las lenguas habladas en el Putumayo, Caquetá y Amazonas. Amazonia Colombiana Americanista 1. 92-101. Sibundoy.

Ihering, Hermann von
1895. A civilisação prehistórica do Brasil meridional. Rev. do Mus. Paulista 1. 33-159.
1904. Os Guayanás e Caingangs de São Paulo. Rev. Mus. Paulista 6. 23-44.
1907. A Anthropologia do Estado de São Paulo. Rev. Mus. Paulista 7. 202-57.
1911. Os Botocudos do rio Doce. Rev. do Mus. Paulista 8. 38-51.
1912. A etnographia do Brasil meridional. 17 CIA, Buenos Aires 1910, 250-64. Buenos Aires.

Ihering, Rudolpho von
1940. Diccionario dos animais no Brasil. Secret. Agric., Industr., Comerc. São Paulo.

Imbelloni, José
1926. El idioma de los Incas del Perú en el grupo lingüístico melanesio-polinesio. (En el libro La Esfinge Indiana).
1928. La première chaîne isoglossématique océano-américaine; le nom des haches lithiques. Festschrift W. Schmidt 324-35. St. Gabriel-Mödling bei Wien.
1928. L'Idioma Kichua nel sistema linguistico dell'Oceano Pacifico. 22 CIA, Roma 1926, 2. 495-509.
1932. Toki. La primera cadena isoglosemática establecida entre las islas del Océano Pacífico y el Continente americano. Rev. de la

Soc. de Amigos de la Arqueología 5. 129-49. Montevideo.

1936. Epítome de culturología. Buenos Aires (con un apéndice sobre Toki, la primera cadena isoglosemática establecida entre las islas del Océano Pacífico y el Continente Americano).

1936. Lenguas indígenas del territorio argentino, en Academia Nacional de la Historia, Historia de la Nación Argentina 1. 177-205 (2a. ed., 1. 203-23, 1939).

1940. Kumara, Amy y Hapay, le phylum de trois glossèmes américains. AIEA 1. 201-16. Mendoza.

1942. Sobre los vocablos "Pachacuti" y "Pachacutec" de los cronistas y sus determinaciones gramaticales y semánticas. 37 CIA, Lima, 2. 61-73.

[1956]. La segunda Esfinge Indiana. Antiguos y nuevos aspectos del problema de los orígenes americanos. Buenos Aires.

Im Thurn, Everard F.

1883. Among the Indians of Guiana. Londres.

Insaurralde, P. Jose

1759. Ara poru aguĭyey haba: conico, guatia poromboe ha marãngãtu. Pay Joseph Insaurralde amỹrĭ rembiquatiacue cunũmbuçu reta upe guarãma; ang ramó mbĭa retá mêmêngatu Parana hae Uruguaĭ ĭgua upe Yguabeẽ mbĭ Yjepĭa mongeta aguĭyey haguã teco bay tetirõ hegui yũepĭhỹrõ haguâma rehe, hae teco marãngãtu rupiti haguãma rehe, ymbopĭcopĭbo Tũpã gracia reromânô hapebe. Madrid.

1760. Ara Poru aguĭyey haba yaoca ymomocoinda: conico: quatia ambuae poromboe marangatu ha, P. Joseph Insaurralde amyrĭ Jesus Noõga reheguare rembiquatia cuera cunumbucu reta upe guarâma ang ramô mbĭa reta mêmêngatu Parana hae Uruguaĭ iguupe yquabeê mbĭ, Yyepĭa mongeta aguĭrey hâguâ teco bay tetirô hegui iñepĭhĭrô haguama, hae teco marãngãtu rupiti haguãmari, ymbopĭcopĭbo Tũpã gracia reromanô hapebe. Madrid.

Ipiales, P. Miguel de

ms. inéd. Vocabulario Kofán del Guamúes y encuesta breve del dialecto Nuinane-Uitoto de Sejerí. En el Centro de Investigaciones Las Casas, Colombia.

Iraizos, P. Francisco Xavier

ms. Historia de las naciones y lenguas de los Moxos (cit. por Hervás).

Isaacs, Jorge

1884. Estudio sobre las tribus indígenas del Estado de Santa Marta. An. Instr. Públ. Estad. Unid. de Colombia. vol. 8. (1951. Re-ed. Est. sobre las tribus indígenas del Magdalena. Bogotá).

Iturri Núñez, Nemesio

1939. La fonética del alfabeto Aimara. Rev. de Bolivia nº 23. 63-4.

Iturrizaga, Isidoro, v. Mercado Zarate.

Izaguirre, Bernardino

1927/9. Historia de las misiones franciscanas en el Oriente del Perú. Producciones en lenguas indígenas de varios misioneros de la Orden publicadas por el P. ———. 13. 14. Lima.

Jacques, Raimundo

1934. Vocabularios indígenas de Venezuela. Rio de Janeiro.

Jahn, Alfredo
1914. Parauhanes und Guajiros und die Pfahlbauten am See von Maracaibo. ZE 46. 267-83. 536.
1927. Los aborígenes del occidente de Venezuela, su historia etnografía y afinidades lingüísticas. Caracas.
Janota, Otakar J.
1909. Gramatika jazyka Peruánského. Vestnik královské české spolecnosti nauk, trida filosoficko-historicko-jazykozpytná, 1908. 2. Praga.
Jara, Segundo, v. Lenz 1896.
Jáuregui Rosquellas, Alfredo
1937. Bibliografía del idioma Quechua. Bol. Soc. Geogr. Sucre 21. 143-58.
1941. Nuestro modo de hablar. Bol. de la Soc. Geogr. de Sucre 37. 138-58.
1946. Juanpa alli willakinincuna, El Evangelio según San Juan en Quechua de Ancash y Español. Lima.
Jeness, Diamond
1953. Did the Yahgan Indians of Tierra del Fuego speak an Eskimo Tongue? IJAL 19. 128-31.
Jesús, Fray Juan de
s. XVII. Arte y confesionario en lengua Aroá. Cit. por Hervás.
Jijón y Caamaño, Jacinto
1919. Contribución al conocimiento de las lenguas indígenas que se hablaron en el Ecuador interandino y occidental con anterioridad a la conquista española. Bol. Soc. Ecuatoriana Est. Hist. 2. 340-413.
1921. La Voz Cañari en el drama Ollantay. Rev. Centro Est. Hist. Geogr. 1. 351-2. Cuenca.
1927. Puruha, contribución al conocimiento de los aborígenes de la provincia del Chimborazo en el Ecuador. Quito.
1939. Materiales para el mapa lingüístico del Occidente de Colombia. Rev. Popayán año 27, nº 175 (y también Bol. Est. Históricos 9. 365-82. Pasto).
1940/1. El Ecuador interandino y occidental antes de la conquista castellana. 4 vol. Quito.
Jiménez Borja
1937. El aporte peruano-indígena en la formación del español. Letras nº 6. 38-50.
Jiménez de la Espada, Marcos
1884. Colección de Yaravíes de Quito y Perú. 4. CIA, Madrid 1881, 2. 162-3 y I-LXXXIII.
v. Anónimo 1898.
Jiménez Moreno, Wigberto
1936. Mapa lingüístico de Sudamérica, según Krickberg. Inst. Panamer. Geogr. Hist.
Jiménez Seminario, Augusto
1924. Bemerkungen über den Stamm der Bora oder Meamuyna am Putumayo. ZE 56. 83-93.
Johnson, Frederick
1940. The linguistic map of Mexico and Central America. En The Ma-

ya and their neighbors, pp. 88-114. Nueva York-Londres.
Jomard, Edmé François
1846. Note sur les Botocudos, accompagnée d'un vocabulaire de leur langue et de quelques remarques. Bull. Soc. Geogr. Paris 1. 377-84. (1847, traducción portuguesa, RIHGB 9. 107-13).
Jorge, Fray José Pacífico
1924. Melodías religiosas en Quechua, seleccionadas y transcritas en su expresión típica por ——, con ocasión del centenario de Ayacucho, 1824-29 de Diciembre-1924. Friburgo de Brisgovia.
Jover Peralta, Anselmo & Osuna, Tomás
1950. Diccionario Guaraní-Español y Español Guaraní. Buenos Aires.
Joyce, M. de Lourdes
1951. Caderno da doutrina pela lingua dos Manaos [Tupí-Guaraní]. Universidade de São Paulo, Faculdade de Filosofia, Ciências e Letras, Boletim 136.
Jucá Filho, Cândido
1938. Problemas da fonologia Carioca. Anais do 1 Congresso da ling. nac. cantada, 327-40. São Paulo.
Julián, Antonio
1787. La perla de la América, provincia de Santa Marta, reconocida, observada y expuesta en discursos históricos. Madrid.
v. Anónimo s. f. ms. Diccionario de la lengua Guajira.
Jurado, José Gregorio
1860. Catecismo de la Doctrina Christiana, traducida del Castellano en Aimará i Quichua. Paz de Ayacucho. (1868 reed. ibidem).
Jurado Palomino, Bartolomé
1649. Declaración copiosa de las quatro partes más essenciales y necessarias de la doctrina christiana... traducida de lengua Castellana en la general del Inga. Lima. (1943. Catechismus Quichuensis, ad fidem edit. Limensis anni MDCXLVI, edidit, Latine uertit, analysi morphologica, synopsi grammatica, indicibus auxit Hippolytus Galante, Hispanice e Latino uertit E. B. Viejo Otero. Madrid).
Kalina, Berend J.
1955. The languages of the Indians of Surinam and the comparative Study of the Carib and Arawak Languages. Bijdragen tot de taal-, land- en volkenkunde, deel III, 4e aflevening, 325-55. S'Gravenhage.
Kaloun, v. Lenz 1896.
Karsten, Rafael
1921/2. La lengua de los indios Jíbaros (Shuara) del oriente del Ecuador. Gramática, vocabulario y muestras de la prosa y poesía. Helsingfors, Finska Vetenskap. Societetens Förhandlingar vol. 64, Avd. B nº 2.
1923. The Toba Indians of the Bolivian Gran Chaco. Acta Academiae Aboensis Humaniora. IV.
1932. The Indian Tribes of the Argentine and Bolivian Chaco. Ethnological Studies. Societas Scientiarum Fennica, Commentationes Humanarum Litterarum 4. 1. Helsingfors.
1935. The headhunters of Western Amazonas. The life and culture af the Jibaro Indians of Eastern Ecuador and Peru. Societas Scien-

tiarum Fennica, Commentationes Humanarum Litterarum 7.1. Helsingfors.

Katzer, Dr. F.
1901. Zur Ethnographie des Rio Tapajos. Globus 79. 37-41.

Käyser, C. C.
1912. Verslag der Corentijn-expeditie. Tijdschrift v. h. kon. aardrijsk. genotschap 29. 442-514. Leiden.

Keane, A. H.
1913. On the Botocudos. Journal of the R. Anthropol. Instit. 13. 199-213. Londres.

Keller, Fr. F.
1874. The Amazon und Madeira Rivers. Londres.

Kersten, Ludwig
1905. Dis Indianerstämme des Gran Chaco bis zum Ausgange des 18. Jahrhunderst. Ein Beitrag zur historischen Ethnographie Südamerikas. Intern. Archiv. Ethnogr. 17. 1-75.

Kiddle, Lawrence B.
1952. Spanish loar words in American Indian Languages. Hispania 35. 179-84. Wallingford.

Kietzman, Dale
1958. Tendências de orden lexical da aculturação linguística en Terêna. Rev. de Antropol. 6. 15-21. São Paulo.

Kilku Warak'a, v. Alencastre Gutiérrez, Andrés; Dumézil.

Kimmich, José
1917/8. Etnología peruana. Origen de los Chimus. Bol. Soc. Geogr. Lima 33. 343-58, 441-62, 34. 35-73.

Kinder, P. Leopoldo von
1936. Introducción a la gramática y vocabulario de la lengua Huitota. Pasto.

Kissenberth, Wilhelm
1912. Bei den Canella-Indianern in Zentral-Maranhão (Brasilien). Baessler-Archiv. 2. 45-54. Berlin.
1922. Beitrag zur Kenntnis der Tapirapé-Indianer. Baessler-Archiv 6. 36-81. Berlin.

Knoche, Walter
1913. Einige Bemerkungen über die Uti-Krag am Rio Doce (Espiritu Santo). <u>ZE</u> 45. 394-99.
1931. Zur Verbreitung der Changos in Chile. Verhandl. des deutschen wissenschaftlichen Vereins. n. s. 1.
1939. Sobre la etimología de la palabra "garúa". <u>ASCA</u> 127. 230-4.

Knudsen Larrain, Augusto
1945. Un diccionario de la lengua Yagan. Rev. Mus. Hist. Nac. Chile 1. 521-33.

Koch-Grünberg, Theodor
1900. Die Lenguas-Indianer in Paraguay. Globus 78. 217-20, 235-9.
1902. Die Maskoi-Gruppe im Gran Chaco. Mitteil. der Anthrop. Gesellschaft Wien 32. 130-48.
1902. Die Apiacá-Indianer (Rio Tapajos, Mato Grosso). <u>ZE</u> 34. 350-79.
1903. Die Guaykurú-Gruppe. Mitteil. Anthropol. Ges. Wien 33. 1-128.
1906. Les indiens Ouitotos: étude linguistique. <u>JSA</u> n. s. 3. 157-89.

1906. Die Indianerstämme am oberen Rio Negro und Yapura und ihre sprachliche Zugehörigkeit. ZE 38. 166-206.

1906. Die Sprache der Maku-Indianer. Anthropos 1. 877-906.

1908. Die Hianakoto-Umaua. Anthropos 3. 83-124, 294-333.

1909/10. Zwei Jahre unter den Indianern. Stuttgart. 2 vol.

1910. Die Mirânya, Rio Yapura, Amazonas. ZE 43. 896-914.

1910. Die Uitoto-Indianer. Weitere Beiträge zu ihrer Sprache nach einer Wörterliste von Hermann Schmidt, JSA 7. 61-83.

1911. Aruak-Sprache Nordwestbrasiliens und der angrenzenden Gebiete. Mitteil. Anthropol. Ges. Wien 41. 33-153, 203-82.

1913. Abschluss meiner Reise durch Nordbrasilien zum Orinoco, mit besonderer Berücksichtigung der von mir besuchten Indianerstämme. ZE 45. 448-74.

1913/6. Die Betoya-Sprachen Nordwestbrasiliens und der angrenzenden Gebiete [Tucano]. Anthropos 8. 944-77, 9. 151-95, 569-89, 812-32, 10/11. 114-58, 421-49.

1914/9. Ein Beitrag zur Sprache der ipuriná-Indianer (Rio Purus, Brasilien) [Arawak]. JSA 11. 57-96.

1915. Zaubersprâche der Taulipang-Indianer (Venezolanisch- und Brasilisch-Guayana) Archiv. f. Anthropol. 41. 371-82.

1917/28. Vom Roroima zum Orinoco. Stuttgart. Especialmente vol. IV (1928) Sprachen.

1922. Die Völkergruppierung zwischen Rio Branco, Orinoco, Rio Negro und Yapurá. Festschrift Eduard Seler 205-66. Stuttgart.

1932. Wörterlisten Tupy, Maué und Puruborá. JSA 24. 31-50.

v. Abreu 1914; Berner, E. 1906.

Koch-Grünberg, Th. & Hübner, Georg

1908. Die Makuschí und Wapischâna. ZE 40. 1-44.

Koch-Grünberg, Th. & Snethlage, E.

1910. Die Chipaya und Curuahe, Pará, Brasilien. ZE 42. 609-37.

Koenigswald, Gustav von

1908. Die Cayuás. Globus 93. 376-81.

1908. Die Corõâdos im südlichen Brasilien. Globus 94. 27-32, 45-49.

Kok, P. P.

1921/2. Ensayo de gramática Dagseje o Tokano. Anthropos 16/7. 838-65.

Krieg, Hans

1934. Chaco Indianer. Stuttgart.

Koppers, Wilhelm

1926. Wo befindet sich das Manuskript letzter Redaktion des grossen Yamana-(Yagan-)Lexicon von Th. Bridges? Anthropos 21. 991-95.

1927. Die fünf Dialekte in der Sprache der Yamana auf Feuerland. Anthropos 22. 466-76.

1928. Das grosse Lexikon der Yamana-Sprache von Th. Bridges. Anthropos 23. 324-6.

Koslovsky, Julio

1895. Tres semanas entre los indios Guatós. RMLPlata 6. 221-50.

Kowyana, Rocro

1951. Vocabulario Tupy-Português-Japonês. Tokyo.

Krause, Fritz
1911. In den Wildnissen Brasiliens. Leipzig.
1936. Die Yarumá- und Arawine-Indianer Zentralbrasiliens. Baessler Archiv. 19. 32-44.
Kriegk, Georg Ludwig
1838. Das land der Otuquis in Bolivien. Francfort del Main.
Kruse, Albert
1930. Bausteine zu einer praktischen Grammatik der Mundurukú-Indianer. Santarém.
1931/7. Lose Blätter vom Cururú. Santo Antonio 11. 26, 99, 12. 24, 97, 13. 31, 14. 39, 140, 15. 71. Bahía.
Vokabular der Makirí-Sprache. ms. inéd.
Kunike, Hugo
1916. Beiträge zur Phonetik der Karajá-Sprache (Brasilien). Int. Arch. Ethnogr. 23. 147-82.
1919. Die Phonetik der Karaiá-Sprache (nach linguistischen Principien). JSA 11. 139-81.
Kupfer, Dr.
1870. Die Kapayo-Indianer in der Provinz Matto Grosso. Z. der Gesellschaft für Erdkunde su Berlin. 5. 244–55.
Kysela, Vladimiro
1931. Tribú Indígena Maccá. Rev. Soc. Cient. Paraguay 3. 43-49.
LaBarre, Weston
1948. Aymara Folktales. IJAL 16. 40-5.
Lacroix, Frédéric
1840. Patagonie. Terre du Feu et archipel des Malouines. Paris.
Laet, v. Almeida Nogueira 1876.
Lafone Quevedo, Samuel A.
1892. Vocabulario Mocoví-Español fundado en los del P. Tavolini. RMLPlata 6. 161 ss.
1892. El verbo, estudio filológico-gramático. RMLPlata 3. 249 ss.
1892. Apéndices a la gramática Mocoví. RMLPlata 4. 257-87.
1892. Instrucciones del Museo de La Plata para los colectores de Vocabularios indígenas. RMLPlata 3. 403-16.
1893. Mocoví, ms. del P. Francisco Tavolini, y otros documentos, editados y comentados. RMLPlata 4. 369 ss.
1893. Notas o sea principios de gramática Mocoví, según ellos se desprenden de los trabajos de Tavolini, Dobrizhoffer, Bárcena y otros. RMLPlata 1. 113-44, 2. 241-74, 289-352, 393-424.
1894. Los Lules. Estudio filológico y calepino Lule -Castellano seguido del catecismo Vademecum para el arte y vocabulario del P. Antonio Machoni. BIGA 15. 185-246.
1895. La lengua Vilela o Chulupí. Estudio de filología chacoargentina. BIGA 16. 87-123.
1895. Lenguas argentinas. Grupo Mataco-Mataguayo del Chaco. Dialecto Noctén. Pater noster y apuntes del P. Inocencio Massei Or. Seráfica, con intr. y notas. BIGA 16. 343-89.
1896. Grupo Mataco-Mataguayo del Chaco. Dialecto Vejoz. Vocabulario y apuntes. Ms. d'Orbigny, con introducción, notas, etc. BIGA 17. 121-75.

1896. Los indios Matacos y su lengua, por el P. Joaquín Remedi Ord. Seráf., con vocabularios ordenados por ——. BIGA 17. 331-62.
1896. Lenguas Argentinas. Idioma Mbayá, llamado Guaycurú, según Hervás, Gilii y Castelnau, con introd., notas y mapas. ASCA 41. 339-64, 42. 44-58, 145-64.
1896. Idioma Abipón. Ensayo fundado sobre el De Abiponibus de Dobrizhoffer y los manuscritos del P. J. Brigniel S. J. con introducción, mapa, notas y apéndices. BANC 15. 5-200, 253-423.
1897. Los indios Chanases y su lengua, con apuntes sobre los Querandíes, Timbúes, Yarós, Boanes, Güenoas o Minuanes, y un mapa étnico. BIGA 18. 115-269.
1897. Apuntes sueltos de la lengua de los indios Caduveos del Chaco paraguayo, BIGA 18. 367-71.
1899. Vocabulario Toba-Castellano-Inglés fundado en el Vocabulario y arte del P. A. Bárcena... RMLPlata 9. 253-332.
1901. Supuesta derivación Súmero-Asiria de las lenguas Kechua y Aymará. Con una nota complementaria por Félix F. Outes. ASCA 51. 123-33.
1902. Tacana. Arte, vocabulario, exhortaciones, frases y un mapa por el R. P. Fray Nicolás Armentia... con introducción y notas por ——. V. Armentia, Nicolás.
1905. La lengua Leca de los ríos Mapirí y Beni según los mss. de los PP. Cardús y Herrero. ASCA 60. 5-20, 49-64, 97-113, 168-80.
1906. La raza Pampeana y la raza Guaraní. Estudio de filología comparada. I Congreso científico Latino-Americano 5. 27-135. Buenos Aires.
1910. Las lenguas de tipo Guaycurú y Chiquito comparadas. RMLPlata 17. 7-68.
1910. El "Lengua" de Cerviño, dialecto del Payaguá. 16 CIA, Viena, 2. 635-60.
1912. Pronominal Classification of certain South American Indian Stocks. Buenos Aires.
1917. Los términos de parentesco en la organización social sud-americana. Rev. Univ. Buenos Aires 37. 5-42.
1919. Guarani Kinship terms as index of social organisation. Amer. Anthrop. 21. 421-40.
1927. Tesoro de Catamarqueñismos. Buenos Aires.
v. Armentia, Bárcena, Ducci, Hunt 1913, Orbigny 1896, Sánchez Labrador 1917, Tavolini.

La Grasserie, Raoul de
1890. De la famille linguistique Pano. 7 CIA, Berlin 1888, 438-49.
1892. Esquisse d'une grammaire et d'un vocabulaire Baniva. 8 CIA, Paris 1890, 616-41.
1894. Langues Américaines. Langue Puquina. Textes Puquina contenus dans le Rituale seu Manuale Peruanum de Geronimo de Oré, publié a Naples en 1607... Leipzig.
1898. Langue Auca (ou langue indigène du Chili). Grammaire, dictionaire, textes traduits et analysés. BLA 21. (v. Lenz 1898).
1900. De la langue Allentiac (Grammaire, textes, vocabulaires). JSA 3. 43-100.

1904. Les langues de Costa Rica et les idiomes aparentés. JSA, n. s., 1. 153-87.
1906. De la langue Tehuelche. 14 CIA, Stuttgart 1904, 611-47.

Lahille, F.
1898. Guayaquís y Anamitas. RMLPlata 8. 453-59. [Fantasioso, como el siguiente escrito].
1928. Vestigios griegos en el idioma de los Oonas. La trinidad humana y el blasón de la humanidad. Physis 9. 124. (reprod. 1929. Algunas enseñanzas del idioma de los Oonas. Buenos Aires).
1934. Matériaux pour servir à l'histoire des Onas. ASCA 117. 38-47, 81-92.

La Hitte, Ch. de & Ten Kate, H.
1897. Notes ethnographiques sur les indiens Guayakis et description de leur caractères physiques. Anales del Mus. de La Plata 2.

Landínez Salamanca, Alfredo
1942. Apuntaciones sobre la etnología y sociología de los Motilones. Bogotá.

Lara, Jesús
[1955] Poesía popular Quechua. La Paz-Cochabamba.

Larco Hoyle, Rafael
1939. Los Mochicas. 2 vol. Lima [con un vocabulario yunga].
1943. La escritura peruana sobre pallares. Rev. Geogr. Amer. 20, nos. 122 y 123.
1944. La escritura peruana pre-inca. El México Antiguo 6. 219-38.

Larde, Jorge
1950. Lenguas indianas de El Salvador. Anales del Mus. Nac. David J. Guzmán 1. nº 3. 83-7.

Lares, Ignacio
1918. Andes venezolanos. Vocabularios. De re Indica 1. 35-6. Caracas.

Larrabure i Correa, v. Stiglich.

Larrañaga, Dámaso Antonio
1924. Compendio del idioma de la nación Chaná. Escritos de don ——. 3. 163-176. Instituto Histórico y Geográfico del Uruguay. Montevideo.
1924. Gramática Abipona, Escritos de don —— 3. 177-210. Instituto Histórico y Geográfico del Uruguay. Montevideo.
1944. Compendio del idioma Chaná, con introducción y notas de H. J. Molinari. Buenos Aires.

Larrea, Carlos M.
1952. Bibliografía científica del Ecuador. Madrid (en la parte IV, lingüística).

Lársen, Juan Mariano
1870. Filología americana. La lengua Quichua y el Dr. López. La Revista de Buenos Aires 21. 481-508.
1883. Diccionario Araucano-Español, o sea Calepino Chileno-Hispano por el P. Andrés Febrés S. J. Reproducido textualmente de la ed. de Lima 1765 con un apéndice sobre las lenguas Quichua, Aymara y Pampa, los idiomas Alikhulip y Tekinica. Buenos Aires.
1887. Breve vocabulario de las seis lenguas del Chaco. Bol. Soc. Geo

gr. Argentina 5. 354-5.
v. Febrés, Machoni.

Larson, Mildred L.
1957. Comparación de los vocabularios Aguaruna y Huambisa. Tradición, 19/20. 3-24. Cuzco.

Laso o Lazo, P. Matías, S. J.
ca. 1710. Gramática Jurimagua. cit. por Hervás.

Latcham, Ricardo E.
1910. Los Changos de las costas de Chile. Trabajo presentado al Congreso Científico Internacional de Buenos Aires 1910. Santiago de Chile.
1927. Los indios Chiquiyanes. Atenea, Univ. de Concepción. 4. 311.
1929/30. Los indios de la Cordillera y la Pampa en el siglo XVI. Rev. Chil. de Hist. y Geogr. 62. 250-82, 63. 136-73.

Latham, R. G.
1851. Note upon the Languages of Central America. Journ. Roy. Geogr. Soc. 20. 189-90.
1853. Vocabulaires of Amazonian Languages. Remarks on the Vocabulaires. En: Wallace, Alfed Russel, A narrative of Travels on the Amazon and Rio Negro. Londres.
1862. Elements of Comparative Philology. Londres [estudia el Guaraní, Ge, Bororo, etc.] .

Latorre, Juan José
1880. Exploración de las aguas de Skyring o del Despejo y de la parte austral de la Patagonia. Anuario hidrogr. de la Marina de Chile 6. 88 ss. Santiago.

Lauriault, James
1948. Alternate-Mora Timing in Shipibo. IJAL 14. 22-4.
1957. Textos Quechuas de la zona de Coracora, Depto. de Ayacucho. Tradición 7, nos. 19/20. 92-146. Cuzco.
1958. Textos Quechuas. Tradición 8, nº 21. Cuzco.

Lavera, Oscar
1956. Cinco modos de hablar. Boletín del Instituto de Folklore 2. 134-5. Caracas.

Laytano, Dante de
1938. Notas de linguagem Sul-Riograndense. Anais do I Congresso da ling. nac. cantada 341-60. São Paulo.

Leal, Oscar
1895. Viagem a um pais de selvagens. Lisboa.

Leam, P. Bertholameu, v. Araujo, P. Antonio de.

Leão, Ermelino A. de
1910. Subsídios para o estudo dos Caingangues do Paraná. Curitiba.

Leceta, Hno. Fray Jerónimo de los Dolores
1814. Cuaderno que contiene el vocabulario de la lengua del Inca, según se habla en el Obispado de Maynas y Ucayali. Ms. cit. por Tschudi 1853.

Leclerc, Charles, v. Adam, L.

Legal, Francisco
ms. Gramática de la lengua Guaraní. En la Colección de Humboldt, Bibl. de Berlín.

Lehmann, Henri
1945. Un confesonario en lengua Páez de Pitayo. RINEB 2. 1-13.
1949. Les indiens Sindangua (Colombia). JSA 38. 67-89.

Lehmann, Walter
1910. Ergebnisse einer Forschungsreise in Mittelamerika und Mexiko, 1907 und 1909. ZE 42. 714-22.
1910. Beitrag zur Kenntnis der Indianersprachen Costa Rica's nach eigenen Aufnahmen. 16 CIA, Viena 1908. 2. 627-44.
1914. Vokabular der Rama-Sprache, nebst grammatischem Abriss. Abhandl. Philos. -philol. -hist. Klasse Akad. der Wissenschaften, 28 Nr. 2.
1915. Über die Stellung und Verwandtschaft der Subtiaba-Sprache der pazifischen Küste Nicaraguas und über die Sprache von Tapachula in Süd-Chiapas. ZE 47. 1-34.
1920. Zentral-Amerika. 2 vol. Berlin. Vol. 1, Die Sprachen Zentral-Amerikas in ihren Beziehungen zueinander sowie zu Süd-Amerika und Mexiko.

Lehmann-Nitsche, Roberto
1910/1. Vocabulario Chorote o Solote (Chaco occidental). RMLPlata 17. 111-30.
1912. Las obras lingüísticas de Theophilus Schmid sobre el idioma Patagón o Tehuelche recién publicadas. 17 CIA, Buenos Aires 1910. 224-6.
1912. El grupo Tshon de los países magallánicos. 17 CIA, Buenos Aires 1910. 226-7.
1913. El grupo lingüístico Tshon de los territorios magallánicos. RMLPlata 22. 217-76.
1918. El grupo lingüístico Het de la Pampa argentina. Sinopsis preliminar. ASCA 85. 324-7.
1918. El grupo lingüístico Alakaluf de los canales magallánicos. ASCA 86. 215-9.
1921. El grupo lingüístico Alakaluf de los canales magallánicos. RMLPlata 25. 15-69.
1922. El grupo lingüístico "Het" de la Pampa argentina. RMLPlata 27. 10-85.
1923. El grupo lingüístico Tshon de los territorios magallánicos; sinopsis preliminar. ASCA 96. 209-11.
1925. Vocabulario Toba (Río Pilcomayo y Chaco oriental), con bibliografía y una lámina. BANC 28. 179-96.
1925. Das Chechehet, eine isolierte und ausgestorbene, bisher unbekannte Sprache der argentinischen Pampa. 21 CIA, Göteborg 1924, 581-3.
1926. Vocabulario Mataco (Chaco salteño) con bibliografía. BANC 28. 251-66.
1928. Coricancha. RMLPlata 31. 1-260.
1928. Gaucho. JSA 20. 103-5.
1930. El idioma Chechehet (Pampa bonaerense). Nombres propios. RMLPlata 32. 277-91.
1936. Die sprachcliche Stellung der Choropí (Gran Chaco) ZE 68. 118-24, 303-4.

1939. Studien zur südamerikanischen Mythologie: Die ätiologische Motive. Hamburg.
v. Hunziker.

Leite, Elias
1947. Modalidades fonéticas do sufixo kuéra no Tupí-Guaraní. Anuario Claretiano 1. 1-14. Curitiba.

Leite, P. Serafim
1937. Páginas de Historia do Brasil. São Paulo (tiene un capítulo sobre O primeiro vocabulário Tupí-Guaraní "Portuguez-Brasiliano").
1938. Historia da Companhia de Jesus no Brasil. Lisboa (en el vol. II hay un capítulo titulado Fundação da linguística americana).

Lemos, R. Gustavo
1920. Semántica o ensayo de lexicografía ecuatoriana, con un apéndice sobre nombres nacionales compuestos de raíces quichuas. Guayaquil.

Lemos Barbosa, A.
1941. Juká, o paradigma da conjugaçao Tupí. Estudo etimológico-gramatical. Rev. Filológica 2. nº 12. Rio de Janeiro.
1944. Estudos de Tupí. O "diálogo de Léry" na restauração de Plinio Airosa. [Folleto sin indicación de lugar de impresión, virulenta crítica].
1948. O "Vocabulario na Língua Brasílica". Rio de Janeiro, Serviço de Documentação do Ministerio da Educação e Saúde.
1949. Traduções de poesías Tupís. Revista do Arquivo, nº 128. 27-44. São Paulo.
1950. O auto de São Lourenço: uma peça teatral de Anchieta em Tupí, Castelhano e Português. Verbum 7. 201-49. Rio de Janeiro.
1950. Conversando com um índio fulniô. Verbum 7. 411-20. Rio de Janeiro.
1951. Pequeno vocabulario Tupi-Português. Rio de Janeiro.

Lengerke, Geo von
1878. Palabras del dialecto de los indios de Opone [Caribe]. ZE 10. 306.
1878. Palabras indias dictadas por un indio de la tribu de Carare [Caribe]. ZE 10. 306.

Lenguas de América, Manuscritos de la Real Biblioteca, v. Anónimo 1928.

Lenz, Rodolfo
1895/7. Estudios Araucanos. Anales de la Univ. de Chile 90. 359-85, 843-78, 91. 195-241, 93. 427-38, 507-55, 94. 96-120, 245-62, 691-719, 841-65, 97. 33-52, 491-504, 623-62, 98. 177-85, 188-207, 301-38, 499-525, 739-77. (Publicados también como libro bajo el título de Estudios Araucanos. Materiales para el estudio de la lengua, la literatura i las costumbres de los indios Mapuches o Araucanos. Santiago de Chile, 1895/7).
1896. Araukanische Märchen und Erzählungen mitgeteilt von Segundo Jara (Kaloun). Valparaíso.
1898. Kritik der Langue Auca des Herrn Dr. Jur. Raoul de La Grasserie... Eine Warnung für Amerikanisten. Verhandlungen des deutschen Wissenschaftlichen Vereins zu Santiago 4. Valparaíso (1898. Crítica de la Lengua Auca del señor R. de la Grasserie.

Anales de la Universidad de Chile. Santiago).
1899. Manual de Piedad en Castellano y Mapuche (Araucano) para texto de lectura de los indígenas de Chile. Edición revisada por el Doctor Rodolfo Lenz y costeada por el Supremo Gobierno. Santiago de Chile.
1904/5. Los elementos indios del Castellano de Chile. Estudio lingüístico y etnológico. Santiago.
1904/10. Diccionario etimolójico de las voces chilenas derivadas de lenguas indíjenas americanas. 2 vol. Santiago.
1910. Los elementos indíjenas en el Castellano de Chile. Santiago.
1912. Los elementos indios del Castellano de Chile. 17 CIA, Buenos Aires 1910. 232-43.
1935. La oración y sus partes, estudios de gramática general y castellana. 3a. ed. Madrid.
v. Barros Arana; Moesbach.

León, Agustín M.
1922. Explicación catequética en Quichua. Quito.
1927. Explicación catequética en el Quichua de Canelos. Quito.
1928/9. Breve vocabulario de las principales lenguas que se hablan en los diferentes pueblos y jibarías de la Prefectura Apostólica de Canelos y Macas. El Oriente Dominicano 1. 87, 2. 21. Quito.
1929. Doctrina cristiana escrita y arreglada por el Rmo. P. ___ ___ O. P., según el dialecto Quichua de Canelos. Ambato (Ecuador). (Reed. 1932/3 El Oriente Dominicano 5.10, 61, 82, 130-1, 166, 6. 8, 70. Quito).
1929/31. Explicación catequética en Quichua. El Oriente Dominicano 2. 63-4, 102-4, 137-40, 3. 24-7, 66-7, 111-3, 149, 151, 181-4, 4. 106. Quito.
1930. Breve elenco de lenguas orientales. El Oriente Dominicano 3. 15-6. Quito.
1930. Comparación del Shimigae con el Záparo. El Oriente Dominicano 3. 207-8.
1939. Vocabulario de palabras Quichuas generalmente habladas por los indígenas en la misión del Oriente Dominicano. El Oriente Dominicano 12. 115-6.
1939/40. Compendio de gramática Quichua. El Oriente Dominicano 12. 240-2, 13. 12-4, 64-6. Quito.
1947. Corpus Christi (Quichua y Español). El Oriente Dominicano 20. 30-1. Quito.
1945. Quillca. El Oriente Dominicano 18. 163-66. Quito.
1950/1. Misterios de nuestra Santa Fé que tenemos obligación de saber y creer [Castellano-Quichua]. El Oriente Dominicano 23. 145, 172, 24. 3, 35, 55, 73, 112. Quito.

León Pinelo, Antonio de, v. González Barcia.

Le Page, R. B.
(1952) A survey of dialects in the British Caribbean. Caribbean Quarterly 2. 49-51. Port of Spain.

Leprieur, J.
1834. Voyage dans la Guyane centrale. Bull. de la Soc. de géographie, 2e série 1. 201-29. París.

Léry, Jean de

1628. Colloque de l'entrée ou arrivée en la terre du Brésil, entre les gens du pays nommés toüoupinambaoults et Toupinenkins en langage sauvage et françois. En: Histoire d'un voyage fait en la terre du Brésil autrement dite Amérique....... La Rochelle.
v. Almeida Nogueira, Ayrosa 1941, Gaffarel, Lemos Barbosa 1944.

Levene, Ricardo

1940. Historia de América, publicada bajo la dirección de ——: tomo I, Introducción geográfica y los aborígenes de América del Norte y América Central, por Federico A. Daus y Francisco de Aparicio. tomo II, Los Aborígenes de América del Sur por Fernando Márquez Miranda.

Lévi-Strauss, Cl.

1943. The Social Use of Kinship Terms among Brazilian Indians. Amer. Anthrop. 45. 398-409.
1948. La vie familiale et sociale des Indiens Nambikwara. JSA 37. 1-131.
1948. Sur certaines similarités des langues Chibcha et Nambikwara. 28 CIA, Paris 1947, 185-92.
1950. Documents Rama-Rama. JSA 39. 73-84.
Vocabulaires de trois langues: Kabisiana, Kepkiriuat et São Pedro. ms. inéd.

Lewis, D.

1871. Bibliografía: Consideraciones sobre el desarrollo de la civilización peruana por el doctor Vicente Lopez. Rev. Argentina 511-81. Buenos Aires.

Liebeskind, W. A.

1941/2. Position des langues indigènes dans les pays d'Amérique. Voix des Peuples 8 y 9.

Limas, P. Francisco das Chagas

1842. Memória sobre o descobrimento e colônia de Guaraupara. RIHGB 4. 43-64.

Lindsay, Dr.

Autor de los anónimos Guaraníes de 1913 y 1914.

Lines, Jorge A.

1943. Bibliografía antropológica aborigen de Costa Rica. Univ. de Costa Rica. San José.

Lira, Jorge A.

1944. Diccionario Kkechuwa-Español. Tucumán.
1947/9. Fundamentos de la lengua Quechua. Rev. Mus. Nac. 16. 33-52, 17. 96-113, 18. Lima.
1947/57. Diccionario Kkechuwa-Español. Apéndices 1-4. Rev. Mus. Nac. 16. 52-84, 21. 92-106, 24. 100-10, 26. 65-77. Lima.
1950/1. Danzas indígenas [con textos Quechuas]. Rev. Mus. Nac. 19/20. 270-82. Lima.
1955. Recopilación [de himnos Quechuas católicos cuzqueños]. Folklore americano 3.167-221. Lima.

Lista, Ramón

1879. Viaje al país de los Tehuelches. Exploraciones de la Patagonia Austral. 1a. parte. Buenos Aires.

1880. Mis exploraciones y descubrimientos en la Patagonia 1877-80. Buenos Aires.
1883. El Territorio de Misiones. Buenos Aires.
1885. Vocabulario Tehuelche. Rev. de la Soc. Geogr. Argentina 3. 334-5.
1887. Viajes al país de los Onas, Tierra de Fuego. Buenos Aires.
1896. Lenguas argentinas: los Tehuelches de la Patagonia. ASCA 42. 35-43.

Lizondo Borda, Manuel
1927. Estudios de voces tucumanas. I. Voces tucumanas derivadas del quechua. Publ. Univ. Nac. de Tucumán.
1928. El Quichua de Santiago. La Brasa, año 2, nº 4, 1-2.
1938. Tucumán indígena; Diaguitas, Lules y Tonocotes, Pueblos y Lenguas (siglo XVI). Univ. de Tucumán.

Loayza, Francisco A.
1930. Una ortografía para los idiomas indígenas. El Comercio, 17 de Julio. Lima.

Lobato, P.
1905. Compendio de la doctrina cristiana en Quechua general o imperial. Lima.

London, Gardiner H.
1952. Quichua wors in Icaza's Huasipungo. Hispanica 35. 96-9. Wallingford, Conn.

Lopes, Raimundo
1925. Les indiens Arikêmes. 21 CIA. Gotemburgo 1924, 2. 630-42.
1934. Os Tupis do Gurupy (Ensaio comparativo). 21 CIA, La Plata 1932, 167-69.

López, Lucio Vicente
1871. Tutta Palla. Episodio de la conquista de Quito por Huaina-Capac (Leyenda original en verso). Rev. del Río de la Plata 1.586-606.

López, Vicente Fidel
1865/6. Estudios filológicos y etnológicos sobre los pueblos y los idiomas que ocupaban el Perú al tiempo de la conquista. La Rev. de Buenos Aires 7. 554-68, 8. 3-13, 222-38, 321-47, 525-51, 9. 25-41.
1867. Estudios sobre la colonización del Perú por los Pelasgos griegos en los tiempos prehistóricos, demostrada por el análisis comparativo de las lenguas y los mitos. La Rev. de Buenos Aires 13. 161-91, 345-61, 505-27, 14. 81-91, 178-200, 341-58, 528-43.
1868. Sistema astronómico de los antiguos peruanos. La Revista de Buenos Aires 16. 321-56, 481-512, 641.
1869. De las religiones y de los mitos del Perú antiguo. La Revista de Buenos Aires 19. 481-507.
1871. Les races aryennes du Pérou, leur langue, leur réligion, leur histoire. Paris.
v. Lársen 1870, Lewis 1871, Markham 1883.

López Albujar, Enrique
1942. Etimología del "che" piurano. 37 CIA, Lima, 2. 75-77.

Lorenz, Francisco Wladimiro

1939. El idioma Katío. Rev. Univ. Católica Bolivariana 4. 11-13.

Loukotka, Čestmir

1929. Le Setá, un nouveau dialecte Tupi. JSA 21. 373-98.

1929. Apuntes póstumos de Guido Boggiani, compilados y redactados por ——. Vocabulario dell'idioma Ciamacoco. ASCA 108. 149-92, 227-41.

1930. Contribución a la lingüística sudamericana. Vocabularios inéditos o pocos conocidos de los Ranqueles, Guahibo, Piaroa, Toba, Pilagá, Kaduveo, etc. RIET 1. 75-106.

1931. Vocabularios inéditos o pocos conocidos: Čamakoko, Sanapaná, Angaitá y Sapukí. RIET 1. 557-92.

1931. Die Sprache der Zamuco und die Verwandschaftsverhältnisse der Chaco. Stämme. Anthropos 26. 843-61.

1931. La familia lingüística Mašakali. RIET 2. 21-47.

1931. Les indiens Kukura du Rio Verde, Matto Grosso, Brésil. JSA 23. 121-26.

1932. La familia lingüística Kamakan del Brasil (segunda parte del estudio de los Že). RIET 2. 493-524.

1933. Nouvelle contribution à l'étude de la vie et du langage des Kaduveo. JSA 25. 251-77.

1935. Clasificación de las lenguas sudamericanas. Edición lingüística Sudamericana, nº 1. Praga.

1937. La familia lingüística Coroado. JSA 29. 157-214.

1938. Observaciones sobre la lengua de los indios Guayaberos. Idearium 2. 15-17. Pasto.

1939. Línguas indígenas do Brasil. Rev. Arq. Mun. São Paulo 54. 147-74.

1939. Intrusión de los idiomas centroamericanos en la América del Sur. Anal. Univ. Nariño. 2ª serie, nº 2. 243-64.

1939. A Lingua dos Patachós. Rev. Arquiv. Mus. São Paulo 55. 5-15.

1941. Suplementi al vocabolario Ciamacoco estratti dai manoscritti inediti di Guido Boggiani. Centro Italiano di Studi Americani, Comitato etnologico 1. 15-31. Roma.

1943. Slovniky indiánských řečí z rukopisné pozůstalosti cestovatele E. St. Vráze. Věstnik kr. české spol. nauk, třída pro filosofii, historii a filologii 43, nº III. Praga.

1945. Klassification der südamerikanischen Sprachen. ZE 74. 1-69.

1948. Sur la classification des langues indigènes de l'Amerique du Sud. 38 CIA, París, 193-99.

1949. Sur quelques langues inconnues de l'Amerique du Sud. Lingua Posnaniensis 1. 53-82.

1949. La langue Taruma. JSA 38. 53-65.

1950. Les langues de la famille Tupi-Guarani. Univ. de São Paulo, Faculdade de Filos. Ciências e Letras, Boletim 104.

1950. La parenté des langues du bassin de la Madeira. Lingua Posnaniensis 2. 123-44.

1951. Reseña de J. A. Mason 1950. Lingua Posnaniensis 3. 366-75.

1952. Dos cartas de amigo sobre lingüística americana. Folia linguistica 1. 25-29. Buenos Aires.

Lámina XIV. — Čestmir Loukotka.

1953. Indiánske kmeny v severovýchodní Brazilii. Československa ethnografie 1. 183-99. Praga.
1955. Les langues non-Tupís du Brésil du Nord-est. 31 CIA, São Paulo, 2. 1029-54.
1955. Les indiens Botocudo et leur langue. Lingua Posnaniensis 5. 112-35.
v. Rivet & Loukotka.

Lounsbury, F. G.
ms. inéd. sobre la Lengua Umotina.

Lowes, R. H. G.
1954. Alphabetical list of Lengua Indian words with English equivalents (Paraguayan Chaco). JSA 43. 85-107.

Lowie, Robert H.
1933. Selk'nam Kinship. Amer. Anthrop. 35. 546-48.

Lozano, Pedro
1941. Descripción corográfica del Gran Chaco Gualamba. Univ. Nac. Tucumán.

Lucero, P. Juan, S. J.
1661. Gramáticas y catecismos de las lenguas Paranapura, Cocama y otras del Ecuador.

Ludewig, H. E.
1858. The literature of American aboriginal languages. Londres.

Lugo, Fray Bernardo de, O. P.
1619. Gramática de la lengua general del Nuevo Reino, llamada Mosca, con un vocabulario del mismo idioma. Madrid. (Utilizada por Uricoechea; reimpresa en Acosta Ortegón).

Lullo, Oreste di
1946. Contribución al estudio de las voces santiagueñas. Santiago del Estero.

Lunardi, Federico
1938. I Sirionó. Archiv. antropol. etnol. 67. 178-223. Florencia.

Lutz, Frank E.
1912. String-figures from Patamona Indians of British Guiana. Anthropol. Papers of the Amér. Mus. of Nat. History 12. Nueva York.

Lyra, Suzana
Vocabulario. Indios tupis, posto Téles Pires, rio do mismo nome. ms. inéd. en la bibl. de Rivet.

Llamas, A. de
1910. Uacambalelté o Vilelas. Corrientes.

Llisa, Fr. Pedro
1890. Pequeño Catecismo cristiano. Dios onamaque. Carta chenicua. Traducido en la lengua Cuna o de los indios del Darién... Revisto por A. L. Pinart & T. J. Carranza. París.

Llosa, Enrique S.
1906. Tribu de los Arazaires. Algunas voces de su dialecto. Bol. Soc. Geogr. Lima 19. 302-06.

M. D. L. S., v. Sauvage.

Mabilde, Alfonso, v. Serrano, Antonio.

Macchetti, Gesualdo
1886. Relación de las misiones franciscanas de Manaos presentada al Rev. P. Ministro General de los Menores. Roma.

Macedo y Pasor, Celso
1931/5. La esfinge. Coñi Pacha Camaj illa Wiracocha pascha yuchayij tipi tipi capaj a la luz de la ciencia lingüística. Rev. Hist. Lima 9. 357-80.
1936. Una hermosa poesía en Quechua. Rev. Hist. Lima 10. 284-88.
1939. Disquisiciones filológicas sobre términos míticos de los incas. Lima.
Macedo Soares, Antonio Joaquim de
1879. Sobre a etimología da palavra "boava" ou "emboaba". Revista Brasileira 1. 587-94. Rio de Janeiro.
1880. Declaración de la Doctrina Christiana. Manuscrito Guaraní traduzido e anotado. RIHGB 60. 165-90.
1880. Estudos lexicográficos do dialecto brasileiro. Capão, Capoeira, Restinga. Revista Brasileira 3. 224-33. Rio de Janeiro.
1881. Estudos lexicográficos do dialecto brasileiro. Ahyva, Jaguar, Jaguari, Jaguaryahyva, Jaguarycatú, Jaguatirica, Jaguané. Revista Brasileira 7. 367-79. Rio de Janeiro.
1881. Estudos lexicográficos do dialecto brasileiro. Anhanguera, Batuera, Canguelo, Capueira, Caruera, Catanguera, Minipuera, Pacuera, Pirangueiro, Quirera, Tapera, Tiguera. Exemplos do pretérito geral da lingua geral transmitidos ao dialecto brasileiro. Revista Brasileira 7. 118-26. Rio de Janeiro.
1890. Dicionário Brasileiro da Lingua Portuguesa. Elucidario etimológico-crítico de palavras e frases originarias do Brasil. Anais da Biblioteca Nacional do Rio de Janeiro 13. 1-147.
MacKinney, v. Anónimo 1930.
MacQuown, Norman A.
1955. The Indigenous Languages of Latin America. Amer. Anthrop. 57. 561.
Machado d'Oliveira, José Joaquim
1936. Brasileirismos. Revista do Arquivo Mun. de São Paulo 24. 119-30.
1936. Vocabulario elementar da língua geral brasílica. Rev. do Arq. Mun. de São Paulo 25. 129-74.
Machoni de Cerdeña, P. Antonio
1732. Arte y vocabulario de la lengua Lule y Tonocoté compuestos con facultad de sus superiores.... Madrid. (1877 reed. Buenos Aires, con prólogo de J. M. Larsen).
1894. Calepino Lule-Castellano. BIGA 15. 305-85.
v. Abregú Virreira.
Maeztu, Fr. Teodoro
1929. Una visita a los indios Cholos. Revista de Misiones 5. 119-25. Bogotá.
Magalhães, Basilio de
1918. Vocabulario da lingua dos Bororos-Coroados do Estado de Mato Grosso. RIHGB 83. 5-67.
1943. Filología Folklórica (Americanismos). Cultura Política 3. 88-92. Rio de Janeiro.
1951. A lingua Guarani-Tupi, nome genérico para designar o idioma e seus principais dialetos. Bol. de Filologia 5. 586-89. Rio de Janeiro.

Magalli, José M.
1891. Catón en lengua Jíbara para la Misión de Macas. Riobamba (Reed. 1912 por R. Schuller).
Magariños Cervantes, v. Granada, Daniel.
Magio, P. Antonio
1880. Arte de la lengua de los indios Baures de la provincia de los Moxos. BLA 7.
v. Adam & Leclerc.
Maglio, B.
1890. La lengua Atacama. Santiago.
Majano, P. Lucas
s. XVIII. Catecismo en lengua de los Roamayna. cit. por Schuller.
Malaret, Augusto
1937. Vocabulario de Puerto Rico. San Juan P. R.
1940. Los americanismos a través de los siglos. Univ. Catól. Bolivariana 4. 311-29. Medellín.
1945/57. Lexicón de fauna y flora. Boletín del Instituto Caro y Cuervo 1. 79- , 302-37, 493-540, 2.39-54, 315-32, 485-500, 3. 228-59, 4. 129-44, 355-70, 551-66, 7. 293-341, 8. 126-57, 10. 316-47, 11. 124-87, 12. 174-204.
Malmberg, Bertil
1947/8. L'espagnol dans le Nouveau Monde. Studia linguistica 1. 79-116, 2. 1-36.
Malta, Ignacio José
1846. Breves reparos sobre algunas etymologias de nomes brasis. En: Mello Moraes, Corographia historica. Rio de Janeiro.
Mamiani, P. Luis Vincencio
1698. Catecismo da doutrina cristãa na lingua Brazilica da nacão Kiriri. Lisboa.
1699. Arte de gramática da lingua brasílic . da nação Kiriri. Lisboa. ( 1877 reed. Rio de Janeiro. 1943 (?) reed. facsímil por inicia-
tiva de R. García).
v. Gabelenz, Petazzoni.
Mammani, Inocencio
1956. Los milagros de Atohja (Cuento Aymara). Folklore 3. 20-37. Lima.
Mangory, Horácio, v. Nimuendajú 1924.
Maniser, Henryk Henrykovič
1917. Botokudy (Borun) po nabljudenijam ve vrema prebyvanija sredi nix v 1915 godu. Ežegodnik russkoj antropologii, god 1916, p. 83-130. Petrograd. (1919. traducción: Les Botocudos d'après les observations recueillies pendant un séjour chez eux en 1915. Arquivo do Mus. Nac. 22. 243-73. Rio de Janeiro).
Manresa, Fray Fructuoso de
1932 ms. inéd. Encuesta externa y vocabulario de Coreguaje del alto Caquetá. En el centro de investig. Las Casas, Colombia.
1934/7. ms. inéd. Encuestas esquemáticas y sumarias del Tinigua, Muinane-Uitoto y Uitoto-Eraye. En el Centro de investig. Las Casas. Colombia.
1941. Cuento ingano del venado o tampaka parlo. Amazonia Colomb. Americanista 2, nos. 4/5. 65-6.

Mansfield, Charles Blackford
1856. Paraguay, Brazil and the Plate, letter written in 1852-1853. Cambridge.
Mansilla, General Lucio V.
1879. Una excursión a los indios Ranqueles. Buenos Aires.
Mansur Guérios, v. Guérios.
Marbán, Pedro
1701. Arte de la lengua Moxa con su vocabulario y cathecismo... Lima (1894 reed. facsimilar por J. Platzmann, Leipzig).
Marcano, G.
1890. Ethnographie précolombienne du Venezuela: indiens Piaroas et Guahibos. Bull. Soc. Anthrop. Paris 4e série, 1. 857-65.
1890. Ethnographie précolombienne du Venezuela: indiens Goajires. Bull. Soc. Anthrop. Paris, 4e série, 1. 883-95.
1891. Ethnographie précolombienne du Venezuela: note sur les Cuicas et les Timotes. Bull. Soc. Anthrop. Paris, 4e série, 2. 238-54.
1893. Ethnographie précolombienne du Venezuela. Vallées d'Aragua et de Caracas. Mém. Scc. Anthropol. Paris, 2e série, 4. 1-86.
1893. Ethnographie précolombienne du Venezuela. Région des Raudales et de l'Orénoque. Mém. Soc. Anthrop. Paris. 2e série, 4. 99-218.
Marcel, M. G.
1890. Les fuéguiens à la fin du XVIIe siècle d'après des documents français inédits. 8 CIA, Paris 1888. 485-96.
1890. Vocabulaire des fuéguiens à la fin du XVIIe siècle. 8 CIA, Paris 1888. 643-46.
Marcgrave, Jorge, v. Ayrosa 1942, Moraes 1648.
Marcoy, Paul
1866/7. Voyage de l'Océan Pacifique à l'Océan Atlantique à travers l'Amérique du Sud. Le Tour du Monde vols. 14 & 15. Paris. (1875 trad. inglesa, 2 vol. Londres).
Maria, P. Antônio, v. Sala, R. P. Antônio Maria.
María, José de
1918/9. Gramática y vocabulario jíbaro. Bol. Soc. Ecuatoriana Est. Históricos 1. 159-80, 351-61, 2. 144-53, 281-87.
Markham, Clemens Robert
1864. Contribution towards a Grammar and Dictionary of Quichua, the Language of the Yncas of Peru. Londres.
1871. Ollanta. An ancient Ynca drama. Translated fron the original Quichua. Londres.
1883. Poesía dramática de los Incas. Ollantay. Traducido del inglés por Adolfo F. Olivares y seguido de una carta crítica del Doctor Vicente Fidel López. Buenos Aires.
Marlière, Guido Thomaz
1825. Idiomas ou línguas dos indios. Língua Botocudo. Abelha do Itaculumy, nº 15 de fevereiro. Ouro Preto.
1825. Vocabulario das tribus de Botocudos apelidados Krakmun, Pajaurum e Naknamuk, habitantes nas vertentes do rio Doce e Giquitinhonha. Abelha do Itaculumy, nos. de 29 de abril a 27 de maio. Ouro Preto.

ms. Vocabulário Português-Botocudo (inédito en la Bibl. Nac. de Rio de Janeiro).

Marquês, P. Buenaventura

ms. s. f. Vocabulario de la lengua Campa, escrito en favor del Colegio de Ocopa.

1903. Vocabulario de los idiomas índicos conocidos por Cunibos y Panao o Setebos, trabajado por el R. P. Predicador apostólico Fr. ———, obsequiado por D. José María de Córdova y Urrutia en el año 1848. La Gaceta Científica año 14, nº 8. Lima.

1931. Fragmentos del arte del idioma Conivo, Setevo, Sipivo y Casivo o Comavo, que hablan los indios así llamados, que residen en las márgenes del famoso río Paro, alias Ucayali, y de sus tributarios Manoa, Cushibatay, Pisqui, Aguaytia y Pachitea. Rev. Hist. Lima 9. 117-228.

v. Romero, C. A.

Márquez Miranda, Fernando

1943. Los textos Millcayac del P. Luis de Valdivia, con un vocabulario Español-Allentiac-Millcayac. RMLPlata 2. 61-223.

1944. Un importante hallazgo para la lingüística aborigen. Rev. Soc. Argentina de Antropol. 4. 193-229.

1946. Los diaguitas. Inventario patrimonial, arqueológico y paleo-etnográfico. RMLPlata 3, secc. Antropol. 5-300.

1956. Las clasificaciones lingüísticas antes y después de la época de Mitre. Ciencia e investigación 12. 70-4. Buenos Aires.

v. Levene, Valdivia.

Marroquim, Mario

1945. A lingua do Nordeste (Alagôas e Pernambuco). Prefacio de Gilberto Freyre. Companhia Editora Nacional.

Martínez, Benigno T(eixeira)

1897. Etnografía del Río de la Plata. A propósito del Mapa Etnográfico del señor Lafone Quevedo. Los Charrúas. Revista Nacional Buenos Aires.

1901. Etnografía del Rio de la Plata. Chanáes, Yaróes, Bohanes y Güenoas. Revista Nacional 31. 28-41, 122-31, 244-60.

1901. Los indios Guayanás. Rev. Nacional 31. 48-96. Buenos Aires.

1902/3. Etnografía histórica. Vocabulario de tribus o parcialidades de indios del Rio de la Plata en la época colonial. Tomado de la obra inédita "La naciones indígenas del Plata en la época colonial". Revista Nacional 17. 225-37, 18. 16-18.

1904. Os indios Guayanás. Rev. do Mus. Paulista 6. 45-52.

1919. Elementos de la clasificación y ubicación de las tribus del Río de la Plata. Rev. Univ. Nac. de Córdoba 6. 1-52 [con glosarios Toba, Guaraní y Guayaná].

Martínez, Fray Juan

1604. Vocabulario de la Lengua General del Perú llamada Quichua y en la Lengua Española, nuevamente emendado y añadido de algunas cosas que faltavan, por el Padre Maestro Fray ——— Cathedrático de la lengua, de la Orden del señor Sant Agustín. Lima.

Martínez, Jm. G.

1953. Reseña [con muchas palabras de los Andes venezolanos] de la obra de Tobón Betancourt 1953. Archivos Venez. de Folklore 2. 209-18.

Martínez, T. Alfredo
1916. Orígenes y leyes del lenguaje aplicadas al idioma Guaraní. Buenos Aires.

Martínez Compañón, Baltasar Jaime
ms. Truxillo del Perú. Inéd. en la Biblioteca del Palacio. Madrid.

Martínez Landero, Francisco
1934/6. Anotaciones sobre el dialecto de los indios Sumos. Rev. del Arch. y Bibl. Nacionales 13. 46, 115, 433, 593, 14. 112-5. Tegucigalpa.

Martínez del Río, Pablo
1943. Los aborígenes americanos. México.

Martínez Orozco, José
1938. Origen del che. 2º Congreso Internacional de Historia de América, reunido en Buenos Aires..... 1937. Acad. Nac. de la Historia. 3. 678-86.

Martius, Carl Friedr. Phil. von
1858. Über die Pflanzen-Namen in der Tupy-Sprache. Bülletin der k. bayer Akad. der Wissenchaften, nos. 1 a 6. Munich. [reproducido en 1863/7].
1863. Beiträge zur Ethnographie und Sprachenkunde Südamerikas, zumal Brasiliens. Vol. I, Zur Ethnographie, Leipzig. Vol. 2, Zur Sprachenkunde; Wörtersammlung brasilianischer Sprachen, Erlangen.
v. Spix & Martius.

Marx, W. C., v. Heath, C. R.

Masô, João Alberto
1919. Os indios Cachararys. Rev. da Soc. de Geogr. do Rio 22-24.

Mason, John Alden
1940. The native language of Middle America, en The Maya and their neighbours pp. 52-87. Nueva York, Londres.
1942. Los cuatro grandes filones lingüísticos de México y Centroamérica. 27 CIA, México, 2. 282-8.
1943. Idiomas indígenas y su estudio. América Indígena 3. 231-44.
1945. The status and problems of research in the native languages of South America. Science 101. 259-64.
1950. The languages of South American Indians, en Steward 1946/50, 6. 161-317.

Maspéro, G.
1870. A Peruvian drama, Ollanta: or the Severity of a Father and the Clemency of a King. The Academy, 1. 89-91. Londres. [Reseña de Barranca 1869].

Massei, v. Lafone Quevedo 1895.

Mata, Alfredo Augusto da
1939. Vocabulário Amazonense. Contribuição para o seu estudo. Manaus.

Mata, Pedro de la
1923. Arte de la lengua Cholona. Inca 1. 690-750. (Publ. de parte del ms.; el resto sigue inédito en el Brit. Mus.).

Matallana, Fr. B. de, v. Armellada.
Matienzo, Agustín
1895. Estudio filológico de los idiomas de los antiguos Incas del Perú. Buenos Aires.
Matos Mar, José
1951. El área cultural del idioma Kauke en el Perú. Lima, Univ. de San Marcos.
1956. Yauyos, Tupe y el idioma Kauke. Rev. del Museo Nac. 25. 140-83. Lima.
Matteson, Esther
1954. Analyzed Piro Text. A boy and a jaguar. Yarinacocha, Summer Instit. de Linguistics.
Matteson, Esther & Pike, K. L.
1958. Non phonemic transition vocoids in Piro (Arawak). Miscellanea Phonetica 3. 22-30.
Matto de Turner, Clorinda
1901. Apunchis Jesucristoc Evangelion San Lucaspa Qqelkascan panan chis.--pa castellanomanta runa simiman thiccascan. Buenos Aires.
1926. Vocabulario Quechua. Rev. Archiv. Santiago del Estero. 5. 147-49.
Mattoso Câmara Jr., J.
1957. Manual de Transcrição Fonética. Rio de Janeiro, Universidade do Brasil.
Mauro, Humberto
1950. Vocabulário dos têrmos Tupís de "O selvagem" de Couto de Magalhães, organizado por ——. RIHGB 208. 197-242.
Mayer, Alcuin
1951. Lendas macuxís. JSA 40. 67-87.
Mayntzhusen, F. C.
1911. Los indios Matacos del sudeste de Paraguay. Su influencia sobre los Guayakís. Rev. Univ. Buenos Aires 15. 333-44.
1919/20. Die Sprache der Guayaki. Zeitschrift f. Eingeborenensprachen 10. 2-21. Berlin.
Medina, Angel, v. Anónimo 1930; Peñaranda, Néstor.
Medina, José Toribio
1918. Fragmentos de la Doctrina cristiana en lengua Millcayac del P. Luis de Valdivia, únicos que hasta ahora se conozcan, sacados de la edición de Lima de 1607 y reimpresos en facsímil. Santiago de Chile.
1930. Bibliografías de las lenguas Quechua y Aymará. Mus. Amer. Ind. Contr. vol. 7, nº 7.
1930. Bibliografía de la lengua Guaraní. Publ. Inst. Inv. Hist., nº 51. Buenos Aires.
v. Valdivia.
Medrano, Fr. Antonio de, franciscano
Arte de la lengua Mosca.
ms. Carta en la lengua del Nuevo Reino de Granada.
Meikle, H. B.
1955. Tobago villagers in the mirror of dialect. Caribbean Quaterly 4. 154-60. Puerto España.

Meillet, A. & Cohen, Marcel
1924. Les langues du monde. Paris. (1952 reed. ampliada). Véase: Cohen, Haudricourt, Rivet, Rivet & Loukotka, Rivet & Strasser-Péan.
Mejía Xesspe, M. Toribio
1931. Kausay, alimentación de los indios. Wira Kocha 1. 9-24. Lima.
1954. Lingüística del norte andino. Letras 50/3. 204-20. Lima.
v. Poma de Ayala 1939.
Melgar y Santa Cruz, Esteban Sancho
ms. ca. 1690. Lucerna Yndica y traducción paraphrástica de todos los evangelios.... Va al fin el Arte del mismo autor, locupletado, copiosso y curiosso vocabulario, oraciones y cateçismos, confessonario y ritual [en Quechua]. Bibl. Nac. de Bogotá.
1691. Arte de la lengua general del Ynga llamada Qquechhua. Lima.
Melgarejo, Sixto
1886. Vocabulario Guahibo. Resumen de las actas de la Academia Venezolana correspondiente de la R. Española de la Lengua. Caracas.
Meliá, P. Bartolomé, S. J.
1956. Acerca de la Ortografía Guaraní, en El idioma Guaraní, su numeración, su ortografía. Buenos Aires.
Melo, Mário
1928/9. Os Carnijós de Aguas Belas. Rev. do Inst. Archeol., Hist. e Geographico Pernambucano 29. 179-227 (con vocabulario del Fulnió).
Melo e Silva, José de
1939. Fronteiras Guaranís (com un estudo sôbre o idioma Guaraní ou ava-ñe-ẽ). São Paulo.
Membreño, Alberto
1897. Hondureñismos. Vocabulario de los provincialismos de Honduras. Tegucigalpa, 2ª edición.
Méndez Arocha, Alberto
1956. Vocabulario básico de la lengua Warrau (Guarao, Guarauno). Antropología 1. 23-32. Soc. de Ciencias Naturales La Salle, Venezuela.
Meneses, Teodoro L.
1949/50. El "Usca Pancar", un drama religioso en Quechua del siglo XVIII. Documenta 2. 1-178. Lima.
1954. Canciones Quechuas de Ayacucho, 1ª serie (texto Quechua), edición de ——. Lima, Univ. Mayor de San Marcos.
1954. Cuentos Quechuas de Ayacucho, 1ª serie (texto Quechua) ed. de ——. Lima, Univ. Mayor de San Marcos.
1956. Canciones Quechuas de Ayacucho, 2ª serie. Lima, Univ. Mayor de San Marcos.
1957. Apu Inca Atahuallpaman, elegía Quechua de autor cuzqueño desconocido. Lima, Univ. Mayor de San Marcos.
Mense, Fr. Hugo
1924. Cábi-ä. Pequeño Catecismo no idioma Mundurucú. Bahía.
1946/7. Língua Mundurucú. Vocabulários especiais. Vocabularios A-

palaí, Uaibói e Maue. Arquiv. do Mus. Paranaense 6. 107-48. Curitiba.

Mercado, Agustín

1946. La escritura del idioma Kjeshua. Bol. Soc. Geogr. Sucre 41. 257-62.

1946. Signografía Kjeshua. Bol. Soc. Geogr. Sucre 42. 302-7.

1947. Verbos del idioma Kjeshua. Bol. Soc. Geogr. Sucre 42. 533-9.

1952. Denominaciones Quechuas en el Khollasuyu. Bol. Soc. Geogr. Sucre 44. 284-9.

Mercado Zarate, Marcelo

1941. Monografía del distrito de El Mantaro (Piscucho).

& Iturrizaga, Isidoro.

1941. Monografía de Tupe (escrita en lengua Cauqui o Jacaro). Univ. Catól. del Perú, Ensayos geográficos 3. Lima.

Mercier y Guzmán, Francisco

1760. Historia de los quatro evangelios en lengua Aymara... sacada de Bertonio. ms. de paradero ignorado.

1765. Sermones varios en lengua Aymara para todo el año, según se acostumbran predicar en este pueblo de Juli, Provincia de Chucuyto. ms.

Merian, D. B. de

ms. Historia de nuestro Señor Jesu Cristo en lengua Pacasa. En la Brown Library, Providence, R. I.

Mesa, Daniel I.

1952. Diccionario Yucayo. Rev. Cubana de Arqueología y Etnol. 7. 388-404. La Habana.

Mesquita de Carvalho, José

1938. Traços gerais do linguajar nacional no rotado do Rio Grande do Sul. Anais do I Congresso da ling. nac. cantada 637-46. São Paulo.

Metalli, J.

1902. Civilicemos a nuestros Cayapas. El Bien Social 1, nos. 4, 6, 7, 8, 9, 11, 13 y 16. Esmeraldas.

Métraux, Alfred

1929. Les indiens Waitaka (à propos d'un manuscrit inédit du cosmographe André Thevet). <u>JSA</u> 21. 107-26.

1930. Les indiens Kamakan, Patašo et Kutašo d'après le journal de route inédit de l'explorateur français J. B. Douville. <u>RIET</u> 1. 239-93.

1935. Contribution à l'etnographie et à la linguistique des indiens Uro d'Ancoaqui (Bolivie). <u>JSA</u> 27. 75-110.

1935/6. Les indiens Uro-Čipaya de Carangas. <u>JSA</u> 27. 111-28, 28. 155-207.

1936. La langue Uro. <u>JSA</u> 28. 337-94 (1954/6. Reed. en Khana, Rev. munic. de Arte y Letras 3/4. 23- , 9/10. 29- , 15/6. 144-50. La Paz).

1940. Les indiens Chapacura. <u>AIEA</u> 1.

1942. The linguistic affinities of the Enimagá (Cochaboth) Group. Amer. Anthropol. 44. 720-1.

1942. The native tribes of Eastern Bolivia and Western Mato Grosso. Bull. Bureau Amer. Ethnol. nº 134.

1951. Une nouvelle langue Tapuya de la région de Bahía (Brésil) [Kariri de Mirandela]. JSA 40. 52-58.
1952. Recherches sur les indiens Fulniô de l'État de Pernambuco. JSA 41. 500-2.

Michaele, Faris Antonio S.
1951. Manual de conversaçao da lingua Tupí. 1ª serie (20 Lições). Ponta Grossa, Paraná.

Middendorf, E. W.
1890/2. Die einheimischen Sprachen Perus. I, Das Runa Simi oder die Keshua-Sprache. II, Wöterbuch des Runa-Simi oder der Keshua-Sprache. III, . IV, . V, Die Aymará-Sprache. VI, Das Muchik oder die Chimusprache. 6 vols. Leipzig.
1954. Introducción a la gramática Aymara. Khana, Rev. munic. de arte y letras 5/6. 7-31. La Paz.
v. Espinoza Medrano de los Monteros; Ollanta.

Milanesio, Domenico
1898. La Patagonia. Lingua, industria, costumi e religione dei Patagoni. Buenos Aires.
1917. Estudios y apuntes sobre las lenguas en general y su origen divino: particularidades sobre los idiomas de la Patagonia. Buenos Aires.

Milewski, Tadeusz
1953. Typologia syntaktyczna językôw amerikańskich. Biuletyn Polskiego Towarzystwa Jęsykoznawczego 12. 1-24. Cracovia.
1953. Phonological Typology of American Indian Languages, Lingua Posnaniensis 4. 229-76.
1954. Odpowiedniki indoeuropejskich zdań złożonich w językach amerikanskich. Biuletyn Polskiego Towarzystwa Językoznawczego 13. 117-46.
1955. Comparaison des systèmes phonologiques des langues caucasiennes et américaines. Lingua Posnaniensis 5. 136-65.

Milhau, v. Farabee.

Millán de Palavecino, María Delia
1952. Lexicografía de la vestimenta en el área de influencia del Quechua. Folia Linguistica Americana 1. 37-69. Buenos Aires.

Minro, Eugene E.
1956. Witoto vowel clusters. IJAL 22. 131-7.

Miranda Rivera, Porfirio
1953. Florilegio Keshua. Sucre.

Misioneros Capuchinos
1938. Catecismo de la Doctrina Cristiana en Taurepan y Español. Estudios Venezolanos Indígenas, Caracas.

Misioneros Salesianos del Vicariato de Méndez y Gualaquiza, v. Anónimos 1924 y 1941.

Missão Salesiana
1908. Elementos de grammatica e dicionario da lingua dos Boróros-Coroados de Mato Grosso. Cuiabá.
1919. Noções de catecismo em lingua Boróro (Colonia S. Coração). Cuiabá.

Mitre, Bartolomé
1895. Lenguas americanas. Estudio bibliográfico-lingüístico de las

obras del P. Luis de Valdivia sobre el Araucano y el Allentiac, con un vocabulario razonado del Allantiac. RMLPlata 6. 45-99.

1896. Lenguas americanas. El Tupí Egipciano. Crítica del libro de A. Varnhagen titulado: L'origine Touranienne des Américains Tupis. Buenos Aires (v. Porto Seguro).

1909/10. Catálogo razonado de la Sección Lenguas Americanas, Museo Mitre. Con una introducción de Luis María Torres. 3 vol. Buenos Aires.

Mitre, Museo

1912. Lenguas americanas. Catálogo ilustrado de la Sección X de la Biblioteca. Publicaciones del Museo Mitre. Buenos Aires.

Mochi, Aldobrandino

1902/3. I popoli dell'Uaupe e la famiglia etnica Miranha. Archivio Antrop. Etnol. 32. 437-541, 33. 97-130.

Moesbach, P. Ernesto Wilhelm de

1929/36. Vida y costumbres de los indígenas Araucanos en la segunda mitad del siglo XIX. Prólogo, revisión y notas del Dr. Roberto Lenz. Revista Chilena de Historia y Geografía. (1936. Editado como libro. Santiago).

Molina, Christoval de

1913. Relación de las fabulas y ritos de los Ingas, hecha por —— cura de la parroquia de N. Sª de los Remedios de el Hospital de los naturales de la Ciudad de el Cuzco. Rev. Chilena de Hist. y Geogr. 5. 112-90 (algunos textos paganos en Quechua).

Molina, Fray Diego

1649. Sermones sobre la Quaresma en lengua Quechua. ms.

Molina, Juan Ignacio

1782. Saggio sulla storia naturale del Cili. Bolonia. (1788 trad. al esp. de la obra por Arquellada Mendoza, Domingo José. Madrid).

1808. Grammatical views of the language of Chile, by ——. Middletown, Conn. (extracto de la descripción gramatical y léxica de la obra anterior).

Molinari, H. J., v. Larrañaga, D. A.

Monasterio, Félix M.

1930. Doctrina Cristiana. Karta Pipigua. San Blas Tulemalagala uke. Panamá.

Monreale, Francisco

1925. Método práctico para aprender la lengua Guaraní. Corrientes.

Montalvo M., Julio A.

1952. El Quichua y el Shoaro. Rev. del Colegio Nac. Bolívar 7. 154-82. Tulcán.

M[ontaño], M[anuel] M[aria]

1854. Esplicación de las cuatro partes de la Doctrina Cristiana en el idioma Quechua. Cochabamba.

Montaño, Manuel María

1864. Compendio de la gramática Quichua comparada con la Latina. Cochabamba.

Monteiro, Claro

1900. Memória sobre usos e costumes dos indios Guaranis, Caiuas e Botocudos. RIHGB 63. 263-73.

1948. Vocabulario Portugués-Botocudo. Museu Paulista. Documentação Linguistica nº 2. São Paulo.

Monteiro Balma, v. Hino.

Montolieu, F.

1882. Vocabulario de la lengua Yavitera. Vocabulario de la lengua Vaniva. Vocabulario de la lengua Barré. En Crévaux, Sagot & Adam.

1895. Vocabulario de la lengua Barré. En Ernst 1895.

Montoya y Flores, Juan B.

1937. Titibíes y Sinufanáes. Univ. de Antioquia 14. 205-54. Medellín.

Moore, T. H.

1878. La lengua Atacameña. 2 CIA, Luxemburgo 1877, 2. 44-54.

Moraes, P. Manuel de

1648. Dictionariolum nominum et uerborum linguae Brasiliensibus maxime communis, apud Marcgravii, Georgii, Historiam nat. Brasiliae. Leiden.

Moraes Jardim, Jeronimo R. de, Joaquim R. de & Souza Spinola, Dr. Aristides

1880. O Rio Araguaya. Relatório de sua esploração. Rio de Janeiro (datos sobre el Carajá).

Morales, Ernesto

1929. Las enseñanzas de Pacaric. Ejemplos, narraciones, diálogos y fábulas Quichuas. El Ateneo. Buenos Aires.

Morales Cabrera, Pablo

1932. Puerto Rico indígena: prehistoria y protohistoria de Puerto Rico; descripciones de los usos, costumbres, lenguaje, religión, gobierno, agricultura, industrias del pueblo Taino de Boriquén según los cronistas de Indias en la época del descubrimiento de América. San Juan, Puerto Rico.

Morales Guiñazú, Fernando

1938. Primitivos habitantes de Mendoza. Mendoza.

Mordini, Antonio

1931. Lo spartiacque guiano-brasiliano. Bollettino della R. Soc. Geogr. Italiana, ser. 6, vol. 8. 112-7. Roma.

1935. Lingua Aura' an e lingua geral. Il Nazionale 13, n° 478. 141-43 ms. inéd. Vocabolario del dialetto Paikipiranga.

Moreira, Nicolás Joaquín

1862. Dicionário de Plantas Medicinais Brasileiras, contenendo o nome da planta, seu gênero, espécie, família e o botânico que a classificou. Rio de Janeiro.

Moreira Pinto, Alfredo

1894. Apontamentos para o dicionario goegraphico do Brazil. Rio de Janeiro.

Moreno, Francisco P.

1882. Recuerdos de viaje en Patagonia. Montevideo [con un vocabulario Gennaken que reproduce Mitre].

Moreno Mora, M.

1922. Contribución al estudio de la lingüística y etnología cañaris. Revista del Colegio Nacional Benigno Malo, 1. 32-35. Cuenca.

1955. Diccionario etimológico y comparado del Kichua del Ecuador, I. Cuenca.

Morínigo, Higinio
1941. Ñande rendotá guasú caraí——rembiaporã mbojhapỹ ro'ĩjhó reyá. Asunción. (Trad. al Guaraní de un discurso del Presidente Morínigo).
Morínigo, Marcos A.
1931. Hispanismos en el Guaraní. Estudio sobre la penetración de la cultura Española en la Guaraní, según se refleja en la lengua. Bajo la dirección de Amado Alonso. Estudios Indígenas. Universidad de Buenos Aires.
1935. Las voces Guaraníes del Diccionario Académico. Boletín Acad. Argentina de Letras 3. 5-76.
1936. Idioma Guaraní. En: Serrano, Antonio. Etnografía de la antigua provincia del Uruguay.
1956. Pedro Henríquez Ureña y la lingüística indigenista. Revista Iberoamericana 21. 143-47.
1959. Programa de filología hispánica. Buenos Aires.
Morote Best, Efraín
1952. Guía para la recolección de material folklórico. Rev. Universitaria 40. 223-82. Cuzco.
1955. Alfabeto único para las lenguas Aymara y Quechua. Revista Universitaria 44. 214-8. Cuzco.
Morote Best, Efraín; Baca Mendoza, Oswaldo; Núñez de Prado, Oscar & Roel Pineda, Josafat
1954. Escritura de las lenguas Quechua y Aymará. Rev. de Ciencias y Artes 1. 46-62.
v. Baca Mendoza.
Mosoh Marka
1952. Poema Quechua. Inti Karka 1. 46-56. La Paz.
Mosquera, Tomás C. de
1852. Memoria sobre la geografía física y política de la Nueva Granada. Nueva York. [con un capít. Noticias, con algunas voces indígenas, de la lengua de los Coconucos, Polindoras y Guambias].
Mossi, Fray Honorio
1857. Gramática de la lengua general del Perú llamada comúnmente Quechua. Imprenta de López. Potosí-Sucre. (1860 reed. Sucre).
1857. Diccionario Quichua-Castellano y Castellano-Quichua. Sucre, Imprenta de López. (1860 reed. Sucre). v. Abregú Virreyra.
1857. Ensayo sobre la escelencia y perfección del idioma llamado comúnmente Quichua. Sucre, Imprenta de López.
1859. Clave armónica o concordancia de idiomas, en la que se esplica el valor y significación de los elementos alfabéticos de todos los idiomas de un modo matemático y metafísico, por cuyo medio se comprehenden el valor y significación de todas las palabras de los idiomas de un modo intrínseco, filosófico e infalible. Sucre (1864, segunda edición publicada por Francisco García Gutiérrez, Madrid).
Mossi, Miguel Angel (es el mismo autor que Fray Honorio Mossi)
1889. Manual del idioma general del Perú. Gramática razonada de la lengua Quichua, comparada con las lenguas del antiguo continente; con notas especiales sobre la que se habla en Santiago del Estero y Catamarca. Córdoba.

1916. Ollantay. Drama Kjechua en verso, de autor desconocido. Versión castellana del original hallado en el convento de los Padres dominicos del Cuzco, con un alfabeto y diccionario Hebreo-Kjechua-Castellano por el presb. ———. Universidad de Tucumán.
v. Wechsler.

Mostajo, Francisco
1923. Apuntes etnológicos. Modalidades léxicas, usos y costumbres andinos. Inca 1. 410-20, 751-60.

Moura, P. José de, S. J.
1932. Dialecto dos indios Oyampis, do alto rio Oyapoc. Pequeno vocabulario. Rev. do Inst. Hist. e Geogr. do Pará 7. 220-22. Belem.

Moutinho, Joaquim Ferreira
1869. Noticia sobre a provincia de Mato Grosso, seguida da viagem da sua capital a Sao Paulo. [vocabularios de Guaná, Guachis, Bacairis, Mundurucus, Murus, Bororos, Guatos, Cayapós, Coroados, Guaicurús, Apiacrés y Parissís].

Mulazzi, José A.
1938. K'la Röme Ko. Tres Arroyos.

Müller, Franz
1934/5. Beiträge zur Ethnographie der Guaraní-Indianer im östlichen Waldgebiet von Paraguay. Anthropos 29. 177-208, 441-60, 695-702, 30. 151-64, 433-50, 767-83.

Müller, Friedrich
1882. Grundriss der Sprachwissenschaft. 6 vol. Viena.
v. Pittier 1898.

Muniagurria, Saturnino
1947. El Guaraní, elementos de gramática Guaraní y vocabulario de las voces más importantes de este idioma. Buenos Aires.

Murdock, George Peter
1936. The Witoto kinship system. Amer. Anthrop. 38. 525-27.

Murillo de la Cerda, Fernando
1602. Libro del conocimiento de letras y caracteres del Pirú y México. (?)

Murphy, Robert & Yolanda
1954. As condições atuais dos Mundurucú. Inst. de Antropol. e Etnol. do Pará. Publ. nº 8. Belém.

Murrieta, Pedro M. Benvenuto
1936. El lenguaje Peruano. Lima.

Mutis, Josef Celestino
ca. 1789. Nota del los libros y paps. de idiomas de Indios que ha juntado D. ——— en virtud de orden del Excmo. Virrei D. Antº Cavallero..... para satisfacer los deseos de la Emp. de Rusia: Gramática, confesonario y vocabulario de la lengua Mosca-Chibcha atribuída a J. Dadey S. J. Vocabulario Mosco (v. Anónimos 1612 y ca. 1789) - Neira & Ribero (hoy en la Bibl. de Palacio, Madrid) - Vocabulario de la lengua de estas Misiones (v. Ortiz, S. E. 1942)- Diccionario de Andaqui - Castillo y Orozco - Traducciones de voces castellanas de la lista nº 2 en lengua Motilona. Iten Catecismo para instrucción de los indios Coyamos, Sabriles (Cabriles?), Chaques y Anatomos - Traducciones de las

mismas voces en lengua de los indios Guamos - traducción de dichas en las lenguas Otomaca, Taparita y Yarura. Otra en la del Inca - Taradell - Breve vocabulario de nombres substantivos y adjetivos... con algunas advertencias para entender la lengua Pariagota - Frases y modos de hablar... en Guarauno - Vocabulario cortito... en lengua Arauaca. (Noticia de Schuller).
Nantes, Fr. Bernardo de, v. Bernardo de Nantes, R. P. Fr.
Narváez, A. Salomón
1944. Lengua Paisa. Rev. Hist. 3/4. 69-71.
Navarro, Manuel
1903. Vocabulario Castellano-Quechua-Pano con sus respectivas gramáticas Quechua y Pana. Lima.
Navarro del Aguila, Victor
1942. Literatura y Lingüística, Insultos populares [en Quechua]. Waman Puma 2. 5-6. Cuzco.
Neira, P. Alonso de & Ribero, P. Juan S. J.
1928. Arte y vocabulario de la lengua Achagua. v. Anónimo 1928, Lenguas de América, pp. 1-174.
Nele, v. Nordenskiöld 1928/30.
Newberry Library
A Bibliographical Check List of North and Middle American Linguistics in the Edward E. Ayer Collection. Chicago.
Newbould, C. E.
1929. A Padre in Paraguay. Londres (contiene p. 132 un imno en Mataco).
Newmann, Stanley
1943. Yagua phonetic pattern, Yagua Vocabulary. En Fejos 1943.
Neyra, v. Neira.
Nida, E. A., v. Shedd & Nida.
Nieremberg, P. Juan Eusebio, v. Serrano, P. José.
Nimuendajú, Curt
1914. Vokabular der Parirí-Sprache. ZE 46. 619-25.
1914. Die Sagen von der Erschaffung und Vernichtung der Welt als Grundlagen der Religion der Apapocúva-Guaraní. ZE 46. 284-403.
1914. Vocabulários da lingua geral do Brazil nos dialectos dos Manajé do Rio Ararandéua, Tembé do Rio Acará Pequeno e Turiwará do Rio Acará Grande, Est. do Pará. ZE 46. 615-18.
1914. Vokabular und Sagen der Crengêz-Indianer (Tajé). ZE 46. 626-36.
1915. Vokabularen der Timbiras von Maranhão und Pará. ZE 47. 302-05.
1923/4. Zur Sprache der Šipaia-Indianer. Anthropos 18/9. 836-57.
1924. Vocabulário Kawahib-Tupí, levantado com o indio Horácio Mangory, da tribu de margem esquerda do alto-Riozinho. JSA 16. 267-74.
1924. Vocabulário Tupi do alto-Machado, levantado com o indio Zacarías Tupi, da colônia Rodolfo Miranda, Manaus. JSA 16. 275-6.
1924. Os indios Parintintin do Rio Madeira. JSA 16. 201-78.
1925. As tribus do alto Madeira. JSA 17. 137-72.
1926. Die Palikur-Indianer und ihre Nachbarn. Göteborgs kungl. Vet.

Handl., 4ª serie, vol. 31. 2.
1928/9. Wortliste der Šipaia-Sprache. Anthropos 23. 821-50, 24. 863-96.
1929. Lingua Šerente. JSA 21. 127-30.
1929. Zur Sprache der Maué-Indianer. JSA 22. 131-40.
1930. Zur Sprache der Kuruáya-Indianer. JSA 22. 317-45.
1932. Idiomas Indígenas del Brasil. RIET 2. 543-618.
1932. Wortlisten aus Amazonien. JSA 24. 93-119.
1932. A propos des indiens Kukura du Rio Verde (Brésil). JSA 24. 187-89.
1937. Die Verwandtschaft des Mundurukuischen mit dem Tupischem. Santo Antonio Provinz-Zeitschrift der Franziskaner in Nordbrasilien, nº 2. Bahía.
1939. The Apinayé. The Catholic Univ. of America, Anthrop. Series nº 8. Washington.
1942. The Šerenté. Publication of the Fred. Webb Hodge Anniversary Publication Fund, vol. 4. Los Angeles.
1946. The Eastern Timbira. Univ. of Calif. Publ. in Amer. Ethnol. vol. 41. Berkeley.
1946. Social Organization and Beliefs of the Botocudo of Eastern Brazil. Southwestern Journal of Anthropology 2. 93-115.
1949. Os Tapajó. Bol. do Mus. Paranaense Emilio Goeldi. 10. 93-106. [1953. Reed. Rev. de Antropol. 1. 5381. São Paulo] Reseña esta obra, con observaciones lingüísticas F. Barata 1950. Rev. do Mus. Paul. 4. 464-68.
1950/5. Reconhecimiento dos rios Içána, Ayarí e Uaupé. JSA 39.125-82, 44. 149-18.
1955. Vocabulários Makuší, Wapičána, Ipuriná e Kapišána. JSA 44. 179-97. The Gamella Indians. Primitive man 10. 1-14.
1952. The Tukuna. Univ. Calif. Publ. in Amer. Ethnol. vol. 45. 1-209. Berkeley.
ms. Texts of legends and songs in the Tucuna Language. Belém.
ms. Turiwara vocabulary.
ms. Verwandtschaften der Yurúno-Sprachgruppe.
s. f. Vocabularios Botocudos: Naknyanuk, Arana, Nakrehé, Nakpie e Minyayirúgn. ms. perdido.
v. Snethlage, Emilia.

Nimuendajú, C. & Mansur Guérios, R. F.
1948. Cartas etnolingüísticas. Rev. do Mus. Paul. n. s. 2. 207-41.

Nimuendajú, Curt & Valle Bentes, E. E.
1923. Documents sur quelques langues peu connues de l'Amazon. JSA 15. 215-22.

Nino, Fray Bernardino de
1917. Conversación entre Chiriguanos. Bol. Soc. Geogr. La Paz 15. 51-60.

Nodal, v. Fernández Nodal

Nogueira, Paulino
1887. Vocabulario indígena em uso na provincia do Ceará, com explicações etimológicas, ortográficas, topográficas, etc. Rev. trimestral do Inst. de Ceará 1. 209-432.

Noguera, Juan M.
1884. Conferencia sobre la expedición a los mares australes y Tierra de Fuego. BIGA 5.147-65.

Norberto de S. S., J.
1859. Poesías dos selvagens brazileiros. Revista popular 4.271-2. Rio de Janeiro.

Nordenskiöld, Erland
1905. Beiträge zur Kenntnis einiger Indianerstäme des Rio Madre de Dios-Gebietes. Ymer 25.265-312. Estocolmo.
1910. Sind die Tapiete ein guaranisierter Chacostamm? Globus 98. 181-86.
1911. Die Siriono-Indianer in Ostbolivien. Petermanns Mitteil. 1.16-17.
1910. Indianlif i El Gran Chaco (Südamerika). Estocolmo (1912 traducciones alem. Indianerleben, El Gran Chaco, y fr.: La vie des indiens dans le Chaco, por H. Beuchat, Paris.).
1911. Indianer och hvita i nordöstra Bolivia. Estocolmo (1923 trad. alemana: Indianer und Weisse in Nordostbolivien, Stuttgart).
1915. Forskningar och åventyr i Sydamerika 1913-14. Estocolmo.
1922. Deductions suggested by the geographical distribution of some post-Columbian words used by the Indians of South America. Compar. Ethnogr. Stud. vol. 5.
1928. Indianerna po Panamanäset. Ymer 48.85-110. Estocolmo.
1928/30. Picture-writings and other documents by Néle, Paramount chief of the Cuna Indians and Rubén Pérez Kantule, his secretary, published by ——. Compar. Ethnogr. Stud. 7.1.
1932. La conception de l'âme chez les Indiens Cuna (La signification de trois mots Cuna: purba, niga et kurgin). JSA 24.5-30.
1938. An historical and ethnological survey of the Cuna Indians. In collaboration with the Cuna Indian Rubén Pérez Kantule. Arranged and edited from the posthumous manuscripts and notes and original Indian documents of the Gothenburg Ethnographical Museum by Henry Wassén. Compar. Ethnogr. Stud. vol. 10.
v. Wassén 1933.

Noronha Torrezão, Alberto de
1889. Vocabulario Purí. RIHGB 52.511-12.

Núñez, P. Leonardo, S. I.
1574. ms. Doctrina y confesionario en lengua del Brasil. Cit. por Viñaza en la Bibliot. del Rey de Italia.(?)

Núñez, Pa'í Secundino
1955. Tupâ ha Tetâ Rayhú. Asunción.

Núñez de Prado C., Oscar
1955. Informe presentado a la Universidad Nacional del Cuzco sobre la labor de la Comisión lingüística del III Congreso indigenista interamericano de La Paz. Revista Universitaria 44.183-90. Cuzco.
v. Baca Mendoza.

Obelar, R. D.
1910. Vocabulario Guaraní. Asunción.

Ober, Frederick A.
ms. Vocabulary of the Carib, Islands of Dominica and St. Vincent.

En el Bureau of Amer. Ethnology, Washington.

Oblitas Poblete, Enrique

1955. El Machchaj-Juyaio, idioma Callawaya. Khana, Rev. munic. de arte y letras 9/10. 122-9. La Paz.

1956. ¿Se ha descubierto el idioma sagrado de los Incas? [Onomástica sobre la lengua Callahuaya]. Khana, Rev. munic. de artes y letras 17/8. 249-54. La Paz.

Oefner, Luis M.

1942. Apuntes sobre una tribu salvaje que existe en el Oriente de Bolivia. Anthropos 35/6. 100-08 [Chamacoco].

Oiticica, José

1933. Do método no estudo das línguas sul-americanas. Bol. Mus. Nac. Rio de Janeiro 9. 41-81 (y también 24 CIA, Hamburgo 1930 [publ. 1934] 272-97).

Olea, P. Bonifacio María de

1928. Ensayo gramatical del dialecto de los indios guaraúnos. Caracas.

O'Leary, Juan E., v. Benítez, Colman.

Olivares, A. F., v. Markham 1883.

Oliveira, Carlos Estevão de

1930. Os Apinagé do Alto Tocantins. Bol. Mus. Nac. Rio de Janeiro 6. 61-110.

1931. Os Carnijó de Aguas Belas. Revista do Museu Paulista 17. 519-27. São Paulo.

v. Estevão.

Oliveira, J. Feliciano de

1913. The Cherents, Linguistics. 18 CIA, Londres 1912, 2. 539-66.

Oliveira Cezar, Filiberto de

1893. El cacique blanco. Buenos Aires.

1897. Viaje al país de los Tobas. Buenos Aires.

Oliveira Vianna, Francisco José de

1922. Diccionario histórico, geographico e ethnographico do Brazil. Rio de Janeiro.

Olmo, P. Francisco del, S. J.

Arte gramatical de la lengua Yarura. Vocabulario Yarura-español, Catecismo.

Olmos, Fray Diego de, franciscano

1633. Gramática de la lengua general del Cuzco. Lima. (?)

Ollantai

1878. Ollantaï, drame en vers Quechua du temps des Incas, texte original... trad. et commenté par Gavino Pacheco Zegarra. BLA 4.

1938. Ollantay, edición de H. Galante (texto Quechua, traducción latina, análisis morfológico, índice, etc.). Lima, Univ. Mayor de San Marcos.

v. también, Arguedas, Barranca, José S.; Barranca & Urteaga; Carrasco; Farfán; Fernández Nodal; Markham; Maspéro; Middendorf; Mossi 1916; Ruiz Palazuela; Spilsbury; Tschudi; Velazco Aragón; Wechsler.

Onnfroy de Thoron, Enrique

1895. Arte de la lengua Campa, por M. J. Zavala. Lima.

Onofre, Fray, v. Anónimo 1795.

Oppenheim, Victor

1948. Two little known languages of Eastern Peru [Mashko & Mashigango]. 28 CIA, Paris 1947. 201-04.

Oramas, Luis R.

1909. Contribución al estudio de la lengua Yaruro. An. Univ. Central Venezuela 10. 144-55.

1913. Contribución al estudio de la lengua Guajira. Publicaciones de la Revista Técnica del Ministerio de Obras Públicas. Caracas.

1913. Contribución al estudio de los dialectos Puinave y Maquiritare. Gaceta de los Museos Nacionales 1. 20-27. Caracas.

1914. Gramática, diccionario y catecismo de la lengua Sáliva, según manuscrito inédito, con anotaciones comparativas en el diccionario. Caracas.

1916. Materiales para el estudio de los dialectos Ayamán, Gayón, Jirajara, Ajagua. Caracas.

1918. Patronímicos Quiriquires y vocabulario Paraujano comparado con el Guajiro. De re Indica 1. 23-28.

1918. Vocabulario Paraujano. De re Indica 1. 43.

1920. Etnografía venezolana. Caracas.

Orbanel, Fr. Serviliano

ms. ca. 1778. Doctrina Christiana, Catecismo, forma de administrar los Sacramentos.... con 22 pláticas en Araucano. Museo Mitre de Buenos Aires.

Orbigny, Alcide d'

1839. L'homme américain (de l'Amérique méridionale), consideré sous ses rapports physiologique et moraux. 2 vol. (1944. El hombre americano. Trad. de Alfredo Cepeda. Buenos Aires).

1839. Voyage dans l'Amérique méridionale (le Brésil, la république orientale de l'Uruguay, la république Argentine, la Patagonie, la république du Chili, la république de Bolivie, la république du Perou). París-Estrasburgo.

1880. Idiome des Indiens Baures au Bauros du Nord-Est de la Province de Mojos (Bolivie), en Adam & Leclerc, BLA 7.

1896. Lenguas Argentinas. Grupo Mataco-Mataguayo del Chaco, dialecto Vejoz. Vocabulario y apuntes de —— con introd., notas, etc. por S. Lafone Quevedo. BIGA 17. 121-76.

v. Cueva 1893.

Oré, Fray Luis Jerónimo de, franciscano

1598. Symbolo cathólico indiano... Contiene assi mesmo... un orden de enseñar la doctrina christiana en las dos lenguas generales Quichua y Aymara. Lima (del mismo año e imprenta hay edición separada del Orden de enseñar la doctrina).

1607. Rituale seu manuale Peruanum et forma breuis administrandi apud Indos sacrosancta Baptismi, Poenitentiae, Eucharistiae, Matrimonij et Extremae unctionis Sacramenta. Nápoles. [textos en Quechua, Aimara, Pukina, Guaraní y Yunga].

v. La Grasserie 1894.

Orejuela T., Manuel

1934. Linguistique équatorienne. Communication rélative à la bibliographie de linguistique équatorienne présentée par le délégué

Lámina XV. — John Alden Mason.

de l'Université Centrale de l'Equateur au IV^e Congrès International de Linguistique Romane. An. Univ. Central de Quito 53. 425-53.

Ortiz, Fr. Diego
Sermones en lengua Quechua y Doctrina cristiana.(?)

Ortiz, Sergio Elías
1937. Clasificación de las lenguas indígenas de Colombia. Idearium 1. 79- . Pasto.
1938. Antroponimia, toponimia y dialectología indígenas del suroeste de Colombia. Lengua Malla, Lengua Pasto. Idearium 1. 539-59, 2. 89-98, 140-50, 195-216. Pasto.
1938/9. Antroponimia, toponimia y dialectología indígenas del suroeste de Colombia. An. Univ. Nariño, 2ª serie, 1. 42-53, 2. 265-86. Pasto.
1938/9. Vocabulario de los idiomas Totoró, Guambiano y Panikitá. Idearium 2. 247-8. Pasto.
1940. Lingüística Colombiana. Familia Chokó. Univ. Catól. Bolivariana 6. 46-77. Medellín.
1940. Lingüística Colombiana. Familia Zaparo o Gae. Univ. Catól. Bolivariana 5. 97-108.
1940. Lingüística Colombiana. Familia Kechua o Runa-Simi. Anales de la Univ. de Nariño, 2ª serie. Pasto.
1941. Lingüística Colombiana. Familia Mocoa o Koche. Univ. Catól. Bolivariana 7. 25-53. Medellín.
1941. Lingüística Colombiana. Familia Kahuapana o Xebero. An. Univ. Nariño 2. 344-52.
1942. Vocabulario de la lengua que usan los indios destas Misiones. Rev. de Historia 1. 137-99. Pasto. (v. Mutis).
1942. Lingüística Colombiana. Familia Witoto. Rev. de Historia 1. 3-34. Pasto (y también Univ. Catól. Bolivariana 8. 379-409).
1943. Lingüística Colombiana. Familia Guahibo. Univ. Catól. Bolivariana 9. 155-81. Medellín (y también Rev. de Historia 3/4. 39-62. Pasto).
1946. Los indios Yurumanguíes. Acta Americana 4. 10-25 (y también Revista de Historia 2. 111-27. Pasto).
1947. Notas sobre los indios Kofanes. Rev. de Historia 3. 72-91. Pasto.
1953. El Kechua y su expansión hacia el norte del Imperio Incaico. Rev. Mus. Nac. 22. 35-51. Lima.
1954. Estudios sobre lingüística aborigen de Colombia. Bogotá. Biblioteca de autores colombianos.
1958. Manuscritos e impresos sobre la lengua Chibcha. Bol. de Hist. y Antigüedades 45. 427-43. Bogotá.

Ortiz Mayans, Antonio
1945. Diccionario Guaraní - Castellano, Castellano - Guaraní, 5ª ed. Buenos Aires.
1949. Idem, con un compendio gramatical, 6ª ed. ampliada y corregida. Buenos Aires.

Ortografía
1940. Ortografía de la lengua Guaraní adoptada por "Cultura Guaraní" del Ateneo Paraguayo. Asunción.

Orton, James
1874. The Andes and the Amazon. Nueva York.
Osborn, Henry
1948. Amahuaca Phonems. IJAL 14. 188-90.
1959. Singular-Plural in Warao Verbs. Antropologica (Soc. de Cienc. Nat. La Salle) 6. 1-6.
Osculati, Gaetano
1854. Esplorazione delle regioni equatoriali lungo il Napo ed il fiume delle Amazzoni. Milano.
Ossa V., Peregrino
1938. Vocabulario de los indios Guayaberos. Idearium 1. 537-8. Pasto.
1946. Idioma de los Guahibos. Rev. de Historia 2. 211-14. Pasto.
Ostlender, P.
ms. Vocabulario y textos de los Caingang Coroados del Rio Ivahy (cit. por W. Schmidt).
Osuna, T.
1921. Alfabeto Guaraní. Rev. Soc. Cient. Paraguay 1. 30-32.
1923. Notas guaraníticas. El verbo "ser" Guaraní. An. Gimn. Paraguayo 5. 321-28.
1923. Notas guaraníticas. Juventud 1, nº 12. 5-8. Asunción.
1924. Notas guaraníticas. Las raíces ta y po, su fonología e idiología. An. Gimn. Paraguayo 6. 23-29.
1924. Notas guaraníticas. La raíz ê. Juventud 2. 296-99. Asunción.
1924. Notas guaraníticas. Las raíces u y i. Juventud 2. 283-87. Asunción.
1925. Notas guaraníticas. La raíz a. Juventud 2. 446-48, 3.
1926. Notas guaraníticas. La raíz o. Minerva 1. 16-17. Asunción.
v. Benítez; Jover Peralta.
Otero, Gustavo Adolfo
1951. La piedra mágica. Vida y costumbres de los indios Callahuayas de Bolivia. México. Ediciones especiales del Instituto Indigenista Interamericano.
Otero, Jesús M.
1938/9. Los dialectos indígenas del Departamento del Cauca. Idearium 2. 321-30. Pasto.
1939. Los dialectos indígenas del Departamento del Cauca. Rev. Popayán año 27 nº 176.
1952. Etnología Caucana. Estudio sobre los orígenes, vida, costumbres y dialectos de las tribus indígenas del Departamento del Cauca. Popayán.
Otero de Costa, Enrique
1920. Los Pijaos. Archivo historial 2. 284-305. Manizales.
Otoni, Teófilo Benedito
1888. Noticia sobre os selvagens do Mucuri. RIHGB 21. 191-238.
Outes, Félix F.
1897. Los Querandíes. Breve contribución al estudio de la etnografía argentina. Buenos Aires.
1898. Etnografía argentina. Segunda contribución al estudio de los Indios Querandíes. Buenos Aires.

1913. Vocabulario inédito del Patagón antiguo. Rev. Univ. Buenos Aires 21.474-94.
1913. Sobre las lenguas indígenas rioplatenses, materiales para su estudio. Rev. Univ. Buenos Aires 24.231-37.
1914. Un texto y un vocabulario en dialecto Pehuenche de fines del siglo XVIII, con introducción y notas. Rev. Univ. Buenos Aires 25.68-73.
1926. Los trabajos lingüísticos atribuídos a Teófilo F. Schmid y la labor de Federico Hunziker. Bol. Inst. Invest. Histór. 5.193-227.
1926/7. Sobre el idioma de los Yámana de Wulaia (isla Navarino). Materiales reunidos por el Misionero Rau con anterioridad a 1866. Publícalos con una introducción, ordenados alfabética y sistemáticamente y acompañados de una bibliografía del Yámana ——. RMLPlata 30.1-47.
1926/7. Datos sobre la ergología y el idioma de los Yámana de Wulaia (isla Navarino) reunidos por el Misionero R. R. Rau con anterioridad a 1866 y anotados por don Jorge Claraz. Publícalos, ordenados alfabética y sistemáticamente, con una introducción ——. RMLPlata 30.49-77.
1928. Vocabulario y frasearío Genakenn (Puelche) reunidos por Juan Federico Hunziker en 1864. RMLPlata 31.261-97.
1928. Las variantes del vocabulario Patagón reunido por Antonio Pigafetta. RMLPlata 31.371-80.
1928. Un texto Aônükün'k (Patagonia meridional) de la oración dominical y del versículo 8º del salmo II adaptadas por Teófilo Schmid en 1863. RMLPlata 31.229-333.
1928. Un texto Aônükün'k (Patagón meridional) para incitar a la caza, obtenido por Juan Federico Hunziker en 1861. RMLPlata 31.353-69.
1935. Un ejemplar único de nuestra bibliografía lingüística indígena. Publ. del Mus. Antropol. y Etnogr. Univ. de Buenos Aires, serie A 3.93-7. [sobre Th. Schmid 1860].
v. Lafone Quevedo 1901.

Outes, F. & Bruch, Carlos
1910. Los aborígenes de la República Argentina. Buenos Aires.

Pablo del Santísimo Sacramento, Fray, C. D. Misionero del Urabá
1936. El idioma Katío (ensayo gramatical). Medellín.

Pacheco Zegarra, Gavino
1875. Alphabet phonétique de la langue Kečua. 1 CIA, Nancy-París 1875, 2.301-26.
v. Ollantai.

Padberg-Drenkpol, Jorge Augusto
1934/6. Cavacos de Português e Tupí. Artículos en el diario Excelsior. Rio de Janeiro.

Padilla, Fray José
Rudimentos gramaticales y vocabulario de la lengua Betoi.(?)

Padres del Seminario
1891. Pequeño esbozo de la Gramática del Idioma Guaraní, seguido de algunas conversaciones familiares. Asunción.

Páez, Justiniano J.
1936. Investigaciones sobre la lengua de los indios Motilones y de los Hacaritamas. Hacaritama 2. 337-43. Ocaña.
1946. Vocabulario Motilón. Rev. de Historia 2. 133-35. Pasto.
Palacios R., Julián
1956. El arriero, el zorro y el burro. Folklore 3. 20-34. Lima.
Palavecino, Enrique
1926. Elementos oceánicos en el Quechua. Gaea 2. 256-63. Buenos Aires.
1928. Glosario comparado Kechua-Macri. 22 CIA, Roma 1926, 2. 517-25.
1930. Observaciones etnográficas y lingüísticas sobre los indios Tapiete. Rev. Soc. Amigos de la Arqueol. 4. 211-17.
1931/3. Los indios Pilagá del Rio Pilcomayo. An. Mus. Argentino de Ciencias Naturales 37. 517-81.
1936. Elementos lingüísticos de Oceanía en el Quechua. (Addenda en el libro: Imbelloni La Esfinge Indiana).
1948. Areas y capas culturales en territorio argentino. Gaea 8. 447-523. Buenos Aires.
Palha, Luis
1942. Ensáio de gramática e vocabulário da lingua Carajá, falada pelos indios do Rio Araguaia. Rio de Janeiro.
Panconcelli-Calcia, G.
1921. Experimental phonetische Untersuchungen: Über zwei phonetische Erscheinungen im Guayaki. Zeitschrift für Eingeborenensprachen 11. 185-6.
Panhuys, L. C. van
1913. A few observations on Carib numerals. 18 CIA, Londres 1912, 109-10.
Pankeri, Jacinto
mss. Vocabulario Coayquer. Cit. en Jijón y Caamaño.
Paola, José Mª de
1924. Memoria sobre los Botocudos de Paraná y Sta. Cathalina. 20 CIA, Rio de Janeiro 1924, 1.
Pape, Eduard
1935. Die Tschoropi. [Chunupí]. ZE 67. 158-76.
Pardo, L. A.
1945. Vocabulario segundo del castellano al índico por el P. Diego de Torres Rubio en 1619, aumentado después con los vocablos de la lengua Chinchaisuyo por el P. Juan de Figueredo. Rev. Universitaria 34. 11-166. Cuzco.
Paris, R. P. Julio
1924. Gramática de la lengua Quichua actualmente en uso entre los indígenas del Ecuador. Nueva Edición, revisada y aumentada con los vocabularios Quichua-Español y Español-Quichua por Padres de la misma congregación. Cuenca.
Parodi, Domingo
1894. Los indios Payaguás. La Quincena, 177-80. Buenos Aires.
ms. Vocabulario Payaguá. En la Bibl. Zeballos. Buenos Aires.
Patrón, Pablo
1900. Origen del Kechua y del Aymará. Discurso de recepción de

miembro honorario de la Universidad Mayor de San Marcos. Revista Nacional. Lima.
1907. Nouvelles études sur les langues américaines. Leipzig.
1918. La Quichua de Santiago. Rev. Histórica de Lima 6. 27-40.
v. Espejo Núñez.

Patrón, Pablo & Romero, Carlos A.
1923. La tribu y la lengua especial de los Inkas. Inca 1. 432-39.

Paula Martins, María de Lourdes de
1940. A "Cantiga por o sem ventura" do Pe. José de Anchieta. Rev. do Arquivo Mun. de São Paulo. 72. 201-14.
1941. Literatura Tupí do Padre Anchieta. Rev. do Arquivo Mun. de São Paulo 79. 281-5.
1941. Contribuição para o estudo do teatro Tupi de Anchieta: Diálogo o Trilogía (segundo manuscritos originais do seculo XVI). Universidade de São Paulo, Faculdade de Filosofia, Ciências e Letras, Boletim nº 24.
1945. Poesias Tupis (Século XVI). Universidade de São Paulo, Faculdade de Filosofia, Ciências e Letras, Boletim nº 51.
1945. Nota sôbre relações verificadas entre o Dicionario Brasiliano e o Vocabulario na lingua Brasílica. Univ. de São Paulo, Faculdade de Filosofia, Ciências e Letras, Boletim nº 52.
1946. O Dicionario Brasileiro Português e o Ms. 11481 da Bibl. Nac. Boletim bibliogr. da Bibl. Públ. Mun. de São Paulo 6. 69-83.
1947. Teatro Tupi. Restituição de uma peça de Anchieta. Rev. Arq. Mun. São Paulo 114. 223-51.
1948. Auto representado na festa de São Lourenço (de José de Anchieta). Peça trilingue do sec. XVI. São Paulo, Museu Paulista.
1949. Notas referentes ao Dicionário Português-Brasiliano e Brasiliano-Português. Bol. Bibliogr. da Bibl. Públ. Mun. de São Paulo 12. 121-47.
1949. Vocabulários Tupis. O problema do Vocabulário na Lingua Brasilica. Bol. bibliogr. da Bibl. Públ. Mun. de São Paulo 13. 59-93.
1954. José de Anchieta, S. J.: Poesías, ms. do séc. XVI em Port., Castelhano, Latim e Tupi. Transcrição, traduções e notas de ——. Museu Paulista, São Paulo.
1955. Nota referente ao Catecismo na lingua brasílica. 31 CIA, São Paulo, 2. 1083-92.
1958. Vocabulário Botocudo de Ch. F. Hartt. Misc. Paul Rivet 2.405-30. México.

Paula-Sousa, Dr. Geraldo H. de
1918. Notas sobre una visita a acampamientos de Indios Caingangs. Rev. do Museu Paulista 10. 737-58.

Pauly, Antonio
1928. Ensayo de etnografía americana. Viajes y exploraciones. Buenos Aires.

Payer, Richard
1906. Reisen im Jauapiry-Gebiet. Petermanns Mitteil. 52. 217-22.

Paz, Román
1895. De Riberalta al Inambari, informe del Jefe de la expedición del alto Madre de Dios. La Paz.

Paz y Miño, Luis T.
1936/7. Contribución al estudio de las lenguas indígenas del Ecuador. Bol. Acad. Nac. Hist. 14.40-54, 15.9-41. Quito.
1940/2. Lenguas indígenas del Ecuador. I, La lengua Pasto, Bol. Acad. Nac. Hist. 56.161-67, [y 1946. Rev. de Hist. 2.137. Pasto]. II, La lengua Kara, ibid. 57.28-53. III, La lengua Kito o Panzaleo, ibid. 58.145-70. IV, La lengua Puruguay, ibid. 59. 42-73.
1952. Las lenguas indígenas del Ecuador. Diccionario toponímico. Bol. de la Acad. Nac. de la Historia 31.234-67, 32.102-21, 206-25, Quito.

Pazos Kanki, Vicente
mss. 1826. Haec S. Jesu Christi Euangelii secundum Mattheum uersio facta est ex Vulgatae Latino sermone in linguam Aymará a D. D. - - -, id. Secundum Marcum, id. sec. Lucam, id. sec. Joannem, id. uersio actorum Apostolorum, id. S. Pauli epistolarum, id. Beati Petri epistolarum, id. epistolarum SS. Jacobi, Petri, Joannis et Júdae, id. Apocalipsis.
1829. El evangelio... según Lucas en Aymará y Español. Londres.

Peccorini, Attilio
1910. Dialecte Chilanga. JSA 7.123-30.

Peeke, Catherine
1954. Shimigae, idioma que se extingue. Perú indígena 5.171-8. Lima.

Peeke, Catherine, and & Sargent, Mary
1953. Pronombres personales en Andoa. Perú indígena 5.103-12. Lima.

Pelleprat, Pierre
1656. Introduction à la langue des Galibis. En Rélation des Missions des PP. de la Compagnie de Jésus dans les isles et dans la terre ferme de l'Amérique méridionale. Paris.

Pelleschi, Juan
1896. Los indios Matacos y su lengua, con una introducción por S. A. Lafone Quevedo. BIGA 17.559-622, 18.173-350.
v. Bárcena 1893.

Penard, Arthur Philip
1928/9. De caraïbsche Taal, De Periscop, nos. 175, 178, 182, 184, 191, 198, 203, 209, 213, 214, 224. Paramaribo.

Penard, Thomas E.
1926/7. Note on words used by South Americans for banana. De west indische Gids 8.375-77. La Haya.
1927/8. Remarks on an old vocabulary from Trinidad. De west-indische Gids 9.265-70. La Haya.

Penard, Thomas E. & Penard Arthur P.
1926/7. European influence on the Arawak language of Guiana. De west-indische Gids 8.164-76.

Pennafort, Raimundo Ulisses de
1900. Brasil prehistórico. Fortaleza [en Apéndice se incluye: Curupira caamunuçára irúmo. O curupira o caçador, Rio Solimões].

Peña, Enrique, v. Aguirre.

Peñaranda Durán, Néstor

1957. Digresión sobre fonética Aymara. Khana, Rev. mun. de artes y letras 25/6. 64-6. La Paz.

Peñaranda, Néstor & Medina, Angel

1923. Evangelio k' ochunaka. La Paz.

v. Anónimo 1930.

Perea y Alonso, S.

1925. Coincidencias gramaticales y lexicográficas de las lenguas precolombianas de América entre sí y con las de allende los mares. Nueva Palmira (Uruguay). [Se publicaron 4 ó 5 entregas; trabajo de aficionado].

1932. Coincidencias gramaticales y lexicográficas de las lenguas precolombinas de América. Montevideo.

1936. Notas sobre ortografía, ortofonía, etimología y procedencia de la voz jaguar o yaguar. Boletín de Filología 1. 143-54. Montevideo.

1937. Apuntes para la prehistoria indígena del Rio de la Plata y especialmente de la banda oriental del Uruguay, como introducción a la filología comparada de la lengua y dialectos Arawak. Bol. de Filol. 1. 217-45. Montevideo.

1938. Filología comparada de las lenguas y dialectos Arawak. Bol. de Filol. 2. 87-104. Montevideo.

1938. Transcripción filológica y exégesis filológica provisional del Códice Vilardebó versando sobre la lengua y costumbres de los Charrúas. Bol. de Filol. 2. 7-18. Montevideo.

1938/41. Coincidencias gramaticales y lexicográficas de las lenguas precolombianas de América, entre sí, y con las de allende los mares. Rev. Soc. Amigos de la Arqueol. 9. 159-83. Montevideo.

1939. Inventario del acervo lingüístico conocido de los indígenas de la Banda Oriental del Uruguay... con notas... que señalan notables coincidencias culturales con otras tribus del grupo lingüístico Arawak. Bol. de Filol. 2. 585-620. Montevideo.

1942. Filología comparada de las lenguas y dialectos Arawak. vol. I. Montevideo.

Perea, Jaun Augusto & Perea, Salvador

1941. Glosario etimológico taíno-español. Mayagüez, Puerto Rico.

Pereira, Nunes

1951. Histórias e vocabulário dos indios Uitoto. Instituto de Antropología e Etnología do Pará, publ. nº 3, Belem.

Pereira da Costa, F. A.

1936. Vocabulario Pernambucano. Rev. do Inst. Arqueol. Hist. e Geogr. Pernambucano. 24.

Pereyra, Fidel

1944. Vocabulario de los indios Machiguengas. Rev. Mus. Nac. Lima 13. 93-100.

Pereyra, Máximo

1951. Nombres y sistemas numerales de la lengua Guaraní (Avaña' é). Bol. de Filol. 5. 606-23. Montevideo.

1952. Los primeros apelativos del idioma Guaraní. Bol. de Filol. 6. Montevideo.

Pérez, Juan Tomás

1886. Vocabulario de la lengua de los indios de Siquisique del estado de Lara, antigua provincia de Barquisimeto. Resumen de las actas de la Academia Venezolana. 54-57. Caracas.

Pérez, Manuel Cipriano

1935. Vocabulario del dialecto Guahibo del Vichada. An. Univ. Cent. Venezuela 23. 209-37. Caracas. (1936. Bol. de la Acad. de Cienc. Físic., Matem. y Nat. 3. 467-500. 1937/8 Idearium 1. 285-96, 356-62, 400-04. Pasto).

Pérez Bocanegra, Juan

1631. Ritual formulario e institución de Curas para administrar a los naturales de este Reyno los Santos Sacramentos... por el Bachiller - - - presbítero, en la lengua Quechua general. Lima.

Pérez Guerrero, Alfredo

1934. El lenguaje Quiteño. América 9 (nº 58) 452-63.

Pérez Kantule, Rubén, v. Nordenskiöld 1928/30, 1938.

Pérez de Vega, F.

1957. Las lenguas aborígenes. Contribución a la lingüística comparativa e histórica de los idiomas americanos y su correlación con las lenguas orientales. Caracas.

Pericot García, Luis

1936. América indígena (vol. 1 de Historia de América y de los pueblos americanos...). Barcelona.

Perret, Jacques

1933. Observations et documents sur les indiens Emerillon de la Guyane française. JSA 25. 65-97.

Pesciotti, Bernardino Giuseppe

1889. Cartilla y catecismo en el idioma de los indios Guarayos. Sucre.

1904. Devocionario del neófito Guarayo (América Meridional, Bolivia). Génova.

Petazzoni, R.

1941. Il catechismo del P. L. V. Mamiani. Atti R. Accad. d'Italia. 7ª serie, 2. 461-70. Roma.

Petrullo, Vicenzo

1939. The Yaruros of the Capanaparo river, Venezuela. Vureau of Amer. Ethnol. Bull. 123. 161-290.

Philippi, R. A.

1860. Reise durch die Wüste Atacama. Halle.

Philipson, J.

1946. Nota sôbre a interpretação sociológica de alguns designativos de parentesco do Tupi-Guaraní. Universidade de São Paulo, Faculdade de Filosofia, Ciencias e Letras, Boletim nº 56.

1946. O parentesco Tupi-Guarani. Univ. de São Paulo, Faculdade de Filosofia, Ciências e Letras, Boletim nº 63.

1948. Em abono de Baptista Caetano. Nota a propósito de três poesías Tupis atribuidas a Anchieta. Bol. Bibliogr. da Bibl. Públ. Mun. São Paulo 11. 49-71.

1953. La enseñanza del Guaraní como problema de bilingüismo. Jornal de Filología 1. 45-58. São Paulo.

Pierce, Joe E.

1957. A Statistical Study of Consonants in New World Languages. IJAL 23. 36-45, 94-108.

Pierini, Francisco
1908. Los Guarayos de Bolivia. Anthropos 3. 875-80. (Reed. 1957. Khana, Rev. munic. de arte y letras 25/6. 45-8. La Paz).

Pigafetta, Antonio, v. Outes 1928.

Pike, Evelyn G., v. Agnew, Arlene.

Pike, Kenneth L.
1957. Abdominal pulse types in some Peruvian languages. Language 33. 30-35.
v. Matteson & Pike.

Pimentel, Benedito
s. f. Vocabúlario colhido no posto Guido Marlière em 1945. (Ms. en el Serviço de Prot. aos Indios, Rio de Janeiro).

Pinart, Alphonse Louis
1882. Noticias de los indios del departamento de Veragua y vocabularios de las lenguas Guaymi, Norteño, Sabanero y Dorasque. San Francisco.
1890. Vocabulario Castellano-Cuna. Panamá 1882-84. Petite Bibliothèque Américaine 1. París.
1890. Vocabulario Castellano-Dorasque, dialectos Chumulu, Gualaca y Changuina. Petite Bibliothèque Américaine 2. París.
1892. Vocabulario Castellano-Guaymie, dialectos More-Valiente, Norteño y Guaymie-Penonomeño. Petite Bibliothèque Américaine 3. París.
1897. Vocabulario Castellano-Guaymie. Dialectos Murire-Buekueta, Muoi y Sabanero. Petite Bibliothèque Américaine 4. París.
1897. Vocabulario Castellano-Chocoe (Baudo Citarae). Petite Bibliothèque Américaine 5. París.
1900. Notes sur les tribus indiennes des familles Guarano-Guaymies de l'isthme de Panama et du Centre-Amérique. Chartres.

Pinart, Alphonse Louis & Carranza, Diego, v. Llisa.

Pineda Giraldo, R. & Fornaguera, Miguel
1958. Vocabulario Opón-Carare. Homenaje a Paul Rivet 191-201. Bogotá.

Pinelo, Antonio León, v. González Barcia.

Pinell, Fr. Gaspar de
1928. Excursión apostólica por los ríos Putumayo, San Miguel de Succumbios, Cuyabeno, Caquetá y Caguán... Bogotá.

Pinheiro Tupinambá, Antonio José
ms. ca. 1880. Analyse philosophica das voces radicaes da lingua ario-tupi ou idioma Tupinambá. cit. por Viñaza.

Pinto, Constancio
1950. Diccionario Katio-Español y Español-Katio. Manizales.

Pinto, Estevão
1938. Alguns aspectos da cultura artística dos Pancararús de Tacaratú, Pernambuco. Rev. do Serv. do Patr. histórico e artístico nacional 2. 57-92. Rio de Janeiro.

Pio Correa, M.
1931. Diccionario das plantas uteis do Brasil. Rio de Janeiro.

Pittier (de Fabrega), Henri François
1897. Primera contribución para el estudio de las razas indígenas de

Costa Rica: Guatusos. Anales del Inst. físico-geogr. nac. de Costa Rica 7. 1-15. San José.
1898. Die Sprache der Bribri-Indianer in Costa Rica. Herausgegeben und mit einer Vorrede versehen von Dr. Friedrich Müller. Sitzungsber. Kais. Akad. Wissenschaften Wien, Philos. -hist. Klasse 137. 6.
1903. Die Tirub, Teeribes oder Térrabas, ein im Aussterben begriffener Stamm in Costa Rica. ZE 35. 702-08.
1904. Numeral system of the Costa Rican Indians. Amer. Anthropol. 6. 447-58.
1907. Ethnographic and linguistic notes on the Páez Indians of Tierra Adentro, Cauca, Colombia. Mem. Amer. Anthrop. Assoc. 1. 301-56.
1941. Materiales para el estudio de la lengua Brunka hablada en Boruca, recogidos en los años de 1892 a 1896. Mus. Nac. de Costa Rica, Serie etnol. 1. 2. San José.

Pittier, Henri François & Gagini, Carlos
1892. Ensayo lexicográfico sobre la lengua Térraba. San José de Costa Rica.

Pittman, Dean
1948. Practical Linguistics. Cleveland, Ohio, Mid-Missions (v. Smith, John).

Platzmann, Julius
1871. Amerikanisch-asiatische Etymologien via Behring-Strasse, from the East to the West. Leipzig.
1882. Glossar der feuerlandischen Sprachen.
1882. Algunas obras raras sobre la lengua Cumanagota, reeditadas por - -. Leipzig. (v. Ruiz Blanco, Tapia, Tauste, Yanguas).
1896. O dicionario anonymo da lingua geral do Brasil [v. Anónimo 1795], publicado de novo com o seu reverso por - -. Leipzig.
1898. Der Sprachstoff der Guaranischen Grammatik des Antonio Ruiz [de Montoya] Leipzig.
1899. Der Sprachstoff der brasilianischen Grammatik des Luis Figueira nach der Ausgabe von 1687. Leipzig.
1902. Des Abbé Martin Dobrizhoffer Auskunft über die Abiponische Sprache in unveränderten Neudruck herausgegeben von — —. Leipzig.
Der Sprachstoff der patagonischen Grammatik des Theophilus Schmid. Leipzig.
v. Anchieta; Araujo; Bernardo de Nantes; Bertonio; Breton; Eckart; Falkner; Figueira; Havestadt; Hestermann 1925; Marbán; Quandt; Ruiz Blanco; Ruiz de Montoya; Santo Tomás, D. de; Tauste; Valdivia; Yanguas.

Ploetz, Hermann & Métraux, A.
1929. La civilisation matérielle et la vie sociale et réligieuse des indiens Žé du Brésil méridional et oriental. RIET 1. 107-238.

Pobo, Fr. Juan de, capuchino
ms. Instrucción para los confesores en lengua Chaima [Caribe].

Pohl, J. E.
1832. Reise im Innern von Brasilien. Viena.

Poindexter, Miles
1930. The Ayar-Incas. Nueva York.
Polak, J. E. R.
1894. A grammar and vocabulary of the Ipuriná language. Londres.
Polo, José Toribio
1901. Indios Uro del Perú y Bolivia. Bol. Soc. Geogr. Lima 10-445-82 (también en Bol. Ofic. Nac. Estado, La Paz 6. 481-517, 1910). Reed. 1957 en Khana, Rev. Munic. de arte y letras 25/6. 67-91. La Paz.
Poma de Ayala, Phelipe Guaman
1936. Nueva corónica y buen gobierno (Codex Peruvien illustré). Inst. Ethnol. París.
1939. Las primeras edades del Perú. Versión al castellano de los términos indígenas por Toribio Mejía Xesspe. Publ. Mus. Antropol. Lima 1. 1.
Pombo, Rocha
1931. O Tupi e o Português nos tempos da Colônia. Rev. Phil. Hist. 1. 421-26. Rio de Janeiro.
Pompeu Sobrinho, Thomas
1928. Contribuição para o estudo das affinidades do Kariri. Rev. Trim. Inst. Ceará 42. 1-20.
1930. Merrime: Indios Canellas, ethnographia, gramatica e vocabulário. Fortaleza. Ceará.
1933. Significação de algumas palabras indigenas. Rev. do Inst. de Ceará 47. 179-84.
1934. Kariris. Rev. Philol. hist. 2. 289-305. Rio de Janeiro.
1935. Indios Fulniôs, Karnijós de Pernambuco. Rev. Inst. Ceará 49. 31-58.
1936. Vocabulario dos indios Mantuans do Yamundá [Caribe]. Rev. Inst. Ceará 50. 69-77.
1939. Os Tapuyas do Nordeste. Rev. Inst. Ceará 53. 221-35.
1954. As origens dos indios Carirís. Fortaleza, Instituto do Ceará.
Porras Barrenechea, Raúl
1950. Los quechuistas del Perú. Mercurio peruano 31. 461-77. Lima.
1953. El primer vocabulario Quechua. Letras 49. 217-28. Lima.
v. Santo Thomás.
Portnoy, A.
1936. Estado actual del estudio de las lenguas indígenas. Buenos Aires, Institución Mitre.
1936. Supervivencias lingüísticas indígenas en nuestro vocabulario. Bol. Acad. Arg. de Letras 4. 435-43.
Porte, Marcus
1847/8. Vocabulario dos Botocudos. RIHGB 9 y 10.
Porto-Allegre, Apolinario
1921. Origines guarano-túpicos do Português falado no Brasil-Popularium sulriograndense. Rev. do Inst. Hist. e Geogr. do Rio Grande do Sul 1. 461-504. Porto Allegre.
Porto Seguro, Visconde de
1876. L'origine Touranienne des Américains Tupis Caribes et des anciens Égyptiens, montrée principalement par la philologie com-

parée, et notices d'une émigration en Amérique. Viena.
v. Mitre 1896.
Posada, Eduardo
1926. Apostillas. Lenguas de los aborígenes. Goajira o Guajira. Bogotá.
Posnansky, Arturo
1915. La lengua Chipaya. Memorias presentadas al XIX CIA. La Paz.
1918. Los Chipayas de Carangas. Bol. Soc. Geogr. de La Paz 16. 136-45.
1944. ¿Es o no oriundo el hombre americano en América? Puntos de contacto lingüístico y dogmático en las Américas. Actas del XXVII CIA México. Bol. Soc. Geogr. La Paz 55. 60-81.
1945. Las obras del Padre Jesuita Ludovico Bertonio. Bol. Soc. Geogr. La Paz 56. nº 68. 202-06.
Powlinson, Paul & Esther
1958. El sistema numérico del Yagua (Pebano). Tradición 8, nº 21. Cuzco.
Prado, P. Pablo de
1641. Directorio espiritual en la lengua Española y Quichua general del Inga. Lima (1650 reed.).
Prefontaine, Monsieur de, v. Sauvage.
Preuss, Konrad Th.
1919/22. Forschunsreise zu den Kágaba-Indianern der Sierra Nevada de Santa Marta in Kolumbien. Anthropos 14/5. 314-404, 1040-79, 16/7. 459-80, 737-64.
1921/3. Religion und Mythologie der Uitoto. Textuafnahmen und Beobachtungen bei einem Indianerstamm in Kolumbien, Südamerika. Leipzig & Gotinga. 2 vol.
1925. Das Verbum in der Sprache der Kágaba in der Sierra Nevada de Santa Marta, Kolumbien, auf Grund meiner Textaufnahmen. 21 CIA, Gotemburgo 1924, 2. 348-87.
1926/7. Forschunsreise zu den Kágaba. Nachtrag: Lexikon. Anthropos 22. 357-86, 20. 77-119, 461-95, 881-928, 21. 192-224, 388-418.
Pride, Andrew
ms. Vocabulario del idioma Lengua. En el archivo del prof. Loukotka.
Priewasser [o Privaser], Wolfgang
1903. Compendio de la gramática del idioma Guarayo. Tarata.
Prince, Carlos
1905. Idiomas y dialectos indígenas del continente hispano sud-americano con la nómina de las tribus indianas en cada territorio. Lima.
Prince, J. Dyneley
1912. Prolegomena to the study of the San Blas language of Panama. Amer. Anthrop. 14. 109-26.
1913. A text in the Indian language of Panama-Darien. Amer. Anthrop. 15. 298-326.
1913. Grammar and glossary of the Tule language of Panama. Amer. Anthrop. 15. 480-528.

Puente, Fray Francisco de la, Alquezar, Fr. Joaquín de & Arizala, Fr. Estevan
[1703]. Doctrina Cristiana y Catecismo para la más breve enseñanza de la nación Chayma. Raro impreso, s. l. ni a., en la Biblioteca de Viñaza.
Puig, P. Manuel María
1944. Diccionario de la lengua Caribe Cuna. Panamá.
1946. Gramática Caribe Cuna. Panamá.
1948. Los Indios Cunas de San Blas. Panamá.
Pulgar Vidal, Javier
1937. Algunas observaciones sobre el lenguaje en Huánuco. Rev. Univ. Catól. Perú 5.801-19.
Pupiales, P. Mateo de
1951/3. Palabras de origen Kichua usadas en Castellano. Amazonia colom. americanista 5.17-25.
ms. inéd. Algunos datos gramaticales del Miraña del Cahunarí y vocabulario y padroncillo de los Yucunas. En el Centro de investig. Las Casas, Colombia.
Quandt, Christlieb
1807. Nachricht von Suriname und seinen Einwohnern, sonderlich den Arawaken, Warauen und Karaiben... und von der Sprache der Arawaken, von den Gewächsen und Thieren des Landes, und Geschäften der dortigen Missionarien. Görlitz.
1815. Adiabu tuhu kelétirra, anditu 1815 wijna ullukku nam qua umiin ukunnamüntu. Patriae annis MDCCCXIV et MDCCCXV foederatis armis restitutae monumentum.... Vratislaviae.
1900. Des Herrnhuter Glaubensboten —— Nachricht von der Arawakischen Sprache, besonders und unverändert herausgegeben von J. Platzmann. Leipzig.
Quesada, Vicente G.
1864. Apuntes sobre el origen de la lengua Quichua en Santiago del Estero. La Revista de Buenos Aires 2.3-25 (1911. Reed. de la revista. El artículo se incluyó en el libro del mismo autor: 1863. Estudios históricos. Buenos Aires).
Quevedo G., Leandro Miguel
1945. Nombres indígenas de algunas plantas. Repertorio Boyacense 33.1203-6. Tunja.
Quijada Jara, Sergio
1955/7. Lenguaje del trago. Tradición 7.186-8. Cuzco.
1957. Canciones del ganado y pastores, recogidas y traducidas por ——. Huancayo.
Quito, P. Jacinto de
ms. inéd. Encuestas breves en Makaguaxe, Kofán, Karijona, Siona o Kokakañu, Koreguaxe i Uitoto. En el Centro de Invest. Las Casas, Colombia.
Radwan, E.
1929. Einiges über die Sirionó. ZE 40.291-6.
Raez, J. F. M.
1917. Gramática del Quicha-Huanca o sea del centro del Perú. Lima.
Rafinesque, Constantin Samuel
1836. The American Nations... Philadelphia. 2 vol. en uno (1.215-59:

The Haytian or Taino languages restored with fragments of the dialects of Cuba, Jamayca, Lucayas, Boriquen, Eyeri, Cairi, Araguas. Grammar, roots and comparative Vocabularies).

Raimondi, Antonio
1862. Apuntes sobre la provincia de Loreto. Lima.

Raimundo, Jacques
1934. Vocabulários indígenas de Venezuela. Da importância dos idiomas amerindios nas relações com o Português-Brasileiro. Rio de Janeiro.

Ramírez, Ing. Pedro Pasqual
1938. Los Huarpes. Etimología de las palabras usadas por el pueblo. Buenos Aires, Comisión Nacional de Cultura.

Ramírez Sendoya, Pedro José
1952. Diccionario indio del gran Tolima. Estudio lingüístico y etnográfico sobre dos mil palabras indígenas del Huila y del Tolima. Bogotá.

Ramos, Josefina
1950. Las lenguas de la región Tallanca. Instituto de Investigaciones Históricas de la Univ. Catól. del Perú. Cuadernos de estudio 3. nº 8. 11-55. Lima.

Rat, Joseph Numa
1898. The Carib Language as now spoken in Dominica, West Indies. Journal Royal Anthropol. Inst. 27. 293-315.

Rau, Misionero R. R., v. Outes 1926/7.

Read, William A.
1955. Four Indiano-Brasilian lexical notes. Romance Philology 9. 30-31.

Rebollar y Loria, Evaristo
1937. Mexicanismos y cubanismos. 3ª ed. La Habana.

Recalde, Juan Francisco
1924. Nuevo método de ortografía Guaraní. São Paulo.
1937. Estudo crítico sobre "Termos Tupís no Português do Brasil". Rev. Arq. Mun. São Paulo 39. 59-68.
1940. El Guaraní de los Guarayos de Bolivia. Rev. del Ateneo Paraguayo 1. 8-27.

Reich, Alfred
1903. Die Kampa und die Kunibo des Urubamba. Globus 83. 134-5.

Reichel-Dolmatoff, Gerardo
1944. La cultura material de los indios Guahibo. RINEB 1. 437-506.
1945. Los indios Motilones (Etnografía y Linguística). RINEB 2. 15-155.
1945. Bibliografía lingüística del grupo Chocó. RINEB 2. 625-7.
1947. La lengua Chimila. JSA 36. 15-50.
1949/50. Los Kogi, I. RINEB 4.
1950. Datos histórico-culturales sobre las tribus de la antigua Gobernación de Santa Marta. Bogotá, Banco de la República.
1951. Los Kogi: Una tribu de la Sierra Nevada de Santa Marta. II Bogotá.
1953. Contactos y cambios culturales en la Sierra Nevada de Santa Marta. Rev. Colomb. de Antropología 1. 17-122.

Reichel-Dolmatoff, G. & Clark, Alexander L.
1950. Parentesco, parentela y agresión entre los Iroka. JSA 39. 97-109.
Reichel-Dolmatoff G. & Dussán de Reichel, Alicia
1956. La literatura oral de una aldea colombiana. Divulgaciones etnológicas 5. 4-125. Barranquilla.
Reinburg, P., v. Rivet & Reinburg.
Remedi, Joaquín
1896. Los indios Matacos y su lengua... Con vocabularios ordenados por S. A. Lafone Quevedo. BIGA 17. 331-62.
1904. Vocabulario Mataco-Castellano. ASCA 58. 28-34, 119-32, 171-81, 292-305.
Renault, Pedro Victor
1904. Vocabulario da lingua dos Botocudos Nacnamuk e Giporocas. Bello Horizonte.
Restivo, P. Paulo
1718. Breve noticia de la lengua Guaraní sacada de el Arte y escritos de los PP. Antonio Ruiz de Montoya y Simón Bandini de la Compañía de Jesús. En las Missiones del Paraguay.
1722. Vocabulario de la lengua Guaraní, compuesto por el P. A. Ruiz de la Compañía de Jesús. Revisto y augmentado por otro religioso de la misma Compañía. En el Pueblo de Santa María la Mayor.
1724. Arte de la lengua Guaraní por el P. Antonio Ruiz de Montoya ...con escolios, anotaciones y apéndices del P. — —. Pueblo de Santa María la Mayor.
1890. Breuis linguae Guarani grammatica Hispanice a Rev. Patre Iesuita — —.... composita... edita et publici iuris facta necnon praefatione instructa opera et studiis Chr. Fred. Seybold. Stuttgart.
1892. Linguae Guarani Grammatica... a Rev. P. Iesuita Paulo Restivo secundum libros Antonii Ruiz de Montoya, Simonis Bandini aliorumque, adiecto particularum lexico, anno MDCCXXIV in Ciuitate Sanctae Mariae Maioris edita. Stuttgart.
1893. Vocabulario de la lengua Guaraní. Lexicon Hispano-Guaranicum inscriptum a Rev. P. Iesuita — — secundum uocabularium Antonii Ruiz de Montoya anno MDCCXXIV in Ciuitate Sanctae Mariae Maioris, denuo aditum et adauctum. Stuttgart.
v. Seybold; Yapugnay.
Restivo, P. & Ruiz Montoya, A.
1684. ms. Phrases Selectas y modos de hablar escogidos y usados en lengua Guaraní, sacados del Thesoro escondido que compuso el venerable P. Antonio Ruiz de nuestra Compañía de Jesús. Biblioteca Mitre de Buenos Aires.
Restrepo Canal, Carlos
1936. Florecimiento y desaparición de la lengua muisca. En: Conferencias dictadas en la Academia Colombiana de Historia, con motivo de los festejos patrios, 285-322. Bogotá, Editorial Selecta.
Restrepo Tirado, Ernesto
1903. Apuntes sobre algunos dialectos indígenas. Bol. de Hist. y

Antigüedades 1.386. Bogotá.
Rey, Philippe-Marius
1884. Notes sur les Botocudos et sur les Purys. Bull. Soc. Anthrop. Paris, série 3, 7.89-101.
Rey Riveros, Edmundo
1956. El idioma Amuesha. Folklore 3.2035-6. Lima.
Reyburn, William D.
1954. Quechua I: Phonemics IJAL 20.210-14.
Ribeiro, Darcy
1950. Kadiuéu. Religião e Mitologia. Servico de Proteção aos Indios, Publ. nº 106, Rio de Janeiro.
1951. Noticia dos Ofaié Chavante. Rev. Mus. Paul. n. s. 5.105-36.
Ribeiro, João
1933. A Língua Nacional. Notas aproveitáveis. São Paulo.
Ricard, Robert
1949. Destin et problèmes de la langue espagnole. Annales 4.401-8. Paris.
Rice, Frederick John Duval
1928. A vida de nosso senhor Jesus Christo (Portugues e Tupi-Guarani [dial. Tembé]). Londres.
1930. A pacificação e identificação das afinidades linguisticas da tribu Urubú dos estados de Pará e Maranhão, 1928-29. JSA 22. 311-16.
1931. Short Aparai vocabulary [Caribe]. JSA 23.115-20.
1934. O idioma Tembé (Tupí-Guaraní). JSA 26.109-80.
Richter, Enrique
1685. Vocabulario y catecismo de la lengua Campa, Pira y Cuniba. Quito.
Riedel, Osvaldo d'Oliveira
1941. Etimologia das palavras paribaroba, caena, catajé e capéba. Tribuna Farmacéutica 9.273-4. Curitiba.
Rimbach, A.
1897. Reise im Gebiet des oberen Amazonas. Z. der Gessellschaft für Erdkunde zu Berlin. 5. Serie, 32.360-409.
Ripalda, P.
1923. Catecismo-Devocionario Castellano-Aimará. La Paz.
Ritchie, J., v. Escalante & otros.
Riva, Carlos N. de la
1937. Himno nacional del Perú. Versión al Aimara por ——, al Keshwa por Eustaquío R. Aweranka. Runo soncco 3, nº 7.1. Juliaca.
Rivas, Luis Antonio
1944. Apuntaciones sobre la lengua Siona. Rev. Hist. 2.29-36. Pasto.
Rivera, Mariano Eduardo de & Tschudi, Juan Diego
1851. Antigüedades peruanas. Viena (contiene una descripción del Quechua, 4.86-115).
Rivero, P. Juan, v. Neira & Ribero.
Rivero y Ustaris, Mariano Eduardo
1857. Colección de memorias científicas, agrícolas e industriales. Bogotá.
Rivet, Paul

1905. Les indiens Colorados. Récit de voyage et étude ethnologique. JSA 2.117-208.
1907/8. Les Indiens Jivaros. L'Anthropologie 18.333-68, 583-618, 19.69-87, 235-59.
1910. Les langues Guaranies du haut-Amazone. JSA 7.149-78.
1910. Sur quelques dialectes Panos peu connus. JSA 7.221-42 [Yamiaco y Arazaire].
1911. Affinités du Miránya. JSA 8.117-52.
1911. La famille linguistique Peba. JSA 8.173-206.
1912. Les familles linguistiques du Nord-Ouest de l'Amérique du Sud. L'Anne ling. 4.117-54.
1912. Affinités du Tikuna. JSA 9.83-110.
1916. La famille Betoya ou Tukano. MSL 9.91-95.
1920. Affinités du Sáliba et du Piaroa. JSA 12.12-20.
1920. Les Katukina, étude linguistique. JSA 12.83-89.
1920. Les limites orientales de la famille Chibcha. JSA 12.199.
1921. Nouvelle contribution a l'étude de la langue des Itonama. JSA 13.173-95.
1921. Texte Achagua. JSA 13.349.
1921. Aires de civilisation, aires linguistiques, aires anthropologiques. L'Anthropologie 31.118-19. Paris.
1924. Langues de l'Amérique du Sud et des Antilles, en Meillet & Cohen, 639-712. v. también Rivet & Loukotka, Rivet & Stresser Péau.
1924. La Langue Tunebo. JSA 16.19-92.
1924. La langue Andaki. JSA 16.99-110.
1924. Les indiens Canoeiros. JSA 16.169-81.
1924. Les Mélano-Polynésiens et les Australiens en Amérique. Comptes-Rendus Acad. Inscript. 1924.335-41. Paris.
1925. Les Mélano-Polynésiens et les Australiens en Amérique. Anthropos 20.51-54.
1925. La langue Arda ou une plaisante méprise. 21 CIA, Gotemburgo 1924, 2.388-90.
1925. Les Australiens en Amérique. BSL 26.2-13.
1925. Les origines de l'homme Américain. L'Anthropologie 35.293-319.
1927. La famille linguistique Timote (Venezuela). IJAL 4.137-67.
1929. Deux documents peu connus sur le Tucano. JSA 21.418-19.
1929. Une poésie en Mobima. JSA 21.419-20.
1930. Contribution à l'étude des tribus indiennes de l'orient équatorien. Bull. Soc. Amér. Belgique 5-19.
1930. Les derniers Charruas. Rev. de la Soc. Amigos de la Arqueol. 4.5-117. Montevideo.
1934. Population de la prov. de Jaén, Equateur. Congrès Internat. sciences anthrop. et ethnogr. Londres 245-7.
1941. Le groupe Kokonuko. JSA 33.1-61.
1942. Un dialecte Hoka colombien: le Yurumangi. JSA 34.1-59.
1943. Los orígenes del hombre americano. Cuadernos Americanos. México.
1943. La influencia Karib en Colombia. RIENB 1.55-93, 283-95.
1943. La lengua Choko. RIENB 1.131-96, 287-349.

1944. A propósito de caracolí. RIENB 1.655-6.
1946. Nouvelle controbution à l'étude de l'ethnographie précolombienne de Colombie. JSA 35.25-39.
1947. La langue Guarú. JSA 36.137-38.
1947. Les indiens Malibú. JSA 36.139-44.
1947. Indiennes "Auka". JSA 36.237-8.
1948. La famille linguistique Guahibo. JSA 37.191-240 [contiene en apéndices: Vocab. Guayabero, id comparado Guahibo-Arawak, id comparado Tinigua-Pamigua-Guahibo].
1949. Les langues de l'ancienne diocèse de Trujillo. JSA 38.1-51.
1952. Affinités du Kòfan. Anthropos 47.203-34.
1953. La langue Mašubi. JSA 42.119-25.
1954. Un documento muiska inédito. JSA 43.241-2.
1955. La lengua Quechua. Revista de Historia 6.131-3. Pasto.
1956. Les affixes classificatoires des noms de nombre. JSA 45.179-88.
1956. Relations anciennes entre la Polynésie et l'Amérique. Diogène nº 16.107-23. Paris.
v. Anthony, R; Beuchat; Créqui de Montfort; Verneau.

Rivet, Paul & Armellada, Cesáreo de
1950. Les Indiens Motilones. JSA 39.15-57.

Rivet, Paul & Créqui-Montfort, Georges de
1951/6. Bibliographie des langues Aymará et Kičua. Paris. Inst. d' Ethnol. 4 vol.

Rivet, Paul & PP. Kok, P. & Tastevin, C.
1924/25. Nouvelle contribution à l'étude de la langue Makú. IJAL 3. 133-92.

Rivet, Paul & Loukotka, Čestmir
1952. Langues de l'Amérique du Sud, en Meillet & Cohen 1952, 1099-1160.

Rivet, Paul & Oppenheim, V.
1943/4. La lengua Tunebo. RIENB 1.47-53.

Rivet, Paul & Reinburg, P.
1921. Les indiens Marawan. JSA 12.103-18.

Rivet, Paul & Rodríguez, Odilia
1951/2. Un apóstol boliviano, Carlos Felipe Beltrán. Kollasuyo 10. 79-94, 11.70-9. La Paz.

Rivet, Paul, Stresser-Péau, G. & Loukotka, Č.
1952. Langues du Mexique et de l'Amérique centrale, en Meillet & Cohen 1952, 1067-97.

Rivet, Paul & Tastevin, Constant
1919/24. Les langues des Purús, du Juruá et des régions limitrophes. 1, Le groupe Arawak-pré-andin. Anthropos 14/5.857-90, 16/17.298-325, 819-28.
1920. Affinités du Makú et du Puináve. JSA 12.60-82.
1921. Les tribus indiennes des bassins du Purús, du Juruá et des régions limitrophes. La Géographie 35.449-82.
1927/9. Les dialectes Pano du haut Juruá et du haut Purús. Anthropos 22.811-27, 24.489-516.
1931. Nouvelle contribution a l'étude du groupe Kahuapana. IJAL 6. 227-71.

1938/40. Les langues Arawak du Purús et du Juruá (groupe Arauá) JSA 30.71-114, 235-88, 31.223-48, 32.1-55.

Rivet, Paul & Wavrin, Robert de

1951. Un nouveau dialecte Arawak: le Resígaro. JSA 40.203-38.

1952. La langue Andoke. JSA 41.221-33.

1952. Les indiens Parawgwan. JSA 41.235-38.

1953. Les Nonnuya et les Okäina. JSA 42.333-90.

Roberts, F. J. & Symes, S. P.

1936. Vocabulary of the Guajajara dialect. JSA 27.209-48.

Robledo, Emilio

1922. Vocabulario de los Chamíes. Repertorio histórico 4.603-07. Medellín.

1934. Un millar de papeletas lexicográficas relativas a los departamentos de Antioquía y Caldas. Repertorio histórico 13. Medellín.

Robledo, Jorge

1865. Descripción de los pueblos de Ancerma. Col. de doc. inéd. relativos al descubrimiento, conq., y colonización de las posesiones españolas de América y Oceanía 3.388-94. Madrid.

Roca Wallparimachi, Demetrio

1955. Ceremonias de velorios fúnebres. Archivos peruanos de folklore 1.138-56. Cuzco.

Rocha, Mayor Alberto C. da

1938. Vocabulario comentado Pilagá-Castellano y Castellano-Pilagá. Ministerio del Interior, Comisión honoraria de Reducciones de Indios, Publicación nº 7. Buenos Aires.

Rocha, J.

1905. Memorandum de viaje. Regiones Amazónicas. Bogotá.

Roche, David de la, v. Rochefort.

Rochefort, César de

1665. Le tableau de l'isle de Tabago ou de la nouvelle Oüalchre, l'une des isles Antilles de l'Amérique, Leyde [con paráfrasis de un salmo en Caribe por David de la Roche].

Rochereau, Henri J.

1926/7. La lengua Tuneba y sus dialectos (ensayo gramatical). Dos fascículos. Pamplona, Colombia.

1932. El estudio de las lenguas indígenas. Rev. Misional de Colombia 8.501-06.

1946/50. Textos Tegrías: las uerjayas. Documentos en el dialecto de las tribus Tunebas radicadas en el triángulo Cubogon-Royota-Nevado de Chita, en Colombia. Amazonia colombiana americanista 4.203-10. Sibundoy.

Rodrigues, Aryon Dall'Igna

1940. Lingua Brasílica. Ginásio Paranaense-Externato 2.8.

1941. Idiotismos da lingua Tupi. Ginásio Paranaense-Externato 2.4.

1941. A influência Portuguesa na sintaxi nhengatú. Ginásio Paranaense-Externato 3.6.

1942. O artigo definido e os numerais na lingua Kiriri. Vocabulários Português-Kiriri e Kiriri-Português. Arquivos do Museu Paranaense 2.179-211. Curitiba.

Lámina XVI. – M. Swadesh.

1944. Um aspecto da evolução fonética na familia Tupi-Guarani. Rev Filológica 29. 74-7. Rio de Janeiro.
1945. Diferenças fonéticas entre o Tupi e o Guarani. Arquivos do Mu seu Paranaense 4. 333-54. Curitiba.
1948. A categoria de voz em Tupi. Logos 6. 50-3. Curitiba.
1948. Notas sobre o sistema de parentesco dos indios Kiriri. Rev. do Mus. Paulista n. s. 2. 193-205.
1950. A nomenclatura na familia Tupi-Guarani. Bol. de Filología 43/ 5. 98-104. Montevideo.
1951. Esbôço de uma introdução ao estudo da lingua Tupi. Logos 13 43-58. Curitiba.
1951. A composição em Tupi. Logos 14. 63-70.
1952. Análise morfológico de um texto Tupi. Logos 15. 56-77. Curitiba.
1953. Sobrevivência linguística Tupi no "Caiapó paulista". Folclore 2. 5-9. São Paulo.
1953. Morfologia do verbo Tupi. Letras 1. 121-52. Curitiba.
1955. Morphologische Erscheinungen einer Indianersprache. Münchener Studien zur Sprachwissenschaft. 7. 79-88.
1955. As línguas "impuras" da família Tupi-Guarani 31 CIA 1055-71. São Paulo.
1956. Über drei Brasilianismen. Romanistisches Jahrbuch 7. 330-1 Hamburgo.
1957. Eine neue Datierungsmethode der vergleichenden Sprachwissenschaft. Kratylos 2. 1-13.
1958. Die Klassification des Tupi-Sprachstammes. 32 CIA 679-84. Copenhague.
1958. Classification of Tupi-Guarani. IJAL 24. 231-4.
1958. Contribução para a etimología dos brasileirismos. Rev. Portuguesa de Filología 9. 1-54. Coimbra.
Die Tupari-Sprache. Phonemische und morphologische Analyse
Phonologie der Tupinambá-Sprache.
v. Hanke, Swadesh & Rodrigues.

Rodriguez, Mariano C.
1921. Gramática de la lengua Quechua. Novísima edición, notablemente corregida y enriquecida con muchas voces y ejercicios de aplicación práctica para cada regla. Cuzco. (1939, 3ª ed. Lima)

Rodríguez, Zorobabel
1875. Diccionario de Chilenismos. Santiago.

Rodríguez Awaranka, Eustaquio
1956. Carnaval. Folklore 3. 20-27.

Rodríguez-Ferreira, A., v. Riva, Carlos N. de la.

Rodríguez-Ferreira A.
ms. Vocabulario Mura. Bibl. Nac. Rio de Janeiro.

Roel Pineda J., v. Baca Mendoza, O.

Rojas, Arístides
1878. Estudios indígenas, contribución a la historia antigua de Venezuela. Caracas (1941 reed., Caracas).

Rojas, Ricardo
1942. Proyecto: plan de trabajo sobre la lengua Quechua. Rev. Univ. Cuzco 30. 38-41.

Romano, Santiago & Cattunar, Hermann
1916. Diccionario Chiriguano-Español y Español-Chiriguano compilado teniendo a la vista diversos manuscritos de antiguos misioneros del apostólico colegio de Santa María de los Angeles de Tarija y particularmente el Diccionario Chiriguano etimológico del R. P. Doroteo Giannecchini. Tarija.

Romero, Carlos Alberto
1931. Los trabajos lingüísticos del P. Buenaventura Marqués. Rev. Hist. Lima 9. 111-14.

Romero E.
1935. Catecismo Quechua. El Oriente Dominicano 8. 25-8. Quito.

Roncagli, G.
1884. Da Punta Arenas a Santa Cruz. Bollett. della Soc. geogr. Ital. 18. 782-4.

Rondón, Cándido Mariano da Silva
1910. Etnografía. Comissão de linhas telegraphicas estrategicas de Mato Grosso ao Amazonas. Annexo 5. Rio de Janeiro.
1915. Relatório apresentado à divisão geral de engenharia do Departamento da Guerra e a Diretoria geral dos telegraphos. Vol. 3 Comissão de linhas telegraphicas estrategicas de Mato Grosso ao Amazonas. Publ. nº 26, 39 (sobre los Mundurucús).

Rondón, Cándido Maria da Silva & Barbosa de Faria, Joao
1948. Esbôço gramatical e vocabulário da língua dos Indios Borôro. Algumas lendas e notas etnográficas da mesma tribo. Publicações do Conselho Nacional de Proteção aos Indios, nº 77, anexo 5. Rio de Janeiro.
1948. Esbôço gramatical, vocabulario, lendas e cânticos dos indios Ariti (Parici). Publ. do Conselho Nac. de Prot. aos Indios. nº 78, anexo 5. Rio de Janeiro.
1948. Glossario geral das tribos silvícolas de Mato Grosso e outras da Amazonia e do norte do Brasil. Publ. do Conselho Nac. de Prot. aos Indios, nº 76, anexo 5. Rio de Janeiro.

Roquette-Pinto, Edgar
1912. Os indios Nambikuara do Brasil central. A communication to the International Congress of Americanists held in London 1912. Rio de Janeiro.
1912. Rondonia. Antropologia, etnografia. Arch. Mus. Nac. Rio de Janeiro 20. (reed. 1935 y 1938; 1956 Trad. alem. de Becker-Donner, Viena-Stuttgart).

Rosas, Juan Manuel de
1947. Gramática y diccionario de la lengua Pampa (Pampa-Ranquel-Araucano). Publicada por O. R. Suárez Caviglia y Enrique Stieben, prólogo de Manuel Gálvez. Buenos Aires.

Rosell, Enrique
1916. Los Machigangas del Urubamba. Rev. Universitaria 5, nº 15. 39-48, nº 16. 2-18. Cuzco.

Rosen, Eric von
1904. The Chorote Indians in the Bolivian Chaco. A preliminary report dedicated to the 14th Int. Congress of Amer. at Stuttgart 1904. Estocolmo.

Rosenblat, Angel
1936. Los Otomacos y Taparitas de los llanos de Venezuela. Estudio etnográfico y lingüístico. Tierra Firme 2.131-53, 259-304, 439-514. Madrid.

Rossi, Vicente
1938. Complemento a vocablos del lenguaje campesino Uruguayo del Prof. Dr. A. Berro García. Bol. de Filol. 2.27-32. Montevideo.

Röthlisberger, Ernst von
1883/4. Zur Indianer-Sprache in den vereinigten Staaten der Republik Colombia. Vocabular von Rio Atrato. Jahresberichte der geogr. Gesell. Bern 6.143-48.

Rouse, Irving, v. Taylor, D. & Rouse.

Rowe, John Howland
1947. The distribution of Indians and Indian languages in Peru. The Geogr. Rewiew 37.202-15. Nueva York.
1950. Sound Patterns in three Inca Dialects. IJAL 16.137-48.
1951. A map of the Indian tribes of America. Berkeley.
1953. Linguistic Classification Problems in South America. En: Papers from the Symposium on American Indian Linguistics. Univ. of Calif. Publ. in Linguistics 10.1-68.
1954. Cuestionario para la comparación y clasificación de las lenguas indígenas de Sud-América. Bol. Indigenista Venezolano 2.137-46. Caracas.

Rowe, John Howland & Escobar, Gabriel
1943. Los sonidos Quechuas de Cuzco y Chanca. Waman Puma 3.21-35. Cuzco.

Roxo Mexía y Ocón, Juan
1648. Arte de la lengua general de los indios del Perú. Lima.

Rozo M., Darío
1938. Mitología y escritura de los Chibchas. Bogotá.

Ruben, W.
1952. Tiahuanaco, Atacama und Araukaner, Leipzig.

Rudolph, Bruno
1909. Wörterbuch der Botokudensprache. Hamburgo.

Rueda, Dr. Juan Nepomuceno
1899. Guía de conversación con algunas tribus salvajes de Casanare. Bogotá.

Ruiz Blanco, Fr. Matías, franciscano
1683. Manual para catequizar y administrar los Santos Sacramentos a los Indios que habitan en la provincia de Nueva Andaluzia. Burgos.
1683/90. Diccionario de la lengua de Cumaná y Arte de la misma del P. Yanguas, corregido y aumentado. Burgos. 3 vol. (1888 reed. por J. Platzmann).
1892. Conversión en Piritú (Colombia) de indios Cumanagotos y Palenques, con la práctica que se observa en la enseñanza de los naturales en la lengua Cumanagota por el P. Fr. —— de la Orden de San Francisco. Madrid.

Ruiz de Montoya, P. Antonio, S. J.
1639. Conquista espiritual hecha por los religiosos de la Compañía de

Jesús en las provincias del Paraguay, Paraná, Uruguay y Tape. Madrid.
1640. Arte, Bocabulario, Tesoro y Catecismo de la lengua Guaraní. Madrid. 4 vol. (1876 reed. facsímil por J. Platzmann, 1876 reed. del Arte a cargo del R. P. Fr. Juan N. Alegre, 1876 reed. del Arte, Vocabulario y Tesoro, Viena-Paris).
1733. Aba reta y carai eỹ baecue Tupa upe ynemboaguiye uca hague Pay de la Compª de Ihs poromboeramo ara cae P. Antonio Ruiz Icaray eỹ baé mongetaïpï hare oiquatiá Caray ñee rupi yma cara mbohe hae Pay ambuae Oguerecoba Abañeẽ rupi. Año de 1733 pïpe, S. Nicolas pe. (Trad. por otro jesuíta de Ruiz de Montoya 1639. Editada con trad. portuguesa por Almeida Nogueira 1879).
v. Abregú Virreira; Almeida Nogueira 1879, 1879; Platzmann 1898; Restivo.

Russell, Robert
1958. Algunos fonemas de Amahuaca (Pano) que equivalen a la entonación del Castellano. Perú Indígena 7. 29-33.

Rydén, Stig
1941. A study of the Sirionó Indians. Gotemburgo.

Saavedra, Bautista
1931. Difusión geográfica del Aimará. Bol. Soc. Geogr. La Paz 34. 41-54.

Sacerdote argentino, Un, v. Argañaraz.

Sáenz, Justo P.
1950. Vocablo pampa. Bol. del Mus. de motivos populares argentinos 2. 8-13. Buenos Aires.

Sáenz, Nicolás
1876. Memoria sobre algunas tribus del territorio de San Martín en los Estados Unidos de Colombia. ZE 8. 336-42.

Sagot, P., v. Crévaux.

Saguier, Eduardo
1946. El idioma guaraní. Método práctico para su enseñanza elemental. 2ª ed. Buenos Aires.
1948. Significación, uso y ortografía de las preposiciones Guaraníes, sus formas y uso en Guaraní. Bol. de Filol. 5. 385-405. Montevideo.
1948. La acentuación del vocablo Guaraní. Bol. de Filol. 5. 406-16. Montevideo.
1951. José Hernández: Martín Fierro en Guaraní. Primera parte. Traducción en versos libres. Ed. bilingüe. Buenos Aires.
1952. La numeración guaraní. Fundamentos de su creación. Bol. de Fil. 6. 66-73. Montevideo.

Saint-Cricq, M. de
1853. Les Indiens Cunibos. Bull. de la Soc. de Géogr. 6.273-95. Paris.

Saint-Hilaire, Auguste de
1830/51. Voyages dans l'intérieur du Brésil. Iᵉ partie. Voyage dans les provinces de Rio de Janeiro et de Minas Geraes. IIᵉ partie. Voyage dans le district des diamants et sur le litoral du Brésil. IIIᵉ partie. Voyage aux sources du Rio San Francisco et dans la province de Goyaz. IVᵉ partie. Voyage dans les provinces

de Saint-Paul et de Sainte-Cathérine. Paris.

Sala, R. P. Antônio Maria
1914. Essai de grammaire Kaiapó, langue des indiens Kaiapó, Brésil. Anthropos 9. 233-40.
1920. Gramática e Dicionario do Cayapó. Rev. do Mus. Paulista 12. 1-37.

Sala, Revdo. P. Fray Gabriel
1897. Apuntes de viaje: exploración de los ríos Pichis, Pachitea y alto Ucayali y de la región del Gran Pajonal. Ministerio de Fomento. Lima.
1905/8. Diccionario, gramática y catecismo Castellano, Inga, Amuexia y Campa. Bol. Soc. Geogr. Lima 17. 149-227, 311-56, 469-90, 19. 102-20, 211-40, 21. 311-41, 23. 81-101.

Salas, Julio S.
1918. Los orígenes. Sobre las lenguas americanas. Su corrupción, falsos derroteros. De re Indica 1. 73-76.
1924. Orígenes americanos, lenguas indias comparadas. Caracas.

Salathé, Georges
1931/2. Les indiens Karimé. RIET 2. 297-316.

Saldías, Adolfo
1912. Una gramática y un diccionario de la lengua Pampa, original del general don Juan Manuel de Rosas. 17 CIA, Buenos Aires.

Samaniego, P. Diego, S. J.
s. f. Vocabulario de la lengua Churuguana. cit. por Viñaza.

Samaniego Jurado, Rafael P.
1932. Influencia negativa de los dialectos regionales del Perú en el Castellano. Huancayo, Instituto Pedag. Nacional.

Sampaio, Theodoro
1890. Considerações geographicas e economicas sobre o valle do rio Paranapanema. Bol. da Commis. geogr. do est. de São Paulo 1. 87-156.
1911. A propósito dos Guaianazes da Capitania de São Vicente. Rev. do Inst. Hist. e Geográfico de São Paulo 13. 199-202.
1913. Os Kraôs do Rio Preto no Estado de Bahia. RIHGB 75. 143-205.
1915. ZE 47. 302-05.
1930. Anotações a propósito de termos e frases Tupís da obra de Staden, Hans: Viagem ao Brasil, versão do texto de Marpurgo de 1557 por Alfred Löfgren. Rio de Janeiro.

Sampaio, Mário Arnaud
1956. Dicionário Guarani-Português. Rev. do Museu Júlio de Castilhos e arquivo histórico do Estado do Rio Grande do Sul 5. 181-99. Pôrto Alegre.

Sanabria-Fernández, Hernando
1951. El idioma Guaraní en Bolivia. 39-92. Santa Cruz de la Sierra.

San Antonio, Fr. Buenaventura de, Capuchino
ca. 1675. Vocabulario del idioma Sacacá.
Breve diálogo sobre la doctrina Cristiana en la lengua de los Goyanas.
Arte de la lengua Aroá.

San Antonio, Sor María de
ms. inéd. Vocabulario de la lengua Kuaiker. En el Centro de investi-

gaciones Las Casas, Colombia.

Sancta Rosa, Pedro de
siglo XVIII. Confesionarío escripto en lengua Aracajú, por Fray — —, religioso del Instituto Seráfico de la Provincia de San Antonio, misionero del Estado de Marañón. ms. cit. por Viñaza.

Sancto Thomas, v. Santo Thomás.

Sánchez Labrador, P. José, S. J.
1896. Apud Lafone Quevedo: Idioma Mbayá. ASCA 41. 339-64, 42. 44-58.
1910/7. El Paraguay Católico. Buenos Aires. 3 vol. (en el 3, con prólogo de Lafone Quevedo, Arte de la lengua Mbayá o Eyuguayegui, Vocabulario Castellano-Mbayá).
1936. Paraguay Cathólico. Mission de los indios Pampas,... Puelches,... Patagones. en G. Furlong: Los indios pampas-puelches-patagones. Buenos Aires.

Sánchez Montenegro, V.
1942. Etnología y clasificación de las lenguas colombianas. Rev. del Coleg. Nac. José Eusebio Caro 1/2. 15-17. Ocaña.

Sandoval de Estigarribia, María J.
1952. Literatura popular Guaraní de Corrientes. Bol. de Filología 6. 142-83. Montevideo.

Sanjinés, P. F. Fernando de
1891. Manual en el idioma Tacana para el servicio de los padres misioneros y aun para el de patrones de Barracas. La Paz.

San Joaquín, P. Joaquín de
1884. Grammatica, frases, oraciones, cathezismo, confessonario y bocabulario de la lengua Chibcha. Copiado del ms. original por J. M. Quijano en Bogotá. 4 CIA, Madrid 1881, 2. 229-95. v. Gutierrez de Pineda, V.

San Román, Francisco J.
1890. La lengua Cunza de los naturales de Atacama. Revista de la Dirección de Obras Públicas, Sección de Minas y Geografía. Santiago de Chile. 20 pp.

Santa Cruz, Joaquín
1913. Los indígenas del norte de Chile antes de la conquista española. Rev. chilena de hist. y geogr. 7. 38-88.
1921. Los indígenas del Ecuador. Rev. chilena de Hist. y Geogr. 39. 12-60.
1923. El idioma Araucano. Bol. Acad. Nac. Hist. Quito 6. 67-86.

Santacruz, P. Raimundo
ms. inéd. Catecismo de la lengua Escama. En el Centro de Investig. Las Casas, Colombia.

Santander Uscátegui, Flavio
1930. Vocabulario Huitoto. Bol. de Est. Históricos 3. 388-93. Pasto.

Santiana, Antonio
1948/9. Los indios Mojanda. Filosofía y Letras nos. 4/5. 238-74. Quito.

Santo Tomás, Fr. Domingo de
1560. Gramática o arte de la lengua general de los indios de los Reynos del Perú. Valladolid (1891, reed. facsímil por J. Platz-

mann, Leipzig. 1951, reed. Lima con prólogo de R. Porras Barrenechea).
1560. Lexicon o Vocabulario de la lengua general del Perú. Valladolid (1951. Reed. Lima con prólogo de Raúl Porras Barrenechea).
1947. La primera gramática Quichua, escrita por ——, introd. por José M. Vargas. Quito, Instituto Hist. Dominicano.

Sañudo, José Rafael
1923. Razas indígenas de Nariño. Don Quixote 1. 45-48, 67-71. Pasto.

Sapir, Edward
1925. The Hokan affinity of Subtiaba in Nicaragua. Amer. Anthrop. 27. 402-35, 491-527.
1937. Central and North American Languages. Encycl. Britannica, 14th. ed. 5. 138-41.

Sapper, Karl
1897. Mittelamerikanische Caraiben. Intern. Archiv. Ethnol. 10. 53-60. Leiden.
1901. Beiträge zur Ethnographie des südlichen Mittelamerika. Petermanns Mitteil. 42. 2.
1905. Der gegenwärtige Stand der ethnographischen Kenntnis von Mittelamerika. Archiv. Anthrop. 31. 1-38.

Sardinha Mimoso, Juan, v. Anónimo jesuita 1620.

Sardón, Francisco Cipriano
1836. Doctrina cristiana traducida en Aymara. Paz de Ayacucho.

Sauvage, M. D. L.
1763. Dictionnaire Galibi précédé d'un essai de grammaire. Paris (se atribuye a M. de Prefontaine).

Schaden, Francisco S. G.
1944. Apontamentos bibliográficos para o estudo dos índios Kaingang. Bol. Bibliogr. 1. 23-32. São Paulo.
1949. Apontamentos bibliográficos para o estudo dos índios Xocleng. Bol. Bibliogr. 12. 113-19. São Paulo.

Schermai, Anselm
1934. Kurze Mitteilungen über die Sirionó-Indianer im östlichen Bolivien. Anthropos 29. 519-21.
1957. Vocabulario Sirionó-Castellano. Innsbrucker Beiträge zur Kulturwissenschaft, Sonderheft 5.

Scherzer, Karl Ritter von
1855. Sprachen der wilden Indianerstämme der Blancos, Valientes und Talamancas zwischen Rio Zent und Boca del Toro. Sitzungsber. del Akad. der Wiss. Wien, Philos-Hist. Klasse 15. 1-28-37.

Schiaffino, Rafael
1956. Guaranismos. Ensayo etimológico. Revista histórica 25. 193-336, 26. 187-254. Montevideo.

Schmid, Theophilus
1860. Vocabulary and rudiments of grammar of the Tsoneca Language. Bristol.
1912. Grammar of the Tsoneca Language. 17 CIA, Buenos Aires 1910, Appendix 2. 1-41.

1912. Two linguistic treatises on the Patagonian or Tehuelche Language... Edit. by R. Lehmann-Nitsche. 17 CIA, Buenos Aires 1910, App.
v. Lehmann-Nitsche; Platzmann.

Schmidt, Hermann, v. Koch-Grunberg 1910.

Schmidt, Max
1902. Die Guató. Verhandl. Berliner Gesell. Anthrop. Ethnol. Urgesch. 77-89.
1903. Guaná. ZE 35.324-36, 560-604.
1905. Indianerstudien in Zentralbrasilien, Erlebnisse und ethnologische Ergebnisse einer Reise in den Jahren 1900 bis 1901. Berlin (1942. Trad. port. São Paulo).
1912. Reisen in Matto Grosso im Jahre 1910. ZE 44.130-74.
1914. Die Paressi-Kabiši. Ethnologische Ergebnisse der Expedition zu den Quellen des Jauru und Juruena im Jahre 1910. Baessler-Archiv 4.167-250.
1914. Die Guato und ihr Gebiet. Ethnologische und archäologische Ergebnisse der Expedition zum Caracara-Fluss im Matto Grosso. Baessler Archiv 4.251-83.
1917. Die Arauaken, ein Beitrag zum Problem der Kulturverbreitung. Leipzig.
1929. Ergebnisse meiner zwijähringen Forschungsreise in Mato Grosso. ZE 60.85-124. (1938/41. Trad. Bol. do Mus. Nac. 14/17. 241-85).
1936. Los Makká en comparación con los Enimagá antiguos. Rev. Soc. Cient. Paraguay 3.152-57.
1936. Los Guarayú. Rev. Soc. Cient. Paraguay 3.158-90.
1937. Los Guisnais. Rev. Soc. Cient. Paraguay 4.1-35.
1937. Los Tapietés. Rev. Soc. Cient. Paraguay 4.36-67.
1937. Vocabulario de la lengua Maká. Rev. Soc. Cient. Paraguay 4. 68-85.
1938. Los Chiriguanos e Izozós. Rev. Soc. Cient. Paraguay 4.86-115.
1940. Vocabulario de la lengua Churupí. Rev. de la Soc. Cient. Paraguay 5.73-97.
1941. Los Barbados o Umotinas en Mato Grosso (Brasil). Rev. Soc. Cient. Paraguay 5.1-51.
1942. Los Kayabís en Mato Grosso, Brasil, Rev. Soc. Cient. Paraguay 5. nº 6.1-34.
1942. Los Iranches. Rev. Soc. Cient. Paraguay 5. nº 6.35-39.
1942. Resultados de mi tercera expedición a los Guatos efectuada en el año 1928. Rev. Soc. Cient. Paraguay 5, nº 6.41-75.
1943. Los Paressís. Rev. Soc. Cient. Paraguay 6.1-296.
1947. Los Bakairí. Rev. do Museu Paulista n. s. 1.11-58.
1947. Los Kayapó de Matto Grosso. Rev. de Mus. Paul. n. s. 1.59-60.
1947. Los Waurá. Rev. do Mus. Paulista, n. s. 1.61-64.
1947. Los Tamainde-Nambicuara. Rev. do Mus. Paulista, n. s. 1. 65-74.
1949. Los Payaguá. Rev. do Mus. Paulista n. s. 3.129-270.

Schmidt, Wilhelm
1905. Diccionario Sipibo...herausgegeben von Karl von den Steinen.

Mitt. Anthrop. Gesell. Wien 35.127-30.
1925. Die Stellung des Genitivs in den südamerikanischen Sprachen und ihre Bedeutung für den Sprachaufbau. 21 CIA, Gotemburgo 1924,333-47
1926. Die Sprachfamilien und Sprachenkreise der Erde. Heidelberg.

Schneider, P. José
1944. Pequeno catecismo em Português e Nhengatú para uso das Missões Salesianas da Prelazia do Rio Negro. Manáos.

Schomburgk, Robert M.
1847/8. Reisen in Britisch Guiana. Leipzig.
1849. Remarks to accompany a vocabulary of eighteen languages and dialects of Indian tribes inhabiting Guiana. Rep. British Assoc. Advancement Science, 18th meeting, Swansea 1848, 96-99. Londres.
1850. A vocabulary of the Maingkong language. Proceed. of the Philol. Soc. 4.217-23. Londres.

Scott, Heinrich Wilhelm
s. f. Fragment eines Gueren Vokabulares. En el archivo del Prof. Loukotka.

Schuller, Rodolfo
1906. Sobre el origen de los Charrúa; réplica al doctor Jorge Friederici, de Leipzig. An. Univ. Chile 118.201-62, 413-501.
1907. El vocabulario Araucano de 1642-3 con notas críticas i algunas adiciones bibliográficas de la lengua Mapuche. Santiago.
1907. Sobre el supuesto autor del arte de la lengua de los indios Campa y Antis. Bol. Ministerio Agr. y Colonización. La Paz (v. Steinen, K. von den, 1906).
1908. Vocabularios y nuevos materiales para el estudio de los indios Likan-antai (Atacameños) Calchaquí. Santiago de Chile, Biblioteca de Lingüística Sud-Americana.
1911. Weitere Ergänzungen zur Bibliographie der Nu-Sprachen (Pano-Gruppe). Anthropos 6.640.
1911. Las lenguas indígenas de la cuenca del Amazonas y del Orinoco. Rev. Americana 5.622-61, 6.25-84.
1912. Hallazgo de documentos acerca de la lengua Saliba. Anthropos 7.761-64.
1912. Fragmentos del Arte del Idioma Conivo, Setevo, Sipivo y Casivo o Comova, que hablan los indios así llamados, que residen a las márgenes del famoso río Paro alias Ucayali y de sus llamados tributarios Manoa, Coxibatay, Tisqui, Aguaytia y Pachitea. Anais da Bibl. Nac. do Rio de Janeiro 31.
1912. Linguística americana. Addenda i rectificaciones a la Bibliografía del Conde de la Viñaza. Rev. Arch. Bibl. y Mus. 61-71 y 470-500. Madrid.
1912. "Yñerre" o "Stammvater" dos indios Maynas, esboço ethnologico-linguistico. An. Bibl. Nac. do Rio de Janeiro 30.167-300.
1912. Die Bedeutung der Bezeichnung Njambiquára für südamerikanische Indianer. Petermanns Mitteil. 58.207.
1912. Zur Affinität der Tapuya-Indianer. Internat. Archiv für Ethnographie 21.78-98. Leiden.

1913. Discovery of a fragment of the printed copy of the work on the Millcayac language by Luis de Valdivia with bibliographical notice. Papers of the Peabody Mus. Amer. Archaeol. and Ethnol. 3.221-58.
1913. Paraguay native poetry. Journ. Amer. Folk-lore 26.338-50.
1913. Zur Affinität der Tapuya-Indianer des "Theatrum rerum naturalium Brasiliae". Intern. Archiv Ethnogr. 21.78-98.
1913. Zur sprachlichen Stellung der Millcayac-Indianer. Intern. Archiv Ethnogr. 21.177-88.
1916. Discovery of new materials of the Moseten idiom. Amer. Anthrop. 18.603-04.
1917. The only known words of the Charrua language of Rio de la Plata. 19 CIA, Washington 1917, 552-54.
1917/8. Contribution to the native poetry of Peru. Anthropos 12/3. 351-54.
1919/20. Zur sprachlichen Verwandtschaft der Maya-Qu'itsé mit der Carib-Aruác. Anthropos 14/5.465-91.
1919/20. Die Calchaquí-Frage. Anthropos 14/5.572-3.
1921. The linguistic and ethnographical position of the Ñambicuára Indians. Amer. Anthrop. 23.417-77.
1922. The ethnological and linguistic position of the Tacana Indians of Bolivia. Amer. Anthrop. 24.161-70.
1925. Apuntes para una bibliografía de las lenguas indígenas de la América del Sur. Rev. Hist. Lima 8.51-60.
1928. Las lenguas indígenas de Centro América, con especial referencia a los idiomas aborígenes de Costa Rica. San José de Costa Rica.
1930. A vanished language of a vanished Indian people. Ind. Notes 7. 312-20.
1930. Die Sprache der Mongoyó-Indianer im Staate Bahía (Nordost-Brasilien). IJAL 6.34-36.
1932. Wer war Monsieur Falcone, der Verfasser der kleinen Grammatik und des kleinen Wörterbuches des Araukano oder Maluče Anthropos 27.948-9.
1933. Ist das Wort mocha indianischer Herkunft? Anthropos 28.782-83.
1933. The language of the Tacana Indians (Bolivia). Anthropos 28.99-116, 463-84.
1936. Algunos impresos hoy muy raros sobre lenguas indígenas americanas. Anthropos 31.943-48.
ms. Contribución al estudio de la lengua de los indios Campa-Atzíri del Gran Pajonal y del Río Apurimac. Bibl. de la Tulane University.
v. Bibolotti; Magalli.

Schultz, Harold
1952. Vocabulario dos indios Umutina. JSA 41.81-137.
1955. Vocábulos Urukú e Digüt. JSA 44.81-97.

Schultz, Rev. Theodor
1850. The Acts of the Apostles transl. into the Arawak tongue. New York (1866 otra ed., Amer. Bible Soc.).
v. Brinton 1869.

Schumann,
1882. Arawakisch-Deutsches Wörterbuch. Apud Crévaux, Sagot & Adam. BLA 8. 69-165.
Schuster, Adolf N.
1929. Paraguay. Stuttgart.
Schwab, Federico
1943. Los textos Millcayac del P. Luis de Valdivia y la antigua Biblioteca de los jesuitas del Cuzco. Bol. Bibliogr. de la Biblioteca de la Univ. de San Marcos de Lima 16. 268-77.
Sebeok, Thomas A.
1951. Materials for an Aymara Dictionary. JSA 40. 89-151.
Seemann, Berthold
1853. The Aborigines of the Isthmus of Panama. Trans. of the Amer. Ethnological Soc. 3. 175-82. Nueva York.
Segers, Polidoro A.
1891. Tierra del Fuego. Hábitos y costumbres de los indios Aonas. BIGA 12. 78-81.
1891. Sobre la Tierra del Fuego. Lenguas Fueguinas. BIGA 12. 55-82.
Seitz, Dr. Johannes
1883. Über die Feuerländer.. Archiv für patol. Anat. und für klin. Medizin 91. 154-89, 346-9. Berlin.
Seixas, P. Manoel Justiniano de
1853. Vocabulario da lingua indigena geral para uso do Seminario Episcopal do Pará. Pará.
1875. Capítulo preliminar do Compendio da doutrina christãa do Padre ——, vigario de Andirá, prov. do Amazonas. Apud Sousa, Francisco Bernardino de: Comissão do Madeira, Pará e Amazonas, 2ª parte. Rio de Janeiro.
Seler, Eduard
1885. Notizen über die Sprache der Colorado con Ecuador. Ethnol. Abt. königl. Mus. 1. 44-56 (también en 1902. Gesammelte Abhandlungen zur amerikanischen Sprach und Aterthumskunde 1. 3-17. Berlin).
1902. Die Sprachen der Indianer von Esmeraldas, Gesammelte Abhandlungen 1. 49-64. Berlin.
1902. Die verwandten Sprachen der Cayapa und der Colorados von Ecuador. Gesammelte Abhandlungen 1. 18-48. Berlin.
Selva, Juan B.
1922. Voces de origen indígena. Rev. Univ. Buenos Aires. 19. 49-50.
Seraine, Florival
1938. Contribuição ao estudo da pronúncia Cearense. Anais do I Congresso da ling. nac. cantada. 437-84. São Paulo.
1951. Contribuição ao estudo da influência indígena no linguajar cearense. Rev. do Inst. de Ceará.
Serrano, Antonio
1936. Observaciones sobre el Kakán, el extinguido idioma de los Diaguitas. Bol. Acad. Arg. de Letras 4. 261-72.
1936. Etnografía de la antigua provincia del Uruguay. Paraná.
1936. Filiação linguistica Charrúa. Rev. Inst. Hist. e Geogr. Rio Grande do Sul 16. 103-08.
1939. Los Kaingangs de Rio Grande do Sul a mediados del siglo XIX

según un manuscrito inédito del Tte. Coronel Alfonso Mabilde. Rev. Inst. Antropol. 2.13-35.
1941. Clasificación de los aborígenes argentinos. Córdoba.
1944. El idioma de los Comechingones y Sanavironas. Bol. Acad. Arg. de Letras 13.375-87.
v. Morínigo M. A. 1936.

Serrano, P. José
1705. De la Diferencia entre lo temporal y eterno.... por el P. Juan E. Nieremberg de la Compañía de Jesús y traducido en lengua Guaraní por el P. ——. Impreso en las Doctrinas.

Serrano y Sanz, Manuel, v. Caballero, Lucas.

Seybold, Christianus Fredericus
editor y prologuista de Restivo 1892 y 1893.

Shedd, L. M. & Nida, E. A.
1952. A pedagogical grammar of the Quechua tongue. Cochabamba. Bolivian Indian Mission.

Shell, Olive A.
1950/57. Cashibo I: Phonemes IJAL 16.198-202. Cashibo II: Grammemic Analysis of transitive and intransitive verb patterns. IJAL 23.179-218.
1958. Grupos idiomáticos de la selva peruana. Lima. Inst. de Filología.

Siemiradski, Josef von
1898. Beiträge zur Ethnographie der südamericanischen Indianer. Mitteil. der anthropol. Gesellschaft in Wien 28.127-70.

Sifontes, Ernesto
1954. Voces indígenas: Mosures, Mosuros, Bosuros. Bol. indigenista venezolano 2.149. Caracas.

Sigifredo, P.
1942/5. Fünf Araukaner-Mythen. Anthropos 37/40.332-35.

Silva, Alvaro
s. f. Idioma falado pelos indios do posto indigena Guido Marlière-Krenák. (ms. en el Conselho nac. de prot. aos Indios. Rio de Janeiro).

Silva, J. F., v. Escalante & otros.

Silva Fuenzalida, Ismael
1951. Syntactical juncture in colloquial Chilean Spanish: the actor-action phrase. Language 27.34-7.

Silva Guimarães, José da
1844. Memoria sobre os usos, costumes e linguagem dos Apiacás e descobrimento de novas minas na provincia de Mato Grosso. RIHGB 6.297-300.

Silva Guimarães, João Joaquim da
1854. Dicionário da lingua geral dos Indios do Brasil; reimpresso e augmentado con diversos vocabulários e offerecido a Sua Magestade Imperial. Baía (es el Anónimo 1795 con adiciones de poco valor).

Silveira, Alvaro Astolpho da
1921. Memorias chorographicas. Bello Horizonte.

Silveira, Enzo da
1935. O Tupi. Rev. Arquiv. Mun. São Paulo 12.57-61.

Silveira Graco
1938. Alguns traços do dialeto Caipira e do sub-dialeto da Ribeira. Anais do primeiro Congresso da lingua nacional cantada. 503-10. São Paulo.

Simões da Silva, Antônio Carlos
1924. A tribu dos indios Crenaks (Botocudos do Rio Doce). 20 CIA. Rio de Janeiro 1922, 1. 61-84.
1930. A tribu Caingang (Indios Bugres-Botocudos). Rio de Janeiro.

Simon, F. A. A.
1887. Vokabular des Tucurá. ZE 19. 302.

Simón, Fray Pedro
1892. Noticias historiales. Bogotá.

Simpson, George Gaylord
1940. Los indios Kamarakotos: tribu caribe de la Guayana venezolana. Trad. del inglés por J. Villanueva-Ucalde. Revista de Fomento 3, nos. 22/5. Caracas.

Simson, Alfred
1879. Vocabulary of the Zaparo language. Journ. Anthrop. Inst. Gr. Brit. and Ireland 8. 223-26.
1886. Travels in the wilds of Ecuador, and the exploration of the Putumayo river. Londres.
1899. Voyage d'exploration d'un missionaire dominicain chez les tribus sauvages de l'Ecuateur. Paris.

Sisler de Insley, Jeanne Forrer
1957. Sambo, un cuento Piro. Folklore americano 5. Lima.

Skottsberg, Carl
1913. Observations on the natives of the Patagonian Channel Region. Amer. Anthrop. 15. 615.
1915. Some additional notes on the languages of the Patagonian Channels. Amer. Anthrop. 17. 411-13.

Smith, John
1948. Mamatomi Grammar, en Pittman, Dean 187-95.

Snethlage, Emil Heinrich
1931. Unter nordostbrasilianischen Indianern. ZE 62. 111-205.
1932. Chipaya- und Curuaya-Wörter. Aus dem literarischen Nachlass von Dr. Emilie Snethlage, hrsg. von Dr. ———. Anthropos 27. 65-93.
1932. Worte und Texte der Tembé-Indianer. RIET 2. 347-94.
1936. Nachrichten über die Pauserna-Guarayú, die Sirionó am Rio Baures und die S. Simonianos in der Nähe der Sierra S. Simón. ZE 67. 278-93.
1937. Atiko y, Meine Erlebnisse bei den Indianer des Guaporé. Berlín.
ms. Vokabulare von zwölf Sprachen aus dem Gebiete des Guaporé.
v. Baptista, Cyriaco.

Snethlage, Emilie
1910. Zur ethnographie der Chipaya und Curuahé. ZE 42. 612-37.
1913. Vocabulário comparativo dos Chipaya e Curuahé. Bol. do Mus. Goeldi 7. 93-99. Belem.
v. Snethlage, Emil Heinrich.

Socrates, Ed. Arturo
1892. Vocabulários indígenas. RIHGB 60. 87-96.
Sodivo, P. Luis
1904. Vocabulario de los Colorados. Apud González Suárez 43-49.
Solari, Benjamín T.
1928. Ensayo de filología. Breve vocabulario Español-Guaraní con las relaciones etimológicas del idioma americano. Buenos Aires.
Solari Yrigoyen, Hipólito
1956. Una visita a los indios de Tierra del Fuego. América Indígena 16. 303-8.
Solís, Felipe
1923. Obras franciscanas en Aymará. Manual del párroco aymarista. Comprende: Catecismo, nociones gramaticales, pláticas y cantos populares. La Paz.
1928. Pequeño manual católico Aymara-Castellano. La Paz.
Solís Moncada, José
1934. Catálogo de palabras indígenas, dialecto Chocó. Bol. Histórico del Valle 2. 334. Cali.
Soliz Rodríguez, Abdón
1926. Doctrina cristiana e instrucción cívica boliviana en Aymara y Quichua. La Paz.
Soria Lenz, Luis
1951. La poesía Aymara. Kollasuyo 10. 99-119. La Paz.
1954. Pequeño vocabulario Callawaya. Bol. de la Soc. Geogr. de La Paz 64. 32-5.
Soto Flores, Froilán
1953. Invención o fiesta de Cochabamba (Huancavelica). Rev. del Mus. Nac. 22. 157-78. Lima.
Sousa, Francisco Bernardino de
1875. Comissão do Madeira, Pará e Amazonas, 2ª parte. Rio de Janeiro. (con un vocab. Bonaris).
v. Seixas, P. Manuel Justiniano de.
Souza, Antonio Pyreneus de
1916. Os indios do Rio Telles Pires. Exploração do Rio Paranatinga ... Comissao das linhas telegráphicas estrategicas de Mato Grosso ao Amazonas. Publicação nº 34, Anexo 2. Rio de Janeiro.
1920. Notas sôbre os costumes dos indios Nhambiquaras. Rev. Mus. Paulista 12. 389-410.
Souza Villa Real, Tomaz de
1848. Viagem pelos rios Tocantins, Araguaya e Vermelho. RIHGB 4.
Speck, Frank G.
1924. Two Araucanian Texts. 21 CIA, La Haya 1924, 371-73.
1935. Mammoth or "stiff-legged bear". Amer. Anthrop. 37. 159-63.
Spegazzini, Carlos
ms. Vocabularios Ona, Yaghan y Alacaluf, Elementos de gramática del Yaghan arreglados a la fonología italiana. En el Museo Mitre de Buenos Aires. Del último da extractos el Catálogo 1.179-89.
1888. Apuntes filológicos sobre las lenguas de la Tierra del Fuego. ASCA 18. 33-

1923. Disquisiciones filológicas. Physis 7. 111-15.
Spilsbury, Rev. J. H. Gybbon
1880. Apunchis Yesus-Kiristup Santa Yoancama Ehuangeliun Quichua cayri Inca siminpi Quillkcasca. El Santo Evangelio... según San Juan traducido. Buenos Aires.
1897. Lenguas indígenas de Sud América. I. El Quichua. Gramática y Crestomatía, seguida de la traducción de un ms. inédito del drama titulado Ollantay. Buenos Aires.
Spix, J. B. von & Martius C. F. P. von
1828. Reise in Brasilien in den Jahren 1817 bis 1820. Munich.
1938. Viagem pelo Brasil. Rio de Janeiro (Traductora: Lucía Furquim Lahmeyer).
Squier, Ephraim George
1853. Observations on the archaeology and ethnology of Nicaragua. Trans. Amer. Eth. Soc. 3. 101-13.
1856. Apuntamientos sobre Centro-América, particularmente sobre los estados de Honduras y San Salvador, trad. del inglés por un hondureño [Leon Alvarado]. Paris. (Contiene un vocab. Lenca, dialectos Guajiquero, Opatoro, Inibucat y Similaton).
1858. The states of Central America; their geography, topography, climate, population, resources, production, commerce, political organization, aborigines etc. Nueva York-Londres.
1861. Monographs of authors who have written on the languages of Central America. Nueva York.
Staden, v. Sampaio 1930.
Stahel, Gerold
1944. Notes on the Arawak Indian names of plants in Surinam. Journ. of the New York Bot. Garden 45. 268-75.
Steere, J. B.
1903. Narrative of a visit to Indian tribes of the Purus River, Brasil. Ann. Rep. U. S. Nat. Mus. 1901. 359-93.
Stegelmann, Felix
1903. Die Indianer des Urubamba und des Envira. Globus 83. 135-37.
Stein, Guilherme, Jr.
1937. Origem Comun das linguas e das religiões. O Tupi. Donde veiu, sua lingua e a sua primitiva religiao. Tomo I, Novissimas e importantes revelaçoes em arqueologia e linguistica. São Paulo.
Steinen, Karl von
1882. Unter den Centralvölkern Brasiliens. Berlin.
1886. Durch Central-Brasilien. Leipzig (1942. trad. portuguesa. São Paulo).
1892. Die Bakaïri Sprache. Leipzig.
1894. Unter den Naturvölkern Zentral-Brasiliens. Berlin. (1897 re-ed.; 1940 trad. port.).
1895. Die Schamakoko-Indianer nach Guido Boggianis I Ciamacoco. Globus 67. 325-30.
1904. Diccionario Sipibo. Castellano-Deutsch-Sipibo. Apuntes de gramática Sipibo-Castellano. Abdruck der Handschrift eines Franziskaners, mit Beiträgen zur Kenntnis der Panostämmen am Ukayali. Berlín. (v. Schmidt, W. 1905).

1906. Der Verfasser der Handschrift Arte de la lengua de los indios Antis o Campas. 14 CIA, Stuttgart, 2.603-05. (v. Schuller 1907).

1912. Ein Manuskript: Arte de la lengua Zamuca. 17 CIA, Buenos Aires 1910, 192.

Steinthal, Heymann

1890. Das Verhältniss, das zwischen dem Keschua und Aymarâ besteht. 7 CIA Berlín, 1888, 462-64.

Sterbik, K. & Tovar A.

1960. Bibliografía general de trabajos realizados sobre antroponimia y toponimia de América del Sur. Onoma Lovaina.

Steward, Julian H., editor

1946/50. Handbook of South American Indians. Bureau of American ethnology, Bull. 143. Washington. 6 vol.

v. Mason.

Stieben, v. Rosas.

Stiglich, Germán

1908. La región peruana de los bosques. En: Colección de leyes... formada de orden suprema por el doctor Carlos Larrabure i Correa. 15.308-495. Lima.

Stoll, Otto

1884. Zur Ethnographie der Republik Guatemala. Zürich.

Stone, Doris

1947. Two songs and a legend in Boruca. IJAL 13.249-50.

Storni, Julio S.

1939. Hortus Guaranensis. Bol. Filol. 2.325-88, 621-42. Montevideo.

1939. Hortus Guaranensis. Toponimias, alimentos, elementos, Instituciones. Tucumán.

1940. Hortus Guaranensis. La Fauna. Mem. Jardín Zool. de La Plata 10.56-170.

1940. Nombres Guaraníes de tribus (interpretaciones y comentarios). Bol. de Filología 3.177-84. Montevideo.

1944. Hortus Guaranensis. Flora. Tucumán.

1948. Hortus Guaranensis. Generalidades. 2ª parte. Tucumán.

1952. Sugestiones sobre el sistema numeral Guaraní. Bol. de Filol. 6.267-71.

1954. Disidencias con Leopoldo Lugones sobre voces indígenas. Tucumán.

Stout, D. B.

1947. Ethno-linguistic observations on the San Blas Cuna. IJAL 13.9-12.

Stradelli, Ermano

1910. Pequenos vocabularios, grupo de linguas Tocanas. 3ª Reunião do Congresso Científico Latino-Americano 6.254-317. Rio de Janeiro.

Sundt, Roberto

1917/8. Bibliografía Araucana. Rev. de Bibliografía chilena y extranjera 5.300-15, 6.3-20, 87-101, 182-213, 269-86, 345-60, 401-18.

1929. Vocabulários da lingua geral Portuguêz-Nheêngatú-Portuguêz, precedidos de um esboço de Grammatica Nheênga-umbuê-sáua mirî e seguidos de contos em lingua geral Nheêngatû poranduua. RIHGB 158. 9-768.

Stresser-Péau, v. Rivet & Stresser-Péau.

Strömer, C. von

1932. Die Sprache der Mundurukû. Bibl. ling. Anthropos, Viena.

Strube, N. Erdman

1940. Acerca del estudio comparativo de lenguas americanas. Bol. de la Ac. Arg. de Letras 8. 437-9. Buenos Aires.

Stucken, Eduard

1927. Polynesisches Sprachgut in Amerika und in Sumer. Mitteil. der vorderasiatisch-ägyptischen Gesellschaft. 31. 2. Leipzig.

Studart, Jorge

1926. Ligeiras noções de lingua geral. Rev. Inst. Ceará 40. 26-38.

Suárez, P. Felipe S. J.

Gramática del idioma Chiquito, Vocabulario del dial. Penoqui, Doctrina cristiana en este dialecto.

Suárez, A. Humberto

1930. El idioma de los Inkas oficialmente debe escribirse Keswa y no Quechua. Evolución bibliográfica de este nombre. El Comercio 13 jul. 1930. Lima.

Suárez, Jorge A.

1959. The Phonemes of an Araucanian Dialect. IJAL 25. 177-81.

Suárez Caviglia, v. Rosas.

Suárez de Cepeda, Juan

1923. Relación de los indios Colimas de la Nueva Granada. An. Mus. Nac. Arqueol. Hist. Etnol. 4. 505-29. Bogotá.

Súsnik, Dra. Branislava J.

1954. Estudios Pampeanos. Sistema fónico y principios morfológicos del Chulupí. Asunción (mimeogr.).

Súsnik, Dr. Branka

1957. Estudios Chamacoco. Bol. de la Soc. Cient. del Paraguay y del Museo Dr. Andrés Barbero, vol. I. Asunción.

Susuarana

1923. Cântico a Nossa Senhora em lingua geral e em Português. O Missionario 3º ano, nº 5. Teffé.

Swadesh, Morris

1939. Sobre el alfabeto Quechua Aymará. Bol. Bibl. de Anthrop. Amer. 3. 14-15.

1954. Perspectives and Problems of Amerindian Comparative Linguistics. Linguistics Today, Columbia University (Word 10. 2/3) 306-32. Nueva York.

1955. Towards a satisfactory genetic classification of Amerindian languages. 31 CIA, São Paulo 1955. 1001-12.

1956. Conceptos geográfico-cronológicos de cultura y lengua. Estudios antropológicos publ. en homenaje al Dr. M. Gamio 672-86. México.

1956. Problems in long range comparison in Penutian. Language 32. 17-41.

1956. Some Limitations of Diffusional change in Vocabulary. American Anthropologist. 58. 301-6.

1958. Some new glottochronologic dates for Amerindian Linguistic Group. 32 CIA Copenhague 671-4.
1958. La lingüística de las regiones entre las civilizaciones mesoamericanas. 33 CIA, Costa Rica.
1959. Mapas de clasificación lingüística de México y las Américas. Univ. de México.
1959. The Mesh Principle in Comparative Linguistic. Anthropological Linguistics 1. 7-14. Univ. of Indiana.
v. Hanke, Swadesh & Rodrigues.

Sympson, Pedro Luiz
1877. Grammatica da lingua Brazilica geral fallada pelos aborigenes das provincias do Pará e Amazonas. Manaos.
1926. Gramática da língua Brasileira (Brasílica, Tupí ou Nheengatú) 3ª edición. Rio de Janeiro (1933. 4ª edic. Rio de Janeiro).

Tagliavini, Carlo
1928. Di alcuni manoscritti riguardanti la lingua Chiquita conservati in biblioteche italiane. 22 CIA, Roma 1926, 2. 533-38.

Talbet, P. Amaury
1926. A mistaken attribution in South American linguistics. Nature 117. 381. Londres.

Tapia, Fray Diego de
ca. 1693. Rezo cotidiano en el idioma Cumanagoto compuesto por el R. P. ——, que saca hoy a luz el P. Fray Pedro Cordero. ms. cit. en Viñaza.
1888. Confessionario más lato en lengua Cumanagota por —— publicado de nuevo por J. Platzmann, Algunas obras raras sobre la lengua Cumanagota, vol. 4. Leipzig.
1888. Confessionario más breve en lengua Cumanagota por —— publicado de nuevo por J. Platzmann. Algunas obras raras sobre la lengua Cumanagota, vol. 5. Leipzig.

Taradell, Fr. Martin de
1928. Vocabulario de Español a Caribe [con catequesis y gramática], reciuido oi 5 de Febrero de 1789. En: Anónimo 1928, Lenguas de América 213-305.

Tascón, Leonardo
1934. Quechuismos usados en Colombia. Edición hecha bajo la dirección de Tulio Enrique y Jorge H. Tascón. Bogotá.

Tastevin, Constant
1908. Préface à un dictionnaire de la langue Tapïhïya, dite Tupï ou Neẽngatu (Belle langue). Anthropos 3. 905-15.
1910. La langue Tapihiya dite Tupi. Denkschriften der kais. Akad. der Wissenschaften in Wien, vol. 2.
1919. Note sur quelques mots francais empruntés à la langue Tupi du Brésil, au Galibi de la Guyane et à l'Aruac des Antilles. Bull. et Mém. Soc. Anthrop. Paris, série 6, 10. 113-44.
1923. Les Makú du Japurá. JSA 15. 99-108.
1923. Gramática da língua Tupí. Rev. Mus. Paulista 8. 535-97, 1279-80.
1923. Vocabulário Tupi - Português. Rev. Mus. Paulista 8. 599-686, 1280-85.

1923. Nomes de plantas e animais em lingua Tupi. Rev. Mus. Paulista 8. 687-763, 1282-83, 1285.
1925. Les études ethnographiques et linguistiques du P. —— en Amazonie. JSA 16. 421-25.
1925. La légende de Böyusú en Amazonie. Texte Tupy ou Ñeẽngatu. Rev. Ethnogr. et Traditions Populaires 6. Paris.
1927. A lenda do Jabutí. Rev. Mus. Paulista 15. 385-427.
1928. Les indiens Katukina. L'Ethnographie 17/8. 130-32.
Cocama. - Witot, Karihona, Tanimuka, Kueretú et Kokâma. - Cambeua. - Petit vocabulaire Manajé et Tembé. mss. inéditos en la Bibl. de Rivet.
v. Rivet & Tastevin.

Taunay, Alfredo d'Escragnolle, Vizconde de
1868. Cenas de viagem. Exploraçao entre os rios Taquari e Aquidauana no distrito de Miranda. Rio de Janeiro.
1888. Os indios Caingangs, Coroados de Gurapuava. RIHGB 51. 251-311 (reed. Rev. Mus. Paulista 10. 569-628).
1875. Vocabulário da lingua Guaná ou Chané. RIHGB 38. 143-62.
—— v. Barcatta de Valfloriana 1928.

Tauste, Francisco de
1680. Arte, Bocabulario, Doctrina Cristiana y Catecismo de la lengua de Cumana. Madrid. (1888 en: Platzmann, Algunas obras raras de la lengua Cumanagota, 1. Leipzig).

Tavener, L. E.
1955. Notes on the Indians of Patagonia as made by W. Mogg in 1829. Man 55. 59-61.

Tavera Acosta, Bartolomé
1907. En el Sur (Dialectos indígenas de Venezuela). Ciudad Bolívar.
1921/2. Nuevos vocabularios de dialectos indígenas de Venezuela. JSA 13. 217-32, 14. 65-82.
1930. Venezuela precoloniana, contribución al estudio de las analogías míticas, idiomáticas y religiosas de los aborígenes venezolanos con los del continente asiático. Caracas.

Tavolini, Fr. Francisco
1856. La lengua Mocoví. (reed. RMLPlata 1. 71-112, 256-328, 2. 175-224, 425-60. v. Lafone Quevedo 1892, 1893).

Taylor, Douglas B. W.
1935. The Islands Caribs of Dominica. Amer. Anthrop. 37. 265-72.
1938. The Caribs of Dominica. Bureau Amer. Ethnol. Bull. 119-109-59 Washington.
1945. Certain Carib morphological influences on Créole. IJAL 11. 140-55.
1946. Loan Words in Dominican Island Carib. IJAL 12. 213-16
1948. Conversations and Letter from the Black Carib of British Honduras. IJAL 14. 99-107.
1951. Inflexional System of Island Carib. IJAL 17. 23-31.
1951. Sex gender in Central American Carib. IJAL 17. 102-04.
1951. Morphophonemics of Island Carib (Central American Dialect). IJAL 17. 224-34.
1951. The Black Carib of British Honduras. Viking Fund Publications in Anthropology 17.

1952. A note on the phoneme/r/ in Dominica Carib. Word 8. 224-26.
1952. Principal Grammatical formatives of Island Carib. IJAL 18. 150-65.
1952. Sameness and difference in two Island Carib Dialects. IJAL 18. 223-30.
1953. Note on the identification of some Island Carib Suffixes. IJAL 19. 195-200.
1953. Note on some Arawak - Carib lexical resemblances. IJAL 19. 316-7.
1954. Diachronic note on the Carib Contribution to Island-Carib. IJAL 20. 28-33.
1954. Note on the Arawakan affiliation of Taino. IJAL 20. 152-54.
1954. Note on the status of Amuesha. IJAL 20. 240-1.
1955. Phonic interference in Dominican Créole. Word 11. 45-52.
1955. A diachronic note on the consonant system of Island Carib. Word 11. 245-53, Additional note 420-23.
1955. On the etymology of some Arawakan words for three. IJAL 21. 185-87.
1955. Phonemes of the Hopkins (British Honduras) dialect of Island Carib. IJAL 21. 233-41.
1956. Languages and Ghost-languages of the West Indies. IJAL 21. 185-87.
1956. Spanish huracân and its congeners. IJAL 22. 275-6.
1956. Language contact in the West Indies: 1. A case of intimate borrowing, 2. On the classification of the Creolized languages. Word 12. 399-414.
1956/58. Island Carib, II. Word-classes, Affixes, Nouns and Verbs. IJAL 22. 1-44. III Locators and particles. IJAL 22. 138-50. IV. Syntactic notes, Texts. IJAL 24. 36-60. (La parte I es 1955. Phonemes of the Hopkins dialect).
1957. A note on some Arawakan words for man, etc. IJAL 23. 46-48.
1957. Spanish hamaca and its congeners. IJAL 23. 113-4.
1957. Languages and Ghost-languages of the West Indies: a Postscript. IJAL 23. 114-16.
1957. Spanish canoa and its congeners. IJAL 23. 242-44.
1957. Marriage, affinity and descent in two Arawakan tribes: a sociolinguistic note. IJAL 23. 248-90.
1957. On the Affiliation of "Island Carib". IJAL 23. 297-302.
1957. Ballyhoo. IJAL 23. 302-3.
1958. Compounds and comparison. IJAL 24. 77-79.
1958. Some problems of sound correspondence in Arawakan. IJAL 24. 234-39.
1958. The place of Island Carib within the Arawakan Family. IJAL 24. 153-56.
1958. Carib, Caliban, Cannibal. IJAL 24. 156-7.
1958. Iwana-Yuana "iguana". IJAL 24. 157.
1958. A case of reconstitution [Caribe]. IJAL 24. 323-4.
1958. Lines by a Black Carib. IJAL 24. 324-5.
1958. Corrigenda to Island Carib I-IV. IJAL 24. 325-6.
1959. On dialectal divergence in Island Carib. IJAL 25. 62-8.
1959. Morpheme mergers in Island Carib. IJAL 25. 190-5.

1959. A possible Arawak-Carib Blend. IJAL 25. 195-6.
Taylor, Douglas & Rouse, Irving
1955. Linguistic and archaeologic Time-Depth in the West Indies. IJAL 21. 105-15.
Tebboth, Thomas
1943. Diccionario Castellano-Toba. RIAT 3. 35-223.
Teixeira, José A.
1938. O falar Mineiro. Rev. Arq. Munic. São Paulo 45. 5-100.
Tejera, Emiliano
1946. Palabras indígenas de la Isla de Santo Domingo. Bol. de la Acad. Domin. de la Lengua 6, nº 20. 35-40, nº 22. 27-40. Ciudad Trujillo.
Tello, Julio César
1913. Arawak (fragmento de linguística indígena sudamericana). Lima.
1913. Algunas conexiones gramaticales de las lenguas Campa, Ipurina, Moxa, Baure, Amuesha, Goajira, del grupo de familia Arawak o Maipure. Lima.
1923. Folklore Andino [cuentos en Quechua y Aimara]. Inca 1. 421-31. Lima.
1931. Sistema fonético de las lenguas indígenas del Perú. Wirakocha 1. 4-8. Lima.
ms. inéd. Vocabulario de la lengua A'karo o Kauki.
Terán, Ignacio
1917. Algo acerca de la linguística boliviana. Proc. 2nd. Pan-American Sciences Congress. 1. 340-46. Washington.
Termeyer, P. Ramón de
Elementos gramaticales de la lengua Mocobí.(?)
Teschauer, P. Carlos
1906. A lingua Guaraní e o Ven. Pe. Roque Gonçalvez, ou Não comprehendiam bem os jesuitas a lingua indigena? Porto Alegre.
1914. Die Caingang oder Coroados-Indianer im brasilianischen Staate Rio Grande do Sul. Anthropos 9. 16-35.
1921. A língua Guaraní e o Ven. P. Roque Gonçalvez. Rev. Inst. Hist. Geogr. de Rio Grande do sul.
1927. Os Caingans ou Coroados no Rio Grande do Sul. Bol. Mus. Nac. Rio de Janeiro 3. 37-56.
1929. A lingua Tupí-Guaraní. Poranduba Riograndense. Pôrto Alegre.
Tessmann, Günter
1929. Die Tschama-Sprache. Anthropos 24. 241-72.
1930. Die Indianer Nordost-Perús. Hamburgo.
Teza, E.
1868. Saggi inediti di lingue Americane. Appunti bibliografici. Annali delle Università toscane, Scienze noologiche, 10. 117-43. Pisa.
Thévet, André, v. Métraux 1929.
Thiel, Bernardo Augusto
1882. Apuntes lexicográficos de las lenguas y dialectos de los indios de Costa Rica. I. Lengua y dialectos de los Talamancas o Biceitas, Bibri, Cabécar, Estrella, Chirripó, Tucurrique y Orosí. II. Lenguas de Terraba y Boruca. III. Lengua de los Guatusos. San José.

1886. Vocabularium der Sprachen der Boruca-, Terraba- und Guatuso-Indianer in Costa Rica. Archiv Anthropol. 16. 592-622.

Thomas, Cyrus & Swanton, John R.

1911. Indian languages of Mexico and Central America and their geographical distribution. Bur. Amer. Ethnol. Bull. nº 44. Washington.

Thompson, Robert Wallace

1956. Préstamos lingüísticos en tres idiomas trinitarios. Estudios Americanos nº 61. 249-54. Sevilla.

Tobón Betancourt, P. Julio

1946. Colombianismos y otras voces de uso general. Medellín [1953. 2ª ed. Bogotá, Academia Colombiana].

Tocantins, Antonio Manoel Gonçalvez

1877. Estudos sobre a tribu Mundurukú. RIHGB 40. 73-161.

Tola Mendoza, Fernando

1939. Análisis del Quechua a través de la gramática del Prof. Galante. Sphinx 3. 77-85.

Tolten, H.

1942. Boj o divočinu. Praga.

Tommasini, P. Fr. Gabriel

1933. Los indios Ocloyas y sus doctrineros en el siglo XVII. Rev. de la Univ. Nac. de Córdoba 20. 90-194.

Tompkins, B. A. v. Hunt, R. J. 1940.

Tonelli, Antonio

1926. Grammatica e glossario della lingua degli Ona-Selknâm della Terra del Fuoco. Contributi scientifici della missioni salesiane, vol. 3. Turin.

1927. La provenienza degli Indi Bororo orientali del Mato Grosso. 10 Congresso Geografico Italiano. Milano.

1928. Alcune osservazioni sulla sintassi della lingua degl'Indi Bororo-Orari del Mato Grosso (Brasile) 22 CIA, Roma 1926, 2. 569-85.

Toribio, J.

1901. Los indios Uros del Perú y Bolivia. Bol. Soc. Geogr. Lima 10. 445-89.

Toro, Fermín

ms. Ensayo gramatical sobre el idioma Goajiro (cit. en Rojas A.).

Torrano, P. Camilo de, v. Carcagente 1952.

Torres, Alberto María

1931. El estudio del Quichua entre los dominicos del Ecuador. El Oriente Dominicano 4. 41-50. Quito.

Torres, Luis María, v. Mitre 1909/10.

Torres Rubio, Diego de

1603. Gramática y vocabulario en lengua Quichua, Aymara y Española. Sevilla.

1616. Arte de la lengua Aymara. Lima.

1619. Arte de la lengua Quichua. Lima.

Torres Rubio, Diego & Figueredo, Juan de

1700. Arte de la lengua Quichua... Y nuevamente van añadidos los romances, el Cathecismo pequeño, todas las oraciones, los días de fiesta y ayunos de los indios, el vocabulario añadido y otro

vocabulario de la lengua Chinchaisuyo. Lima (1754 Arte y vocabulario de la lengua Quichua general de los indios del Perú. Lima).
v. Pardo, L. A.

Toscano, Humberto
1953. El español en el Ecuador. Madrid.

Touchaux, Mauricio
1908. Apuntes sobre la gramática y el diccionario del idioma Campa o lengua de los Antis tal como se usa en el Rio Apurimac. Rev. Hist. Lima. 3.131-64.
1910. Curso práctico de Quechua. T. I: Dialecto de Ayacucho. T. II: Dialecto del norte: Ancash, Junín y Huánuco. Lima.

Tovar, Antonio
1949. Semántica y etimología en el Guaraní. Bol. Inst. Caro y Cuervo 5.41-51. Bogotá.
1950. Ensayo de caracterización de la lengua Guaraní. Anales del Instituto de Ling. 4.114-26. Mendoza.
1951. Un capítulo de lingüística general. Los prefijos posesivos en lenguas del Chaco y la lucha entre préstamos morfológicos en un espacio dado. Bol. Acad. Arg. de Letras. 20.360-403.
1959. Español, lenguas generales, lenguas tribales. Homenaje a Dámaso Alonso. Madrid.
1959. Esquisse d'une typologie des langues sudaméricaines.
v. Sterbik.

Townsend, William C.
1950. The Romantic Aspect of Linguistic Investigation. BI 10.177-85.
1956. El método psicofonémico de alfabetización como se usa en las escuelas bilingües del Ministerio de Educación Pública del Perú. Estudios antropológicos en homenaje al Dr. Manuel Gamio 687-92. México.

Trager, George L.
1945. Analysis of a Kechuan text. IJAL 11.86-96.
1948. The Indian languages of Brazil. IJAL 14.43-48.

Trança, Leite
1882. Vocabulario dos Botocudos do Aldeamento de Mutum. Revista da Exposiçao Antropologica Brasileira 19-20. Rio de Janeiro.

Triana, Miguel
1907. Por el sur de Colombia. París.

Trimborn, Hermann
1938. Francisco de Avila: Dämonen und Zauber im Inkareich. Leipzig.
1939. El manuscrito Quichua inédito de Francisco de Avila. 27 CIA Lima y México 1939, 1 México.
1953. Ante una nueva edición del manuscrito Quechua de Francisco de Avila. Letras 49.233-9. Lima.

Trombetti, Alfredo
1925. La lingua dei Bororos-Orarimugudoge secondo i materiali pubblicati dalle missioni salesiane. Studio comparativo. Contributi scientifici delle missioni salesiane del ven. Don Bosco. Turín.

1928. Origine asiatica delle lingue e populazioni americane. 22 CIA Roma 1926, 1. 169-246.
Lingue indigene. Enciclopedia Italiana, s. u. America, 920-32.

Trömel, Paul
1861. Bibliothèque Américaine. Catalogue raisonné d'une collection de livres précieux sur l'Amérique... jusqu'à l'an 1700. Leipzig.

Trübner
1882. Catalogue of Dictionaries and Grammars of the principal languages and dialects of the word, 2ª ed. Londres.

Tschopik, Harry, Jr.
1948. Aymara Texts: Lupaca dialect. IJAL 14. 108-14.

Tschudi, Johann Jakob von
1853. Die Kechua-Sprache. Sprache, Sprachproben, Wörterbuch. 3 vol. Viena.
1866/9. Reisen durch Südamerika. Leipzig. 5 vol.
1884. Der Organismus der Khetsua-Sprache. Leipzig.
1891. Culturhistorische und sprachliche Beiträge zur Kenntniss des alten Peru. Denkschriften der Akad. Wiss. Wien, Philos.-hist. Klasse 39. 1-220.
1918. Contribuciones a la historia, civilización y lingüística del Perú antiguo, trad. de G. Torres Calderón. 2 vol. Lima.

Tulcán, Fr. Ildefonso de
1934. Ensayo de Gramática del Inga y del Napeño (dialectos colombianos de la familia Kičua). Bol. Est. Hist. Pasto 5. 326-33.
1934. Apuntes para el folk-lore de los indios Mocoa (capital del Putumayo): algo de las costumbres de aves e interpretación de los nombres que les ponen estos indios de habla Inga (dialecto del Quichua). Notas de Marcelino de Castellví. Bol. Est. Hist. Pasto 5. 379-83.
inéd. ms. Ensayo gramatical y vocabulario del Cofán. En el Centro de Investig. Las Casas, Colombia.

Tupi, Zacarías, v. Nimuendajú 1924.

Turner, Glen D.
1958. Alternative Phonemicizing in Jivaro. IJAL 24. 87-94.

Ugalde Ugarte, Diego
ms. Noticia de la cátedra de la lengua general de los indios de este reino. Noticias de la cátedra de lengua Mosca o Chibcha que hubo en la ciudad de Santa Fe de Bogotá... de sus cathedráticos y progresos en el tiempo que duró (dos ms., de 7 y 6 hojas, que cita S. E. Ortiz 1958 en la biblioteca de D. Rafael Ramírez de Arellano, en Córdoba, España).

Ugarte, Miguel Angel
1942. Arequipeñismos. Arequipa.

Uhle, Max
1890. Verwandtschaften und Wanderungen der Tschibtscha. 7 CIA, Berlín 1888, 466-89.
1896. Über die Sprache der Uros in Bolivia. Globus 69. 19.
1919. Fundamentos étnicos de la región de Arica y Tacna. Bol. Soc. Ecuat. de Est. Hist. Amer. 2. 1-37.

Uldall, Elizabeth
1949. Un texto en guaraní. Le Maître phonétique 91. 3.

1954. Guaraní Sound System. IJAL 20. 341-2.
Ulloa, Antonio de
1772. Noticias Americanas: Entretenimientos phisico-históricos sobre la América Meridional y la Septentrional Oriental. Territorios, climas, producciones, vegetales, animales, minerales. De los indios naturales de aquellos países, sus costumbres y usos. Sobre la lengua y sobre el modo en que pasaron los primeros pobladores. Madrid (1792. Nueva ed. Madrid).
Uriarte, P. Manuel Joaquín, S. J.
Doctrina cristiana en la lengua Napo. Vocabulario en la misma lengua. ms. cit. por Viñaza.
Arte de la lengua Kiriri. ms. cit. por Viñaza.
Uribe, José Vicente
1883. Gramática y vocabulario de la lengua que hablan los indios Darienes. 4 CIA, Madrid 1881, 2. 296-309.
Uribe Uribe, Rafael
1886. Diccionario de galicismos, provincialismos y correcciones del lenguaje. Bogotá.
Uricoechea, Ezequiel
1848. Diccionario y gramática de la lengua Mosca-Chibcha, sin nombre del autor. París.
1854. Memoria sobre antigüedades neogranadinas. Berlín.
1863. Vocabulario del idioma Tama, de Jiramena, orillas del Meta. ms. cit. en Rojas, A.
1871. Gramática, Vocabulario, catecismo y confesionario de la lengua Chibcha, según antiguos manuscritos anónimos e inéditos, aumentados y corregidos por ——. París. BLA 1.
v. Castillo y Orozco; Celedón, R.
Urioste & Herrero, S. J.
1955. Gramática y vocabulario de la lengua Quechua. La Paz-Cochabamba.
Urrechaga, R. M.
Observaciones sobre la lengua de los Timotes. ms. cit. por Rojas A.
Urteaga, Esteban de
1895. Nociones elementales del idioma Goagiro con su correspondiente vocabulario. Roma.
Vacas-Galindo, Fray Enrique
1891. Catón en la lengua Jíbara para la misión de Macas. Riobamba 1891.
1895. Nankijukima. Ambato, Ecuador.
1903. Doctrina cristiana en lengua Jíbara. Lima.
Vaïse, Emilio; Hoyos, Félix S. & Echeverría Reyes, Aníbal
1895. Glosario de la lengua Atacameña. An. Univ. Chile 91. 39-56.
Valcárcel, Luis E.
1933. Algunas raíces Keswas. Rev. Mus. Nac. Lima 2. 9-18.
1942. Noticia sobre un nuevo texto Quechua del "Usca Pancar". 27 CIA, Lima, 2. 79-80.
1951. Teaching in Indian languages in Central and South-America. Meeting for Experts, Unesco, París, cf. BI 12. 93-102.
v. Harrington, J. P. & Valcárcel.

Valdivia, Luis de
1606. Arte y gramática general de la lengua que corre en todo el Reyno de Chile con un vocabulario y confessionario, juntamente con la Doctrina Christiana y Cathecismo del Concilio de Lima en Español y dos traducciones dél en lengua de Chile. Lima (1887. reed. facsímil de J. Platzmann, Leipzig).
1607. Doctrina Christiana y catecismo de la lengua Millcayac. Lima (conocido antes sólo en unas pocas hojas, v. Medina, J. T. 1918; Márquez Miranda 1943; Canals Frau; Schuller 1913).
Márquez Miranda encontró en Cuzco un ejemplar completo de esta Doctrina, a la que siguen en el mismo volumen: Confessionario breve en la lengua Millcayac; Arte y gramática en dos lenguas de indios, Millcayac y Allentiac... con Cathecismos y Confessionarios y dos breves vocabularios en ambas lenguas; Vocabulario breve en lengua Millcayac.
1607. Doctrina Christiana y catecismo en la lengua Allentiac, que corre en la ciudad de San Iuan de la Frontera, con un confessionario, arte y bocabulario breues. Lima. (1894 reimpr. por J. T. Medina, Sevilla; 1940 reproducción en AIEA 1.19-94).
1621. Sermón en la lengua de Chile. Valladolid.
1897. Nueve sermones en lengua de Chile... Reimpresos del único ejemplar conocido y precedidos de una bibliografía de la misma lengua por José Toribio Medina. Santiago.

Vale Cabral, Alfredo do
1880. Bibliografía da lengua Tupi ou Guaraní tambem chamada língua geral do Brasil. Anais da Bibl. Nac. do Rio de Janeiro 8.143-214.

Valente, P. Cristovão
1686. Poemas Brasílicos, en Araujo, P. Antonio de.
v. Ayrosa 1941; Denis 1850.

Valera, Fr. Blas
ms. Vocabulario Quechua. Perdido.
v. Anónimos 1584, 1586.

Valverde T., Aurelio
1936. El idioma Quechua y sus dialectos. Lima.

Valera, Juan, v. Granada, Daniel.

Vallejo E., José
1910. Vocabulario Baudó. Idearium 1.259 (reimpreso el mismo año, Revista de Colombia 5.134. Bogotá).

Vara Cadillo, N. Saturnino
1931. Diccionario analítico de un dialecto del Chinchaysuyu (fragmentos). Rev. Hist. Lima 9.227-90.
v. Anónimo 1919, Barranca, J. S. 1919.

Varaix, P. Francisco, v. Dadey.

Vargas, José M., v. Santo Thomás 1947.

Vargas, Fr. Martin
1948. Notas sobre los indios Cuaiqueres del sur de Colombia. Trabajos del Inst. Bernardino de Sahagún 6.117-25. Madrid.

Vargas Ugarte, Rubén
1946. Glosario de Peruanismos. Universidad Católica del Perú 14. 151-79. Lima.

Varnhagen, A., v. Mitre 1896, Portoseguro.

Vater, J. S., v. Adelung J. Chr.

Vázquez, Honorato

1921/4. El Quichua en nuestro lenguaje popular. Rev. Centro de Est. Hist. Geogr. Cuenca 1.275-79, 370-74, 2.89-96.

Vega, P. Gabriel de, S. J.

ms. Gramática de la lengua de Chile.

Veigl, Franz Xaver

1785. Nachricht von den Sprachen der Völker am Orinocoflusse. Aus dem Saggio di storia americana des herrn Abate Gilij ins Deutsche übersetzt mit einigen Verbesserungen. En: Murr, Christoph Gottlieb von, Reisen einiger Missionarien der Gesellschaft Jesu in Amerika 325-450. Nürnberg.

Velasco, Presb. don Juan de

1787. Vocabulario de la lengua Peruana-Quitense. ms.

Velazco Aragón, Luis

1923. El Ollantay y la literatura de los Incas. Verbum año 17, nº 62. Buenos Aires.

Velázquez, P.

1624. Diccionario Guaraní.(?)

Velázquez, Roberto L.

1916. Vocabulario de los indios Chamíes. Bol. Soc. Cienc. Nat. Inst. La Salle 4.147-50. Bogotá.

Veloso, Fr. José M. da Conceição, v. Anónimo 1795.

Vellard, Jean Albert

1935. Les indiens Guayakí. JSA 28.175-244.

1937. Textes Mbwihá recueillis au Paraguay. JSA 29.373-86.

1949/50. Contribution à l'étude des Indiens Uru ou Kot'suñs. I: Récits et conversations. II: Anthropologie. Travaux de l'Institut Français d'Etudes Andines 1.145-209. III: Vocabulaire. Ibid. 2. 55-88.

ms. inéd. Vocabulaire Ñambicuara.

ms. inéd. Vocabulaires assez complets de deux tribus: Karaja et Kayapo.

Vellard, J. & Osuna, T.

1934. Remarque sur le dialecte des Mbwihá. 25 CIA, La Plata, 2.239-63. Buenos Aires.

Vera, Florencio

1903. Diccionario gramatical Guaraní-Español. Asunción.

Vergara Martín, Gabriel María

1922. Diccionario etnográfico americano. Madrid.

Vergara & Delgado, v. Anónimo 1855.

Veríssimo, José

1878. Vocabulário das palavras de origem Tupí usadas pelas raças cruzadas do Pará. En el libro: Primeiras páginas. Viagens no sertão. Quadros paranaenses. Estudos. Belém.

1881. A religião dos Tupi-Guaranis. Rev. Brasileira 9.69-88. Rio de Janeiro.

Verwoort, P. Walter

1932. Über Geisterglaube und Totengebräuche der Chulupi-Indianer im bolivianischen Chaco. Anthropos 27.279-83.

Verneau, R. & Rivet, Paul
1912/22. Ethnographie ancienne de l'Ecuateur. Paris. 2 vol. (Mission du service géographique équatorial en Amérique du Sud sous le contrôle scientifique de l'Académie des Sciences, 1899/1906, vol. 6).

Vianna, Urbino
1928. Ligeiras notas para a gramática Akuen. RIHGB 101, 49-95.

Vicente
1875. Carta escripta em lingua geral pelo tuchana —, apud Sousa, F. B. de, 1875.

Victorica, Ricardo
1934. Errores y omisiones de una seudobibliografía Guaraní. Buenos Aires.

Vidal, Ademar
1938. O subdialecto do nordeste. Anais do I Congresso da ling. nac. cantada 283-94. São Paulo.

Vidal, Flaminio
1944. La civilización Guaraní. Tapietés y Guayakies. Bol. Acad. Correntina del idioma Guaraní 1. 55-60.

Vidal Martínez, Leopoldo
1947. Poesía de los Incas. Lima, Empresa editora Amauta.

Viedma, Antonio de
1781. Catálogo de algunas voces que ha sido posible oir y entender a los indios patagones. En Angelis 1837, 6. 15-17.

Veiria, Gastão
1938. Subsídio para o estudo da leng. nac. no Pará. Anais do I Congresso da ling. nac. cantada 497-502. São Paulo.

Viescas, Marcos
s. a. Vocabulario inédito de la lengua Inca. Cit. por Jijón y Caamaño.

Vignati, Milcíades Alejo
1939. Los indios Poyas. Contribución al conocimiento etnográfico de los antiguos habitantes de Patagonia. Notas del Museo de La Plata 4. 211-44.
1940. El catecismo Güenoa del Abate Hervás. Notas del Museo de La Plata 5, nº 18.
1941. Glosario Yámana de fines del siglo XVIII. Bol. Acad. Arg. de Letras 8. 637-63.
1941. Materiales para la linguística patagona. El vocabulario de Elizalde. Bol. Acad. Arg. de Letras 8. 159-202.
1946. Los "escritos" del Tte. Coronel Barbará. Notas del Museo de La Plata 11. nº 34.

Vilches Burgos, Ernesto Hilario
1956. Sumac Orcko. Khana 19/20. 262-3. La Paz.

Villamil de Rada, Emeterio
1888. La lengua de Adán y el hombre de Tiahuanaco. Resumen de estas obras. Con una introducción del doctor Nicolás Acosta. La Paz.

Villamor, Germán G.
1940. Compendio de la gramática Kechua y Aymara. La Paz (1942. 2ª ed.).
1940. Moderno vocabulario del Kechua y del Aymara y su correspon-

dencia en Castellano. Sueños, mitos, creencias y supersticiones. Conversaciones en ambos idiomas y su traducción al Castellano. La Paz.
Villanueva-Ucalde, J., v. Simpson.
Villar, Leonardo
1887. Lexicología Keshua: Uiracocha. Lima.
1890. Linguística Nacional. Estudios sobre la Keshua. Lima.
1896. Lenguas indígenas coexistentes con la gran Keshua. Bol. Soc. Geogr. Lima. 5. 317-50.
Villarreal, Federico
1921. La lengua Yunga o Mochica según el arte publicado en Lima en 1644 por el lic. don Fernando de la Carrera. Lima.
Villeroy, A. Ximeno de
1891. Apontamentos sôbre a linguagem do indio Coroado-Bororo. Rev. da Soc. de Geogr. fasc. 2. Rio de Janeiro.
Vinken, M. Aurelius, v. Ahlbrinck, W.
Vinson, Jules
1884. Sobre los antiguos autores de artes de lenguas indígenas. 4 CIA Madrid 1881, 2. 201-6.
Viñaza, Cipriano Muñoz y Manzano, Conde de la
1892. Bibliografía española de las lenguas indígenas de América. Madrid.
v. Schuller 1912.
Viso, Jacinto del
1933. La conquista del desierto. Rev. de la Univ. Nac. de Córdoba 20. 3-66.
Viudes, P. Manuel
1841. Arte de la lengua Guaraya o Chiriguana, por el Rev. —— franciscano. ms. en la Biblioteca del Museo Mitre de Buenos Aires.
Vivanco, Julián
1953. Las raíces de la linguística indígena de Cuba. La Habana.
1956. Diccionario americanista (De antropo, fito, zoo y toponimias indígenas). 2 vol. La Habana.
Veegelin, C. F.
1957. Six statements for a Phonemic Inventory. IJAL 23. 78-84.
1957. Linear Phonemes and Additive Components. Word 12.
1958. Linguistic perimeters in Latin America. Misc. Paul Rivet 1. 197-212. México.
Vogt, P. F.
1902/3. Material sur Ethnographie und Sprache der Guayakí-Indianer. ZE 34. 30-45, 35. 849-74.
1904. Die Indianer am oberen Paraná. Mitteil. Anthrop. Gesell. Wien 34. 200-21, 353-77.
Vraz, E. St., v. Loukotka 1943.
Wagley, Charles & Galvão, Eduardo
1946. O parentesco Tupi-Guarani. Bol. do Mus. Nac. n. s. Antropol. nº 6. Rio de Janeiro.
1949. The Tenetehara Indians of Brazil. Columbia Univ. Contrib. to Anthropol. nº 35. Nueva York.
Walter, P. A.
1937. Wortlisten. San Antonio 15. 80 ss. Bahia.

Wallace, Alfred Russell
1853. A narrative of travels on the Amazon and Rio Negro. Londres-Nueva York. (1889 reed.).
v. Latham.

Wassén, Henry
1933. Cuentos de los indios Chocós recogidos por Erland Nordenskiöld durante su expedición al Istmo de Panamá en 1927 y publicados con notas y observaciones comparativas. JSA 25.103-37.
1934. Mitos y cuentos de los indios Cunas. JSA 26.1-35.
1934. Världsträdsmotive i några indianska myter. Ymer 249-53. Estocolmo.
1934. The frog-motive among the South American Indians. Anthropos 29.319-70.
1934. The frog in Indian mythology and imaginative world. Anthropos 29.613-58.
1935. Notes on southern groups of Chocó Indians in Colombia. Etnologiska Studier 1.35-182.
1937. Some Cuna Indian animal stories, with original texts. Etnol. Stud. 4.12-34.
1938. Original documents from the Cuna Indians of San Blas, Panama. Etnol. Stud. 6.1-178. v. también Nordenskiöld 1938.
v. Nordenskiöld 1932; Holmer, Nils M.

Waurin, R. de, v. Rivet & Waurin.

Wechsler, T.
1917. Ollantay. Drama kjechua en verso, de autor desconocido. Reseña de Mossi, M. A. 1916. Rev. Univ. Buenos Aires 37.397-405.

Weddell, H. A.
1853. Voyage dans le nord de la Bolivie et dans les parties voisines du Pérou. Paris.

Wegner, Richard Nikolaus von
1934. Die Qurungu'a und Siriono. 24 CIA, Hamburgo 1930, 161-84.
1934. Bemerkungen zu dem Artikel von P. Anselm Schermair Kurze Mitteil. über die Siriono-Indianer. Anthropos 29.814-17.
1934. Indianer-Rassen und vergangene Kulturen, Betrachtungen zur Volksentwicklung auf einer Forschungsreise durch Süd- und Mittelamerika. Stuttgart.
ms. inéd. Vokabulare der Siriono-Dialekte und der Chimane-Sprache.

Whiffen, Th.
1915. The Northwest Amazons. Londres.

White, Robert Blake
1884. Notes on the central provinces of Colombia. Journal of the R. Geogr. Society. 13.251-4. Londres.

White Uribe, H. E.
1944. El dialecto indígena de Urabá. Univ. Catól. Bolivariana. 11. 144-47.

Whiteside, Arturo
1912. Memoria sobre los trabajos hidrográficos efectuados en los canales Mayne y Gray por el crucero Presidente Pinto. Anuario hidrogr. de la Marina de Chile 27.18-20.

Wied-Neuwied, Fürst Maximilian
1820/1. Reise nach Brasilien in den Jahren 1815 bis 1817. Francfort del Main. 2 vol. (1822. traducción: Voyage au Brésil dans les années 1814-17. París).
Wiener, Charles, v. Anónimo 1880.
Wilbert, Johannes
1957. Índice de tribus sudamericanas. Antropologica (Soc. de Cienc. Nat. La Salle) 2.1-25. Caracas.
1957. El sistema de parentesco de los Cariña. Antropológica (Soc. de Cienc. Nat. La Salle) 3.53-61. Caracas.
Wilczynski, Gustavus
1887. Wörterverzeichnisse der Cayapá und der Quichua. ZE 19.597-9.
1888. Contribution towards a vocabulary of the Cayapas. Journ. Royal Anthrop. Instit. 18.
Williams, James
1924. The Arawak Indians and their language. 21 CIA, La Haya, 1. 355-70.
1928/9. The Warau Indians of Guiana and Vocabulary of their Language. JSA 20.193-252, 21.201-61.
1932. Grammar, notes and vocabulary of the language of the Makuchi Indians of Guiana. Linguistische Anthropos Bibliothek 8. St. Gabriel-Modling.
Winans, Rogelio S.
1947. Fonética del Aguaruna (Método Awajun). Rev. del Mus. Nac. 16.123-64. Lima.
Wise, Mary Ruth
1958. Diverse points of articulation of allophones in Amuesha (Arawak). Miscellanea Phonetica 3.15-21.
Wise, Mary Ruth & Duff, Martha
1958. Vocabulario breve del idioma Amuesha. Tradición 8, nº 21. Cuzco.
Wolf, Teodoro
1872. Geografía y geología del Ecuador. Leipzig.
1879. Viajes científicos por la república del Ecuador. Guayaquil.
Wolfe, G.
1924. Language and religious customs of Yaghan Indians. The South Pacific Mail, Sept. 1924.30. Valparaíso.
Wonderly, Williams L.
1952. Semantic components in Kechua person morphemes. Language 28.366-76.
Woodward
1917. Apunchic Jesucristopac Evangelio San Lucascama [Quechua ecuatoriano]. Nueva York.
X
1902. Los salvajes de San Gabán. Bol. de la Soc. Geogr. Lima. 11. 353-6.
Xeres, Sebastião Moacyr
1946. Pequeno vocabulário dos dialetos Macurape, Mondé e Caritiana. Manaus.

Ximenez, Fr. F.
ms. Arte de la lengua Caribe, llevado por A. von Humboldt a su hermano Wilhelm. En la Staatsbibl. de Berlín.

Yanguas, Manuel de
1683. Principios y reglas de la lengua Cumanagota. 1888. Reed. por J. Platzmann, Algunas obras raras sobre la lengua Cumanagota 2. 1-220. Leipzig.

Yapuguay, Nicolás
1724. Explicación de el Cathecismo en lengua Guaraní por —— con dirección del P. Paulo Restivo. En el Pueblo de Santa María la Mayor.
1727. Sermones y exemplos en lengua Guaraní por ___ con dirección de un religioso de la Compañía de Jesús (1953. edición facsimilar. Buenos Aires).
1876. História da Paixão de Chirsto e taboa dos parentescos em lingua Tupí. Viena.
1951. Tábua dos graos de parentesco em Guaraní. Revista e annotada por C. Drummond. Univ. de São Paulo. Faculdade de Filosofía, Ciências e Letras, Bol. 123.

Yokoyama, Masako
1951. Outline of Kechua Structure, I. Morphology. Language 27. 38-67.

Young, Robert W. & Harrington, John P.
1944. Earliest Navajo and Quechua. Acta Americana 2. 315-19. México-Los Angeles.

Zapata de Cárdenas, Fr. Luis, Arzobispo de Bogotá
Catecismo en lengua Muisca.

Zapata Gollán, Agustín
1946. Nomenclatura Mocobí de animales y plantas. Bol. del Dep. de Estudios Indígenas y coloniales 1. 51-62. Santa Fé.
1948. Vocabulario Mocobí relacionado con el cuerpo humano y su fisiología. Bol. del Dep. de estudios etnográficos y coloniales. 3. 15-23. Santa Fé.

Zavala, Miguel J.
1895. Vocabulario de la lengua Campa. En Capelo, Joaquín, La vía central del Perú, 2. 155-64. Lima.
v. Onffroy de Thoron.

Zayas y Alfonso, Alfredo
1914. Lexicografía antillana; diccionario de voces usadas por los aborígenes de las Antillas mayores y de algunas menores y consideraciones acerca de su significado y de su formación. La Habana. (1931, 2ª ed. La Habana 2 vol.).

Zeballos, Estanislao S.
1915. Lengua fueguina Shelknam. Rev. de Derecho, Hist., Letr. 51. 288-89.
1922. El idioma japonés y sus afinidades con lenguas americanas. Rev. Derecho, Hist., Letr. 73. 119-21.
1922. Consultas. Etimologías Araucanas. Rev. Der. Hist. Letras 73. 770-71.
v. Beauvoir & Zeballos.

Zeiuela (i. e. Cejuela), Roque de

1596. ms. Catecismo de la lengua Yunga o Quichua y Española.
Zeledón, P. P.
1918. Los aborígenes de Costa Rica. San José de Costa Rica.
Zervino, Luis G. & Sotelo, Juan R.
1944. Primer curso de idioma Guaraní. Bol. Acad. Corr. del Idioma Guaraní. 1. 85-105.
Zevallos Quiñones, Jorge
1939. Toponimia prehispánica en los tiempos Yungas. 27 CIA, Lima y México 1939, 2. Lima.
1946. Un diccionario Yunga. Rev. Mus. Nac. Lima. 15. 164-88.
1948. Primitivas lenguas de la Costa. Rev. Mus. Nac. Lima 17. 114-19.
1948. Los gramáticos de la lengua Yunga. Lima.
Zidek, H.
1894. Dictionary of the English and Miskito languages. Herrnhut.
Zoni, César P.
1952. La conjunción castellana en el texto Guaraní. Bol. de Filol. 6. 74-83. Montevideo.

# ÍNDICE ALFABÉTICO

## INDICE ALFABÉTICO DE LENGUAS, DIALECTOS Y TRIBUS

En el texto de nuestro libro, y en la transcripción de nombres de idiomas y dialectos, no hemos podido ser muy consecuentes, por cuanto es imposible reducir a grafía uniforme materiales tan diversos y conocidos en una bibliografía variada y en diversas lenguas. Todo colector de material ha solido hasta ahora utilizar la ortografía usual en su lengua, e incluso ha "oído" con el sistema fonético de su lengua nativa. Hemos, pues, reproducido muchas veces los nombres tal como corren en la bibliografía científica, y otras los tomamos de la tradición secular de las lenguas española y portuguesa.

Anotaremos sin embargo algunos signos fonéticos que hemos usado con cierta consecuencia: las vocales ɨ (central alta, como la sexta vocal del Guaraní o el jery ruso), ə vocal breve, central media; los fricativas š (palatal sorda, como la ch francesa o portuguesa o sh inglesa), ž (palatal sonora, como la j francesa o portuguesa); las africadas č (nuestra ch) y ts (que a veces escribimos c y más a menudo, como en la ortografía del español antiguo, ç; con el signo ? designamos una oclusiva glotal, como la que se pronuncia en alemán delante de vocal inicial de palabra; detrás de una consonante este signo (o a veces ') indica que aquélla es recursiva o glotalizada (eyectiva), como existen en Quechua por ejemplo; con ł indicamos la ł sorda, que se da en muchas lenguas americanas y que en la grafía tradicional se suele escribir tl. Una tilde sobre las vocales como la de nuestra ñ indica la nasalización de la vocal, conforme se hace en la ortografía portuguesa.

En la grafía de nombres de lenguas y tribus unas veces dependemos de nuestras fuentes de información, otras seguimos la escritura tradicional, principalmente en las lenguas oficiales de los países americanos (español y portugués). Ello a veces puede hacer dudar al lector sobre el valor de la grafía con ch (africada en español, fricativa en portugués, como en francés), o de x (que corresponde en la ortografía del español del siglo XVI a la ch portuguesa o francesa, como ocurre todavía en la grafía del vasco o del catalán o gallego, pero que los fonéticos modernos suelen usar con el valor de la fricativa velar que es nuestra j). En los ejemplos que damos de lenguas americanas nos servimos de la ortografía usual en Quechua, Guaraní, etc., que es una especie de transacción entre la ortografía tradicional a base de la española y la fonética moderna.

El lector, para consultar en este índice, tendrá en cuenta las vacilaciones entre la grafía con ch y č (si se trata de la ch española) y x o š o sh (si de la ch portuguesa). Igualmente un nombre en el que exista la consonante w podrá estar también escrito por ejemplo wa, gua, hua, ua. La c ante a, o, u es en general equivalente a k, según costumbre en las lenguas románicas. Muchas veces sin embargo hemos usado la k: ello ha dependido de las fuentes. Naturalmente que en los nombres geográficos los signos tienen el valor que en la ortografía oficial de los países, y así por ejemplo la ç en nombres brasileños (como en ciertas formas españolas del siglo XVII o XVIII) es una s sorda. La u detrás de g es muda ante e, i en las ortografías tradicionales españolas o portuguesas; en otro caso ha de pronunciarse. La c es igualmente s sorda ante e, i. Con la grafía l' indicamos a veces la ll. La j es una fricativa sonora en portugués, pero a veces denota la semivocal y (con las complicaciones de la fricación y rehilamiento en dialectos), lo cual habrá de tenerse en cuenta en el orden alfabético, sin que sea imposible que la forma aparezca escrita con ž, que es la representación fonética de esa fricativa sonora.

Acentos hemos escrito en la medida en que nuestras fuentes de estudio nos daban seguridad. La difusión del Tupí-Guaraní literario es responsable de acentuaciones agudas falsas muy difundidas, del tipo Aimará, Guarayú, etc.

En el orden alfabético no hemos tomado en cuenta los signos diacríticos ni los acentos que se hallan sobre consonantes o vocales.

Con las erratas de nuestras fuentes (y nuestras copias) hemos luchado lo mejor posible. Más de un nombre viene repitiéndose de un autor en otro que no es más que una errata. Algún día un mejor conocimiento de las lenguas de nuestra parte del Continente permitirá eliminarlas del todo.

## ÍNDICE DE LÁMINAS



## ÍNDICE DE MAPAS

## ÍNDICE GENERAL

# ADICIONES Y CORRECCIONES

3.1. Añadir a la bibliografía: Sundt 1917/8.

Pág. 53, añadir al final de la lín. 11: Swadesh, por otro lado, ha ensayado una amplia comparación, en la cual, Quechua y Aimara, con Guambía y Coconuco, estarían emparentados con el Maya y otras lenguas mesoamericanas, con el Yuto-Azteca y el Penutio de Norteamérica.

13.5. Añadir a la bibliografía: Hanke, W., Swadesh, M. & Rodrigues, A. 1958.

14.1. Añadir a la bibliografía: Hensel 1869.

14.2. Añadir a la bibliografía: Baldus 1958.

14.9. Añadir a la bibliografía: Paula Martins 1958.

17.6. Añadir a la bibliografía: Restrepo Tirado 1903.

19.5. Añadir a la bibliografía: Castellví 1942/3.

Pág. 171, lín. 18, añadir después de Cuaiquer: Ortiz considera al Pasto como el nombre antiguo del Cuaiquer.

Pág. 171, lín. 20, intercalar después de Muellamuese: (que en realidad, según Ortiz, es una jerga formada de Cuaiquer, Quechua y Español).

Pág. 171, lín. 27, añadir: También están sin probar las relaciones que se han supuesto entre el Malla y el grupo Maya.

21.2. Añadir en los lugares respectivos en la bibliografía: Anónimo 1612, 1618/22. Duquesne ms., Ugalde Ugarte ms.

Pág. 172, lín. 7, añadir después de independiente: Swadesh cree que estas lenguas, con el Quechua y Aimara, podrían relacionarse con un *phylum* Penutio extendido desde América del Norte, con eslabones intermedios como el Azteca y el Maya.

21.3. Añadir a la bibliografía: Ortiz 1954.

Pág. 176, lín. 19, añadir después de Yunga Mochica: Jijón y Caamaño se inclina a identificar al Panzaleo con el Paniquita y a suponer que se relaciona con la cultura arqueológica de San Agustín.

Pág. 204, lín. 17, añadir después de Bogotá: (reproduce Lugo 1619).

Pág. 204. Intercalar antes de Acuña, Luis Alberto: Acuña, Fray Diego de. *ca.* 1604. Arte de Chibcha. Vocabulario y Confesionario de la lengua Chibcha. Perdido.

Pág. 210. Intercalar antes de 1624: 1612. Vocabulario Mosco (ms. en la Biblioteca de Palacio de Madrid).

1618/22. Diccionario y gramática Chibcha (ms. de la Biblioteca Nac. de Bogotá).

Pág. 211. Intercalar antes de 1790: ídem, Gramática de la lengua Mosca (ms. en la Biblioteca de Palacio de Madrid).

Pág. 218. Intercalar entre líneas 1 y 2: s. f. Himnos y cánticos en los idiomas indígenas Choroti-Chunupí. Misión Chaqueña, Misión La Paz, Vía Tartagal (Salta).

Adiciones al índice en sus respectivos lugares en el orden alfabético: